Полина Дашкова

ПАКТ

Роман

Москва
Астрель

УДК 821.161.1-31
ББК 84(2Рос=Рус)6-44
Д21

Оформление обложки: *дизайн-студии «Графит»*

Художник *Андрей Ферез*

Дашкова, П. В.

Д21   Пакт : роман / Полина Дашкова. — М.: Астрель,
2012. — 574, [2] с.

ISBN 978-5-271-43488-4

Действие романа происходит накануне Второй мировой войны.
В Москве сотрудник «Особого сектора» при ЦК ВКП(б), спецреферент
по Германии Илья Крылов составляет информационные сводки для
Сталина. В Берлине журналистка Габриэль Дильс работает на советскую разведку. Никто не в силах остановить эпидемию массового безумия в СССР и в Третьем рейхе. Но все-таки можно попытаться спасти
жизнь хотя бы одного человека, пусть даже далекого и незнакомого.

УДК 821.161.1-31
ББК 84(2Рос=Рус)6-44

ГЛАВА ПЕРВАЯ

На Пресне прозвенел последний трамвай, потом где-то за оградой парка хриплый шальной тенор запел «Марусечку».

— Моя Марусечка, моя ты куколка, моя Марусечка, моя ты душенька, — пение прерывалось пьяным хохотом, визгом, затихало, звучало вновь.

— Моя Марусечка, а жить так хочется, я весь горю, тра-ля-ля, будь моей женой, — подхватил Крылов комическим басом.

Маша стянула зубами варежку, поправила выбившуюся из-под шапочки прядь, раскинула руки и, мягко оттолкнувшись, закрутилась на правой ноге, сначала медленно, потом быстрее. Лед приятно шуршал под коньком, мелькали фонари, деревья, рваное кружево веток. Крупные снежинки щекотно таяли на лице. Она впервые решилась крутить фуэте на коньках, и получалось неплохо, даже, пожалуй, хорошо, настолько хорошо, что она почти забыла о Крылове. Ей стало казаться, что она одна на пустом катке Краснопресненского парка под темным московским небом середины января 1937 года.

Крылов, продолжая петь, разогнался на своих новеньких норвежских гагах, описал круг, подлетел к Маше так резко, что едва не сшиб ее на лед, но удержал, обхватил руками, приподнял носом край шапочки над ухом и прошептал:

— Ну, Марусечка, ты будешь моей женой?

Она вздрогнула и подумала: «Только не ври себе, что не ждала и не хотела этого больше всего на свете».

— Двадцать восемь, — пробормотала она и слизнула с губ снежинки.

— Что?

В призрачном фонарном свете его узкие карие глаза казались совершенно черными, матовыми, без блеска.

— Двадцать восемь фуэте, — спокойно объяснила Маша. — Если бы не вы, получилось бы больше. Лепешинская крутит без остановки шестьдесят четыре.

— Стахановские рекорды в балете, — он усмехнулся.

«Пошутил, конечно, пошутил, — решила Маша, — всего лишь повторил слова глупой песенки».

— Я не шучу, — он стиснул ее, стал целовать мокрое от снега лицо, быстро, жадно, как голодная птица клюет зерно.

Голоса за оградой затихли. Между чернильными тучами мелькнул жемчужный лунный диск. Совсем близко проехал автомобиль, глухо зацокали копыта конной милиции.

— Ничего больше говорить не буду, ты сама чувствуешь, как я тебя... Нет, глупости, не нужно, слова только все портят.

Крылов был такой горячий, что Маше стало жарко. А потом опять зазнобило. С ним, правда, не требовалось никаких слов, он видел ее насквозь, читал ее мысли.

— Мне пора домой. — прошептала она. — У меня завтра в девять репетиция. Пустите.

— Поцелуемся на брудершафт, перейдем на «ты».

— Хорошо, я попробую. Ты... Нет, Илья Петрович, я пока не могу.

— Почему?

— Не знаю. Не могу, и все.

— А замуж за меня выйдешь?

Маша не успела ответить, он опять зажал ей рот долгим поцелуем.

— Грохнемся сейчас на лед, — пробормотала она, оторвавшись от его губ. — Вы так целуетесь, как будто...

— Что?

— Как будто специально учились.

— Учился, да, много тренировался, чтобы не оплошать, когда встречу тебя.

— Вы бабник?

— Еще какой! Разве не видно?

Она уже ни о чем не думала, не боялась упасть. В голове у нее упрямо звучали слова Карла Рихардовича: «Это неплохой вариант, Машенька, во всяком случае, надежный».

Карл Рихардович Штерн, сосед, старый мудрый доктор, отлично разбирался в людях, Крылова знал давно и еще месяц назад намекнул Маше, что таинственный Крылов положил на нее глаз.

Он приходил к Карлу Рихардовичу довольно часто, иногда они вместе отправлялись куда-то, иногда сидели долго в комнате старика. С Машей Крылов приветливо здоровался, встречаясь в коридоре. Однажды столкнулись рано утром на кухне. Крылов по-хозяйски заваривал чай и нарезал сыр у столика Карла Рихардовича.

— Маша, позавтракаете с нами? — спросил он и тут же поставил на поднос третий стакан в тяжелом подстаканнике.

Никого, кроме них троих, в квартире не было. Отец Маши уехал в очередную командировку в Сибирь, на строительство авиационного завода. Мама дежурила сутки в больнице. Младший брат Вася ушел в школу, не забыв слопать все, что оставалось в буфете.

— Спасибо, я обычно завтракаю в театре, — сказала Маша.

— Да, я знаю, вас там неплохо кормят, — кивнул Крылов. — Но сегодня можно сделать исключение.

Он почти не смотрел на нее, когда разговаривал, но тут вдруг взглянул прямо в глаза. Под его взглядом Маше почему-то захотелось плакать. Именно тогда, за чинным завтраком в комнате Карла Рихардовича, она поняла: таинственный Крылов испытывает к ней вполне нормальные мужские чувства. Это ошеломило и напугало ее.

Его военная выправка бросалась в глаза так же, как ее балетная осанка и походка. Но в форме она его никогда не видела. Пальто или плащ, пиджак, изредка джемпер. Никаких галифе, гимнастерок, сапог и портупей.

Однажды она решилась спросить Карла Рихардовича, где служит Крылов. Старик выразительно поднял глаза к потолку, потом отрицательно помотал головой и слегка улыбнулся.

Не сказав ни слова, доктор Штерн умудрился кое-что объяснить: таинственный Крылов занимает высокую, сверхсекретную должность, но не в органах. Нет, не в органах.

Она облегченно вздохнула. Если бы он там служил, она ни за что не пошла бы с ним ночью на каток.

— Видишь ли, у меня очень мало свободного времени, его практически совсем нет. Играть в так называемые брачные игры мне некогда, к тому же я не лось и не павлин. Единственная возможность познакомиться со мной поближе — выйти замуж за меня.

Они подъехали к скамейке у ограды, Маша села, вытянула ноги, смотрела на Крылова снизу вверх и думала: «В сущности, совершенно чужой человек, но меня к нему тянет очень сильно. Никогда ни к кому так не тянуло. От двадцати восьми фуэте голова не закружилась, а теперь все плывет. Вдруг у него это минутный порыв, утром одумается, захочет взять свои слова обратно?»

Крылов опустился на корточки, заглянул под скамейку и тихо присвистнул:

— Вот здорово! Сперли!

— Что?

— Обувку нашу сперли.

— Ой, мамочки, новые ботинки, теплые, удобные, а других-то нет, — всполошилась Маша. — Как же теперь быть? Ночь, трамваи уже не ходят.

— Придется ковылять на коньках.

— До Мещанской далеко ужасно, я могу упасть, ногу подвернуть.

— Буду держать тебя крепко, со мной не упадешь, не бойся. Доберемся.

Его бодрый голос и улыбка сразу успокоили Машу. «Что я хнычу? Конечно, доберемся!»

Она загадала: если в ближайшие полчаса еще раз поцелует, значит, все серьезно и это ее судьба.

Ворота парка были заперты. Коньки пришлось снять, кинуть наружу через прутья ограды. Крылов перелез первым, стоя на снегу в носках, поймал Машу на руки, прежде чем опустить на землю, поцеловал в губы таким долгим, замысловатым поцелуем, что Маша почти лишилась сознания, провалилась на несколько мгновений в жаркий пульсирующий мрак, а когда открыла глаза, мир вокруг стал другим, совершенно незнакомым.

По тротуару, покрытому коркой льда, передвигаться на коньках было вовсе не сложно. Маша казалась себе удивительно легкой, невесомой, почти прозрачной. Хотелось сохранить, не растерять это новое ощущение, принести завтра в репетиционный зал и танцевать так, как никогда еще не танцевала.

Улицы были пустынны, спокойны. Маша с веселым удивлением заметила, что почти забыла о новых ботинках, а ведь раньше из-за такой ерунды могла бы рыдать сутки. Папе удалось достать через распределитель отличные импортные ботиночки, мягкие, на каучуковой танкетке, на цигейковой подкладке. Теперь вот нет ботиночек, и в чем ходить остаток зимы, неизвестно.

На площади у витрины большого универмага стояла молчаливая толпа, клубился пар, люди были в тулупах, в валенках, некоторые в ватных одеялах. Они приезжали из провинции, занимали очереди с вечера, писали чернильным карандашом номера на ладонях.

Маше стало жаль их. Что у них в головах? Отрезы ситца, пальтовый драп, будильники, галоши, кальсоны, фуфайки. Не понимают, как прекрасна и загадочна жизнь, тонут в своих обыденных серых заботах. Бедные, неуклюжие, некрасивые люди. И тут же мелькнула злая мыслишка: «Может, именно эти, из очереди, и сперли нашу обувку?»

У магазина обычно дежурила малая часть. Остальные прятались по дворам, грелись в подъездах. Как только открывался магазин, толпа валила, лезла по головам. Люди дрались, давили друг друга, калечили, иногда затаптывали насмерть. Маша знала, в этих очередях томятся не только честные труженики. Барыг и жуликов полно. Папа говорил, что у человека, который честно работает, нет ни сил, ни времени стоять в очередях ночами. Правда, ведь невозможно представить в такой очереди папу, маму, Карла Рихардовича или вот Крылова.

Маша взглянула на него, почувствовала сквозь варежку тепло и надежность его руки. Ей стало стыдно. О чем она думает? Какие-то совсем ничтожные, бабьи мыслишки лезут в голову, портят эту сказочную ночь, может, самую счастливую в ее жизни.

Очередь вдруг заволновалась, рассыпалась, люди побежали. Совсем близко послышался цокот копыт. Через минуту у витрины не осталось ни души. По площади медленно прогарцевали три конных милиционера.

«Ага, значит, опять вышел указ бороться с очередями, — догадалась Маша. — Ну и правильно. Они все сметают в московских магазинах, потом спекулируют, жулье несчастное. Вот из-за таких бездельников и получается дефицит».

И снова зашуршали мыслишки о ботинках, следом, как тараканы, полезли другие, совсем уж мерзкие: о комсомольском собрании в театре, на котором... Нет, вот об этом вовсе не стоило думать.

У Маши имелось старое проверенное лекарство от гадких мыслей и дурных снов. Короткие стихи, три-четыре строчки. Она никогда их не записывала, никому не читала. Собственно, стихами это назвать нельзя было, она их даже не сочиняла, они сами выпрыгивали непонятно откуда.

> Ах, как хочется жить понарошку,
> чтоб тебя, беззащитную крошку,
> кто-то за руку вел в темноте.

Маше захотелось повторить это вслух, но к «темноте» не нашлось рифмы и стишок получился совсем хилый, как неоперившийся птенец.

Крылов окликнул милиционеров, они остановились, нехотя развернули лошадей. Маша осталась стоять, Крылов приблизился к первому всаднику, о чем-то поговорил с ним. Милиционер почтительно козырнул.

Маша с детства мечтала проехать верхом по ночной Москве и не поверила такому счастью. Крылов подсадил ее. Она, стараясь не поранить бока лошади коньками, обхватила широкую, в овчинном тулупе, милицейскую спину. Крылов взобрался на другую лошадь. Маша поглядывала на него, впервые про себя вдруг назвала его по имени: Илья, Илюша — и тут же решила, что теперь сумеет перейти с ним на «ты».

Пахло снегом, овчиной, лошадью, мимо плыли, покачивались в ритме легкой рысцы знакомые улицы, дома с темными окнами. Люди спали и представить не могли, как прекрасна эта ночь. «Вот теперь я точно знаю, что он любит меня, потому что я его люблю, — думала Маша. — И как это раньше я жила без него? Конечно, мы поженимся, иначе я просто умру».

До Мещанской доехали быстро, слишком быстро. Милиционеры козырнули на прощание.

Возле подъезда стоял небольшой крытый грузовик. Маша застыла, рубашка под свитером мгновенно стала мокрой, и все внутри задрожало. Во двор выходили два окна их комнаты на четвертом этаже. Она зажмурилась, прежде чем открыть глаза, досчитала до десяти.

— Нет, не к вам, не бойся, — прошептал Крылов.

Светились два окна на пятом.

— Не к нам, — эхом отозвалась Маша, — к Ведерниковым.

Илья мягко потянул ее в сторону, к заснеженным кустам у забора. Там было совсем темно. Маша без слов поняла: лучше пока не входить в подъезд, переждать, когда выведут и увезут.

— Ты их знаешь? — спросил Илья.

— Конечно. Петр Яковлевич, инженер-транспортник, Наталья Игоревна, в издательстве «Детгиз» редактор, Соня на втором курсе в Политехническом. Там еще бабушка Лидия Тихоновна, больная, парализованная, — быстро, на одном дыхании, прошептала Маша. — И добавила чуть слышно: — За что?

— Никогда не задавай этого вопроса, — Илья обнял ее, сжал так сильно, что Маша чуть не задохнулась. — Никому, даже самой себе, не задавай этого вопроса.

— Почему?

— Потому! Все, молчи.

Заурчал мотор «воронка», мужской голос вполне мирно, сонно произнес:

— Давай, давай, не задерживайся.

В тусклом свете фонаря над подъездом Маша разглядела несколько силуэтов, узнала сутулую грузную фигуру верхнего соседа Петра Яковлевича. Он остановился, повернулся. Лицо казалось размытым белым пятном, очки блеснули, рот открылся. Его подтолкнули к машине. Он неловко взобрался в кузов. И тут двор пронзил жуткий крик:

10

— Папа! — Из подъезда выскочила Соня, растрепанная, в халате поверх ночной рубашки, в тапках, бросилась по снегу к кузову.

— Не дергайся! — прошептал Маше на ухо Крылов.

— Отпустите папу, пожалуйста! Он ответственный работник, коммунист! За что? Отпустите! Папочка!

Никто не обратил на Соню внимания, словно она была бесплотной тенью. Два темных силуэта запрыгнули в грузовик вслед за Петром Яковлевичем, один забрался в кабину, хлопнул дверцей. Свет фар осветил сугробы, деревянную горку в глубине двора, мертвые черные окна соседних домов. Мотор взревел, «ворон» выехал на Мещанскую.

Соня Ведерникова стояла у подъезда, не шевелилась. Ветер трепал полы байкового халата. Маша попыталась высвободиться из рук Крылова, но он не пустил.

— Надо проводить ее домой! — упрямо забормотала Маша. — Она замерзнет, простудится.

— Не подходи к ней.

Соня сгорбилась, стала такой же сутулой, как ее папа, медленно развернулась, открыла дверь, исчезла в подъезде.

— И не вздумай подниматься к ним, — шептал Маше на ухо Крылов.

— В прошлое воскресенье был день рождения бабушки, Лидии Тихоновны, я заходила поздравить, мы вместе пили чай, они хорошие, честные люди. Петр Яковлевич воевал в гражданскую, Лидия Тихоновна большевичка с дореволюционным стажем, Ленина знала еще в эмиграции, Наталья Игоревна секретарь парткома, Соня общественница, активная комсомолка...

Крылов прервал Машино бормотание очередным поцелуем, потом взял ее под локоть, они на своих коньках заковыляли к подъезду.

Маша отчетливо вспомнила воскресное чаепитие у Ведерниковых. Бабушку усадили в кресло, как раз под портретом Сталина. На столе сушки, конфеты «Герои полюса», жидкий чай в стаканах. Маша принесла подарок старухе, патефонную пластинку с «Лунной сонатой», но все не могла вручить. Семья молча застыла за столом. По радио передавали доклад товарища Кагановича. Только когда доклад кончился и заиграла музыка, стали пить чай, грызть сушки. Маша поздравила старуху, чмокнула в сморщенную мягкую щеку, и в голове вдруг запрыгал нежданный, незваный стишок:

> Вот они едят и пьют,
> а потом их всех убьют.

Он выскочил как черт из табакерки, и Маша тогда ужасно разозлилась на себя. Теперь стало совсем страшно, получалось, она своим дурацким стишком как будто накликала беду.

— Ты поняла меня? — спросил Илья, когда поднялись наконец на четвертый этаж. — Ты не знаешь и никогда не знала этих Ведерниковых.

Голос Крылова показался чужим, наждачно жестким. Маша звякнула ключами, нарочно громко, чтобы не слышать его слов, но, конечно, услышала и подумала: «Ужасные слова, жестокие, несправедливые. Как он может?»

Стоило открыть дверь квартиры, сразу стало легко, спокойно. Уютная сонная тишина, родные запахи. От маминого пальто пахло «Красной Москвой», из кладовки тянуло нафталином, из кухни эвкалиптом и чабрецом. Карл Рихардович каждый вечер заваривал травяные чаи. Из ванной комнаты доносился чудесный аромат туалетного мыла «Мимоза». Папа получил в распределителе три куска. Этот новый качественный сорт мыла оценивали члены Политбюро в полном составе, нюхали, обсуждали ингредиенты. На съезде стахановцев товарищ Микоян говорил в своем выступлении, что для товарища Сталина нет мелочей. Товарищ Сталин должен знать, что едят, во что одеваются, чем мылятся трудящиеся массы. Папа был делегатом и вот удостоился, получил, кроме продуктов, ботинок, шерстяного отреза, еще и мыло, понюханное товарищем Сталиным лично. Вряд ли стали бы папу так щедро одаривать, если бы в чем-то подозревали и собирались арестовать.

«Почему мне это сразу в голову не пришло?» — сонно подумала Маша.

Илья остался ночевать у Карла Рихардовича. Они с Машей поцеловались в коридоре, пожелали друг другу спокойной ночи. Маша быстро умылась, почистила зубы, прошмыгнула к себе.

Семья занимала одну большую комнату, разделенную на две фанерной перегородкой. Маша поцеловала спящих родителей. Папа похрапывал, не проснулся. Мама, не открывая глаз, пробормотала:

— Так поздно... Мы волновались.

Мгновенно возник в голове очередной стишок:

> Проезжай своей дорогой,
> «ворон», лютая беда,
> маму с папой ты не трогай,
> черный «ворон», никогда.

Брат в темноте сел на кровати, громко произнес:

— Машка!

— Тихо, тихо, спи.

— Сплю! — Вася улегся, завертелся, заскрипел пружинами.

В окно смотрела ослепительная ледяная луна. Маша залезла под одеяло, подумала, что Петра Яковлевича обязательно отпустят, разберутся и отпустят, он вернется домой, и опять семейство Ведерниковых будет пить чай с карамелью под портретом Сталина. Она перевернулась на другой бок и стала думать об Илье, вспоминать каждое его слово, дыхание, шепот, поцелуи, иней на ветках, шорох коньков, свои двадцать восемь фуэте на льду.

— Спокойной ночи, — пробормотала она сквозь долгий зевок, обращаясь к луне. — Он очень сильно меня любит, потому что я его люблю, как никто никого никогда на свете.

* * *

Карл Рихардович ничуть не удивился, обнаружив утром за ширмой на диване спящего Илью. Диван был короток, Илья спал, неудобно поджав ноги, одетый, в брюках и в джемпере. Под головой сплющеная, как блин, подушка-думка. Доктор тронул его плечо:

— Илья, десятый час, вставай.

Крылов мгновенно открыл глаза, сел.

— А? Доброе утро. Удивительно сладко тут у вас спится, доктор, — он пружинисто спрыгнул на пол, стянул через голову джемпер вместе с рубашкой, остался в голубой майке.

Невысокий, крепкий, широкоплечий, он излучал живое здоровое тепло, спокойную уверенность. Лицо с правильными чертами, большим лбом, твердой линией рта имело удивительную особенность. Его можно было видеть каждый день и не узнать, случайно встретив в толпе. Лицо Крылова мгновенно ускользало из памяти, смывалось бесследно, как рисунок на песке. Небольшие карие глаза под темными широкими бровями смотрели открыто, доброжелательно, глядя в них, невозможно было заподозрить какую-то заднюю мысль, подвох, ложь.

Доктор давно догадался, в чем секрет. В психологии есть такое понятие — эмпатия. На бытовом уровне — это способность к сопереживанию. Обычный человек сочувствует другому, если тому плохо, больно. Но настоящая эмпатия предполагает вовсе не сочувствие, а глубокое, бесстрастное проникновение в чужую душу. Илья был гением эмпатии, он мог полностью переключаться на собеседника, растворяться в нем, думать, как он, дышать в унисон, мягко, незаметно повторять характерные жесты, мимику, обороты речи.

«Зеркалить» собеседника — древний психологический трюк, известный гадалкам и шпионам. Для этого достаточно обладать наблюдательностью и средними актерскими способностями. Илья никогда не «зеркалил» нарочно. Он проникал в чужую душу и считывал чужое «я», не только реальное, но и иллюзорное, без грехов, ошибок, недостатков. Попадая в поле эмпатии, собеседник Ильи видел себя-мечту, это ослепляло, притупляло бдительность, действовало почти наркотически.

Загадочный механизм эмпатии включался, лишь когда Илья имел дело с опасными, неприятными ему людьми. Защитная реакция, особая форма мимикрии. Если бы Илья не умел так виртузно мимикрировать, его бы давно уничтожили. Но если бы механизм работал постоянно, Илья умер бы от отравления чужими, чуждыми чувствами и мыслями. Чтобы выжить, сохранить собственную личность, нужно иногда расслабляться.

Илья мог расслабиться и стать собой только с теми, кому доверял, а таких людей было крайне мало. Мать, Настасья Федоровна, простая полуграмотная женщина. Доктор Штерн. Теперь, наверное, Маша, и все.

— Позавтракать успеешь? Или сразу бегом на службу? — спросил Карл Рихардович.

Илья сделал несколько наклонов вперед, назад.

— Гимнастика, душ, завтрак — все успею. Я, видите ли, неделю ночами не спал, работал, честно заслужил право поспать утром подольше. Сегодня мне дозволено явиться к половине двенадцатого. Времени полно, только вам придется одолжить мне какую-нибудь обувку, нашу сперли, пока мы катались, — он открыл пошире форточку, крякнул, упал животом на коврик, принялся отжиматься.

Карл Рихардович отправился в ванную. В квартире было тихо. Соседи давно ушли. Взрослые на работу, Вася в школу, Маша в театр. Ему стало жаль, что он не увидел девочку с утра. Хотелось бы угадать по ее лицу, до чего они там, на катке, договорились ночью с Ильей. Доктор не сомневался, что поступил правильно, когда... как бы это помягче выразиться? Немного поспособствовал тому, чтобы их отношения развивались стремительнее.

Илья в свои тридцать лет перебивался случайными барышнями. Такие приключения, конечно, разогревали молодое мужское тело, но душу морозили. Илье не везло. Барышни, с которыми его сталкивала судьба, были вырезаны по единому трафарету. Комсомолки с повадками советских киногероинь, звонкоголосые жеманные куклы, вдохновенные стукачки. Гремучая смесь советской идеологии с бабьей глупостью.

Маша — совсем другое дело. Доктор был убежден: Илье нужна настоящая, живая любовь, иначе заледенеет, погибнет. А Маше нужна защита, иначе сожрут ее, такую красивую, чистую девочку. Девятнадцать лет, кордебалет Большого театра. Сколько клубится возле юных балеринок похотливой мрази — чекистской, цекистской, наркомовской — представить жутко. Вряд ли посмеют приблизиться к жене товарища Крылова.

«Эй, ты, старый сводник, не рано ли поженил их?» — спросил себя доктор и тут же самому себе ответил: «Ничего не рано, куда они друг от друга денутся?»

Закрыв дверь на крючок, Карл Рихардович подкрутил огонек газовой горелки, приблизил лицо к зеркалу над раковиной. Губы еще улыбались, глаза щурились, но улыбка все больше походила на мучительную гримасу. Из зеркала смотрел на доктора чужой жалкий старикашка. Щеки за ночь заросли седой щетиной, веки покраснели, припухли. Кустистые пегие брови встали дыбом. Лысый череп глянцево поблескивал. Глаза, колючие, злые, отвратительного зеленоватого оттенка, излучали внимательную ненависть.

— Сегодня четверг, лабораторный день, — ехидно напомнил уродец в зеркале.

Карл Рихардович не счел нужным отвечать. Отвернуться от зеркала не хватало сил, шея как будто окоченела, и стало холодно в натопленной ванной комнате, в теплой байковой пижаме.

— Мерзнешь? Правильно. Ты труп, тебя нет, — сказал уродец. — Твое сердце давно разорвалось, сосуды полопались от ужаса.

— Врешь, я жив! — тихо огрызнулся доктор.

Уродец в зеркале отрицательно помотал головой. Доктор Штерн мог поклясться, что сам он при этом оставался неподвижным, как деревяшка, мышцы шеи по-прежнему не слушались.

— Невозможно жить после того, что ты натворил, — медленно прошипел уродец.

— Что я натворил? Что? Я врач, я выполнял свой долг, я не мог предвидеть...

— Ты обязан был предвидеть! Ты плохой врач, тобой двигал не долг, а снобизм. Лень, самонадеянность и снобизм.

— Прекрати! Прошло почти двадцать лет!

— Вот именно, почти двадцать лет, и все это время ты упорно продолжал считать себя врачом. Какой же ты врач, если не способен поставить самый простой и очевидный диагноз, констатировать собственную смерть? — уродец тихо, радостно захихикал.

— А, вот тут ты и попался! — Карл Рихардович ткнул пальцем в зеркало. — Если я мертв, я никак не сумею констатировать собственную смерть. Мертвые не знают, что мертвы. Смерть существует только для живых.

В зеркале отразилась рука с вытянутым указательным пальцем. Уродец дернул головой, стряхивая отражение, и рука доктора безвольно упала. Отражение заговорило чужим голосом, солидным баритоном, с легкой одышкой. Оно явно пародировало кого-то, но доктор не мог понять, кого именно.

— Ваше упорство в этом вопросе, дорогой коллега, полностью опровергает вашу собственную теорию, что большинство соматических заболеваний возникают от подавляемого чувства вины, от подсознательного стремления к самонаказанию и саморазрушению, — отражение оскалилось, между крупными желтыми зубами показался острый кончик языка. — Вы мертвец, доктор Штерн, согласно вашей же теории, вы бездыханный труп.

— Но я жив, — устало возразил доктор.

— Мертвые не знают, что мертвы, — повторило отражение, на этот раз пародируя доктора, и продолжило уже своим собственным скрипучим фальцетом: — Не смеши меня. Живой человек не способен заниматься тем, чем занимаешься ты в спецлаборатории при двенадцатом отделе. Ты давно уже переселился в преисподнюю, но не хочешь признавать этого.

Старикашка в зеркале едва заметно шевелил сухими синеватыми губами, говорил по-немецки, повторял одно и то же.

Всякий раз, глядя в зеркало, Карл Рихардович старался не вступать в диалог. Когда это началось, он пробовал убедить себя, что гнусная рожа всего лишь отражение. Но оно двигалось как нечто отдельное, и, значит, следовало признать его галлюцинацией. В конце концов многие психиатры страдают психическими отклонениями, особенно к старости.

В его комнате не было зеркал. Если где-нибудь — в гардеробе, вестибюле, фойе театра — висели зеркала, он отворачивался, быстро проходил мимо. Парикмахерскую не посещал, сам скоблил щеки безопасной бритвой, а волос на голове давно уж не осталось. Таким образом удалось сократить жизненное пространство злобного уродца до небольшого овального зеркала над раковиной в ванной комнате. Карл Рихардович надеялся, что старикашка когда-нибудь оставит его в покое.

— Эльза и дети так верили тебе, а ты обманул и погубил их, — уродец перешел к своей излюбленной теме.

Каждый раз после этой фразы гнусная рожа исчезала, пустое зеркало голубело, наполнялось мягким светом июньского солнца. В голубом светящемся овале возникал самолет, он набирал высоту, уменьшался, пропадал из виду. Некоторое время овал оставался пустым, затем следовал взрыв жуткой сердечной боли, после чего в зеркале опять возникал старикашка.

Сердечная боль была такой мощной, что Карл Рихардович надеялся в одно прекрасное утро тихо скончаться от инфаркта.

— Я не переселился в преисподнюю, я просто там работаю. У меня нет выбора, но есть возможность хоть немного облегчить человеческие страдания. В некоторых случаях мне это удается.

Доктору казалось, что он рассуждает вполне здраво и убедительно. Уродец глумливо посмеивался:

— Облегчить страдания? Да ты просто ангел милосердный!

— Заткнись! — крикнул доктор шепотом, по-русски.

Он оторвал наконец глаза от зеркала. Его колотила дрожь, он снял пижаму, осторожно, стараясь не поскользнуться, перелез через борт ванной, включил воду. Под горячим душем стало легче. Диалог продолжался, уже беззвучно.

— Да, я почти мертвец, и жить мне, в общем, незачем. Но решать это не мне. Господь давно освободил бы меня от старого ненужного тела, если бы не оставалось у меня шанса что-то изменить, исправить, как говорят индусы, развязать узлы. Сколько раз я мог умереть? Давай посчитаем, — доктор бросил намыленную мочалку и принялся загибать пальцы. — Вот, пять раз, — он разжал кулак и потряс перед собственным лицом растопыренной пятерней. — Не многовато ли для скромного психиатра?

— Ты уцелел потому, что мертвого убить невозможно.

— Ладно, допустим, ты прав. Что дальше?

— Ничего.

Диалог на этом закончился. Ванную комнату заволокло паром. Доктору стало казаться, что он попал в плотные облака над Альпами. У него закружилась голова, подкосились ноги. Опираясь на борт ванной, он опустился на твердое эмалированное дно, обхватил колени, сидел под горячим душем и бормотал: «Эльза, Макс, Отто... Отто, Макс, Эльза...»

Он повторял имена жены и сыновей до тех пор, пока не успокоился и не почувствовал их живое присутствие. Иногда после приступа тоски и сердечной боли ему удавалось воссоздать в памяти какую-нибудь яркую картинку из прошлого.

На этот раз он вспомнил, как они с Эльзой вернулись из оперы, зашли на цыпочках в детскую. Старший, Отто, спокойно спал, а кровать Макса оказалось пуста. Они разбудили горничную, бегали, кричали, хотели звонить в полицию. Но тут Макс с обиженным ревом вылез из платяного шкафа. Он прятался там от плохого сна. Ему приснилось, что он летит на маленьком «юнкерсе», вокруг пушистые облака, сначала очень красиво, но вдруг самолетик ломается и падает.

Какой это был год? В восемнадцатом доктор Штерн вернулся с войны и женился на Эльзе. В девятнадцатом родился Отто, в двадцать четвертом Макс. Значит, история со шкафом случилась в двадцать девятом. Максу исполнилось пять. Одним из подарков на день рождения был игрушечный «юнкерс». Макс не расставался с ним ни на минуту, жужжал и рычал, изображая звук мотора. Когда игрушка сломалась, было настоящее горе. Купили новый самолетик, но Макс все не мог успокоиться. Ему постоянно снилось, будто он падает в сломанном «юнкерсе» с огромной высоты. Он бережно хранил обломки игрушки, много раз пытался собрать, склеить, но не получалось.

«Макс, Отто, Эльза», — повторил доктор, и губы его растянулись в спокойной, почти счастливой улыбке. Зеркало не могло ее изуродовать, оно покрылось испариной.

Карл Рихардович вернулся в комнату, вручил Илье чистое полотенце и отправился на кухню готовить завтрак.

* * *

Илья заехал к себе на Грановского, переоделся, сварил крепкий кофе. Оставалось еще двадцать минут, он отправился с чашкой в кабинет, приоткрыл окно, выкурил папиросу.

За прошедшую неделю он почти не появлялся дома, заезжал поспать часа три-четыре и возвращался на службу. Он трудился не поднимая головы. Теперь работа была выполнена. Ночь на катке с Машей стала чем-то вроде премии, которую он решил вручить себе. Он не ожидал, что сделает Маше предложение, как-то само вырвалось. А все же, если так приспичило жениться, было бы разумнее остановить свой выбор на какой-нибудь комсомольской кукле. Ее не жалко, к ней не привяжешься, не захочешь, чтобы она родила тебе ребенка. Жена и дети — заложники, имея семью, ты становишься слабеньким, уязвимым. Но жить с куклой, которая в любой момент может настучать, — совсем тошно. Значит, надо оставаться в одиночестве.

«Нет, один я больше не могу, — думал Илья. — Обязательно должен быть кто-то рядом, кто-то свой, чужих и так полно, и самое скверное, что я слишком ясно вижу их внутренние миры. Я как будто перевоплощаюсь в них, в чужих. Доктор называет это даром эмпатии. Для чего мне такой дар? Доктор говорит: чтобы выжить среди кукол. А зачем выживать среди кукол?.. Маша, Машенька, чудесная девочка, я, конечно, люблю ее. Почему «конечно»? Просто люблю, и все. Почему я даже мысленно не решаюсь произнести это слово? Потому что страшно заглянуть в себя, там внутри огромная зияющая рана, яма, свалка чужих вонючих химер, мстительных замыслов, страхов, пошлости и мерзости. Любить кого-то здесь и сейчас — полнейшее безумие».

В кабинете между двумя окнами висела небольшая акварель под стеклом в простой деревянной раме. Поясной портрет темноволосой девушки в сером шелковом платье, перетянутом по талии широким бархатным кушаком. Большие голубые глаза печально и ласково наблюдали за передвижениями Ильи по комнате. Приходящая домработница Степа однажды заметила: «Прямо как живая эта барышня у вас, в душу глядит своими глазищами». Скоро внимательная Степа непременно скажет: «А супруга-то ваша на барышню эту похожа, одно лицо, будто с нее рисовали».

Ничего, кроме портрета, на стенах квартиры не висело. Квартира была казенная, безликая, но вполне удобная, главное, отдельная. Из двух больших комнат одна служила кабинетом и спальней, вторая гостиной. Там у окна в большом глиняном горшке росло живое лимонное деревце, сорт «мейер», маленький, холодостойкий. Деревце цвело и давало крошечные, с грецкий орех, плоды. Илья иногда дарил душистые лимончики стенографисткам и машинисткам.

Он отхлебнул кофе, уставился в глаза девушки на портрете.

Портрет был третьим окном, за ним открывалось его личное пространство, тайное убежище. Он мысленно дорисовывал то, что не запечатлел художник. Прозрачные завитки у висков, темную маленькую родинку на скуле. Особенно ясно он видел ее руки, каждую жилку на тонких кистях, сильные, гибкие пальцы пианистки с коротко остриженными ногтями. Иногда ему снился ее запах. Во сне он не мог надышаться и каждый раз повторялся один сюжет. Прорыв сквозь тяжелые слои воды, вверх, к воздуху, к свету, а потом опять погружение на темное, зловонное дно.

На обратной стороне акварели стояла дата: август 1914. Автор не счел нужным оставить подпись, он вовсе не претендовал на звание художника, он был военным врачом. Портрет жены, написанный теплым ранним вечером на даче в Комарово, оказался последним его рисунком. Вскоре он ушел на фронт и погиб. Жена пережила его на пять лет, умерла в девятнадцатом от тифа. Их сыну тогда было двенадцать. Звали его Илья. Он тоже болел тифом, но выжил. Сироту приютила кухарка Настасья Крылова, из Петрограда переехала с ним в Москву, устроилась работать в столовую при Наркомпросе, получила комнату в коммуналке на Пресне.

У Настасьи ни мужа, ни детей не было. Крупная, с грубым лицом, широкими мужскими плечами и пудовыми кулачищами, она материлась и пила водку, как мужик. Илью записала собственным своим сыном, строго-настрого запретила рассказывать в школе и дома, что он приемный. Илья не возражал. Настасья возражений не терпела, замахивалась своей ручищей, гудела басом: «Молчи, щенок, зашибу!» Ни разу не ударила, но грозила часто.

Назвать ее мамой он не мог, говорил «мамаша». Отцовский рисунок, портрет его настоящей матери, Илье удалось сохранить чудом, и только недавно он решился повесить его на стену. Изредка, когда бывало совсем тяжело, он позволял произнести про себя, даже не шевеля губами, тайное, незабываемое слово «мама».

Годам к пятнадцати Илья понял, насколько разумнее и выгоднее быть кухаркиным сыном, чем сыном царского офицера, пусть и врача, пусть и погибшего до революции. Настасья была права, когда говорила: «На хрена тебе, сынок, белогвардейское происхождение?»

Кухаркин сын Илья Крылов легко поступил в МГУ, на отделение внешних сношений факультета общественных наук, выучил немецкий, французский, английский, потом его приняли в Институт красной профессуры, оттуда он попал на работу в Институт марксизма-ленинизма. Карьера выстраивалась блестящая. Вот уже четвертый год Илья Петрович Крылов служил в Особом секторе ЦК, то есть в

23

личном секретариате Сталина. Должность его называлась скромно и загадочно: спецреферент. Непосредственным его начальником был товарищ Поскребышев.

Основным занятием Ильи являлся анализ информации, касающейся нацистской Германии и ее отношений с другими европейскими странами. Донесения и сводки, поступающие по линии НКВД и ГРУ, зарубежная пресса, отчеты о переговорах, доклады послов и атташе, перехваченная дипломатическая переписка — все ложилось к нему на стол, иногда до того, как попадало к Сталину, иногда после, с пометками и указаниями Сталина.

В штате Особого сектора ЦК таких спецреферентов было всего двенадцать. Каждый занимался своей сферой: промышленность, сельское хозяйство, финансы, советский аппарат, партийный аппарат, письма трудящихся. К ним стекалась информация из наркоматов, они готовили сводки, отчеты, сопроводительные записки, доклады, подбирали материалы для заседаний Политбюро, для выступлений товарища Сталина на пленумах и съездах. Двенадцать спецреферентов, в отличие от просто референтов и технических секретарей, почти не общались друг с другом, никогда не дежурили в приемной, не делали записей в журналах посещений. Каждый имел собственный кабинет. Мало кто знал их в лицо. Они вели замкнутую, тихую жизнь канцелярских крыс и строго придерживались закона «Трех «У»: Угадать, Угодить, Уцелеть.

К февралю 1934-го, когда Илья попал в Особый сектор, там остались лишь те, кто в совершенстве овладел искусством канатоходца, балансируя на тончайшей черте меж двух реальностей — настоящей и сталинской. Для этого нужно было ясно видеть обе, понимать разницу, чувствовать, где кончается одна и начинается другая, и стараться удержать равновесие на границе между ними.

За всю историю существования сектора в настоящую реальность решились уйти двое. Первый, Борис Божанов, личный сталинский секретарь, сбежал в 1929-м за границу и вроде бы уцелел.

Второй, Сергей Телинский, спецреферент по сельскому хозяйству, умер от острой сердечной недостаточности в 1932-м. Илья не застал ни того ни другого. О Божанове почти ничего не знал, о Телинском кое-что слышал. Телинскому было двадцать девять лет. Он боготворил товарища Сталина, считал, что враги скрывают от него правду, и пытался через свои сводки раскрыть глаза товарищу Сталину, показать реальную картину чудовищного голода, разразившегося в результате коллективизации.

Фатальной ошибкой Телинского стало вовсе не количество ужасов, перечисляемых в сводках. Товарищ Сталин отлично знал, что миллионы крестьян пухнут от голода, едят трупы. Ошибка заключалась в личном ужасе. Сергей позволил себе испугаться и пожалеть умирающих крестьянских детей. Между строками сводок засквозили собственные человеческие эмоции Телинского. Хозяин это унюхал мгновенно, он обладал особенным, звериным нюхом на душевные переживания, из коих самым омерзительным и опасным считал жалость.

Действительно ли молодое здоровое сердце разорвалось от жалости к крестьянским детям, или причиной смерти явились бутерброды и чай, принесенные ему ночью из буфета, никто никогда не узнает. Тело кремировали на следующий день. Своеобразным памятником жалостливому спецреференту Телинскому стал закон от 7 августа 1932-го, придуманный самим Хозяином и названный в народе «законом о пяти колосках». По этому закону колхозное имущество, включая каждый неубранный колосок в поле, приравнивалось к государственному, хищение каралось минимум десятью годами, а чаще смертной казнью.

Работа в Особом секторе могла стать трамплином для еще более успешной карьеры в том случае, если работник готов был нырнуть в сталинскую реальность и остаться там навсегда. Это означало абсолютное растворение в мутной бездонной субстанции, именуемой Сталин.

Определить ее химический состав вряд ли возможно. Существовало множество словесных формул: Великий Вождь советского народа, Великий стратег революции, Величайший Гений всех времен и народов, Отец, Друг, Учитель, Хозяин, Инстанция, но все они только добавляли тумана.

Растворившись в Сталине, человек переставал существовать как самостоятельная отдельная личность. Закон «Трех «У» отпадал сам собой. Растворившийся угадывал и угождал без всяких усилий, это для него было естественно, как обмен веществ, а уцелеть он не мог, поскольку растворялся без остатка. Он искренне верил, что рябой низколобый сын горийского сапожника, семинарист-недоучка Иосиф Джугашвили на самом деле Великий Сталин, родившийся не 6 декабря 1878-го, а 21 декабря 1879-го, Хозяин, Вождь, Отец. Без товарища Сталина, как без солнца, воды и воздуха, жизнь на земле невозможна.

В близком окружении Инстанции таких, полностью растворенных, было немного. Молотов, Каганович, Ворошилов. Из Особого сектора в сталинскую реальность прыгнули двое: Георгий Маленков и Николай Ежов. Все прочие балансировали, угадывали, угождали, пытались уцелеть, каждый в меру своих способностей.

О том, что Хозяин в 1922-м изменил дату собственного рождения, Илья узнал случайно, от товарища Товстухи, который и порекомендовал молодого сотрудника Института марксизма-ленинизма Хозяину в качестве спецреферента.

Иван Павлович Товстуха был отцом-основателем «сталинского кабинета», личным секретарем Хозяина. Секретным отделом (так раньше именовался Особый сектор) он заведовал с 1930-го по 1931-й, потом работал в Институте марксизма-ленинизма и скончался от туберкулеза в 1935-м в возрасте сорока шести лет.

Очень рано, еще в начале двадцатых, Товстуха разглядел сквозь наслоения идеологического тумана перевернутый сталинский мир и шагнул в него не раздумывая. Именно Товстуха готовил первые расстрельные списки, ведал тайной картотекой, содержащей компромат на каждого члена ЦК, сортировал бесчисленные писульки Ленина, дробил реальность, выкладывал из осколков мифологические картинки, мозаику Сталинской истории.

Илья застал Товстуху в последние два года жизни. Тощий, сумрачный, с лицом интеллигентного провинциального конторщика, он казался настоящим фанатиком. Разбирая партийные документы, Илья узнал, что Товстуха в 1912-м сбежал из сибирской ссылки, благополучно пересек границу Российской империи, очутился в Вене. Именно там он близко сошелся с кавказцем Кобой, который также нелегально, после побега, явился в австрийскую столицу в 1913-м, чтобы создать свой бессмертный труд «Марксизм и национальный вопрос». Дальше пути их разошлись на некоторое время. Товстуха переехал в Париж, стал членом Парижской секции большевиков. Будущий Великий Вождь вернулся в Россию и опять попал в ссылку. Встретились они в Петрограде после Февральской революции и с тех пор почти не расставались.

Однажды молодому научному сотруднику Крылову попалась анкета, заполненная рукой Сталина в 1920 году. Там стояла дата рождения — 6 декабря 1878-го. Илья показал анкету Товстухе, спросил, откуда взялась эта странная дата. Товарищ Сталин ошибся нечаянно, много работал, устал? Или ошибка связана с героическим периодом в биографии товарища Сталина, когда он скрывался от царской охранки и жил по поддельным документам?

В ответ Илья услышал: нет, это не ошибка, Иосиф Виссарионович Джугашвили родился 6 декабря 1878-го, новая дата рождения, 21 декабря 1879-го, появилась в анкете 1922-го, когда он стал генеральным секретарем. Но это государственная тайна.

Илья заметил в глазах Ивана Павловича легкую, почти неуловимую усмешку. Она относилась вовсе не к товарищу Сталину, а к тем, кто знает настоящую дату его рождения, но все равно искренне верит в придуманную. Позже, незадолго до смерти, Товстуха вдруг вернулся к тому разговору.

«Двадцать первое декабря, день зимнего солнцестояния. Светило проходит точку смерти-воскресения. Сосо и товарищ Сталин не могли родиться одновременно. Это разные люди. Сосо обычный человек, товарищ Сталин — Солнце народов», — прохрипел он и тяжело закашлялся. Вот тогда Илья понял, где проходит граница между двумя реальностями, почувствовал тонкий, нетуго натянутый канат под ногами и начал отрабатывать равновесие.

Поскребышев, преемник Товстухи, был вовсе на него не похож. Товстуху называли партийным сейфом, он оставался до конца тверд и непроницаем, как несгораемый шкаф. Поскребышев казался мягонькой маленькой обезьянкой. Иностранными языками не владел, получил профессию фельдшера, в подпитии любил рассказывать, как проводил большевистские собрания в операционной палате. По его подвижному обезьяньему лицу всегда можно было определить настроение Инстанции. Когда Хозяин бывал весел и бодр, Поскребышев улыбался во весь свой губастый широкий рот. Если Хозяин пребывал в дурном расположении духа, Поскребышев хмурился, морщился, мрачно помалкивал.

Именно с такой хмурой, застывшей гримасой он передал Илье приказ Инстанции подготовить расширенную аналитическую сводку.

Документы, с которыми работал Илья, имели гриф самой высокой секретности, он не мог взять домой ни одной бумажки, а бумажек этих насчитывалось больше тысячи. Каждую следовало прочитать весьма внимательно, не только машинописные строки, но и то, что между строк.

Это были агентурные сообщения, справки и спецсводки, касающиеся тайной работы Германии против СССР с 1933-го по 1937-й, то есть с прихода к власти Гитлера по настоящее время. Кроме материалов из органов, имелись тексты официальных выступлений Гитлера и Гиммлера, статьи из немецкой прессы, где затрагивалась советская тема.

Большинство документов были уже знакомы Илье, но еще ни разу ему не приходилось работать со всем массивом информации целиком.

Текст сводки следовало уместить на дюжине машинописных страниц, чтобы чтение не отняло у Хозяина слишком много времени. Беречь его время — вот первая заповедь. Не упустить ничего важного — вторая заповедь. Чтобы в точности выполнить ее, надо заранее знать, что в причудливом переплетении мифов, фактов, сплетен, политического мошенничества и пропагандистских трюков, Инстанция сочтет важным, а что второстепенным. Третья заповедь — всякий документ, составленный для Инстанции, обязан быть стерильным от личных мнений и эмоций составителя. Чтобы обслужить товарища Сталина, требовалось настроиться на его волну, дышать с ним в унисон, мыслить и чувствовать как он, при этом не переходя на его территорию, оставаясь на тонкой границе двух реальностей.

— Илюша, ты справишься, не бойся, будь внимательным, разумным и осторожным.

Эта была последняя фраза, которую произнесла мама.

Он отчетливо помнил каждую минуту того ледяного февральского дня девятнадцатого года. У мамы упала температура, она перестала бредить, глаза прояснились. Она вытащила из ушей сережки, попросила его сходить на рынок, обменять на хлеб, крупу, несколько картошин. Что дадут, на том спасибо.

Не дали ничего. Он развернул тряпицу, в которой лежали сережки, маленький востроносый старичок-покупатель разглядывал их, щурился: «Каки-таки брулянты? Стекляшки! А вот погодь, стой здесь, я Лазарю покажу».

Кто такой Лазарь, осталось тайной. Старичок исчез навсегда вместе с сережками. Илья был совсем слабый после тифа, едва держался на ногах, побежал следом, поскользнулся, упал, расшиб колени, ободрал ладони, сидел посреди улицы, тихо выл. Тут и появилась кухарка Настасья. Узнала его, помогла встать, довела до дома. Когда они поднялись в нетопленую квартиру, мама уже не дышала.

«Илюша, ты справишься, не бойся, будь внимательным, разумным и осторожным».

Он смотрел в глаза портрету, в тысячный раз для него звучала последняя ее фраза, повторялось движение руки, перекрестившей его на прощание. Ее обритая голова была замотана вязаным платком. Она размотала платок, чтобы снять сережки, и он заметил: волосы немного отросли, но не каштановые, а совершенно белые.

Он не смог прикоснуться к ней мертвой. Даже на похоронах не сумел поцеловать лоб, накрытый бумажной лентой. Потом долго еще злился, обижался, будто смерть была ее личным выбором. Мама бросила его, предала, жестоко и несправедливо наказала. Он постоянно говорил с ней, упрекал, просил прощения, хныкал, жаловался. Он продолжал ссориться и мириться с ней, пока не повзрослел. Обида сменилась спокойной уверенностью, что мама всегда рядом, она его ангел-хранитель. Ее незримое присутствие помогало ему выжить, сохранить равновесие на границе двух реальностей.

— Конечно, мамочка, я справлюсь, я буду внимательным, разумным и осторожным, — прошептал Илья, допил последний глоток кофе, вымыл чашку и отправился на службу.

ГЛАВА ВТОРАЯ

Всю Первую мировую войну доктор психиатрии Карл Штерн проработал в прифронтовых госпиталях, занимался травматическими неврозами.

Патриотическую эйфорию августа 1914-го он воспринял как вспышку массовой психической эпидемии. Он с тоской и ужасом вспоминал огромную толпу берлинцев, собравшихся на Шлоссплац 1 августа послушать выступление кайзера Вильгельма II, и кайзер заявил, что не хочет больше знать ни партий, ни вероисповеданий, а знает только братьев-немцев. Толпа восторженно взревела и забилась в экстазе.

Начало войны стало праздником народного единства, немцы шли на призывные пункты с цветами и криками «ура!». На площадях, в парках, в пивных собирались радостные толпы, хором пели патриотические песни. Газеты в упоении цитировали Прудона: *«Война — это оргазм универсальной жизни, который оплодотворяет и приводит в движение хаос — прелюдию всего мироздания, и, подобно*

Христу Спасителю, сам торжествует над смертью, ею же смерть поправ».

Психическая эпидемия милитаристского восторга продолжала распространяться все годы войны, ее поддерживала официальная пропаганда. Каждая незначительная победа на фронте объявлялась триумфом. Поражения замалчивались.

К доктору Штерну попадали раненые с психическими расстройствами, контуженные, оглушенные, засыпанные землей, в состоянии шока с последующей спутанностью сознания и амнезией. Он писал в дневнике:

«Я не патриот, я плохой немец, внутренний дезертир. Я чувствую себя преступником. Я вылечиваю больного с одной лишь целью — отправить его обратно в окопы. В моем случае облегчение страданий означает приближение гибели больного. Чем успешнее лечение, тем скорее очередной страдалец вернется на фронт, под пули, снаряды и газы. Война — это проявление острейшей массовой психопатии. Фронт — территория безумия, и чем же занимаюсь я, доктор психиатрии? Чем занимаются все врачи во всех фронтовых лазаретах Европы? Чем? Полнейшим абсурдом! Мы вылечиваем людей не для того, чтобы они жили, а для того, чтобы погибали».

Весна и лето 1918-го прошли в ожидании скорой победы Германии. Предвестником победы стал мирный договор с революционным правительством России, подписанный в Брест-Литовске 3 марта. Один из главных противников Германии был полностью выведен из строя, казалось, без России союзники не сумеют одержать верх. Немецкая армия наступала на всех фронтах, но наступления проваливались, захлебывались в крови. Противнику

---

* Исторические материалы: сообщения в прессе, речи вождей, дипломатические документы, тексты разведсообщений и др., выделенные курсивом, реальны и приводятся дословно. (*Здесь и далее примеч. автора.*)

после каждого немецкого прорыва удавалось стабилизировать фронт. Немецкие газеты продолжали трубить об успехах и победах.

К августу союзники перешли в контрнаступление, прорвали немецкие позиции. Положение стало катастрофическим для Германии. В конце сентября Людендорф* потребовал от руководства страны немедленно заключить перемирие.

Осень 1918-го доктор Штерн встретил в Померании, в резервном лазарете в Пазельвалке. 21 октября поступила очередная группа раненых и отравленных ипритом, среди них был ефрейтор Адольф Гитлер. Глаза его пострадали от газа, лицо с повязкой на глазах казалось ожившим рисунком Пикассо, оно было как бы разъято на три части, перечеркнуто сверху по горизонтали широкой белой полосой бинта и снизу — темной полосой длинных, торчащих в стороны усов.

Ефрейтор дрожал и бредил, иногда впадал в кататонию, застывал в неудобной позе, молчал, и даже сквозь повязку чувствовался его тяжелый, неподвижный взгляд. Когда повязку сняли, открылась грубо вылепленная длинная серо-желтая физиономия со впалыми щеками, хрящеватым вперед торчащим носом, низкими надбровными дугами.

Окулист, осмотрев его глаза, не нашел ничего опасного. Отравления ипритом часто сопровождаются воспалением и отеком конъюктивы и век, в результате человек на некоторое время теряет зрение. Это проходит быстро.

Ефрейтор Гитлер не верил окулисту, панически боялся ослепнуть навсегда, твердил, что слепота для него катастрофа, крушение всех надежд, ибо он художник. Доктор Штерн обследовал его, диагностировал травматический

*Эрих Людендорф, генерал, в 1918-м начальник полевого генерального штаба, фактически Верховный главнокомандующий.

невроз. Обычно хватало одного-двух сеансов психотерапии, чтобы справиться с этим. Но случай ефрейтора Гитлера оказался сложным.

Он отважно воевал, пережил ранение, вернулся на передовую, имел несколько боевых наград, в том числе Железный крест первой степени за храбрость. Отравление ипритом сыграло роль пускового механизма для лавинообразного развития тяжелых фобий. К страху слепоты прибавился страх заразиться венерическим заболеванием. Сломанную переносицу соседа по палате Гитлер считал результатом сифилиса, уверял, что лазарет кишит бледными спирохетами, постоянно мыл руки, отчего кожа на кистях краснела и шелушилась, и это казалось ему началом гонореи. Вспучивание живота и кишечные газы, спровоцированные неврозом, он принимал за верные признаки роста злокачественной опухоли.

Доктор легко обнаружил истоки фобий. Мать Гитлера умерла от рака, он боялся, что рак передается по наследству. Так возникла канцерофобия. До войны он жил в Вене, в страшной нужде, голодал, ночевал в нищенских приютах, рядом с бродягами — отсюда страх заразиться.

Травматические неврозы довольно часто поднимают из подсознания детские и юношеские страхи. Испытав смертельную опасность, человек начинает воспринимать всю свою жизнь как череду опасностей, угроз, травм и трагических потерь. Если нет серьезных увечий, это проходит, компенсируется радостью выздоровления.

У ефрейтора Гитлера увечий не было, зрение восстановилось, однако ни малейшией радости он не испытывал, оставался крайне тревожным, мнительным. Внешний мир для него кишел врагами, заговорщиками, микробами, паразитами. Нормальные физиологические процессы в собственном его организме вызывали панические подозрения. Отвращение к жизни и к самому себе тяжело вибрировало в нем, задавало ритм его сердцу, пищеварению, обмену веществ. Он твердил о возрождении Германии, о биологическом превосходстве немцев над другими народами, при этом его раздражали немцы — соседи по палате, врачи, медсестры. Он превозносил народ, но каждого отдельного человека, включая себя самого, безнадежно, тупо ненавидел.

Для доктора Штерна случай ефрейтора Гитлера представлял практический интерес. Он был живой иллюстрацией к теории органического самоубийства, согласно которой большинство соматических заболеваний возникают по причине латентных психических расстройств. Перед войной доктор много занимался этой темой, его статьи «Психопатология и органические заболевания» и «Инстинкт смерти при соматических и психических отклонениях», опубликованные в «Вестнике психиатрии», вызвали бурные споры в медицинском мире.

Однажды во время сеанса психотерапии Гитлер рассказал, как подобрал на фронте собаку, привязался к ней. Потеря единственного, по-настоящему близкого и преданного существа стала для него тяжелой травмой. Рассказывая о собаке, он разрыдался, и доктор, забыв о своих теоретических изысканиях, почувствовал острую жалость к этому маленькому одинокому человеку. Никто не ждал его домой с войны, да и не имел он дома. Не было у него семьи, друзей, любимой девушки. И хотя он называл себя художником, доктор подозревал, что на самом деле профессии у него тоже нет и если он рисует, то дилетантски скверно.

«Никто не любит беднягу ефрейтора, — писал в дневнике доктор. — Ничего у него нет, кроме железных крестов и мечтаний, таких же как кресты, железных. После грязи и крови, после обстрелов, окопов, он мечтает не о нормальном человеческом счастье, не о любви и даже не о богатстве. Он бредит беспощадной борьбой с врагами, продолжением войны до победного конца, разумеется, ради величия великой Германии. Когда я говорю с ним, мне начинает казаться, что скрытая страсть к самонаказанию и саморазрушению может быть направлена не только вовнутрь организма, но и во внешний мир. Возможно ли предположить, что войны происходят не по случайному стечению глупейших обстоятельств, не из-за упрямства и амбиций политиков, не из-за жадности торговцев оружием? Сотни тысяч таких вот маленьких мечтателей, не умеющих найти свое место в жизни, овладеть каким-нибудь полезным ремеслом, создать семью, начинают ненавидеть жизнь и стремятся к смерти, но вместо того, чтобы болеть и умирать, они заражают других своей некрофилией. Таким образом возникает психическая эпидемия, коллективная жажда грандиозных перемен. Характерно, что накануне и во время войны некрофилия особенно успешно маскируется набором пропагандистских клише.

Впрочем, ефрейтор Гитлер не виноват, что его никто не любит. Мои философствования о причинах войн нелепы и жестоки. Я никогда не знал нужды. Мое детство было наполнено любовью, праздниками, игрушками, музыкой, книгами, поездками на лучшие европейские курорты. У меня уважаемая полезная профессия, большая уютная квартира в Берлине. Меня ждет Эльза. Мы поженимся, у нас будут дети. Я не вправе судить беднягу ефрейтора. С высоты моего благополучия и университетского образования его мечты кажутся вульгарной демагогией. Со дна его невежества и полунищего прозябания я выгляжу зажравшимся эгоистичным буржуа».

В лазарете царило тревожное возбуждение. Раненые, врачи, медсестры обсуждали слухи о падении монархии и близком конце войны. 10 ноября лазаретный священник собрал раненых и объявил, что война проиграна, что произошла революция, династия Гогенцоллернов свергнута и Германия провозглашена республикой.

Раненые приняли это известие по-разному. Кто-то загрустил, кто-то стал зло браниться, кто-то обрадовался, что можно, наконец, вернуться домой. Некоторые даже всплакнули, но скоро все спокойно разошлись по палатам.

Доктор Штерн писал письмо своей невесте Эльзе, он надеялся, что это последнее письмо, скоро они увидятся и больше не расстанутся никогда.

«Помнишь нашу прощальную прогулку в парке в Шарлоттенбурге перед моим отъездом на фронт? Мы забрели в глушь, началась гроза, было некуда спрятаться, мы побежали, ты споткнулась, упала, я поднял тебя, мы стали целоваться под ливнем и вдруг обнаружили, что попали в радугу. Потом ты уверяла меня, что это невозможно, что радуга высоко в небе, а мы на земле, ты рассуждала о законах физики, а я смотрел на тебя и любовался блеском влажных ресниц, детской серьезностью...»

Он не успел дописать фразу, в дверь постучали. Сестра сообщила, что у больного Гитлера острый психоз и требуется срочная помощь.

— Не хочется использовать сильные средства, — сказал дежурный невропатолог. — Этот ефрейтор никого к себе не подпускает, рыдает, бьется в судорогах. Он измучил своих соседей, к тому же опять жалуется на слепоту. Карл, вы как-то справляетесь с ним, попробуйте успокоить.

Койка ефрейтора прыгала, скрипела от судорожных рыданий. Гитлер забился с головой под одеяло, слушать его завывания было невыносимо. На соседей по палате вой и судороги действовали угнетающе. Ходячие вышли, лежачие отвернулись. Требовалось как-то разрядить атмосферу.

Доктор откинул одеяло, тронул дергающееся худое плечо.

— Адольф, перестаньте рыдать, будьте мужчиной.

Ефрейтор сел, сжал виски ладонями и, покачиваясь, забормотал сквозь всхлипы:

— Я ничего не вижу, я ослеп, опять ослеп!

Окулист уже несколько раз осматривал его, глаза были в полном порядке, слепота в данном случае носила истерический характер.

— Адольф, зрение ваше восстановилось, и вы это отлично знаете. Вы просто не хотите видеть, прячетесь за мнимой слепотой от чего-то, что вас сильно пугает. Давайте попробуем вместе разобраться в ваших страхах.

Доктор чувствовал, что говорит в пустоту. Ефрейтор не слышал его, продолжал покачиваться и бормотать:

— Все пропало, позор, катастрофа, Германия погибла. Гнусный заговор свершился, зловонная нечисть торжествует, это конец, Германия унижена, Германия погибла.

Требовались какие-то другие слова, чтобы больной вышел из истерического ступора и вступил, наконец, в осмысленный диалог.

— Вот вы и спасете ее, Адольф, — твердо, медленно произнес доктор. — Именно вы спасете Германию.

Слезы мгновенно высохли. Гитлер перестал покачиваться, застыл и вдруг, схватив доктора за руку, прошептал:

— Да, да, о да! Я спасу Германию!*

Доктор осторожно высвободил руку.

— Ну вот и славно, Адольф. Наконец вы меня услышали. Теперь остается только увидеть. Успокоитесь, сосредоточьтесь, попробуйте вернуть себе зрение.

— Как? — он вытаращил глаза на доктора, лицо его приобрело совершенно идиотическое выражение.

«А ведь у него пучеглазие, базедова болезнь», — подумал доктор и спокойно объяснил:

— Зрение вы можете вернуть себе усилием воли. Вы волевой человек. Попробуйте, я уверен, у вас получится.

Со стороны это выглядело комично, доктор слышал, как посмеиваются больные на соседних койках. Но до еф-

---

*Психиатра, который таким образом вылечил ефрейтора Гитлера от истерической слепоты, звали Эдмунд Фостер. Он бесследно исчез в 1934-м. Все документы, касающиеся пребывания Гитлера в резервном лазарете в Пазельвалке осенью 1918-го, уничтожены гестапо.

рейтора их смех не доходил. Он неотрывно смотрел на доктора, глаза светились холодным голубым огнем, лицо оставалось неподвижным, только кончики усов слегка дрожали и по вискам медленно текли струйки пота.

Доктор вовсе не собирался применять гипноз, но ефрейтор впал в гипнотический транс. Его заворожили собственные мечты, озвученные другим человеком, единственным человеком в лазарете, который относился к нему терпимо и никогда над ним не смеялся.

— Да, да, о да, я вижу, зрение вернулось ко мне, теперь я вижу все. Я уничтожу врагов и спасу Германию, — несколько раз повторил больной и принялся грызть ногти.

После этого небольшого эпизода ефрейтор поразительно изменился. Он больше никого не беспокоил своими фобиями и приступами психопатии, жадно читал газеты, с аппетитом ел, гулял по госпитальному двору, был молчалив, но если к нему обращались, отвечал разумно и вежливо. При выписке из лазарета врачебная комиссия признала его здоровым физически и психически.

— Как вам это удалось, Карл? — спросил главный врач.

— Очень просто. Я заверил его, что он спасет Германию.

Все присутствующие весело засмеялись.

* * *

Маша едва не опоздала на репетицию. Пришлось надеть Васины старые валенки, они оказались малы, к тому же протерлись на пятках, а калош к ним не нашлось. Пока бежала, несколько раз поскользнулась, ногам было тесно, больно.

В коридоре на доске объявлений у канцелярии, рядом с расписаниями репетиций, списками распределения ролей, информацией об очередном политчасе был прикноплен ватманский лист, крупно, как для слепых, надпись черной тушью: «СЕГОДНЯ, В 17.00, В МАЛОМ ЗАЛЕ КОМСОМОЛЬСКОЕ СОБРАНИЕ. ЯВКА СТРОГО ОБЯЗАТЕЛЬНА!»

В повестке дня пунктом первым значился доклад члена бюро тов. Ковтуна «Советская творческая молодежь в авангарде идеологической борьбы». Пунктом вторым — персональное дело комсомолки Л. Русаковой.

Маша знала, что арестован отец Лиды Русаковой. Он служил в Наркомате тяжелой промышленности, занимал какой-то высокий пост при Орджоникидзе. Лида училась вместе с Машей с первого класса. У нее был сложный врожденный дефект колена, при котором невозможно танцевать. Но Лида умудрялась скрывать это, терпела жуткие боли, постоянно муштровала себя и танцевала отлично.

Из двадцати человек выпуска прошлого года в Большой попали три мальчика и пять девочек, в том числе Маша и Лида. Из пяти девочек-выпускниц сольные партии в балете «Аистенок» («Дружные сердца») получили только они двое. Премьера планировалась на июнь 1937-го. Маше досталась «Пионерка Оля», что само по себе было огромной удачей. Одна из главных партий, но по хореографии совершенно никакая. Характера нет, просто сверхположительная, правильная пионерка, картонная, как с плаката. Маша мечтала станцевать Аистенка, но он достался Лиде.

Уже неделю ходили слухи, что предстоит собрание, на котором будут разбирать Лиду. До сегодняшнего утра оставалась надежда: вдруг обойдется как-нибудь. Такие собрания проводились везде, даже у Васи в школе. Никто не рассказывал подробностей, мама с папой после таких собраний приходили молчаливые, мрачные. Десятилетний Вася однажды поделился, на ушко, по секрету:

— У мальчика арестовали папу, нас загнали в актовый зал. Мальчик перед всей школой клялся, что папу своего ненавидит-проклинает, потому что он враг и шпион. Из пионеров не выгнали, но из школы он все равно исчез, говорят, маму тоже взяли, а самого мальчика отправили в детдом. Другой мальчик отказался проклинать папу, его сразу выгнали. Пришлось голосовать, поднимать руку. Не поднимешь, тебя выгонят, и даже родителей могут взять, что неправильно воспитывают.

В театре таких собраний пока ни разу не было. Только бесконечные нудные политчасы. Брат уверял:

— Всех заставляют, вас тоже, вот увидишь!

Взгляд скользнул по списку распределения ролей в «Аистенке», и сердце больно стукнуло. Вместо старой висела новая бумажка, где чернильным карандашом было выведено: «Аистенок — М. Акимова».

«Почудилось», — решила Маша и еще раз прочитала список. Жирно, синим по белому, против Аистенка красовалась ее фамилия. Пионерку Олю теперь танцевала Светка Борисова, которая раньше числилась во втором составе, а Катя Родимцева, лучшая Машина подруга, перешла из кордебалета во второй состав на «Олю».

Лида Русакова теперь не числилась ни в первом, ни во втором составе.

На ватных ногах Маша поплелась к раздевалке. Она мечтала об Аистенке, выучила всю партию, не сомневалась, что станцует лучше Лиды. Прыжок у нее получался легчайший, с долгим зависанием в воздухе, рисунок танца тонкий, точный, а Лида тяжеловата для птички, хотя, конечно, техника у нее великолепная. И вот мечта сбывается. Танцуй, Акимова, блесни на премьере своим потрясающим прыжком и тонким рисунком, сорви бешеный аплодисмент. Тебя заметят, оценят, станешь примой.

Тут же сложился в голове очередной стишок:

> Я танцую лучше всех,
> ждет меня большой успех.
> Почему ж мне так паршиво,
> будто подлость совершила?

Он не утешил, не обрадовал, только добавил тревоги и горечи.

В раздевалке остались всего три девочки, почти все уже были в зале.

— Привет, — сказала Маша, ни к кому конкретно не обращаясь.

Никто не взглянул в ее сторону. Обычно в раздевалке болтали, хихикали, сплетничали. Сейчас как воды в рот набрали. Маша молча стянула валенки, спрятала под скамейку, принялась разминать, массировать стопы. Встала, осторожно поднялась на полупальцы. Вроде бы ничего, ноги ожили. Быстро переоделась, побежала в зал, заняла свое место у палки, рядом с Лидой.

По залу расхаживала Пасизо, самая суровая из педагогов-репетиторов — Ада Павловна Сизова. Прозвище удачно сложилось из отчества и фамилии. «Па сизо» в балетной терминологии — прыжок-«ножницы», при котором вытянутые ноги выбрасываются вперед по очереди. У Сизовой был громкий, резкий голос, команды ее звучали как лязганье ножниц:

— Акимова, опять опаздываешь! Батман дубль фраппэ! Ранверсэ! И-р-раз, и-два, и-тр-ри! Наталья, гни спину, ты как бабка с радикулитом! Май, не спать, не спать!

Маю Суздальцеву досталась партия злого Петуха. Он был ленинградец, учился в классе самой Вагановой. В Московское училище попал в тридцать пятом. Его родителей посадили после убийства Кирова. Мая взяла к себе в Москву бабушка, они жили в подвальной коммуналке недалеко от Маши, в Банном переулке, в шестиметровой комнатке. Подвал был сырой, без водопровода и отопления. Бабушка болела, Май часто простужался, к тому же не высыпался. Соседи устраивали ночами пьяные драки.

«Вот ведь Мая не разбирали на собрании, не заставляли отрекаться от родителей, разрешили жить в Москве, взяли в училище, потом в Большой, — думала Маша, опускаясь в глубокое плие. — Дали танцевать злого Петуха. Почему же с Лидой так?»

Пасизо подходила к каждому, делала замечания, поправляла руки, ноги, хлопала по спинам, по коленям. Только к Лиде не прикоснулась, не взглянула на нее. Маша вдруг вспомнила, что муж Ады Павловны, балетмейстер Сизов, исчез куда-то. Еще недавно ставил балеты, входил в приемную комиссию, в профком, в партбюро, а теперь нет его, и никто не удивляется, не спрашивает, куда делся, будто вовсе не существовало на свете балетмейстера Сизова.

«Люди не исчезают просто так, не растворяются в воздухе, — думала Маша. — Если бы заболел, навещали бы в больнице или дома, если бы умер, висел бы некролог, были бы похороны. Значит, арестован. Пасизо продолжает преподавать как ни в чем не бывало, не трогают, не выгоняют».

— Ну что, Акимова, ты рада? — шепотом спросила Лида.

— Лидка, перестань, — Маша вытянула ногу в батмане. — Все обойдется, там разберутся, папу твоего отпустят.

— Издеваешься? — в шепоте ее было столько ненависти, что у Маши похолодело в животе.

— Лида, нет, пожалуйста, не говори так, разве я виновата?

— Акимова, хватит болтать! Колено гнешь, висишь на палке, как мокрая тряпка!

Пасизо крикнула ужасно громко. Старенькая аккомпаниаторша Надежда Семеновна перестала играть. Все уставились на Машу. Тишина длилась не больше минуты, но как будто вечность прошла. Наконец Пасизо хлопнула в ладоши:

— Не спим! Работаем!

Надежда Семеновна, опомнившись, бодро застучала по клавишам. После общей разминки Пасизо занялась Машей, заставила ее повторить все сольные партии Аистенка, орала, больно била по спине, называла кувалдой, мешком с картошкой, мокрой тряпкой, параличной бабкой. Остальные сидели на полу, смотрели и слушали. Маша зависала в прыжках, крутила фуэте, глаза заволокло слезами, но это не имело значения. Расплывались лица девочек, мальчиков, расплывалась тонкая, прямая Пасизо. Седая голова Надежды Семеновны парила, как ущербная луна, над сверкающей чернотой рояля.

— Стоп! — Пасизо хлопнула в ладоши. — Репетиция через полчаса. Все свободны, кроме Акимовой.

Маша бессильно опустилась на пол, уронила голову на колени, вытянула руки, закрыла глаза. Когда стихли шаги и никого не осталось в зале, Пасизо уселась рядом на пол, произнесла чуть слышно:

— Успокойся, это решение приняли две недели назад. Семейная ситуация Русаковой тут совершенно ни при чем.

Маша увидела прямо перед собой худое, пепельное под слоем пудры и румян лицо Пасизо. Вблизи серые узкие глаза оказались не пронзительными, а воспаленными, как бывает после долгих слез и бессонных ночей.

— Почему ничего не сказали? Почему новый список появился только сегодня, в день собрания, рядом с объявлением? — спросила Маша.

— Тебе какая разница? — Пасизо резко поднялась, подняла Машу.

Оставшиеся полчаса она повторяла с Машей ключевые комбинации, шлифовала повороты, ракурсы, толчок, приземление на пальцы и полупальцы. Пасизо мгновенно определяла ее слабые места, чуть-чуть меняла положение рук, головы, и танец преображался, каждое па точненько, удобно приспосабливалось к телу.

На репетицию Маша явилась разогретая, спокойная, собранная. В зале сидели композитор, балетмейстеры, авторы либретто, завтруппой, репетиторы, еще какое-то театральное начальство. Маша чувствовала, что танцует отлично и Пасизо правильно сделала, что не дала ей передышки. В сцене, где пионерка Оля и пионер Вася учат

Аистенка летать, Маше удалось создать контрастный образ. Птенец-неумеха, беспомощный, слабенький, превращался в сильную, свободную птицу. После забавного па-де-труа с пионерами Аистенок солировал, крутил фуэте, летал, зависая в воздухе. В зале прозвучали аплодисменты, что бывает крайне редко на репетициях.

ГЛАВА ТРЕТЬЯ.

Доктор психиатрии Карл Штерн скоро забыл ефрейтора Гитлера. Медовый месяц они с Эльзой провели в Швейцарских Альпах. Когда вернулись в Берлин, Карл продолжил работу в клинике. В декабре 1919-го Эльза родила крепенького белокурого мальчика, его назвали Отто в честь родного брата Эльзы, погибшего на войне.

Все складывалось именно так, как мечтал Карл, сражаясь с психозами и психопатиями в прифронтовых госпиталях. Уют, чистота, покой, румяный улыбчивый младенец в кроватке, Эльза в ночной сорочке расчесывает перед зеркалом длинные светло-рыжие волосы. Такие счастливые картинки он видел во сне на войне и только ими спасался от кровавого абсурда войны. Теперь картинки стали реальностью.

Доктор Штерн радовался каждому новому дню и считал, что самое страшное позади. Война закончилось, невозможно представить, что этот ужас когда-нибудь повторится.

Революции, военные перевороты, митинги, демонстрации, истерический тон газет и листовок, облепивших стены домов, заборы и афишные тумбы Берлина, — все это казалось доктору Штерну отрыжкой войны, массовым посттравматическим психозом, но ни в коем случае не предвестником новой вспышки общественного безумия.

По Германии катилась волна политических убийств и уличных потасовок. Курс марки падал, безработных становилось все больше. Газеты смаковали кровавые подробности ужасающих сексуальных преступлений, совершаемых евреями. Это наглядно иллюстрировалось антисемитскими карикатурами и преподносилось в качестве криминальной хроники.

Правительство приняло специальный закон об охране республики от терроризма и экстремизма правых и левых партий. В ответ крайние правые призвали к маршу протеста из Мюнхена в Берлин и устроили путч в Мюнхене. Крайние левые разжигали беспорядки в Саксонии, Тюрингии, Гамбурге и Руре. В Берлине началась всеобщая забастовка. Президент Эберт ввел в Германии чрезвычайное положение.

Жалованья, которое доктор получал в клинике, не хватало на жизнь, приходилось заниматься частной практикой. Карл успешно лечил психоневрозы, алкоголизм и наркоманию, редко прибегая к жестоким средствам, используя в основном психотерапию и гипноз. Скоро он стал популярен, к нему обращались отпрыски богатых семейств, высокопоставленные военные.

Среди военных было много алкоголиков, морфинистов и просто психопатов. Аристократы нюхали кокаин, курили опиум, страдали сексуальными расстройствами.

Одним из первых частных пациентов Карла стал пехотный полковник Густав Шамке. Высокий широкоплечий красавец с благородной сединой, мужественным лицом, он казался воплощением здоровья, уверенности, спокойствия. Из-за контузии у него случались приступы ярости.

К доктору он обратился после того, как избил свою жену. У них было трое детей, никто не хотел скандала, родственники жены поставили условие: если Шамке станет лечиться, его простят. В противном случае — огласка, позор, увольнение из армии.

На первом же сеансе гипноза доктор выяснил, что приступы ярости связаны с фобией, красавец полковник до смерти боится случайно выболтать секреты «Черного рейхсвера». Страх замещался агрессией.

Все в Германии знали, что «Черный рейхсвер» был создан генералом фон Сектом, чтобы втайне от стран-победительниц увеличить численность германской армии. Для конспирации войска «Черного рейхсвера» называли «Трудовыми отрядами», они насчитывали около двадцати тысяч человек.

Под гипнозом полковник рассказал, что внутри армии действует тайное общество «Организация Консул», сокращенно «ОК». Это «ОК» возродило традиции средневековых судов феме. В глубокой тайне группа посвященных выносит смертные приговоры и организует убийства, обставляя банальную уголовщину жуткими старинными ритуалами. Жертвы боевиков «ОК» — коммунисты, социал-демократы, политики Веймарской республики, которые не придерживаются радикально-националистических взглядов, обычные люди, случайно оказавшиеся свидетелями тайной деятельности «ОК», сами посвященные, в чем-то провинившиеся перед своими товарищами, заподозренные в предательстве, или просто те, кого сочли ненадежными.

Шамке монотонным голосом рассказывал готические ужасы в духе Гёте и Вальтера Скотта с пещерами, замками, масками, кинжалами, кровавыми клятвами. Доктору хотелось думать, что все это болезненные фантазии контуженого полковника. Шамке называл фамилии реальных жертв политических убийств, случившихся за последние два года, и фамилии известных генералов, офицеров, членов «ОК».

Иногда во время этих сеансов доктору приходила мысль обратиться в полицию, но он тут же одергивал себя. Если Шамке говорит правду, получается, половина офицеров германской армии параноики, уголовные убийцы. Тогда обращаться в полицию бессмысленно и опасно для жизни. Если Шамке бредит, то можно попасть в глупейшее положение, лишиться не только частной практики, но и работы в клинике. В любом случае доносить на доверившегося ему пациента доктор считал подлым делом.

За несколько сеансов он научил полковника расслабляться, снимать внутреннее напряжение, внушил уверенность, что Шамке вполне способен контролировать себя, сдерживать ярость и хранить «военные тайны». Полковник оказался легким пациентом. На самом деле ему просто надо было выговориться, поделиться своими страхами.

Прощаясь, Шамке обаятельно улыбнулся и сказал: «Вы, герр доктор, некоторым образом прошли посвящение, вам теперь известно то, что знать опасно». Это прозвучало как угроза, впрочем сдобренная щедрым гонораром.

Доктор хотел бы забыть все, что слышал от Шамке, но не получалось. Мир вывернулся наизнанку. Душевнобольные в клинике казались более адекватными и здоровыми, чем люди за стенами клиники, — на улицах, в учреждениях, магазинах и пивных. Послевоенный Берлин напоминал гигантскую палату буйных психопатов, лишенных медицинской помощи и охраны. На митингах и демонстрациях орали, трясли кулаками, дрались, размахивали транспарантами.

Врачи, коллеги Карла, вчера еще разумные, здравые люди, сегодня возбужденно повторяли паранойяльный бред о всемирном еврейском заговоре, неполноценности славянской расы и сверхполноценности арийцев. Многие стали активными членами «Евгенического общества», намеревались улучшать человеческую природу с помощью искусственного отбора.

Мода на евгенику выплеснулась за стены университетов и клиник, превратилась в повальное помешательство. Каждый проповедник идей искусственной селекции считал себя высшим существом, к людям относился, как к домашним животным, которых можно кастрировать или скрещивать по своему усмотрению. Мания величия, мессианский бред, сверхценные идеи всемирного заговора и собственной избранности, нравственная идиотия — все эти патологии становились нормой, заражали атмосферу германских городов. По мере размягчения мозгов твердели кулаки, закалялись орущие глотки, глаза стекленели, теряли способность видеть объективную реальность, если таковая существовала в послевоенной Германии.

Карл старался не читать газет. Эльза жадно читала газеты. Она была убеждена, что взрослый образованный человек обязан разбираться в политике и понимать, что происходит в стране, какие существуют партии, чем нацисты отличаются от коммунистов.

— Одни разжигают расовую ненависть, другие классовую, вот и вся разница, и те и другие считают себя элитой, сверхлюдьми. Чтобы это выяснить, не надо поглощать их пропагандистский бред в таком количестве, — говорил Карл.

— Ты ничем не интересуешься, кроме своих сумасшедших! — злилась Эльза. — Если все будут такими равнодушными и безучастными, начнутся ужас, революция и гражданская война, как в России.

— Эльза, дорогая, ты правда веришь, что, как только доктор психиатрии Карл Штерн станет читать газеты и трепаться о политике, наступят всеобщее примирение и благоденствие?

— Карл, ты невозможный человек! Надо хотя бы знать, что происходит!

— Эльза, мне все рассказывают мои пациенты. Поверь, я в курсе всех нынешних помешательств, от социал-дарвинизма до оккультизма.

Карл не любил спорить, работа с душевнобольными изматывала, сжирала силы. Дома хотелось покоя и тишины. Он добродушно отшучивался, когда Эльза выплескивала на него все прочитанное в газетах и требовала ответных эмоций. Он понимал, что за ее болезненным интересом к политике прячется страх. Она тяжело пережила гибель брата, четыре года ждала Карла с войны и боялась, что его тоже убьют. Ей хотелось жить в безопасном мире, а вокруг творилось черт знает что.

Отто исполнилось четыре года. Однажды Карл увидел среди его игрушек флажок со свастикой. Отто рассказал, что флажок ему дал большой мальчик, когда они гуляли с няней в парке. У кого есть такой флажок, тот против евреев. Евреи — страшные подземные чудовища, они убивают немецких детей и пьют их кровь.

— Вот! Скоро тебе придется лечить от паранойи собственного сына! — крикнула Эльза.

Она схватила флажок, попыталась порвать его, но ткань оказалась крепкой, Эльза сломала древко, поцарапала руку и расплакалась, вслед за ней заревел Отто.

Был холодный ноябрьский вечер, Отто уже лежал в постели, они с Эльзой просто зашли поцеловать его на ночь.

Лучше бы Карл оставил в покое этот проклятый флажок, не трогал его и ни о чем не спрашивал ребенка. Получилось ужасно. Отто, увидев, что мама плачет и у нее на руке кровь, затрясся от рыданий. Эльза настолько расшатала себе нервы чтением нацистских и коммунистических газет, что у нее случилась настоящая истерика. Руку она не просто поцарапала, в ладонь впилась глубокая заноза. Карлу с трудом удалось ее вытащить. Он промыл и забинтовал руку Эльзы, объяснил Отто, что евреи обычные люди и не надо верить всяким глупостям. Ребенок долго не мог уснуть, всхлипывал, вертелся.

Когда, наконец, легли в постель, Эльза, ослабевшая от слез и боли, прижалась к нему и прошептала:

— Карл, как звали того ефрейтора?

— Какого ефрейтора?

— Ну того, у которого была истерическая слепота в последние дни войны в Померании, ты помнишь его имя?

— Помню. Адольф Гитлер. А что?

— Он теперь лидер нацистов, страшно популярен в Баварии, многие приходят слушать его выступления. Он устроил путч в Мюнхене.

— Эльза, перестань, что за ерунда? Я не видел более жалкого и нелепого существа, чем Адольф Гитлер.

Она хотела возразить, но он не дал, зажал ей рот поцелуем.

* * *

До открытия второго показательного процесса остались считаные дни. Товарищ Сталин был занят чтением и редактированием протоколов допросов. Он тратил на это многие часы, двусторонним карандашом с красным и синим грифелями делал свои пометки, вычеркивал фразы, иногда целые абзацы, вписывал новые.

Полгода назад, перед первым показательным процессом, он преспокойно отправился отдыхать в Сочи. Сейчас торчал в Москве, никуда дальше Кунцева не ездил. Его мучила бессонница, он мог нагрянуть в Кремль раньше обычного, отечный, хмурый, изрыгающий матерную брань вместе с дурным запахом изо рта. Впрочем, это его состояние считалось добрым знаком и не предвещало беды. Обычно, готовясь кого-нибудь сожрать, товарищ Сталин был флегматично спокоен, приветлив, улыбчив, отпускал соленые шутки.

В отсутствие Инстанции воздух в кремлевских коридорах делался чище, мягче, лица охраны, прислуги, чиновников — расслабленнее, живее. Но может быть, Илье так казалось? Все равно эти люди, от уборщиц до секретарей ЦК, даже в отсутствие Инстанции выказывали паническую преданность Инстанции, боялись и тайно ненавидели друг друга, в их разговорах, улыбках, жестах сквозила невозможная фальшь. Не хотелось никому заглядывать в глаза.

Позади послышались шаги. По коридору шёл Молотов. Его квадратная голова с прядками поперёк лысины покачивалась на тонкой шее, как у китайского болванчика. Коренастая фигура в сером кургузом пиджачке излучала смертельную бюрократическую скуку, от которой сводило скулы. Плоское бульдожье лицо имело сосредоточенно-тупое выражение, отпечаток исключительного трудолюбия. Ленин называл его «каменной жопой». На самом деле весь он состоял из какого-то пористого серого вещества вроде пемзы. Глядя на него здесь, в кремлёвском коридоре, невозможно было представить, как он ест, спит с женой, целует дочь. Казалось, товарищ Молотов питается бумагой, пьёт чернила, спит на рабочем месте, упав лицом на стол (вот почему оно такое приплюснутое), и снится ему исключительно Хозяин, никого другого он не смеет видеть и слышать, даже во сне.

— Доброе утро, товарищ Молотов.

Квадратный череп дёрнулся, обозначив небрежный кивок. Блеснули стёкла пенсне и глянец лысины под штриховкой жидких прядок.

Илья отпёр дверь своего маленького кабинета, прошмыгнул внутрь. В унисон с тихим хлопком двери у него стукнуло сердце. Что-то не так в сводке, что-то упустил или, наоборот, добавил своё. Нужно перечитать, проверить, пока не поздно.

Он достал папку из сейфа. Сердце продолжало постукивать в ускоренном ритме, руки тряслись, он с трудом развязал ленточки папки, пробежал глазами страницы.

Слишком много цитат, слишком они длинные, а собственных его комментариев мало. Он отчётливо услышал негромкое замечание Инстанции: «Это работа машинистки, товарищ Крылов. Не вижу ваших собственных соображений».

В кабинетном сейфе лежал первый вариант, там прямые цитаты были сокращены до предела, преобладали собственные соображения и выводы товарища Крылова.

Сутки назад Илья, перечитав этот вариант, чуть не разорвал его. Чем больше собственного текста, тем выше риск, что твое мнение не совпадет с мнением Инстанции. В лучшем случае Инстанция обматерит, но если несовпадения окажутся серьезными, дни твои сочтены.

«Они и так сочтены, дурак. Они сочтены хотя бы потому, что ты позволяешь себе паниковать. Что тебя напугало? Встреча с механизмом под названием Молотов? Никак нет, товарищ Крылов. Ты просто расслабился. Ты позволил себе сойти с каната в сторону живой реальности. Каток, двадцать восемь фуэте, конная прогулка по ночной Москве, поцелуи, шепот, предложение руки и сердца. Ты спятил, товарищ Крылов. Руки твои дрожат, сердце прыгает. Оно должно принадлежать Хозяину, и больше никому. После самоубийства его жены Надежды он не выносит счастливых браков в близком окружении. Он твое счастье почует, как бы ни старался ты скрыть. Почует, не простит, рано или поздно уничтожит. Забудь о Маше. Погубишь себя, ее и все семейство Акимовых, включая десятилетнего Васю. Если так приспичило жениться, выбери комсомольскую куклу, живи с куклой и притворяйся счастливым. Притворяйся, но не смей быть счастливым на самом деле, ни минуты не смей».

Все это темным вихрем пронеслось в голове. Он заставил себя успокоиться, убрал назад в сейф первый вариант и принялся не спеша читать тот, который собирался передать Инстанции.

В кабинет без стука заглянул Поскребышев, красная лысина сияла, покрытая испариной, как россыпью бриллиантов. Лицо выражало строгую озабоченность.

— Крылов, у тебя все готово?

— Конечно, Александр Николаевич.

— Ладно, сиди пока, никуда не отлучайся.

Дверь закрылась. Судя по испарине и одышке Поскребышева, Хозяин только что выехал с Ближней дачи.

О существовании этого сверхсекретного объекта знал только узкий круг посвященных. Ближняя дача не упоминалась ни в каких официальных документах. Граждане СССР верили, что вождь всегда в Кремле, не спит, работает круглые сутки, гениальный мозг не выключается ни на минуту, охраняет и приумножает счастье трудящихся масс.

На картах участок в двадцать пять гектаров в районе Кунцева был обозначен как кусок дикого леса. Территорию тайного убежища окружал двойной забор, круглосуточно по окрестностям ходили патрули с собаками. Охранялись все подъезды и подходы. Вокруг главного дома, приземистого, довольно уродливого, выкрашенного в ядовито-зеленый цвет, было шесть постов, с телефонами. На постах дежурили по два офицера, у каждого автомат, кольт, наган и нож.

Дорога от Кремля до Ближней занимала пятнадцать — двадцать минут. Это короткое путешествие превращалось в сложнейший ритуал, таинственное действо со множеством участников.

Кортеж состоял из четырех автомобилей. Любимыми моделями были «линкольн», «паккард», ЗИС, выполненные по спецзаказу, с толстыми бронированными стеклами, с откидным сиденьем в центре салона. До последнего момента охрана не знала, какой из четырех автомобилей выберет Хозяин. Он усаживался на откидное сиденье, с ним садились два офицера, сзади «первый прикрепленный», спереди, рядом с водителем, «второй прикрепленный», живые щиты Инстанции.

Кортеж выезжал из дачных ворот номер один на большой скорости. Товарищ Сталин любил быструю езду. Впереди мчалась основная машина с Хозяином на откидном сиденье. За ней следовали две машины сопровождения и одна резервная, в каждой по четыре вооруженных офицера.

По узкой неприметной трассе, через молодой лесок кортеж вылетал на Можайское шоссе, мчался по мосту над кольцевой железной дорогой к Дорогомиловской заставе. Дальше — Смоленская площадь, Арбат, улица Фрунзе, наконец, Боровицкие ворота Кремля.

На шоссе, на мостах, на улицах и площадях, в домах вдоль спецтрассы, в гастрономе на Смоленской, в театре Вахтангова на Арбате, в галантереях и булочных, на трамвайных остановках и возле газетных ларьков круглосуточно обитали видимые и невидимые сотрудники НКВД, готовые при малейшем подозрении перегрызть глотку любому случайному прохожему.

Илья достал из кармана пятак, поставил на ребро, крутанул. Монета долго вертелась, наконец, упала решкой вверх.

«Сегодня не вызовет, — подумал Илья. — Можно расслабиться».

Пятак был старый, дореволюционный, он никогда не обманывал. Настасья вручила его Илье после окончания школы и велела класть в правый ботинок «на удачу». Почему именно в правый, не объяснила. Илья с пятаком не расставался, но в ботинок не клал, носил в кармане брюк.

Вызовет или не вызовет — на этот вопрос пятак всегда отвечал точно. Нескольких минут пути по коридорам хватало, чтобы собраться, настроиться и предстать перед Инстанцией в полной боевой готовности. Но случайные встречи пятак предсказать не мог.

Однажды, на втором году службы в Секторе, Илье довелось столкнуться с товарищем Сталиным лицом к лицу в коридоре, совершенно неожиданно. Хозяин остановился и с минуту глядел в глаза.

Лицо Великого Вождя вблизи, при ярком свете, выглядело страшно. Отечное, рыхлое, усыпанное глубокими оспинами и пигментными пятнами, оно казалось слепленным из комьев серой влажной земли, желтые глаза мерцали, как гнилушки из темноты. Помня наставления Товстухи,

Илья не отвел взгляд. Какой-то рычаг щелкнул и повернулся внутри. Спецреферент настроился на волну абсолютной любви и преданности. В голове громко запел пионерский хор:

> Если б Сталина родного
> я бы в жизни повстречал,
> я бы Сталину родному,
> другу нашему, сказал:
> «Дорогой товарищ Сталин,
> вождь великий Октября,
> это вы мне счастье дали,
> в люди вывели меня!»

Песенка часто звучала по радио. Вероятно, она имела силу магического заклинания. Лицо «Друга нашего, Вождя великого» волшебно преобразилось. Исчезли вмятины и пятна, кожа стала гладкой, приятно смуглой, благородно вырос лоб, утончился нос, глаза из желтых сделались шоколадно-карими.

Слова и бодрый мотив пионерской песни точно соответствовали чувствам и мыслям спецреферента Крылова. Он обожал товарища Сталина, верил, что без товарища Сталина, как без солнца, воздуха и воды, нет жизни на земле.

— Здравствуйте, товарищ Сталин.

— Привет, — мрачно буркнул вождь и пошел дальше по коридору.

Небрежное «привет» было счастливым знаком. К тем, кого Хозяин готовился слопать, он всегда обращался подчеркнуто вежливо и многословно.

Очутившись в своем кабинете, Илья сел за стол, зажал рот ладонью — у него началась мучительная икота, он дотянулся до графина, попытался глотнуть воды прямо из горлышка, толстое стекло стукнуло о зубы, струйка потекла мимо рта, тяжелый графин едва не выпал из рук, а пионерская песня продолжала звучать в голове. Илья хотел заглушить ее какими-нибудь собственными мыслями, но их не оказалось, только песня, слова и мотив. Вторая попытка глотнуть воды была успешнее первой, удалось сделать несколько больших глотков, но икота не прошла.

Божественно гладкое, лучезарно смуглое лицо Великого Вождя плавало перед глазами, пионерский хор наяривал:

> Дружно страна и растет и поет,
> с песнею новое счастье кует,
> глянешь на солнце — и солнце светлей,
> жить стало лучше, жить стало веселей!
> Хочется всей необъятной страной
> Сталину крикнуть: «Спасибо, родной!»
> Долгие годы живи, не болей,
> жить стало лучше, жить стало веселей.

Дернувшись от очередного ика, Илья чуть не свалился со стула, больно ударился коленом об угол стола и в коротком промежутке перед следующим иком четко произнес:

— Музыка Александрова, слова Лебедева-Кумача.

Рычаг опять щелкнул и повернулся. Хор смолк. Илья задрал штанину, морщась от боли, потрогал красный рубец на колене. Еще пару минут продолжался звон в ушах, но уже проснулись, слабо зашевелились собственные мысли. Первой из них стало далекое детское воспоминание, слова отца «предсмертная икота». Кто умирал, Илья не помнил, осталось только пугающее сочетание слов.

— Предсмертная икота. Переход в сталинскую реальность — это смерть, — прошептал Илья, налил в стакан воды из графина, выпил мелкими глотками, потом задержал дыхание.

На выдохе икота прекратилась. Илья бессильно откинулся на спинку стула и подумал: «Интересно, сколько людей здесь, в Кремле, и вообще в СССР постоянно пребывает в таком заколдованном состоянии?»

Чтобы успокоиться, он стал крутить свой пятак. Монета упорно падала орлом вверх. Вызов последовал через полчаса. На столе перед Хозяином лежал доклад Ягоды, три абзаца, посвященные персонально спецреференту Крылову. Хозяин протянул бумажку Илье, дал прочитать.

Ягода докладывал о неблагонадежности спецреферента Крылова, о том, что на него поступают сигналы, а сам он никаких сигналов ни на кого не посылает.

«Затаившийся враг маскируется под добросовестного работника, коварно искажает в своих сводках важные внешнеполитические моменты. Ведет замкнутый аморальный образ жизни. Двурушник. Имеет доступ к сверхсекретным документам и пользуется этим во вражеских шпионских целях».

Нарком внутренних дел Ягода испытывал к спецреференту Крылову личную неприязнь. Ягоде хотелось, чтобы на этой должности сидел его человек. Никаких прямых контактов у Ильи с Ягодой не было, но неприязнь он чувствовал, ждал какой-нибудь гадости. И вот дождался.

Пионерские песни больше не звучали в голове, икота не повторялась, рычаг не щелкал. Илья успокоился, сосредоточился и вполне хладнокровно настроился на волну Великого Вождя.

Донос Ягоды оказался совершенно пустым, так, общие слова. При желании нарком внутренних дел мог бы нарыть кое-что интересное, например о происхождении спецреферента Крылова. Значит, не стал рыть? Или есть еще другие бумажки?

Пока Илья читал, Хозяин не сводил с него глаз. Наконец очень тихо, мягко спросил:

— Ну, что скажете в свое оправдание, товарищ Крылов?

Илья пожал плечами и, с детской доверчивостью глядя в глаза Инстанции, смущенно произнес:

— Товарищ Сталин, вы же знаете, какая сволочь Ягода.

Ответ понравился. Товарищ Сталин усмехнулся и с удовольствием повторил слово «сволочь».

Если бы Илья стал оправдываться, если бы на мгновение отвел взгляд или дрогнул мускул на лице, тогда все, конец. Но получилось очень удачно, и даже врать не пришлось. Спецреферент Крылов сказал искренне, что думал.

Это было в сентябре 1935-го. Ягоде оставалось занимать пост комиссара внутренних дел еще год. В сентябре 1936-го он был назначен наркомом связи, а его место занял товарищ Ежов, тихий чахоточный карлик с большими голубыми глазами. В отличие от Ягоды, он ни к кому не испытывал личной неприязни, в том числе и к спецреференту Крылову.

ГЛАВА ЧЕТВЕРТАЯ

Доктор Штерн оказался прав в своих оптимистических прогнозах. Германия успокилась. Марка росла, безработных становилось все меньше. С улиц исчезли свастики, серпы и молоты, вчерашние оголтелые демонстранты превратились в мирных, сытых, добропорядочных бюргеров.

Эльза вместо газет читала детям сказки Андерсена, Гофмана, братьев Гримм, играла на фортепиано, разучивала с детьми забавные песенки, учила их рисовать. Ее акварельками и каракулями мальчиков были увешаны стены квартиры. На праздники и дни рождения собирались гости, Эльза сама пекла яблочные штрудели, взбивала сливки.

В июле 1929-го их младшему сыну Максу исполнилось пять лет. В честь дня рождения был устроен пикник на лужайке у озера в Тиргартене. Среди гостей оказался один из пациентов Карла, военный летчик Пауль Вирте с женой и дочерью Магдой, ровесницей Макса.

Подарок, который вручила маленькая Магда, затмил все остальные. Это была искусно сделанная модель «юнкерса», в кабине сидела крошечная фарфоровая фигурка летчика, за стеклышками иллюминаторов — пассажиры. Игрушка разбиралась, можно было вытащить и рассмотреть фигурки.

— Я летаю на таком, только настоящем, — сказал Вирте и, взъерошив волосы Макса, добавил: — Благодаря твоему папе.

Вирте, высокий жилистый блондин с квадратным безбровым лицом, обезображенным шрамами от ожогов, был из тех, кому война казалась смыслом жизни. В последние дни войны он умудрился посадить горящий самолет на вражеской территории, обгорел, получил две французские пули в бедро, каким-то чудом переполз линию фронта, избежал плена, выжил, и даже ногу удалось сохранить. Но раны давали о себе знать, он не справлялся с болью, подсел на морфий. Карл работал с ним два года, и, когда ни врач, ни пациент уже не верили в успех, Вирте вдруг обнаружил, что может обходиться без наркотика все дольше, а скоро вообще избавился от зависимости.

— Я летаю, я живу! Некоторые мои однополчане тоже вылечились, но потеряли здоровье, — говорил Вирте, потягивая легкое рейнское вино и дымя сигарой.

Был чудесный нежаркий день в перламутровой дымке. Озеро, обрамленное плакучими ивами, светилось под бледным размытым солнцем. Пахло свежескошенной травой, старые липы медленно покачивали кронами, трепетали, играли светом влажные листья. Лениво зарядил редкий дождик, но раздумал, вместе с дождиком налетел легкий прохладный ветер, похожий на вздох, на сладкий зевок проснувшегося ребенка, и сразу выглянуло солнце, лучи запрыгали по глади озера, встрепенулись толстые утки, захлопали крыльями, разбрасывая сияющие брызги.

— Послушайте, Карл, у меня есть друг, летчик-истребитель, настоящий ас, мой бывший комнадир в первой эскадрилье «Рихтгофен», — кашлянув, произнес Вирте. — Я рассказал ему о вас, он очень заинтересовался.

Карл слушал рассеянно, смотрел на детей. Десятилетний Отто, в начале праздника державшийся надменно, как самый взрослый среди малышей, теперь оседлал коня на колесиках, которого подарили Максу, и, отталкиваясь ногами от земли, гонялся за белокурой Ирмой, внучкой главного врача клиники, вопил:

— Я неуловимый ковбой, гроза диких прерий!

Ирма с перьями на голове изображала индейца, бегала зигзагами, постукивала себя ладошкой по рту, испускала боевой индейский клич. Руди и Фреди, шестилетние близнецы, играли в мяч с Магдой. Только Макс спокойно сидел возле отца и возился с игрушечным «юнкерсом».

— Недавно он стал депутатом рейхстага, из него выйдет отличный политик, не в пример нынешним, он настоящий солдат, сильный, решительный, — продолжал Вирте.

— Кто? О ком вы? — спросила Эльза.

Она подошла неслышно, вместе с Моникой Рон, своей гимназической подругой, матерью близнецов.

— Я мучаю Карла фронтовыми историями, — ответил Вирте слишком поспешно, с такой искусственной улыбкой, что доктору стало не по себе.

— Карлу хватает собственных военных воспоминаний, — заметила Моника, слегка нахмурившись.

Ей Вирте явно не нравился. Эльза, мигом почувствовав неловкость, предложила всем холодного лимонаду, присела на корточки возле Макса.

— Угости детей, — сказал Карл. — Только смотри не клади слишком много льда.

— Лед давно растаял, — Эльза поправила панамку на голове Макса.

Вирте продолжил разговор о своем героическом друге только когда дамы отошли. Он перечислил боевые награды бывшего командира эскадрильи: орден «За заслуги»,

Железный крест первой степени, орден Льва со шпагой, орден Карла Фридриха, орден Гогенцоллеров третьей степени со шпагой. Доктор уже понял, к чему Вирте завел этот разговор. Депутат рейхстага нуждался в конфиденциальной медицинской помощи.

— Да, ваш друг настоящий герой. В чем его проблема?

— Он сам расскажет, — ответил Вирте. — Он хочет встретиться с вами, Карл.

— Пауль, вы знаете мои приемные дни, пусть запишется на прием.

— Нет, Карл, простите, но будет лучше, если вы сами посетите его. Он пришлет за вами своего шофера во вторник, в девять вечера.

— Пауль, но я посещаю пациентов на дому только в экстренных случаях.

Макс, все это время молчавший, потянул отца за рукав.

— Папа, смотри!

На белой салфетке были разложены фарфоровые фигурки, извлеченные из «юнкерса».

— Смотри, это летчик, а вот пассажиры.

Карл стал рассматривать фигурки. Он был рад отвлечься. Разговор стал раздражать его. Слишком таинственно и восторженно говорил Вирте о своем командире. Во вторник, в девять вечера, Карл действительно был свободен. Вирте знать этого не мог, и ничего не стоило отказаться.

— Папа, видишь, это летчик, а вот я, вот Отто и мама, — Макс, стоя на четвереньках, показывал пальчиком на фарфоровые фигурки.

Карл разглядел крошечного летчика в шлеме, даму в синем платье, двух мальчиков в матросских костюмах.

— Макс, а где же я?

— Тебя нет, мы трое полетели, ты остался в Берлине.

Карл вместе с Максом усадил фигурки в самолет. Они крепились магнитами. Игрушку собрали, прибежали близнецы, позвали Макса играть в жмурки, но он не желал выпускать «юнкерс» из рук.

Прощаясь, Вирте еще раз повторил, что во вторник, в девять, за доктором приедет машина.

— Пауль, вы не сказали, как зовут вашего командира.

— Карл, прошу вас, сами понимаете, все строго конфиденциально. Его имя Герман Геринг.

* * *

О собрании Маша совсем забыла, но, конечно, пришлось вспомнить. Пригнали всех, кто работал в филиале Большого, включая осветителей, декораторов, костюмерш, уборщиц, гардеробщиц независимо от возраста и партийности. Зал оказался почти полным, только в десятом ряду никого, кроме Лиды. От нее шарахались. Маша, не раздумывая, уселась рядом, на соседнее кресло. Лида как будто не заметила ее, не повернула головы. Она сосредоточенно вязала.

На сцене за столом восседало комсомольское бюро в полном составе плюс незнакомая квадратная тетка в пиджаке с морковными стрижеными волосами и подбородком, похожим на розовое жабо.

Сначала все шло как обычно. Член бюро, серенький хмырь из канцелярии, зачитал доклад. Комсомол — передовой отряд, доверие партии, происки врагов, обострение классовой борьбы, как гениально отметил наш Великий Вождь товарищ Сталин...

После каждого упоминания Сталина зал аплодировал, Маша автоматически била в ладоши. Условный рефлекс. И вдруг она заметила, что Лида продолжает вязать. Это ошеломило Машу. Человек, не отвечающий аплодисментами на имя вождя, выглядел как голый среди одетых.

— С ума сошла? — испуганно прошептала Маша.

— А ты отсядь от меня, чтоб не замараться, — ответила Лида, спокойно двигая спицами.

Доклад длился минут сорок, из которых почти половину времени заняли аплодисменты. Хмырь из канцелярии упоминал Сталина через фразу, и каждый раз хлопали очень долго. Никто не решался закончить первым. Маша чувствовала, как фокусируются взгляды президиума на Лиде. Со сцены отлично просматривался весь освещенный зал.

Продолжая машинально отбивать ладони, Маша повторила попытку, прошептала:

— Они смотрят на тебя, брось ты свое вязание, похлопай, жалко, что ли?

— Извергу хлопать не буду.

У Маши пересохло во рту, она решила, что ослышалась, ну, или в крайнем случае Лида имеет в виду хмыря-докладчика. Когда затихли последние овации, поднялся комсорг, высокий рыхлый мужик из отдела кадров, остриженный под ноль, с пышными буденновскими усами.

— Товарищи, сегодня у нас на повестке персональное дело комсомолки Русаковой. Отец Русаковой арестован и разоблачен как враг народа, фашистский шпион и вредитель. Все вы читали об этом в «Правде». Он входил в крупную террористическую организацию, пронизавшую своими щупальцами тяжелую промышленность, имел связь с иудой Троцким и его империалистическими фашистскими хозяевами. Такие русаковы, подобно ядовитым змеям, пригреваются на теплой груди нашего Советского государства и готовы жалить смертельно, отравлять своим троцкистским ядом нашу счастливую жизнь.

Пока он говорил, многие головы в передних рядах поворачивались. Машу знобило от взглядов. Лида продолжала вязать. Тетка с подбородком-жабо тронула руку комсорга, он сел, тетка встала.

— Товарищи, когда я шла сюда, мне вспоминались слова товарища Сталина о том величайшем доверии, которое наша партия оказывает молодежи.

Зал опять захлопал. Тетка воспользовалась паузой, чтобы пролистать бумажки на столе. Нашла нужную, подняла голову, обратилась к затихшему залу.

— Товарищи комсомольцы, молодая поросль, артисты оперы и балета! Я обращаюсь к вам. Вы сегодня выступаете на малой сцене, завтра выйдете на большую. Что такое сцена Большого театра? Это не просто сцена, на которой поют и танцуют избалованные примы и примадонны, как было в старые времена. Это передовая идеологического фронта нашего советского, большевистского искусства. На вас, товарищи комсомольцы, лежит огромная ответственность. Вы должны быть бдительны, бдительны и еще раз бдительны. Вы обязаны очищать здоровый организм вашего коллектива от тайных врагов, двурушников, хитростью проникших в ваши ряды. Это, если хотите, элементарные правила гигиены. Каждому необходимо мыть руки, чтобы не проникли в организм бактерии и паразиты.

В зале кто-то вежливо хихикнул. Тетка сделала паузу. По ее лицу было видно, что она ждала более живой реакции на свое остроумное сравнение. Не дождавшись, продолжила сухо, с некоторым сарказмом:

— Товарищи, перед собранием я внимательно ознакомилась с личным делом балерины Русаковой. И что я увидела? Все характеристики самые положительные. Старательная, дисциплинированная, и в пионерской организации, и в комсомольской Русакова проявила себя как активистка, хороший товарищ.

— Русакова, встань! — крикнул комсорг.

Лида вязала, ни на кого ни глядя. Повисла тишина. Маша вжалась в спинку своего кресла и зажмурилась, как будто ее сейчас ударят.

— Встань, Русакова, выйди вперед!

Никакой реакции. Тишина.

— Что, паралич разбил? Акимова! Помоги ей встать!

Маша открыла глаза, но не могла шевельнуться. Зал загудел, со всех сторон слышались голоса, громкие, приглушенные, мужские и женские:

— Встань, выйди, Русакова...

— Не дури, все равно придется...

Спицы замерли, руки Лиды быстро сложили вязание в мешочек.

— Пропусти, — услышала Маша сквозь гул.

Лида положила к ней на колени свой мешочек, направилась к сцене легкой балетной походкой. Стало тихо. Подойдя к рампе, спиной к залу, лицом к президиуму, Лида спросила:

— Мне здесь стоять? Или подняться на сцену?

— На сцену. Чтобы все тебя видели, — скомандовал комсорг.

Лида легко взлетела по лесенке. Встала возле стола. Спина прямая, взгляд в никуда, поверх голов.

— Ну, давай, Русакова, расскажи коллективу, как так получилось, что рядом с тобой под видом близкого родственника столько лет жил и действовал матерый враг, а ты ничего не замечала? — спокойно, задушевно спросила тетка.

— Или не хотела замечать, — дополнил вопрос комсорг.

— Он не под видом родственника. Он мой родной папа. И он ни в чем не виноват. — Лида произнесла это тихо, но все услышали.

— То есть ты хочешь сказать, что наши доблестные органы, наш советский суд ошиблись?

— Ошиблись.

— Нет, Русакова, ошиблась ты, ошибся твой отец, когда надеялись, что все сойдет с рук, полагались на слепоту, глухоту и прекраснодушный либерализм. Он, и ты, и все вы, тайные наши враги, просчитались! Судя по тому, как ты упорно выгораживаешь врага, ты сама враг, ты действовала заодно с врагом, ты вынашивала злобные планы, ядовитым вражеским дыханием своим отравляла воздух, в котором жили и творили честные комсомольцы, считавшие тебя, злобную змею, своим товарищем.

Это был монолог тетки, она говорила долго, громко, с тяжелым придыханием, пока не рухнула на свой стул, обессиленная, томная.

На сцене, на месте Лиды, Маша вдруг отчетливо увидела себя, но не такую прямую, как Лида, а сутулую, с повисшими руками, подогнутыми коленями, низко опущенной головой, медленно оседающую, зыбкую, мягкую. Тело без костей. Она пыталась прогнать эту жуть. Ей хотелось лишиться слуха, зрения, сразу всех чувств и мыслей, превратиться в Аистенка, улететь в Африку.

После тетки заговорил комсорг, потом еще кто-то из бюро, потом из зала. Маша услышала звонкий голос Светки Борисовой:

— Виноват весь наш коллектив, не разглядели, не проявили комсомольскую бдительность, впредь обещаем проявлять бдительность комсомольскую по-большевистски, следуя отеческим указаниям нашего великого товарища Сталина, вождя нашего гениального всех народов мы, бойцы советского балета, обязаны высоко нести гордое знамя партии большевиков партии Ленина Сталина гениального великую честь и доверие нашей бдительности...

Маша перестала различать слова, в ушах гудело, голова кружилась. Страх, что сейчас прозвучит ее фамилия, придется встать и тоже что-то говорить, жгуче поднимался от желудка к горлу, как тошнота при отравлении.

Лида стояла прямо, ноги в третьей позиции, руки спокойно опущены, подбородок приподнят. Если к ней обращались, она повторяла все ту же фразу:

— Мой папа ни в чем не виноват.

Только однажды, когда тетка, отдохнув и набравшись сил, стала призывать ее одуматься, покаяться перед лицом родного коллектива, Лида, повернувшись к комсоргу, произнесла:

— Степан Иванович, я же вам говорила, я от папы отрекаться не буду.

— Так, товарищи, все ясно, предлагаю поставить вопрос на голосование. Кто за то, чтобы исключить из комсомола Русакову?

Стали поднимать руки. Маша держала на коленях мешочек с Лидиным вязанием, ладони как будто припекло к тонкому, мягкому батисту. В тишине взгляды комсорга и тетки медленно ползли по рядам. У Маши ныло правое плечо, так сильно, будто все суставы вывихнулись. Она одна сидела в десятом ряду. В одиннадцатом, справа от нее, сидел Май. У самого уха она услышала его дыхание и быстрый шепот:

— Подними руку, не будь идиоткой, ей не поможешь, себя погубишь, поднимай, ну же! — Май протиснул левую кисть между спинками, нащупал Машин локоть, резко толкнул вверх.

Рука взметнулась в тот момент, когда внимательные взгляды из президиума дополэли до десятого ряда.

ГЛАВА ПЯТАЯ

Ночные визиты к депутату рейхстага Герману Герингу изматывали Карла. Каждый раз, возвращаясь домой в третьем часу утра, он чувствовал себя грязным и разбитым. Если бы этот жирный психопат был обычным пациентом клиники, доктор отнесся бы к нему с должным состраданием. Но вместо того, чтобы лежать в клинике, Геринг заседал в рейхстаге, пользовался уважением и симпатией промышленных тузов, крутился в аристократических салонах, считался влиятельным политиком, умницей, обаяшкой, германским Гаргантюа. Он любил показывать гостям свою игрушечную железную дорогу. Над ней летали по проволоке игрушечные самолеты и сбрасывали деревянные бомбочки. Широкие карманы его галифе всегда были наполнены крупными изумрудами, рубинами, сапфирами, он доставал их, перебирал, пересыпал из ладони в ладонь.

Доктор знал, что Герман Геринг представляет в рейхстаге крайне правую нацистскую партию, конечно, слышал имя лидера этой партии, видел портреты и упрямо не желал верить, что бедняга ефрейтор Гитлер, которого довелось ему лечить в последние дни войны, и лидер крупной политической партии — одно лицо. Но приходилось верить. С плакатов, со страниц газет, с афишных тумб, с парадного портрета, висевшего в гостиной Геринга, смотрел на доктора бедняга ефрейтор собственной персоной, только усы подстриг, они стали маленькими, как у знаменитого американского комика Чарли Чаплина.

Геринг называл Гитлера «шеф». Во время сеансов психотерапии рассказывал, как их первая встреча в Мюнхене перевернула всю его жизнь. Настоящие обильные слезы текли по жирным щекам, Геринг вытирал их батистовым кружевным платочком. На платочке оставались следы розовой пудры. Из-за морфия лицо Геринга было землисто-серым, чтобы выглядеть лучше, он пудрился, подкрашивал губы. Кроме морфинизма и ожирения, Геринг страдал импотенцией. Во время каждого сеанса за рассказом о встрече с Гитлером следовали откровения о том, какими способами они с Карин решают эту проблему, и слезы продолжали течь, оставляя серые дорожки в слое пудры.

Карин, жена Геринга, красивая сорокалетняя блондинка, шведская аристократка, постоянно болела и встречала доктора в гостиной, полулежа на кушетке под портретом Гитлера.

В гостиной были белые стены, розовые оконные стекла, розовые шторы, розовые ковры, поверх ковров белые звериные шкуры. Напротив камина стоял небольшой белый орга́н. Кресла, диваны, журнальные столики, кушетка, на которой возлежала Карин, — все бело-розовое, и сама она, в белом домашнем платье, с ярко-розовыми пятнами туберкулезного румянца на скулах, гармонично вписывалась в интерьер. Повсюду белели кружевные скатерочки, салфеточки. Антикварные часы на камине, старинные музыкальные шкатулки, китайский фарфор, шелковые абажуры настольных ламп и торшеров — все сияло белизной и розовостью, как сахарная глазурь на прянике. Только кабинет Геринга был выдержан в строгих зеленых тонах, там стояла тяжелая дубовая мебель, в окнах — витражи, изображающие сцены из жизни средневековых рыцарей.

— Мы с Германом — как Тристан и Изольда. Мы отведали любовного напитка и стали беспомощны в экстазе, — сообщила Карин с томной улыбкой при первом же знакомстве. — Мы не можем жить друг без друга. Вы должны помочь Герману, вы посланец светлых сил, у вас кристально арийское энергетическое поле.

Как ни странно, лечение шло на пользу. Геринг сокращал дозы, растягивал промежутки между инъекциями на несколько суток. Однажды он встретил доктора радостным известием, что к нему вернулась мужская мощь. Доктор поздравил его и предложил закончить лечение. Он устал от этого опереточного семейства, но Карин категорически возражала.

— Совсем скоро Господь призовет меня, я должна быть уверена, что оставляю Германа здоровым, — заявила она со своей обычной томной улыбкой. — Прошлой ночью я говорила с бабушкой, бабушка считает, что Герману следует продолжать лечение именно у вас. Вы посланы самим Провидением.

Карл вежливо осведомился, сколько лет бабушке, и услышал, что Господь призвал бабушку, когда Карин была ребенком, но между ними существует постоянная духовная связь.

Геринг понял предложение Карла по-своему.

— Намекаете, что пора повысить вам гонорар? Так бы сразу и сказали.

Повышение гонорара оказалось мизерным, но пренебрегать деньгами Карл не мог, нужно было кормить семью.

Германия опять погрузилась в кризис. В октябре 1929-го рухнула Нью-Йоркская биржа, а следом вся европейская экономика. Германия жила за счет промышленного экспорта и американских кредитов. Кризис обрушил курс марки, банкротились банки, закрывались заводы, разорялись крупные и мелкие фирмы, армия безработных росла с каждым днем, выстраивались длинные очереди за тарелкой бесплатного супа, в клинике задерживали жалованье, количество платежеспособных частных пациентов таяло.

Геринг платил скупо, но регулярно. По его рекомендации Карл лечил от неврастении жену крупного банкира, от алкоголизма — пожилую баронессу, от кокаиновой зависимости — сына министра, пассивного гомосексуалиста с тремя попытками суицида в анамнезе.

В сентябре 1930-го на общегерманских выборах за нацистов проголосовало шесть с половиной миллионов избирателей, в результате они получили сто семь мандатов и по количеству депутатов, заседающих в рейхстаге, поднялись с девятого на второе место.

Эльза опять стала читать газеты. Карл не мог. Он вернулся к военному дневнику, перечитал собственные рассуждения о несчастном ефрейторе, которого никто не любит и не ждет, принялся уговаривать себя, что ни в чем не виноват, просто выполнял свою работу, лечил больного, так же как сейчас лечит свиноподобного депутата Геринга, его приятелей и приятельниц, нацистов и нацисток.

«Такие больные должны содержаться в клинике, — думал Карл. — Все они люди с диагнозом: мания собственной исключительности, помешательство на теории заговора. Но из этого разве следует, что их нельзя лечить? А что, все прочие, кто заседает в рейхстаге, возглавляет министерства, принимает государственные решения, руководит армией, они здоровы? У них те же диагнозы».

В толстой тетради половина страниц осталась чистой, последняя запись была датирована декабрем 1918-го. В сентябре 1930-го появились новые.

«Война выработала во мне стойкое отвращение к политике. Сочетание пафосного вранья, мифов, которые рассчитаны на безмозглых идиотов. Кажется, все так грубо сработано, что поверить невозможно. Но они верят, верят! И вот поневоле начинаешь презирать их, брезговать ими. Если люди позволяют такое с собой делать, значит, даже простой жалости не заслуживают».

Отто нацепил на лацкан гимназической курточки значок со свастикой. Карл снял значок и выбросил. Отто расплакался, сказал, что в гимназии все за Гитлера и он не желает быть белой вороной.

— Карл, но ведь правда, Германией должны руководить сильные, решительные люди, ты разве не видешь, что творится? Папен* ничтожество, чиновники берут взятки, воруют из казны. Да, я согласна, эти нацисты неприятные, шумные, наглые, но ведь Гитлер говорит правду, разоблачает реальную грязь и ложь. Нынешнее правительство никуда не годится, там все заврались и проворовались. В конце концов, мы же не евреи, чего нам бояться? — твердила за ужином Эльза.

На медицинской конференции в Мюнхене Карл встретил нескольких врачей, с которыми работал в госпитале в Пазельвалке в конце войны. Четверо из пятерых вступили в нацистскую партию. Все искренне восхищались Гитлером. На фуршете бывший главный врач госпиталя, потрепав Карла по плечу, сказал:

— Помнишь, ты предрек, что он спасет Германию? Ты оказался пророком, надо выпить за это. Адольф Гитлер спасет, только он, никто другой.

Карл не стал напоминать, что тогда, в ноябре восемнадцатого, все восприняли это как анекдот и долго весело смеялись. Пить отказался, сославшись на головную боль, ушел в гостиницу.

В фойе над стойкой висел портрет ефрейтора. Ночью под окнами орали пьяные штурмовики СА:

---

*Франс фон Папен, известный политик и дипломат, в 1932-м получил пост имперского канцлера.

«Развесим Гогенцоллернов на фонарях,
пусть эти собаки висят, пока не истлеют веревки.
В синагоге распнем черную свинью
и все церкви забросаем бомбами».

Вместо гостиничной Библии на прикроватной тумбе лежал толстый, в дорогом, с золотым тиснением, переплете, том «Майн кампф». Доктор открыл, пролистал и тут же захлопнул, отбросил, словно прикоснулся к вонючим нечистотам. Книга тяжело шлепнулась на ковер. Утром, выйдя из номера, закрыв дверь на ключ, спустившись к завтраку, бегом вернулся в номер, положил книгу на тумбочку и уверял самого себя, будто делает это из простой вежливости и уважения к порядку, а не потому, что боится доноса горничной.

В заключительный день конференции Гитлер должен был выступить перед врачами с речью. Карла мучили противоречивые чувства. Ему хотелось удрать домой, не видеть, не слышать психопата ефрейтора, но это казалось трусостью, глупостью.

Эльза говорила, провожая Карла в Мюнхен: «Люди меняются, прошло много лет. Среди поклонников Гитлера не только мелкие бюргеры и домохозяйки, к нему тянутся интеллектуалы, университетские профессора, священники, молодежь от него в восторге. Он говорит правду. Послушай его, Карл!»

На следующее утро в фойе по стенам висели огромные плакаты с портретами Гитлера, торчали флажки со свастикой. Царило необычное возбуждение, голоса звучали громче. По обеим сторонам каждого дверного проема стояли штурмовики. Коричневые рубашки перетянуты портупеями, на рукавах повязки со свастикой. Ноги широко расставлены, руки спрятаны за спину, локти торчат, выражение лиц у всех одинаковое, тупо-надменное, как у олигофренов.

Толпа повалила в зал. Когда публика расселась по местам и затихла, на кафедру поднялся министр здравоохранения Баварии, произнес короткую невнятную речь о долге медицинских работников перед народом, затем, поправив очки, вскинув подбородок, объявил, что имеет честь представить уважаемым коллегам руководителя Национал-социалистической рабочей партии Германии господина Адольфа Гитлера. Последовали бурные аплодисменты.

Ефрейтор появился из боковой двери, быстро прошел к кафедре, и все головы крутились, прослеживали его путь. Он пожал руку министру, в каждом его движении чувствовалась нервозная суетливость. Так кинематографический комик изображает бестолкового мелкого чиновника, который страшно занят, постоянно спешит и всем недоволен.

Он ничуть не изменился с 1918-го, выглядел так же убого, и даже отличный костюм-тройка не придавал ему респектабельности. Укороченные усики зрительно расширяли узкую физиономию, но делали ее еще банальнее.

Он оглядел притихший зал. Глаза казались тусклыми, невидящими. Лицо приобрело брезгливое выражение, словно в зале дурно пахло, и вдруг совершенно неожиданно, без всяких приветствий и предисловий, он выкрикнул:

— *Мне часто говорят: «Вы всего лишь барабанщик национальной Германии!» Ну и что, если я только бью в барабан?! Сегодня вбить в немецкий народ новую веру было бы большей заслугой государственного масштаба, чем постепенно проматывать существующую веру!*

Голос его звучал резко, высоко и хрипло. Он замолчал, уставился вдаль, поверх голов, словно читал какую-то надпись на задней стене зала, потом заговорил тихо, почти зашептал:

— *Сегодня мы переживаем поворотный момент судьбы Германии. Если теперешнее развитие событий продолжится, то Германия неизбежно погрязнет в большевистском хаосе. Если же такое развитие событий будет остановлено, то нашему народу придется пройти школу железной дисциплины. Либо удастся снова переплавить весь этот конгломе-*

рат партий, союзов, объединений, мировоззрений, сословного чванства и классового безумия в единый стальной народный организм, либо Германия, не добившись такой внутренней консолидации, погибнет окончательно.

Опять последовала пауза, Гитлер сложил руки на груди, потупился, длинная темная прядь, густо смазанная бриолином, упала на лицо, он стоял так довольно долго, как будто забыв о публике.

Публика терпеливо ждала. За мгновение до того, как иссякло ее терпение, он вскинул голову, тряхнул челкой, ударил кулаком себя в грудь и закричал:

— *Вы видите здесь перед собой организацию, которая исполнена чувства теснейшей связи с нацией, построена на идее абсолютного авторитета руководства в любой области, на любом уровне. Это организация, вселяющая в своих сторонников неукротимый боевой дух! А если нам ставят в упрек нашу нетерпимость, то мы гордо признаемся — да, мы нетерпимы, мы приняли неумолимое решение искоренить марксизм в Германии до последнего корешка. Мы приняли это решение вовсе не из любви к дракам, и я вполне могу себе представить жизнь поспокойнее, чем эти вечные метания по всей Германии.*

Речь ефрейтора длилась часа два. Крик сменялся шепотом, глаза вспыхивали, как электрические фонарики с голубыми стеклами, гасли, опять вспыхивали. Он ни разу не произнес своего любимого слова «еврей», в аудитории были врачи-евреи, а ему не хотелось скандала, ему хотелось нравиться. Он оказался настолько умен, что не позволил себе рассуждать о медицине, понимал, как не любят профессионалы рассуждений дилетантов. Да, он очень хотел нравиться, и у него это отлично получалось. Полторы сотни докторов, профессоров медицины со всей Германии слушали затаив дыхание.

Содержание речи не имело никакого значения. Смысл двухчасового монолога сводился к следующему: «Только я могу спасти Германию, никто, кроме меня, или я, или всеобщая гибель».

Зал аплодировал ефрейтору стоя. Поднялись все, даже самые пожилые, даже евреи, хотя они отлично знали, как относится к ним нацистская партия. А все равно поднялись и били в ладоши. У Карла не хватило мужества остаться единственным сидящим. Поднимаясь, он неловко грохнул стулом. Именно в этот момент выпуклые голубые глаза уперлись в него, он физически ощутил этот взгляд как прикосновение чего-то холодного и липкого. «Узнал», — пронеслось в голове, а ладони хлопали, хлопали. Никогда еще за всю свою сорокатрехлетнюю жизнь Карл не был самому себе так противен.

* * *

Илья листал сводку, старался сосредоточиться на тексте, но строчки расплывались, мерещились горные вершины, пляжи, города, которые он знал только по открыткам, художественной литературе, по сообщениям советских нелегалов и ворованной дипломатической переписке. Париж, Лондон, Амстердам. Везде он видел себя с Машей, как они бродят по бульварам, по набережным, плывут на яхте, подставляют лица соленому ветру, ужинают в портовом кабачке, слушают уличных музыкантов, ночуют в гостиничном номере с видом на море. Утром в окно светит солнце, трепещет белая занавеска, кричат чайки. Никогда прежде ему так не хотелось жить, как сейчас, и что теперь с собой, влюбленным идиотом, делать, неизвестно.

Он зажмурился, тряхнул головой. Наваждение прошло. Он просто отключился на минуту, не спал, грезил наяву. Очень уж надоела ему эта конура с портретом Инстанции на стене, с бюстом Инстанции на столе. Можно выйти из конуры, но за дверью, в каждом кабинете, на каждом этаже, и снаружи, по всему огромному городу, портреты, бюсты, скульптуры в полный рост, в парках, во дворах, на улицах, на станциях метро, во всех учреждениях, в театрах и кинотеатрах, в Третьяковской галерее. Высоко в небе над Москвой по праздникам висят поднятые на аэростатах, освещенные мощными прожекторами гигантские портретища.

Нет, пожалуй, не надо никаких романтических красот, никаких Парижей и Амстердамов. Для нормальной человеческой жизни сгодилось бы любое обитаемое пространство, свободное от бесчисленных изображений усатого низколобого лица.

«В камерах, где сидят смертники, нет ни портретов, ни бюстов, — усмехнулся про себя Илья. — И в гараже у Лубянки, в Варсонофьевском переулке, где каждую ночь расстреливают, тоже вряд ли. В кабинетах следователей и в помещении для отдыха исполнителей приговоров портреты, конечно, висят».

Илья занес остро отточенный карандаш над страницей, покосился на пишущую машинку, застыл на минуту, потом отложил карандаш и захлопнул папку. Он десятый раз перечитывал одно и то же, замирал над какой-нибудь фразой, которая резала глаз и могла бы вызвать раздражение Инстанции. Рука сама тянулась исправить, но больше исправлять и перепечатывать невозможно, иначе текст развалится. Хватит. Надо отдохнуть, отвлечься на полчасика.

Он взял первое, что попалось под руку, — свежий номер «Правды». Типографская краска пачкала пальцы. Передовица рассказывала об открытии Чрезвычайного XVII Всеросийского съезда Советов. Речь Сталина. Речь Ежова. Бурные овации. Речь передовой колхозницы Тюниной:

«Когда у меня родится сын, когда он начнет говорить, первое слово, которое он скажет, будет «Сталин».

На следующей странице под заголовком: *«В здоровом теле — здоровый дух»* — большая фотография группы людей с лыжными палками, в противогазах. *«Семнадцать комсомольцев, рабочих и работниц Рублевской насосной станции отправились в лыжный поход Москва — Горький — Москва. Весь маршрут комсомольцы пройдут в противогазах».*

80

Две полосы посвящались подготовке к всенародным торжествам в честь столетней годовщины со дня гибели А.С. Пушкина. Статья профессора Лупулла начиналась так:

«Прошло сто лет с тех пор, как рукой иноземного аристократического прохвоста, наемника царизма был застрелен великий русский поэт Александр Сергеевич Пушкин. Чествование Пушкина — это чествование ленинско-сталинской национальной политики. Сталин и Сталинская конституция подарили народу Пушкина».

Бросился в глаза великолепный пассаж из речи Алексея Толстого:

«Мне хочется восторженно выть, реветь, визжать и стонать от одной мысли о том, что мы живем в одно время со славным, единственным и несравненным Сталиным! Наше дыхание, наша кровь и наша жизнь — принадлежат Вам! О, великий Сталин!»

— Господи, помилуй, — прошептал Илья.

Карандаш опять оказался в руке. Грифель скользнул по строчкам, но не оставил следа. Спецреферент Крылов позволил себе слегка отредактировать текст знаменитого писателя, только мысленно.

«Мне хочется выть, реветь, визжать и стонать от одной мысли о том, что мы живем в одно время со Сталиным. Наше дыхание, наша кровь, наша жизнь принадлежат ему».

Вот теперь это стало похоже на правду.

Дверь внезапно распахнулась. Александр Николаевич Поскребышев упал в кресло напротив стола и хрипло произнес:

— Твою мать...

Он тяжело дышал. Лицо его было бледным, сморщенным, глаза ввалились и покраснели. Илья, не задавая вопросов, налил своему начальнику воды, протянул стакан. Поскребышев глотнул, поставил стакан на стол и продолжил более звучным голосом:

— Сука, дерьмо собачье, иди на хер...

Минут пять сталинский секретарь продолжал материться, и постепенно лицо его розовело. Наконец монолог иссяк, дыхание стало ровным, Илья спросил:

— Александр Николаевич, может, валерьяночки?

Поскребышев помотал головой, встал, проделал нечто вроде короткой гимнастики для лицевых мышц: надул и растянул губы, прищурился, подвигал бровями вверх-вниз и вышел из кабинета, не сказав ни слова.

Когда такое случилось впервые, Илья пережил шок, испугался, что Александр Николаевич материт лично его, спецреферента Крылова, и за бранью последует страшная расправа. Но не последовало ничего. Кремлевский день продолжал свое обычное течение, механизм работал без перебоев, никаких претензий к спецреференту Крылову ни у кого не было. Улучив подходящий момент, Илья решился спросить Поскребышева, что случилось. Александр Николаевич не сразу понял, о чем речь, потом до него дошло, он небрежно махнул рукой:

— Да так, вымотался, две ночи не спал, понервничал слегка, — он подмигнул и похлопал Илью по плечу. — К тебе это не относится, не бойся!

Примерно через месяц повторилось то же самое, и опять никаких объяснений, никаких последствий.

Третий неожиданный визит и поток брани Илья воспринял уже совершенно спокойно и даже получил некоторое удовольствие, слушая отборную энергичную матершину бывшего фельдшера. Молча налил воды в стакан, поставил перед Александром Николаевичем, но тот никак не отреагировал. Илья вдруг заметил, что глаза бранящегося устремлены в одну точку, в центр стены над столом, туда, где висит портрет Инстанции в строгой раме темного дерева.

Поскребышев смотрел прямо на портрет, обращался исключительно к нему, исключительно матом, с нешуточной ненавистью. В какой-то момент, уже на исходе монолога, он почувствовал, что Крылов проследил направление его взгляда. Замолчал, взял стакан, выпил, повернулся. Глаза Поскребышева уперлись в лицо Ильи, в них не было ни испуга, ни угрозы, в них ясно читалось:

«Да, Крылов, ты все понял правильно. Ты умный, ты, конечно, не стукнешь».

«Александр Николаевич, я умный, а вы еще умнее, к тому, кто стукнет, вы бы никогда не зашли, чтобы выпустить пар и отвести душу», — мысленно ответил Илья.

Поскребышев подмигнул и вышел. Так, благодаря своему начальнику, Илья сделал очередное открытие. Если с человеком возможно объясниться молча, взглядами, значит, он еще жив. У тех, кто растворился в Сталине, глаза ничего не выражали.

В приемной, в кабинете Инстанции, в коридорах, на заседаниях Александр Николаевич выглядел обезьянкой с кукольными мертвыми глазами. Илья знал, что сам он выглядит так же. Ему доводилось ловить в случайных зеркалах свое окоченевшее лицо.

Илью мучили два вопроса: если Поскребышев поймал в нем пульсацию жизни, то и Хозяен может однажды учуять. Что тогда? Ответом стала старая поговорка: двум смертям не бывать, а одной не миновать. Растворение в Сталине, добровольный отказ от собственной личности, от своих чувств и мыслей для Ильи был страшнее физической смерти.

Второй вопрос. Почему Александр Николаевич не может выпускать пары в одиночестве или с кем-то более близким и надежным, чем спецреферент Крылов? Но и тут ответ нашелся. Илья знал по собственному опыту, что материть Хозяина наедине с его изображением — занятие бессмысленное и опасное. Можно по-настоящему свихнуться. Изливая свои эмоции на кого-то близкого, на членов семьи, ты взваливаешь на них непомерный груз, они мучаются вместе с тобой, помочь не могут, и всем становится только тяжелее.

В биографии Александра Николаевича было достаточно событий и поступков, которые здорово закаляют психику и притупляют чувствительность. В июне 1918-го член Екатеринбургского губернского совдепа Поскребышев подписал постановление о расстреле Николая II, его супруги и малолетних детей. Руководил политотделом Особой Туркестанской армии, уничтожал туркестанских националистов, потом был председателем ревкома в Златоусте и в Уфе, расстреливал крестьян, заподозренных в сочувствии Колчаку.

Революция и гражданская война превратили фельдшера в карателя. Товстуха рассказывал, что, познакомившись с Поскребышевым, хозяин одобрительно произнес: «Ха, ну и рожа, вот урод так урод!»

Вряд ли внешность бывшего фельдшера сыграла существенную роль, но то, что уродливые люди нравились товарищу Сталину, было очевидно. Рядом с ним почти не осталось не то что красивых, а просто нормальных лиц. Хозяин окружил себя рожами. Человекообразный зверек Ежов. Жирный, со слипшимся чубом на лбу, с трясущимся, как желе, двойным подбородком и воробьиным носиком на расплывшейся бабьей физиономии Маленков. Приплюснутый, словно стукнутый мордой об стол, Молотов. Осанистый, как индюк, с дегенеративно узким лбом Буденный, свиноподобный, всегда поддатый Ворошилов.

«Хороши ребята, — иногда думал Илья, разглядывая знакомых персонажей на заседаниях Политбюро, — на каждом отпечаток скотства. Они выглядят как водевильные разбойники, но водевиль не кончается, убитые жертвы никогда не встанут, чтобы поклониться публике».

Нормальные человеческие лица были только у Микояна, Орджоникидзе и Кагановича. Первые двое каким-то чудом умудрились уцелеть, не растворились в Сталине. Долго ли сумеют продержаться, неизвестно. Каганович издали выглядел импозантным мужчиной, но глаза были кукольные, лучше не заглядывать в них.

Что касается Поскребышева, конечно, Хозяин приблизил его к себе не только из-за уродливой внешности. Сталинская обезьянка обладала феноменальной памятью, блестящими организаторскими способностями, умела улавливать тончайшие вибрации Инстанции всем своим подвижным тельцем. При кажущейся безобидности обезьянка была плотоядным хищником, к запаху и виду крови привыкла со времен своей дикой большевистской молодости. Но, несмотря на многолетнюю дрессуру, обезьянка иногда срывалась на вой, рев, визг и стон, потому что на самом деле Александр Николаевич не был обезьянкой, просто мастерски прятал свое человеческое лицо от посторонних глаз.

Когда закрылась дверь за Поскребышевым, Илья еще раз перечитал первый абзац из речи Алексея Толстого и беззвучно пробормотал:

— Так-то, товарищ граф, выть, реветь, визжать и стонать хочется не только вам одному.

На подоконнике лежала стопка свежих номеров «Фолькише Беобахтер» («Народного обозревателя»), самой массовой ежедневной германской газеты, официального правительственного органа. Разглядывая фотографии руководителей рейха, Илья в который раз убедился, что нацистские рожи ничуть не краше большевистских. Геббельс чем-то похож на Ежова и тоже карлик. Жирный Геринг напоминает Маленкова. Если усы Молотова превратить в брови, гуще заштриховать лысину, получится Гесс. В определенных ракурсах Мартин Борман — вылитый Ворошилов.

Несколько передовиц посвящались подготовке к торжествам в честь празднования 30 января, дня прихода к власти нацистской партии. Геббельс выступил перед членами Ассоциации имперской прессы:

«Часто я с грустью и умилением вспоминаю о тех прекрасных временах, когда мы в своей стране были просто-напросто маленькой сектой, а в столице у национал-социалистов едва ли набиралась дюжина сторонников».

Философ-экзестенциалист Мартин Хайдеггер произнес речь перед студентами Берлинского университета:

«Никакие догматы и идеи более не являются законами нашего бытия. Только фюрер, и никто другой, воплощает настоящую и будущую реальность Германии и ее закон».

В разделе «Культура» — панегирик только что вышедшей книге профессора Вильгельма Мюллера «Еврейство и наука» с пространными цитатами.

«Еврейская физика есть мираж и следствие дегенеративного распада.

Теория относительности Эйнштейна не теория, а колдовство, способное превращать все живое в призрачную абстракцию, где все индивидуальные черты народов и наций и все внутренние границы рас размываются. Всемирное признание теории Эйнштейна являлось взрывом радости в предвкушении еврейского правления миром, которое навечно низведет дух немецкого мужества до уровня бессильного рабства».

Илья отложил «Беобахтер», подумал, что ему повезет, если Инстанция затребует обзор официальной германской прессы только в начале следующего месяца. Если это произойдет в январе, составлять сводку будет трудно, в Германии затишье, никаких существенных событий, ничего об СССР вообще и товарище Сталине в частности. Придется высасывать из пальца, просматривать разные региональные издания, чтобы найти хоть что-то достойное его внимания. Товарища Сталина раздражает, когда гитлеровская пресса слишком долго ничего о нем не пишет.

Работая в Институте марксизма-ленинизма, Илья по заданию Товстухи делал для Инстанции развернутый, с комментариями, перевод «Майн Кампф». Герр Гитлер тогда еще не пришел к власти, но товарищ Сталин им очень интересовался.

Несколько раз, являясь по вызову, спецреферент Крылов заставал Инстанцию за чтением «Майн Кампф». Рукопись развернутого перевода издали для товарища Сталина в одном экземпляре, это был увесистый кирпич в бордовом сафьяновом переплете.

Когда он читал «Майн Кампф», лицо его распухало, багровело, оспины становились глубже и заметнее. Возможно, это было связано с проблемой сосудов. Но Илье казалось, что дело вовсе не в сосудах. Товарищ Сталин напряженно впитывал энергетику текста, лицо превращалось в губку. Он так увлекался, что не сразу замечал вошедшего спецреферента. Наконец поднимал голову и преображался из пористой губки в товарища Сталина. В такие мгновения следовало особенно внимательно следить за собственным лицом, даже находясь далеко от стола, у двери. Если он заподозрит, что ты уловил, подглядел нечто, не предназначенное для твоих глаз, считай себя мертвецом.

«Майн кампф» представлял собой эпическое повествование о *коросте всей земли, еврейской антирасе, вампирах народов, хозяевах антимира*, которые лишают невинности белокурых арийских дев. Между балладами о сифилисе, раке, змеях, червях и пиявках излагалась четкая политическая программа. Гитлер собирался завоевать жизненное пространство на Востоке, получить полезные ископаемые Урала и чернозем Украины. И вот он с этой своей программой стал рейхсканцлером. Несмотря на его вопли о мире, было очевидно, что основа его политики — военная агрессия, направленная в первую очередь против СССР.

«Сталин ужасен, однако Гитлер еще хуже, и Сталин единственная сила, которая способна противостоять Гитлеру».

Однажды Илья вывел для себя эту утешительную формулу и держался за нее изо всех сил. Она была чем-то вроде мягкой смазки для успешной работы механизма под названием спецреферент Крылов.

ГЛАВА ШЕСТАЯ

Вскоре после конференции в Мюнхене доктор Штерн получил официальное приглашение на обед в отель «Кайзерхоф» на Вильгельмштрассе, где находилась берлинская резиденция Адольфа Гитлера. За ним заехал шофер Геринга. В просторном банкетном зале собралось человек двадцать, среди них доктор увидел нескольких своих богатых пациентов.

Госпожа фон Дирксен, которую он излечил от нервного тика, тепло приветствовала его, представила маленькому носатому хромоножке по фамилии Геббельс. Хромоножка оказался доктором философии, депутатом рейхстага, руководителем, вернее, гением имперской пропаганды, как выразилась госпожа Дирксен. У гения на впалых щеках и тощей шее цвели алые фурункулы, острый кончик языка без конца облизывал тонкие бледные губы. Большие карие глаза с поволокой резко контрастировали с уродством лица и всей фигуры, они словно принадлежали какому-то другому существу.

Когда Карл вышел покурить в кофейный павильон, к нему на подлокотник кресла бесцеремонно присел угрюмый молодой человек с квадратным лицом и широкими черными бровями. Из-под бровей сверкали маленькие желтоватые глазки.

— Меня зовут Рудольф Гесс, а вы тот самый доктор Штерн. Карл Штерн, если не ошибаюсь?

— Да, совершенно верно.

Чтобы говорить с ним, приходилось выворачивать шею. Вблизи лицо его казалось совершенно плоским.

— Я трудно схожусь с людьми, но к вам чувствую большое доверие, — он понизил голос до шепота. — Я знаю вашу тайну. Знаю только я, вы понимаете?

— Простите, я не совсем... — Карл слегка отстранился от наплывающего плоского лица.

— Фюрер плакал, когда рассказывал мне. В страшные дни национального позора вашими устами говорило само Провидение. Это огромная честь и огромная ответственность, вы понимаете?

— Да, конечно.

Карл вспомнил, что Геринг называл Гесса тенью шефа. Тень сурово сверкнула глазами, соскользнула с подлокотника и удалилась.

«Тень-Гесс только кажется безумным, на самом деле он в такой своеобразной форме предупредил меня, что о своем первом знакомстве с Гитлером в госпитале в ноябре 1918-го я должен помалкивать», — успел подумать Карл и тут же попал в объятия баронессы фон Блефф.

— Карл, мой дорогой, как я рада вас видеть! — баронесса надвигалась на него, словно океанская волна.

Колыхался бирюзовый шелк платья, сверкала белизной красиво уложенная седая шевелюра, искрились бриллианты в ушах, на шее, на пальцах пухлой холеной руки, протянутой для поцелуя.

Пришлось встать, улыбнуться, склониться к руке. Единственный сын баронессы страдал затяжными депрессиями и был одним из самых платежеспособных пациентов доктора Штерна.

— Дорогой доктор, у меня радостная новость, — гудело контральто баронессы. — Мой мальчик поправился и теперь может заняться изданием журнала, вы знаете, он с детства мечтал об этом, но из-за болезни ничего не получалось. И вот, благодаря вам, он полон энтузиазма и творческих идей. Франс, детка, иди сюда, поздоровайся с доктором.

«Детке» стукнуло двадцать пять, но выглядел он значительно старше из-за ранней плеши, серого оттенка щек и старчески унылого выражения лица. Доктор знал, что это выражение появляется у него всегда в присутствии матушки и щеки сереют от страха перед ней. Отпрыск древнего баронского рода больше всего на свете боялся, что матушка узнает его тайну. Франс Герберт Мария фон Блефф был гомосексуалистом. Конечно, психотерапия и гипноз вылечить этот недуг не могли, но сеансы доктора Штерна помогали «детке» избавиться от мучительного страха разоблачения. Благодаря доктору бедняга Франс научился владеть собой, не терять головы, соблюдать разумную осторожность.

— Здравствуйте, Франс, — доктор пожал холодную лапку отпрыска. — Рад, что вам лучше. Какой журнал вы будете издавать?

— Журнал мод, «Серебряное зеркало», — ответила баронесса.

Отпрыск молча вяло кивнул. И тут кто-то громко, на выдохе, произнес:

— Приехал!

Все устремились в фойе. Доктор успел заметить, как залились румянцем бледные щеки Франса, и подумал, что в данном случае бедняга может не скрывать от матушки своей очередной горячей влюбленности. Баронесса фон Блефф боготворила Гитлера, считала его мессией, спасителем отечества. Трепет и восторг сына при виде ефрейтора был для нее естественным проявлением здорового германского патриотизма.

Гитлер вел под руку молоденькую белокурую барышню. Ее звали Гели. Она заливалась счастливым смехом, громко рассказывала, как они с дядей Адольфом выбирали ей шляпку.

— Я перемерила около сотни, ничего не понравилось. Мы выходим на Линденштрассе, и вдруг я вижу в витрине именно то, о чем мечтала. Тяну дядю за руку, а он уперся, насупился, — Гели скорчила угрюмую рожицу, изображая, как насупился дядя. — В общем, это оказалась еврейская лавка. Но все-таки я его уговорила, уговорила!

Гели щебетала, Гитлер вел себя как светский лев из дешевой кинодрамы, целовал дамам ручки, щедро раздавал комплименты. Мужчин приветствовал дружескими рукопожатиями. Очередь дошла до Карла.

— Рад вас видеть, доктор Штерн. Знаю, как вы помогли нашему Герману, — прозрачный неморгающий взгляд уперся в глаза.

Рукопожатие ефрейтора оказалось вялым и влажным. Когда он отошел к следующему гостю, Карл услышал у самого уха шепот:

— Теперь он играет роль цивилизованного политика, не бранится и не ест на завтрак евреев.

Доктор обернулся. Рядом стоял высокий лысый мужчина лет сорока пяти в дорогом темном костюме. Лицо казалось смутно знакомым.

— Меня зовут Бруно Лунц, — он широко, приветливо улыбнулся. — Ну, Карл, узнали? Я сильно изменился за четверть века. Вы тоже не помолодели.

Конечно, доктор узнал и обрадовался. С Бруно Лунцем были связаны счастливейшие воспоминания юности. Три месяца они жили в одной комнате в общежитии Тюбингемского университета. Оба приехали в Тюбингем прослушать курс лекций по средневековой философии знаменитого профессора Грюнера.

Бруно был из русских немцев, учился в Петербургском университете на историческом факультете. Именно Бруно заразил Карла любовью к Достоевскому, дал ему несколько уроков русского языка. С тех пор чтение по-русски стало для Карла чем-то вроде хобби. Он покупал учебники, словари, граммофонные пластинки с русскими романсами и оперой «Евгений Онегин», даже выучил наизусть несколько стихотворений Пушкина, Баратынского, Тютчева. Читал свободно, без словаря, но говорил плохо, поскольку не было подходящих собеседников.

— Теперь я могу освежить свой разговорный русский, — сказал он Бруно по-русски.

— Надо же, не забыл! И здорово продвинулся за эти годы. Акцент, конечно, убийственный, но говорить можешь. Однако не здесь, не сейчас, — Бруно перешел на немецкий. — Нас неправильно поймут.

За обедом они сидели рядом, Бруно успел рассказать шепотом, что сбежал из России в двадцатом, жил в Константинополе, в Париже, теперь вот осел в Цюрихе и очень часто бывает в Берлине.

— Числюсь в музее Древнего Египта консультантом, на Вагнерштрассе у меня есть магазинчик, торгую всякой египетской дребеденью. Видишь ли, эти господа интересуются древностью, в том числе фараонами и жрецами. Ну, а ты как сюда попал?

— Лечу Геринга от морфинизма.

— Карл, мы с тобой отлично устроились. У нас большое будущее. Когда они придут к власти, мы разбогатеем и прославимся.

— Думаешь, у них есть шанс прийти к власти?

Бруно не ответил, Гитлер произносил речь, на них косились, шептаться стало неловко.

— *Брак как основа семьи есть залог жизни и будущего народа. Сохранение в чистоте его устоев есть нравственный долг. Прелюбодеяние и разрушение чужой семьи есть осквернение чести, а измену собственной жене следует в общем и целом дополнительно квалифицировать как вероломство. Измена жены обязывает супруга во имя защиты чести своего дома призвать обидчика к ответу.*

Ефрейтор говорил медленно, словно диктовал. Все собравшиеся слушали с преувеличенным вниманием, только белокурая Гели, сидевшая по правую руку от него, рассеянно катала между ладонями хлебный шарик.

— Никогда не угадаешь заранее, о чем будет проповедь, — прошептал Бруно. — Эта хорошенькая блондинка, Гели Раубаль, его племянница. Он с ней сожительствует. В его семействе инцест обычное дело. Мать и отец были близкими родственниками.

Давно подали горячее, но никто не притрагивался к еде.

— *Любое существо, любое вещество, но также и любой общественный институт подвержены процессу старения,* — продолжал Гитлер. — *Однако всякий общественный иститут обязан считать, что он вечен, если только не желает самоликвидироваться. Крепчайшая сталь устает, все без исключения элементы распадаются. Поскольку Земле суждена гибель, несомненно уйдут в небытие и все общественные институты.*

Гели подкинула хлебный шарик, ловко поймала его ртом, хихикнула, взяла вилку и начала есть. Остальные последовали ее примеру. Гитлер тоже принялся за еду, но, не прожевав куска, произнес:

— *Этот процесс идет волнами, не прямо, а снизу вверх или сверху вниз. У церкви вековой конфликт с наукой. Бывали времена, когда церковь такой несокрушимой преградой вставала на пути научных исследований, что это приводило к взрыву.*

Обед длился несколько часов, и все время Гитлер трещал, как заигранная пластинка. Он произносил бессмысленные банальности с видом оракула, и хотя блюда подавали великолепные, аппетит у Карла пропал. Единственным приятным событием оказалась встреча с Бруно.

Потом было еще несколько обедов и банкетов. Иногда Карл приходил вместе с Эльзой и каждый раз поражался способности ефрейтора нравиться дамам.

— Он интересный человек, — заявила Эльза после первого знакомства.

Градус восхищения возрастал с каждой новой встречей. По пути домой с очередного обеда Карл услышал:

— Сила его убежденности заслуживает уважения, он умеет говорить просто и понятно о сложных вещах. Но главное, он дарит надежду, которую отняли у немцев в восемнадцатом году.

Вначале Карл пытался спорить:

— Послушай, но ведь он сумасшедший, у него мания величия.

— У тебя все сумасшедшие, ты привык видеть в людях только дурное. Да, в своих суждениях он иногда заходит слишком далеко, но некоторый максимализм свойственен всем великим людям.

— Что же в нем великого? Обыкновенный болтун и демагог, к тому же урод. Сальная челка, комедийные усики, этот невыносимый пафос.

— Карл, неужели ты не чувствуешь, какая от него исходит мощная энергия? А глаза! Они светятся, они смотрят прямо в душу!

Скоро Карл понял, что спорить бесполезно. Эльза, такая разумная, здравомыслящая, становилась восторженной дурочкой, как только речь заходила о Гитлере. То же происходило практически со всеми женщинами, попавшими в орбиту ефрейтора. Жены крупных промышленников, баронессы, графини, светские красавицы млели, теряли рассудок, словно воздух вокруг этого напыщенного болтуна был пропитан испарениями какого-то мощного психоделического наркотика.

— Все благополучие нацистской партии держится на дамских пожертвованиях. Душка Гитлер умудряется доить богатых экзальтированных дур. Дуры тянут деньги из мужей. Вот тебе пример настоящей мужской проституции, — говорил Бруно. — При этом нет более шовинистической по отношению к женщинам идеологии, разве что у мусульман. Гитлер считает, что место женщины возле прялки, а ее главное оружие — столовая ложка.

С Бруно они стали встречаться довольно часто. Он оказался единственным человеком, который сумел сохранить здравый смысл. Его едкий юмор бодрил, его анекдоты о египетских фараонах и жрецах, парадоксальные исторические аналогии слегка приподнимали над абсурдной повседневностью, заставляли смотреть на происходящее со стороны, чувствовать себя снисходительным очевидцем, а не бессильной жертвой обстоятельств.

Однажды в конце сентября 1931-го доктора разбудил ночной телефонный звонок. Спросонья он не понял, кто именно звонит, возможно, это был голос Геббельса.

— Вы должны срочно вылететь в Мюнхен.

Через сорок минут машина с незнакомым молчаливым шофером доставила Карла в аэропорт. За штурвалом маленького спортивного самолета сидел сам Гесс.

— Гели застрелилась, у фюрера тяжелый нервный срыв, срочно требуется ваша помощь.

Еще за дверью доктор услышал вопли ефрейтора. Молодой человек в прихожей сообщил шепотом, что ему едва удалось отнять у фюрера пистолет и не дать ему застрелиться.

— Она предала меня! Грязная свинья, жалкое вероломное создание! Гели, девочка моя, прости, я виноват, я не позволил тебе заниматься пением!

Фюрер выл и катался по полу. Доктор присел возле него на корточки и машинально произнес:

— Адольф, перестаньте рыдать, будьте мужчиной.

Вой затих. Фюрер сел и выпучил на Карла глаза. Глаза были холодные и совершенно спокойные. Позже Гесс и несколько других свидетелей утверждали, что произошло чудо. Без всяких медицинских препаратов доктору Штерну удалось успокоить фюрера, вернуть ему бодрость духа. По мнению Гесса, само присутствие доктора Штерна, звук его голоса послужили в тяжелый момент живым напоминанием о священной миссии, о том, что великий человек не вправе отвлекаться на пустяки.

— Гели была взбалмошной девчонкой, ее присутствие рядом с фюрером компрометировало партию, — сказал Гесс на прощание.

По мнению доктора, чудо заключалось в том, как легко соратники верили в искренность истерических припадков. На самом деле это были спектакли. Катаясь по полу с диким воем, ефрейтор сохранял ледяное внутреннее спокойствие.

По дороге от аэродрома до дома Карл задремал в автомобиле, ему приснилось, что его закручивает бешеная воронка, он кубарем летит в бездну, на лету его тело теряет плотность и четкость очертаний, становится тенью, сгустком темноты. Он проснулся в холодном поту от собственного крика.

Дома он рассказал обо всем Эльзе.

— Ты просто устал. Бессонная ночь, нервное потрясение. Но ты можешь гордиться собой, ты помог человеку справиться с болью потери.

— Эльза, не было у него никакой боли, сомневаюсь, что он вообще способен испытывать боль. Он сожительствовал со своей молоденькой племянницей, она застрелилась. Не удивлюсь, если окажется, что ее убили и Гитлер причастен к этому.

— Карл, ты говоришь ужасные вещи, тебе надо отдохнуть, выспаться.

Смерть Гели вызвала легкий переполох в антинацистской прессе, стали распространяться слухи, что Гитлер застрелил ее из ревности, что она была беременна то ли от учителя музыки, то ли от какого-то художника из Линца, то ли от самого Гитлера. Третья версия оказалась популярнее двух других. Ее мусолили бульварные газеты. Будто бы из-за близкого родства с Гели окружение Гитлера и он сам испугались, что родится неполноценный ребенок, и, поскольку Гели отказалась делать аборт, решено было ее застрелить, инсценируя самоубийство.

У полиции гибель двадцатитрехлетней племянницы лидера НСДАП не вызвала подозрений. Не было ни расследования, ни вскрытия. Гели очень быстро похоронили на венском кладбище в склепе для бедных. Корреспондент венской вечерней газеты встретился со священником кладбищенской церкви. Священник якобы заявил, что никогда не позволил бы хоронить самоубийцу в освященной земле. *Из того факта, что я похоронил Ангелу Раубаль по христианскому обычаю, вы сами должны сделать выводы, которые я не могу произнести вслух*.

Венский «Вечерний листок» Карлу показал Бруно. Корреспондент подписался псевдонимом «Н.Р.», священник был назван «отцом П.».

— Не удивлюсь, если оба скоро исчезнут при загадочных обстоятельствах, — сказал Бруно.

Не прошло и месяца, как скончалась от сердечного приступа Карин Геринг. Ничего подозрительного и загадочного в ее смерти не было. Многие годы она тяжело болела. Геринг, в отличие от Гитлера, страдал вполне натурально, спектаклей не устраивал, просто впал в депрессию и вернулся к морфию. Доктору пришлось проводить с ним сеансы интенсивной психотерапии.

По берлинским улицам в сопровождении духовых оркестров маршировали стройные колонны штурмовиков СА в аккуратной коричневой униформе. Навстречу им двигались коммунистические демонстрации, «марши нищеты». Под звуки волынки неряшливо одетые люди поднимали кулаки и выкрикивали одно слово: «Голод!» На фоне унылых коммунистических толп аккуратные, дисциплинированные штурмовики казались символом порядка и бодрости. Духовые оркестры звучали приятнее и внушительнее визгливых волынок.

Илья закурил, развернул стул так, чтобы видеть прямо перед собой портрет Инстанции, висевший над его рабочим столом, тот самый портрет, к которому обращал свои матерные монологи Поскребышев. Это была тщательно отретушированная увеличенная фотография с подписью внизу: «И.В. Сталин — член военсовета Северо-Кавказского военного округа. Царицын, 1918».

Со снимка глядел молодой Джугашвили с буйной, без проседи, шевелюрой, с пышными усами. Ретушь сделала щеки идеально гладкими, ни пятнышка, ни ямки. Глаза сощурены, смотрят в упор. В них высокомерная усмешка победителя, хотя тогда, в восемнадцатом, в Царицыне, было еще очень далеко до его нынешних грандиозных побед. Для легкомысленных соратников он оставался Кобой, но уже во всех официальных документах значился товарищем Сталиным.

Обычно портрет помогал настроиться на сталинскую волну, в нем были черты идеального Сталина, каким хотел видеть себя сын горийского сапожника-пьяницы маленький хитрый Сосо.

Сосо Джугашвили ненавидел свое детство и все, что от него осталось: оспины, искалеченную левую руку. Он запустил в обиход миф, будто бы в возрасте десяти лет попал под автомобиль и десять дней провалялся в коме. Из-за плохо обработанных ран у него началось заражение крови, в результате левая рука перестала сгибаться в локте.

Первый автомобиль был собран Даймлером в 1885-м и никак не мог в 1887-м, через два года, появиться в захолустном грузинском городке Гори. Внимательный Товстуха потихоньку отредактировал миф, заменив автомобиль дилижансом, а заражение крови — переломом.

Что на самом деле случилось с рукой, оставалось тайной, одной из тысяч бессмысленных тайн, которыми окружал себя товарищ Сталин, как кальмар чернильным облаком.

Он врал даже в мелочах, без всякого практического смысла, не заботясь о достоверности, просто ради самой лжи.

Вначале Илье было трудно удерживать в себе все, что он узнавал из документов, казалось, голова взорвется, мучительно хотелось с кем-то поделиться или завести тайный дневник. Он так долго носился с мыслью о дневнике, что даже придумал специальный шифр, но, попав на службу в Особый сектор, навсегда оставил эту детскую затею. Он знал, что в рабочем кабинете, в казенной квартире на Грановского и даже в комнатенке мамаши на Пресне периодически проводятся обыски. Не только в бумагах, но и в нижнем белье, аккуратно, не оставляя следов, роются специалисты из Оперативного отдела. Зашифрованный дневник — верный способ получить пулю после порции пыток.

Молчать он научился сразу. Невелика наука — хочешь жить, молчи. За пару лет работы в архиве зрительная память развилась настолько, что удавалось выучить наизусть документ после двух-трех прочтений. Чем больше он узнавал, тем вернее убеждался, что изменить ничего нельзя. Это напоминало ночной кошмар, когда во сне теряешь способность бежать и кричать, тело тебе не подчиняется. Но от кошмара избавляешься, проснувшись.

«Может, это и есть сон? — спрашивал он себя. — Сознание продолжает работать, но сдвинуться с мертвой точки невозможно, как будто вместо воздуха вязкий клей вроде сладкой массы, которой покрыты нити паутины».

Скоро он стал чувствовать, что в состоянии полной неподвижности единственный способ выжить — продолжать шевелить мозгами, размышлять, анализировать, задавать самому себе вопросы и пытаться на них ответить.

Однажды Илье довелось держать в руках номер берлинской коммунистической газеты «Роте Фане» за 10 октября 1923 года с факсимильным воспроизведением рукописного послания Сталина тогдашнему главе германских коммунистов Тальгеймеру.

«Грядущая революция в Германии является самым важным мировым событием наших дней. Победа революции в Германии будет иметь для пролетариата Европы и Америки более существенное значение, чем победа русской революции шесть лет назад. Победа германского пролетариата, несомненно, переместит центр мировой революции из Москвы в Берлин».

Илье захотелось понять, что это было — глупость или хитрость? Неужели Сосо искренне верил в победу пролетарской революции в Германии? Не мог он не знать, что германская компартия оказалась мнимой величиной, добрая половина ячеек и боевых дружин существовала лишь на бумаге и деньги, отпущенные Советским правительством на покупку оружия, разворованы. Единственным результатом революционных усилий стал панический страх немцев перед большевизмом, который помог Гитлеру прийти к власти.

Пытаясь разобраться в этом, Илья наткнулся на одну из «особых папок», где хранились документы за 1923-й год, и тут же обнаружил, что год этот оказался решающим в жизни Сосо. Его отношения с Лениным обострились, если бы Ленин выздоровел, он бы, скорее всего, снял товарища Сталина с поста генерального секретаря, и это волновало Сосо в первую очередь. Это волновало его так сильно, что он решил подстраховаться, написал докладную записку в Политбюро, будто бы Ленин просил у него, Сталина, цианистого калия. Но тогда, в марте 1923-го, после очередного удара Ленина парализовало, он лишился речи и при всем желании не мог никого ни о чем попросить. Хитрый Сосо придумал версию, будто яду Ленин попросил через Крупскую.

Затем произошел известный всей партийной верхушке конфликт между Сталиным и Крупской. Поговорив с ним по телефону, она каталась по полу в истерике. О чем был разговор, осталось тайной.

Немного успокоившись, Крупская настрочила отчаянную записку Каменеву и Зиновьеву:

«Я обращаюсь к Вам как к старым товарищам Владимира Ильича и умоляю вас защитить меня от грубых вмешательств Сталина в мою личную жизнь, от подлых оскорблений и низких угроз. У меня нет ни сил, ни времени заниматься этой тупой ссорой. Я человек, мои нервы натянуты до крайности».

Большевичка-конспираторша даже в таком взвинченном состоянии напускала туману. Много эпитетов и никакого смысла. Нет чтобы сказать прямо: «Сталин соврал, я не просила у него яду для Володи!»

Никто никогда не узнает, рассказала ли она Ленину всю правду об этом или даже с ним объяснялась эпитетами. Известно, что как только Владимиру Ильичу стало лучше, он тут же написал Сталину:

«Уважаемый т. Сталин!

Вы имели грубость позвать мою жену к телефону и обругать ее. Хотя она Вам выразила согласие забыть сказанное, но, тем не менее, этот факт стал известен через нее же Зиновьеву и Каменеву. Я не намерен забывать так легко то, что против меня сделано, а нечего и говорить, что сделанное против жены я считаю сделанным и против меня. Поэтому прошу Вас взвесить, согласны ли Вы взять сказанное назад и извиниться или предпочтете порвать между нами отношения».

Разумеется, Сосо извинился и взял сказанное назад.

Прочитав записки из «особой папки», Илья потом не мог уснуть всю ночь. В то время он еще не был спецреферентом, жил вместе с мамашей на Пресне. Кушетка под ним громко скрипела, мамаша сквозь сон бормотала:

— Ну ты чего, сынок? Давай спи, хватит вертеться, вставать рано.

Он едва сдержался, чтобы не произнести вслух: «Знаешь, мамаша, в двадцать третьем году Сталин соврал, будто Крупская просила у него яду для Ленина».

Мамаша уютно посапывала. Илья подумал, что если бы он действительно произнес это вслух, она бы ответила:

«А чего соврал? Может, и правда просила. Крупская эта, она же психованная баба, вон как таращит глазищи, ведьма, тем более лысый-то чертушка совсем больной был, мучился».

«Нет, мамаша, — мысленно возразил Илья. — Крупская не могла на такое решиться, она, конечно, ведьма, но чертушку своего лысого любила, ухаживала за ним больным, как за младенцем. А главное, у нее был яд, она еще с царских ссылок таскала с собой пузырек, в любом случае обошлись бы они в этом деле как-нибудь без Сталина, они оба его ненавидели тогда, он для них был чужой и опасный человек».

Мамаша закряхтела, повернулась на другой бок, пробормотала во сне:

— Ох, сынок...

Оказалось совсем просто строить этот воображаемый диалог со спящей мамашей. Он знал наизусть все ее словечки. Ленина она никогда не называла по имени. Вначале звала немецким чертом, потом, после воцарения Сталина, покойного Ленина стала величать ласково «лысым чертушкой».

Имя Сталина мамаше приходилось произносить публично. Как передовая работница треста столовых Наркомпроса, она выступала на собраниях, читала по бумажке своим звучным басом речи, не вникая в их смысл, просто тарабанила что положено и делала паузы после каждого «товарища Сталина», потому что люди должны похлопать. Дома, наедине с Ильей, отводила душу, материла родного, любимого Вождя народов, лучшего друга всех трудящихся женщин, и непременно добавляла словечко «упырь», которое для нее было значимее любых матерных изысков.

«Ох, сынок, что же тогда получается? — мысленно продолжил Илья. — Наклеветал на нее, бедную женщину, этот упырь? И никто не вступился?»

Мамаша всегда была на стороне обиженного, и Крупская из «психованной бабы» и «ведьмы» мгновенно превратилась в «бедную женщину».

— Не вступился, — прошептал Илья.

Стараясь не шуметь, он нащупал брюки, джемпер, оделся, выскользнул в коридор. Ему хотелось курить. Пока шел к темной кухне, несколько раз повторил про себя: «Никто не вступился».

В кухне полная луна смотрела в открытую форточку. Илья понял, наконец, почему его так взволновал этот эпизод с ядом.

События, приведшие к воцарению Сталина, были намертво сцементированы роковой предопределенностью. Казалось, все, от кого это зависело — государственные мужи, отдельные люди и целые толпы с их стихийными настроениями, — покорно выполняли волю неведомого драматурга. Многоактное действо поражало сложностью сюжетных поворотов и примитивностью действующих лиц. Персонажи делились на идиотов и мерзавцев, первые всегда поступали глупо, вторые — подло. На этом строился сюжет, это стало цементом для пирамиды, на которой сегодня возвышалась коренастая фигура упыря.

В долгих беззвучных диалогах с самим собой или с воображаемой собеседницей мамашей Илья пытался ответить на вопрос: был ли шанс что-то изменить? Перебирая в памяти подробности эпизода с ядом, он вдруг почувствовал пульсацию, словно слабенькая жилка забилась в окоченевшем теле прошлого.

Глядя на лунный диск в прямоугольнике облупленной оконной рамы, Илья думал:

«Если бы тогда, в двадцать третьем, нашелся в их шайке хотя бы один человек, способный раз в жизни поступить не по-большевистски, а по-человечески, допустим, Крупская решилась бы рассказать правду, и вопрос, зачем Сталину понадобилось врать о яде, был бы открыто поставлен на Политбюро. Ладно, к черту Политбюро! Неформально, между собой, они могли бы обсудить это, на несколько минут стать обычными живыми людьми, возмутиться, испугаться, почувствовать зловонный холодок упыря, который в то время еще бродил между ними как равный. Да, у них был шанс. И заключался он не в интриге, не в склоке, не в очередном витке внутрипартийной борьбы и сложной кадровой рокировке, а в человеческом поступке, естественном, как дыхание».

Илья загасил папиросу, вернулся в комнату, разделся, залез под одеяло. Глаза, наконец, стали слипаться. Он знал, что Товстуха под руководством Хозяина занимался бесконечной пересортировкой и чисткой архивов, уничтожал множество документов. Почему эти не тронул?

«Потому, — сонно подумал Илья, — что история с ядом была огромной победой Сталина. Именно тогда, в 1923-м, он убедился, как просто манипулировать всей большевистской верхушкой, они стали деревянными фигурками на доске, которые можно перемещать легким движением пальца. Они предсказуемы и покорны, потому что никогда не поступают по-человечески. Все, что несет на себе отпечаток его побед, товарищ Сталин желает хранить вечно».

Вероятно, именно тогда, к концу 1923-го, был упущен последний шанс разоблачить упыря, повернуть историю в другое, менее кровавое русло. Жалкий лепет умирающего Ленина уже не имел никакого значения. Ознакомившись с «Письмом к съезду», с помощью которого Владимир Ильич пытался что-то исправить, Политбюро приняло резолюцию:

«Совершенно очевидно, что предложение Ленина освободить Сталина от обязанностей генсека, высказанное в «Письме к съезду», демонстрирует полную несостоятельность Ленина не только как государственного деятеля, но и как личности в целом».

— А ты бы лучше забыл об этом, сынок.

Илья вздрогнул, открыл глаза, подумал, что померещилось, но нет. Мамаша проснулась, приподнявшись на локте, смотрела на него в темноте.

— О чем забыть, мамаша? — изумленно спросил Илья.

— О том, из-за чего не спишь, вертишься, — она зевнула. — Спи, миленький, ну их всех к лешему.

Он заснул спокойно и крепко, и, хотя будильник прозвенел всего через полтора часа, проснулся свежим и бодрым. У мамаши в комнате висел рукомойник, вода была ледяная, Илья побрился, вымылся до пояса над тазиком, растерся докрасна жестким полотенцем.

Бессонная ночь не пропала даром. Пафосное приветствие несостоявшейся германской революции Сосо чиркнул просто так, не вкладывая никакого тайного смысла. Но благодаря этой случайной писульке Илье удалось понять нечто важное. Он не сделал великого открытия, не придумал способа изменить сложившийся порядок вещей, но у него впервые возникло чувство, что молчаливое шевеление мозгами не такое уж бессмысленное занятие.

Не прошло и месяца после той ночи, как он заступил на должность спецреферента. В первой папке с документами, полученной через секретариат Ягоды от начальника ИНО Артура Христофоровича Артузова, была большая подборка сообщений от швейцарского резидента. Кличка Флюгер, кодовый номер W/24. Документы шли в хронологическом порядке, с января 1932-го по февраль 1934-го. В потоке разнообразной информации постоянно мелькал источник: кличка Док, кодовый номер D/77.

Информация, поступавшая от Дока, не содержала ни политических, ни военных секретов, она касалась личной жизни, состояния здоровья и психических особенностей нацистских вождей.

Док не был завербован, работал вслепую, делится доступными ему сведениями из-за потребности с кем-то поделиться, из-за природной доверчивости, по старой дружбе. «Центр» в лице Артузова настаивал на вербовке. Но Флюгер, хорошо знавший характер Дока, считал это нецелесообразным, утверждал, что попытка завербовать Дока сразу спугнет его.

Читая сообщения от Флюгера, Илья понял, что с Доком они познакомились давно, еще в студенческие годы, встретились через много лет. Док счел эту встречу случайной и наверняка радовался, что у него появился собеседник, с которым можно поговорить открыто, без вранья и притворства. Флюгер, конечно, был обаятельным, умным, ироничным, умел слушать внимательно и сочувственно, как положено настоящему шпиону.

«Привет, Док, — произнес про себя Илья, дочитав подборку агентурных сообщений от швейцарского резидента. — Вряд ли я когда-нибудь узнаю твое настоящее имя, увижу лицо. Ты даже не подозреваешь о моем существовании. Но я рад, что ты есть. Тебя подло используют, рано или поздно это может кончиться катастрофой для тебя, я не в силах тебе помочь, но я хочу, чтобы ты уцелел, источник Док, наивный и мудрый немецкий доктор. Мы с тобой чем-то похожи, мы две мухи, прилипшие к разным паутинам. Мы оба не можем сдвинуться с мертвой точки и что-то изменить, но упрямо продолжаем шевелить мозгами».

ГЛАВА СЕДЬМАЯ

Весь день 30 января 1933-го берлинское радио комментировало назначение Адольфа Гитлера рейхсканцлером. Эльза не отходила от приемника, отправила горничную за газетами.

Четырнадцатилетний Отто приклеил к обоям над своим столом портрет ефрейтора, вырезанный из картонного конверта от патефонной пластинки с его речами. Пластинки раздавали в гимназии. Девятилетний Макс пририсовал ефрейтору рога, огромные уши и синяк под глазом. Мальчики подрались, Эльзе с трудом удалось разнять их. Она отодрала портрет и выбросила. На обоях осталось пятно. Отто мрачно напомнил маме, что она сама называла Гитлера великим человеком.

— Да, он мне нравится, но не настолько, чтобы украшать дом его изображениями, — сказала Эльза и тут же переключилась на Макса: — А ты не должен был его уродовать.

— Гитлер противный, все время орет, — насупившись, ответил Макс.

Как раз в этот момент по радио звучало выступление ефрейтора.

— *Задачей правительства должно стать восстановление духовного единства нации, объединенной одной волей, защита основ христианства и семьи, этой естественной ячейки общества и государства.*

Пару недель назад Эльза своими глазами увидела, как штурмовики избивали на улице старика еврея. И хотя она упорно повторяла, что Гитлер тут ни при чем, во всем виноват отвратительный гомосексуалист Рем со своими бандитами, восторг ее перед ефрейтором слегка увял.

— Теперь, когда Гитлер стал канцлером, он легко справится с этими мерзавцами, — заявила она за ужином.

У Карла не было ни сил, ни желания спорить с женой. К тому же он поймал себя на том, что опасается говорить о Гитлере при Отто, да и Макс мог сболтнуть что-нибудь в школе. Страх вкрадчиво кольнул сердце.

Поздним вечером он записал в своем дневнике:

«30 января 1933-го — этот день можно назвать пиком абсурда, всеобщего ослепления. Старик Гинденбург* при первом знакомстве с Гитлером сказал, что не доверил бы этому господину даже руководить почтой. У нормального человека никаких чувств, кроме недоумения и брезгливости, Гитлер вызвать не может. Что же произошло? Множество мелких человеческих злодейств и глупостей собрались в пучок, сфокусировались в одной ослепительной точке наподобие лучей в лупе, и вот деревяшка задымилась. Не обязательно этот легкий дымок разожжет пожар. Пост рейхсканцлера еще не вся власть. Нацистам досталось только три министерских портфеля из одиннадцати. На восьми ключевых постах по-прежнему сидят министры-консерваторы. Но кто они? Надутые ничтожества, завсегдатаи салонов и клубов, ни один из них не видит ничего дальше кончика своей сигары».

---

*Пауль фон Гинденбург, фельдмаршал, президент Веймарской республики с 1925-го по 1934-й.

1 февраля был распущен рейхстаг. 2 февраля Геринг возглавил полицию Пруссии и принялся чистить ее ряды от тех, кто не сочувствовал нацистам. Инспекторы, комиссары, рядовые полицейские увольнялись, их места занимали люди из СА и СС. По Берлину в торжественном параде шагали коричневые штурмовики, к вечеру стройные колонны рассыпались, воняло пивной кислятиной и пороховым дымом, пьяные штурмовики освобождали город от коммунистов и предателей, громили редакции газет, кафе, магазины, дома.

Для «защиты германского народа» был принят закон о чрезвычайном положении, заткнувший рот всей оппозиционной прессе. Нацистские газеты и радио сообщали об огромных складах оружия, о найденных при обысках документах, которые раскрывают колоссальный коммунистический заговор, опутавший своей тайной сетью всю Германию.

Геринг выступил по радио с речью:

— *Документы неопровержимо доказывают, что участники заговора планировали ввергнуть Германию в хаос большевизма, готовили террористические акты против вождей народа, диверсии на предприятиях, массовые отравления рабочих и крестьян, захват заложников, жен и детей выдающихся государственных деятелей. Все это должно было привести народ в ужас и смятение, сломить силу сопротивления коммунистической чуме. Я, имперский комиссар Прусского Министерства внутренних дел, имперский министр Геринг, обещаю в скором времени предъявить общественности все добытые полицией документы.*

Никаких документов так никто и не предъявил, но население в них уже нуждалось, бюргеры, рабочие, крестьяне охотно верили в зловещий тайный заговор темных сил. Поднялась паника, в городах жильцы домов по очереди дежурили в подъездах, опасаясь грабежей и взрывчатки. В деревнях крестьяне охраняли колодцы и родники, опасаясь отравителей. На этом фоне бесчинства геринговской полиции, аресты и убийства выглядели как необходимые меры защиты.

Полиция получила право использовать оружие против участников любых антиправительственных манифестаций. Полицейские с дубинками и револьверами ворвались на собрание католической организации «Символ веры». Трех человек убили, пятерых тяжело ранили. Среди убитых оказался старый учитель музыки. Эльза несколько лет брала у него уроки игры на фортепиано. Вернувшись с похорон, она плакала и твердила, что это провокация, Гитлер ничего не знает.

Католическая газета «Германия» обратилась с открытым письмом к президенту Гинденбургу, требуя положить конец бесчинствам, разъясняя, что «Символ веры» всего лишь группа мирных католиков, далеких от политики. Гинденбург никак не откликнулся, газету закрыли.

В те дни Геринг особенно нуждался в сеансах психотерапии. Он бешено крушил остатки государственного аппарата и полиции, отдавал распоряжения, произносил речи:

— *Каждая пуля, которая будет выпущена полицейским, выпущена мной. Если это называть убийством, то считайте, что это убийство совершил я. Я отдал приказ, и ответственность я беру на себя!*

Одновременно он обрабатывал крупных промышленников и банкиров, выкачивал из них деньги на поддержку партии, которая надежно защитит их капиталы от коммунистической угрозы.

Из-за постоянного лихорадочного возбуждения Геринг страдал бессонницей, боялся, что начнет опять увеличивать дозы морфия и выйдет из строя в самый ответственный момент. В любое время суток он мог вызвать доктора Штерна, часто это случалось глубокой ночью.

Жирное тело, облаченное в шелковый халат, колыхалось, лицо багровело, блестело от пота. Пальцы-сосиски, унизанные перстнями с гигантскими сапфирами, изумрудами, рубинами, отплясывали нервную чечетку на бархатных подушках кабинетного дивана. Камни сверкали в свете ночника. Под тихий голос доктора, под мерный стук метронома туша переставала колыхаться, руки безвольно повисали. Когда имперский комиссар-министр начинал похрапывать, доктор тихо исчезал со своим метрономом.

Гитлер носился по стране, перелетал на самолете из города в город, собирал толпы на митинги, во время выступлений передвижные радиостанции вели прямую трансляцию. На улицах Берлина появились радиотарелки, из них звучал голос ефрейтора:

— *Я непоколебимо убежден, что настанет час, когда миллионы тех, кто нас ненавидит, встанут за нами и вместе с нами будут приветствовать сообща созданный, завоеванный в тяжелейшей борьбе, выстраданный нами новый Германский рейх величия и чести, мощи, великолепия и справедливости. Аминь!*

Между речами звучала музыка Вагнера. Динамики орали. Днем грохотали сапогами колонны штурмовиков, ночью звенели стекла, орали луженые глотки, хлопали выстрелы.

Поскольку никаких отравлений, диверсий, поджогов не происходило, а борьба с невидимыми заговорщиками велась слишком шумно и грязно, консерваторы решились выразить Гитлеру свое недовольство, пригрозили, что отстранят его от власти и вернут кого-нибудь из свергнутых Гогенцоллернов. Не прошло и суток, как всей Германии и всему миру было предъявлено неопровержимое доказательство, что заговор существует.

Вечером 27 февраля вспыхнул рейхстаг. Поджигателя поймали на месте преступления. Когда явилась полиция, он бегал полуголый по залу заседаний, размахивая тлеющими тряпками. Он оказался голландцем двадцати четырех лет по фамилии ван дер Люббе, безработным бродягой. В качестве факела он использовал собственную рубашку и скатерть, которую прихватил в ресторане рейхстага. В здание проник через разбитое окно. При аресте объявил себя коммунистом, но не желал выдавать сообщников.

Позже к делу приплели трех болгарских коммунистов. В сентябре в Лейпциге состоялся суд. На заседаниях присутствовало множество иностранных корреспондентов. Стенограммы печатались в газетах.

Впервые Карл взялся читать газеты. В теплые осенние дни они иногда встречались с Бруно в Тиргардене, делились впечатлениями о прочитанном.

На процесс явился Геринг в охотничьей кожаной куртке, зеленых галифе, сверкающих сапогах со шпорами и стал цитировать «Коричневую книгу», выпущенную к тому времени за рубежом немецкими антифашистами, разошедшуюся по миру и запрещенную в рейхе.

— *В «Коричневой книге» утверждается, будто мой друг Геббельс предложил мне поджечь рейхстаг и я с радостью осуществил этот план. Дальше утверждается, что я наблюдал за этим пожаром, закутавшись в голубую шелковую тогу. Не хватает только утверждения, что я играл при этом на флейте, как Нерон при пожаре Рима! «Коричневая книга» — это подстрекательская писанина, которую я приказываю уничтожить всюду, где я ее увижу! Вам, господа судьи, нечего возиться с этим идиотским расследованием, ибо тем самым мы сводим на нет все наши собственные понятия о праве.*

На нескольких заседаниях происходила забавная перепалка между Герингом и болгарским коммунистом Димитровым, самым бойким из подсудимых. Болгарин отлично владел немецким, был остроумен, хладнокровен. Первый его вопрос вызвал замешательство судей и бешенство Геринга.

Димитров: *Господин министр, возможно ли, что поджигатели проникли в рейхстаг через подземный ход?*

Все знали, что дворец, в котором обосновался Геринг, находился напротив рейхстага, но о том, что дворец и здание рейхстага соединены подземным туннелем, по которому проходят трубы центрального отопления, не знал почти никто, даже судьи. Геринг не нашел ничего лучшего, как заорать: *«Вон отсюда, подлец!»* — и затопать ногами. Димитров спокойно заметил, что очень доволен ответом господина премьер-министра, и продолжил задавать свои вопросы.

Димитров: *Я спрашиваю, что сделал господин министр внутренних дел 28 и 29 февраля и в последующие дни для того, чтобы в порядке полицейского расследования разыскать истинных сообщников ван дер Люббе? Что сделала ваша полиция?*

Геринг: *Я не чиновник уголовной полиции, я ответственный министр, для меня важно установить вовсе не личность отдельного мелкого преступника, а ту партию, то мировоззрение, которые за это отвечают. Эту партию необходимо уничтожить!*

Димитров: *Известно ли господину премьер-министру, что партия, которую он желает уничтожить, правит на одной шестой земного шара, а именно в Советском Союзе, и что Германия поддерживает с Советским Союзом дипломатические, политические и торговые отношения, что его заказы дают работу сотням тысяч германских рабочих?*

Геринг: *Мне прежде всего известно, что русские расплачиваются векселями, и было еще приятнее узнать, что эти векселя оплачены.*

На следующий день в газетах появилось правительственное уведомление:

«В связи с ложными сообщениями и тенденциозным отношением к высказыванию премьер-министра Пруссии Геринга на процессе о поджоге рейхстага сообщается, что Советское правительство соблюдает свои обязательства по отношению к Германии».

— Твой веселый пациент сгоряча ляпнул глупость, за которую Гитлеру пришлось извиняться, — со смехом заметил Бруно. — Советские заказы — это серьезно, ссориться со Сталиным Гитлер пока не хочет.

— Почему «пока»? — спросил Карл.

Бруно в ответ промычал что-то неопределенное и углубился в чтение очередной стенограммы.

* * *

Белое платье из китайского шелка висело в глубине платяного шкафа, зашитое в марлевый чехол. Мама купила его в тридцать четвертом, когда еще работали торгсины. За платье пришлось отдать дедушкины золотые часы-луковицу и бабушкину брошь — платиновую ласточку, усыпанную мелкими алмазами, последние драгоценные вещицы, которые остались в семье. К часам Маша была равнодушна, а ласточку любила, уговаривала маму сохранить брошь. Но спорить не имело смысла. Мама почему-то внушила себе, что если Маша наденет это волшебное платье на свадьбу, ее замужество окажется счастливым и долгим. Один раз и на всю жизнь, как у них с папой.

В тридцать четвертом для шестнадцатилетней Маши слово «замужество» ассоциировалось с литературой прошлого века и никакого отношения к «мальчикам-романчикам» (так она определяла свою личную жизнь) иметь не могло. Мальчики были балетные, романчики вспыхивали на короткий срок, пока разучивалось какое-нибудь па-де-де, и угасали бесследно, как только партнер менялся.

Маша изредка в порыве откровенности делилась с мамой. Перед сном, если у мамы не было суточного дежурства, она присаживалась к Маше на кровать, они таинственно шептались. Мама использовала дурацкое слово «отношения».

— У тебя разве закончились отношения с Вадиком? Нет, я не могу представить, чтобы у тебя сложились отношения с этим Стасиком.

Когда маме кто-то не нравился, она прибавляла к имени местоимение «этот», «эта». Если человек не нравился очень сильно, мама отбрасывала имя, использовала только местоимение. «Этот угробил больного. Эта строчит доносы».

Во время вечерних разговоров Васька притворялся спящим, но подслушивал и вдруг вскакивал, противным писклявым голосом передразнивал Машу.

— Мамочка, ты не понимаешь, у нас все очень серьезно! — он корчил рожи, заламывал руки. — Ах, ах, я сейчас зарыдаю, упаду в обморок! Любовь до гроба, дураки оба!

Маша кричала шепотом:

— Сам ты дурак! Хватит подслушивать! Спать сию минуту!

Васька притворно всхлипывал, шмыгал носом, прятался за маму, как будто Маша собиралась его ударить, бормотал жалобно:

— Мамочка, чего она такая злая, чего она на меня орет?

— Дети, прекратите! Вася, кончай паясничать, ну-ка быстро в постель! Маша, ты должна быть терпимее, ты старшая!

— Мне надоело быть старшей, всю жизнь только и слышу: ты старшая, ты должна быть терпимее! Я не виновата, что вы меня первую родили, ему все можно, а мне ничего нельзя, — ворчала Маша.

— Лучше бы я был старший, у меня хотя бы мозг есть, а у нее только ноги и чуйства! — парировал Вася, прыгал в постель и уже из-под одеяла, высунувшись украдкой, шипел свое коронное: — Машка-какашка!

Это были первые его слова. В годовалом возрасте вместо того чтобы, как все нормальные дети, сначала сказать «мама», потом «папа», в крайнем случае наоборот, Вася отчетливо произнес: «Маська-какаська» и схватил сестру за нос. С тех пор они постоянно ссорились и мирились. Родители не вмешивались, знали, что все их конфликты заканчиваются не слезами, а смехом. Родители вообще мало ими занимались, папа пропадал в своем КБ, часто уезжал в командировки, мама дежурила в больнице сутками, после дежурств не могла уснуть, бродила бледной непричесанной тенью по квартире.

О том, что произошло ночью на катке у нее с Ильей, Маша никому не сказала ни слова, даже маме. Казалось, это невозможно описать, это не имеет названия. Слово «любовь» слишком затерто, опошлено, а фразочка «он сделал мне предложение» звучит как-то жеманно. С мыслью об Илье она просыпалась, ехала в трамвае, шла по улице, разогревалась перед репетициями.

Теперь все, что она делала, посвящалось ему одному. Для него она танцевала, для него долго, тщательно расчесывала волосы массажной щеткой, смазывала ресницы и брови касторовым маслом, надраивала зубы порошком «Особый», чтобы стали белоснежными. Для Ильи надевала свой самый нарядный джемпер с оленями и каждый раз, открывая платяной шкаф, притрагивалась к белому платью. Не доставала его, не примеряла, только тихонько, кончиками пальцев, поглаживала, как живое существо, чувствуя сквозь слой марли нежный холодок шелка.

Засыпая, она пыталась представить себе, как Илья спит у себя дома, в квартире, где она еще никогда не бывала, и, обращаясь к кому-то, кто ведает снами, просила: пусть я приснюсь ему, а он мне. Она уставала за день и спала очень крепко. Проснувшись, никогда не могла вспомнить, что ей снилось.

Все прошлые влюбленности теперь казались глупыми, детскими. Репетируя с Маем Суздальцевым, она переносила на него свои чувства к Илье и даже пыталась найти некоторое сходство.

Прошло три дня, Илья не звонил. Карл Рихардович предупредил ее, что у Ильи такая работа. Он может исчезнуть на неделю, на две, даже на месяц, но обязательно появится. Волноваться не стоит.

«Я и не собираюсь волноваться, — думала Маша. — С какой стати мне волноваться? Он очень скоро позвонит.

То, что между нами произошло, не может оказаться пустой случайностью. Конечно, со стороны это выглядит странно. Только одно свидание, ночь на катке, несколько поцелуев, и все. Ты выйдешь за меня замуж? Видишь ли, у меня очень мало свободного времени, его практически совсем нет. Играть в так называемые брачные игры мне некогда, к тому же я не лось и не павлин. Единственная возможность познакомиться со мной поближе — стать моей женой».

Она повторяла его слова шепотом перед сном, уткнувшись в подушку. Никому ничего не рассказывала еще и потому, что боялась взгляда со стороны. Знала, что мама спросит: ну и где он, твой Крылов? Почему не звонит, не заходит? Может, ты все это выдумала? Огромное чувство, которого ни у кого никогда не бывало... Послушай, так не поступают взрослые люди. Прежде чем делать предложение, надо хотя бы немного узнать друг друга. Может, он просто пошутил, как тот безымянный молодой человек в чеховской «Шуточке»?

Рассказ Чехова «Шуточка» Маша знала почти наизусть. На выпускном экзамене она танцевала в этюде «Шуточка» партию Наденьки. Этюд поставил Сизов, муж Пасизо, он же сочинил музыку. Партию героя, у которого нет имени, поскольку рассказ написан от первого лица, танцевал Май.

«Это совершенно другая история, — спорила Маша неизвестно с кем. — Наденька так и не узнала, кто шептал ей признание в любви, герой или ветер. А я знаю точно, мне вовсе не послышалось, не померещилось, я ничего не придумала».

Звонил телефон, Маша вздрагивала, застывала и не двигалась с места, ждала, когда кто-нибудь другой возьмет трубку. Если бы она каждый раз неслась в коридор к аппарату, мама наверняка стала бы задавать вопросы. После того как брали трубку, она переставала дышать и услышав: «Маша! К телефону!», шла нарочно медленно.

Звонила костюмерша из театра, звонили Май, Катя Родимцева, еще кто-то. Всегда в трубке звучал не тот голос. Маша медленно сползала по стенке, опускалась на пол, сидела, уткнувшись носом в колени, пока кто-нибудь не выходил в коридор. Мама, папа, Вася, Карл Рихардович, застав ее в этой позе, спрашивали:

— Что с тобой?

— Ничего, отдыхаю, расслабляю мышцы.

Оставалось только танцевать, репетировать «Аистенка».

Пока Маша репетировала «пионерку Олю», ее основным партнером был Слава Камалетдинов, «Пионер Вася». Он аккуратно, точно выполнял поддержки, считался хорошим партнером, но Маше не нравилось танцевать с ним, а ему с ней. У них не совпадали темпераменты, они друг друга не чувствовали. Они танцевали не впервые, но ни разу не возникало легкой влюбленности, горячего ветерка, которым должен дышать танец, особенно характерный.

Балет «Аистенок» («Дружные сердца») строился на характерном танце, на потасовках, играх, догонялках. Слава танцевал скучно, без юмора. Другое дело — Май Суздальцев, «злой Петух».

Получив партию Аистенка, Маша получила три дуэта с Маем. Они идеально подходили друг другу, и если бы не появился в ее жизни Илья, сейчас у Маши начался бы романчик с Маем.

Ей нравились его круглые серые глаза, прямые широкие брови, темный ежик волос так и хотелось погладить. Руки у него были не очень сильные, но чуткие, гибкие, и еще — уникальная прыгучесть. Они вместе здорово летали, парили над полом репетиционного зала под сдержанные окрики Пасизо.

После того как на собрании Май толкнул Машу под локоть, подняв ее руку в самый ответственный момент, они еще больше сблизились. Маша рассказала о собрании маме шепотом, закрывшись в ванной и включив воду.

Сама собой сложилась эта семейная привычка — обсуждать некоторые события в ванной. Никто не задавался вопросом: почему мы так делаем? Боимся, что в квартире спрятаны подслушивающие устройства? Боимся соседа, старого милого доктора Карла Рихардовича? Все четверо, включая Васю, чувствовали, что точного ответа на этот вопрос не существует. Есть ответ неточный, и звучит он примерно так: вряд ли наша квартира прослушивается, но мы все равно боимся. Карл Рихардович никогда не станет подслушивать и доносить, но мы все равно боимся.

— Зачем ты это сделала, Машка? — шептала мама. — Зачем села рядом с Лидой? Риск совершенно не оправдан, ей не поможешь, а тебя наверняка взяли на заметку. И как тебе могло прийти в голову не поднять руку? Ты понимаешь, насколько это опасно? У папы сейчас...

— Что? — насторожилась Маша. — Что у папы?

Мама не ответила, принялась протирать тряпкой совершенно чистую раковину и после долгого молчания со вздохом произнесла:

— Май хороший мальчик, спасибо ему.

На следующий день в перерыве между репетициями Маша и Май стояли на лестничной площадке у окна, болтали. Мимо пробежала Света Борисова в накинутой на плечи серебристой норковой шубке. Шубка была такая шикарная, что Света боялась оставлять ее в гардеробе, запирала в своем шкафу в раздевалке. Май замолчал на полуслове, проводил Борисову странным сощуренным взглядом и прошептал:

— Конфискаты.

— Что?

— Все ее шмотки и побрякушки изъяты у арестованных.

— Почему ты так думаешь? — ошеломленно спросила Маша.

— С кем она спит, знаешь?

— Понятия не имею, мне до этого дела нет.

Подошла Пасизо.

— Суздальцев, Акимова, я вас ищу уже полчаса, хватит болтать, перерыв окончен, марш в зал!

За окном было видно, как Борисова в своей серебристой шубке садится на заднее сиденье новенького сверкающего «паккарда».

— Превратили театр в публичный дом, — пробормотала Пасизо, хлопнула в ладоши и крикнула: — Что застыли? В зал, я сказала, быстро!

После репитиции Маша и Май вместе ехали домой на трамвае. Всю дорогу молчали, репетиция длилась пять часов, сил не было говорить, да и не хотелось. Маша вдруг поймала себя на том, что впервые за эти дни не думает об Илье. В ушах у нее шелестело отвратительное слово «конфискаты».

Еще в училище у некоторых ее однакашниц случались романы с женатыми мужчинами из органов, из наркоматов. Цветы, шмотки, поездки на автомобилях за город, ночевки на шикарных дачах. Девочки таинственно шептались об этом в раздевалке, никогда не называя фамилий своих высокопоставленных ухажеров.

Иногда к Маше после концерта подкатывал какой-нибудь самодовольный хмырь в форме или в дорогом костюме. Маша вежливо извинялась, говорила «я на минутку». Если можно было удрать, удирала домой. Если концерт проходил в охраняемом здании, например в клубе НКВД, откуда просто так не выскользнешь, пряталась в женском туалете. Как правило, хмырь легко переключался на другую девочку, которая не исчезала.

— Зря выпендриваешься, Акимова, — сказала ей однажды Ира Селезнева. — Ты хотя бы знаешь, кто тебя клеил?

— Кто?

— Товарищ Колода из отдела, который курирует театры, поняла?

— Не-а, не поняла.

— Ну и дура!

У товарища Колоды были малюсенькие мышиные глазки и пованивало изо рта. Маша предпочитала оставаться дурой.

Ира Селезнева к восемнадцати годам сделала четыре аборта. Света Борисова, к которой после исчезновения Маши подкатил товарищ Колода, расцвела, похорошела, за ней приезжал шикарный автомобиль, от нее пахло французскими духами «Коти», у нее появилась куча платьев, костюмов, кольца и сережки с настоящими драгоценными камнями.

«Значит, все это конфискаты, вещи, взятые при арестах, вещи убитых», — думала Маша, глядя в окно трамвая на заснеженный темный город.

Мела метель, фонари горели тускло, силуэты прохожих казались призраками. Спрыгнув со ступеньки трамвая, Маша чуть не упала. Было ужасно скользко. Она все еще ходила в валенках, правда, не в старых Васиных, а в новых, но без галош. Галоши исчезли из продажи, а о новых ботинках пока не стоило и мечтать.

Май поймал ее на лету, взял под руку.

— Знаешь, сегодня пришло письмо от тети Наташи, это мамина сестра, она осталась в Ленинграде после ареста моих. Она одинокая, работает корректором в научном издательстве. Жила очень тихо, носила им передачи. Теперь ее высылают из Ленинграда. А передачи перестали принимать еще в прошлом году. У них обоих, у мамы и папы, десять лет без права переписки. Это означает...

Он вдруг остановился, взял Машу за плечи, повернул лицом к себе.

— Машка, поцелуй меня!

Она чмокнула его в холодную щеку.

— Нет, не так, — он прижался губами к ее губам, потом отстранился и произнес: — Десять лет без права переписки — это означает расстрел.

— Почему? Совсем не обязательно, — она не почувствовала поцелуя, губы застыли на морозе.

Было жалко Мая и его родителей, которых она никогда не видела, его бабушку, которая все время болела, и себя и своих родителей тоже жалко, хотя ничего плохого не произошло. Но ведь может произойти. Она вспомнила, какое было у мамы лицо, когда они шептались в ванной и мама сказала: «У папы сейчас...».

«Мама замолчала на полуслове потому, что у папы на работе уже арестовали несколько человек и в любой момент... А вдруг Илья исчез из-за этого? Он служит где-то наверху, там известно заранее, кого должны взять, и он теперь не может жениться на мне, ведь если возьмут папу, я стану дочерью врага народа».

Она не желала об этом думать, требовалось срочно сочинить какой-нибудь стишок, заесть стишком тошнотворный страх.

> Страх сведет меня с ума,
> он холодный, как зима.
> В этой вьюге нету брода,
> ты и я — враги народа.

Стишок никуда не годился, он получился совсем бредовый, жуткий. Стало только хуже. Чтобы забыть, вытряхнуть его из головы, она заговорила громким бодрым голосом:

— Май, успокойся, послушай, ведь их арестовали по ошибке, и многих других тоже по ошибке. Все ошибки рано или поздно исправляются, их выпустят, даже с извинениями, вот увидишь.

— Брось, Машка, не нужно, все это я самому себе и бабушке повторяю каждый день.

Они пошли дальше по Мещанской сквозь метель. Май крепко держал ее под руку.

— Май, пожалуйста, не верь, что твоих родителей расстреляли, просто не верь, и все, — тихо бормотала Маша. — Они живы, вернутся домой, так не бывает, чтобы столько людей сажали в тюрьму ни за что, должно быть какое-то объяснение, и должен прийти конец этому ужасу.

— Мг-м, — промычал Май, — вот твоя парадная. Знаешь, чем отличаются ленинградцы от москвичей? Мы говорим «парадная». Вы — «подъезд». У нас хлебом называют только черный, белый это булка. У вас хлеб и черный, и белый, а булка сдобная, сладкая. И еще у нас есть слово «поребрик», а у вас такого слова нет. Машка! — Он обнял ее, зашептал на ухо: — Машка, будь, пожалуйста, осторожней, поднимай руку на собраниях, держись подальше от Борисовой, от Селезневой, от товарищей колод, и молчи, молчи. У нас с тобой отличная профессия. Мы молча танцуем. Просто танцуем, и все.

ГЛАВА ВОСЬМАЯ

Приход к власти нацистской партии отразилось на жизни семьи доктора Штерна наилучшим образом. Доктор стал необычайно моден, лечил только избранных, и платили ему по самому высокому тарифу, исчезла необходимость работать в клинике. Образовалось больше свободного времени, но силы таяли. Почти каждую ночь повторялся кошмарный сон: бешеное верчение черной воронки, исчезновение во мраке. Карл спокойно и отстраненно констатировал у себя глубокую затяжную депрессию и не понимал, каким образом ему удается лечить своих капризных пациентов.

Сеансы психотерапии давно превратились в рутину, в ритуальное повторение одних и тех же текстов и жестов, самым осмысленным из которых было получение гонорара наличными. Доктор чувствовал себя шарлатаном, мошенником и подозревал, что именно в этом кроется секрет его успеха у нацистов.

— Я такой же, как они, — признался он Бруно. — Я постоянно вру, я насквозь фальшивый и никчемный человек. Не могу говорить с Эльзой, у нее эйфория, она верит в гениальность Гитлера, твердит, что национал-социализм единственная сила, способная возродить Германию и защитить немцев от чумы большевизма.

— Ты знаешь, а ведь она права, — задумчиво произнес Бруно. — И в том, что он гений, и в том, что национал-социализм единственная альтернатива большевизму. Демократический эксперимент для Германии оказался неудачным. Веймарская республика провалилась. Было десять партий, осталась одна. И возглавляет ее гений. Вспомни, каким он был в ноябре восемнадцатого и чего достиг за пятнадцать лет! Человек, не имеющий образования, профессии, семьи, истерик, демагог. Внешность самая заурядная, голос резкий, противный. Иностранец, чужак. Бывший австрийский подданный без определенных занятий. Ну признай, наконец, его гениальность.

Карл не мог определить, когда Бруно шутит, когда говорит серьезно. Но других собеседников не было. Со всеми, кроме Бруно, приходилось притворяться, прятать свою депрессию и реальное отношение к происходящему.

Несколько раз его возили к Гитлеру. Соратников и адъютантов пугало, когда фюрер впадал в прострацию, переставал реагировать на окружающих, не отвечал, если к нему обращались. Иногда это состояние длилось несколько минут, иногда растягивалось на долгие часы и приводило к сильным кишечным коликам, которые фюрер принимал за симптомы раковой опухоли.

Однажды доктор робко заметил, что по поводу колик лучше обратиться к специалисту по кишечным болезням и, если так мучает канцерофобия, возможно, стоит показаться онкологу, сделать рентген. Предложил он это не самому фюреру, а Гессу и тут же услышал гневную отповедь:

— Как вы это себе представляете? Кто-то будет щупать живот фюрера, брать анализы, просвечивать рентгеном? Дорогой доктор, поймите, наконец: фюрер не обычный смертный, как мы с вами. Он избранный, его хранят небесные силы и само Провидение. Приступы возникают оттого, что внутри фюрера происходит концентрация и активизация мощных потоков космической энергии. В организме создается чрезмерное напряжение, и ваша задача помочь организму, смягчить процесс, расслабить мышцы.

Карл не возражал. Он готов был согласиться с Гессом. Гитлер не обычный смертный. Обычный смертный с такой тяжелой формой истерии давно лежал бы в клинике. Но парадокс заключался в том, что Гитлер вовсе не был сумасшедшим, он вел себя как буйно помешанный, мастерски изображал безумие, невменяемость и привлекал миллионы здравомыслящих немцев именно этим.

Доктор не понимал, зачем его визиты понадобились самому Гитлеру. Состояния прострации, так же как истерические припадки, были всего лишь игрой, он оставался эмоциально холоден и неуязвим. Как Герингу не приносили вреда килограммы лишнего жира и морфий, так Гитлеру не становилось плохо от бешеных припадков, после которых любой человек мог потерять сознание. Для Гитлера единственной проблемой было вспучивание живота и выход газов, сопровождавшийся звуками и запахами. Обычные средства — толченый древесный уголь, укропная настойка — не помогали. Только психотерапия, и только в исполнении доктора Штерна.

В один из своих визитов доктор застал фюрера катающимся по ковру. Иногда он останавливался и, лежа на животе, приподняв голову, колотил кулаками, выкрикивая:

— Не сметь! Я не позволю! Подводные лодки! У меня будет много подводных лодок! Я поплыву на подводной лодке! Молчать, грязная свинья!

В комнате, кроме адъютанта и Гесса, находился лысый толстяк с приплюснутым широким лицом. Лицо жирно лоснилось и было обезображено шрамом. Доктор узнал руководителя штурмовиков СА Эрнста Рема. Вероятно, именно его фюрер назвал грязной свиньей, об их разногласиях в последнее время говорил весь Берлин. Гесс чуть не плакал, бормотал, едва шевеля белыми губами:

— Мой фюрер, мой дорогой, любимый фюрер!

Адъютант сохранял почтительное спокойствие, держал в руке стакан воды. Рем презрительно усмехался, посасывал незажженную сигару. Фюрер подкатился к краю ковра и вцепился зубами в шелковую бахрому.

— Адольф, я знаю, что ты вегетарианец, но не думал, что ковры входят в меню, — сказал Рем и вышел, хлопнув дверью.

— Негодяй! Он за это ответит! — воскликнул Гесс.

Гитлер выплюнул бахрому, вскочил на ноги, взял из рук адъютанта стакан, осушил его одним глотком и выронил. Стакан упал на ковер, не разбился. Несколько долгих минут Гитлер стоял неподвижно, уставившись куда-то сквозь стену. Доктор заметил, что веки ни разу не дрогнули. Нормальный человек не мог бы так долго не моргать. В глазах появилось то, что многие называли ледяным сиянием, они вспыхнули изнутри. Верхняя губа с усиками задрожала, и Гитлер изрек совершенно спокойным, мягким, немного утомленным голосом:

— *Наша революция есть новый этап, вернее, окончательный этап революции, который ведет к прекращению хода истории. Вы ничего не знаете обо мне. Мои товарищи по партии не имеют никакого представления о намерениях, которые меня одолевают. И о грандиозном здании, фундаменты которого будут заложены до моей смерти. Мир вступил в решающий поворот. Мы у шарнира времени. На планете произойдет переворот, которого вы, непосвященные, не в силах понять. Происходит нечто несравненно большее, чем явление новой религии.*

Монолог завершился долгим громким залпом, завоняло сероводородом.

— А все-таки какой бы ты поставил ему диагноз? — спросил Бруно во время очередной прогулки в Тиргартене.

— Мания величия, — ответил Карл.

— И только? — Бруно был явно разочарован. — Но этим страдает большинство политиков. Что еще?

— Moral insanity.

— Моральное безумие? Тоже очень распространенная болезнь политиков.

— Патологическое отсутствие способности к моральной оценке, абсолютный эгоизм, эмоциональная холодность и полнейшая беспардонность, — быстро пробормотал Карл. — Впрочем, я говорю ерунду. Он чудовище, но вменяемое чудовище. Знаешь, не прошло и года после самоубийства Гели, как попыталась застрелиться его очередная подруга, такая же молоденькая жизнерадостная девушка, Ева Браун. Ее спасли.

— Думаешь, у него есть какая-то скрытая сексуальная патология? Ведь не просто так стреляются молоденькие жизнерадостные девушки, когда становятся его любовницами.

— Насчет сексуальных патологий не знаю, да это и неважно. Все его существо сплошная патология. Девушки стреляются потому, что его близость делает жизнь невозможной. У него несокрушимая воля к катастрофе. Вряд ли они отдают себе в этом отчет, но чувствуют тоску, отчаяние. Знаешь, я тоже это чувствую. Конечно, стреляться не собираюсь, но никак не могу вылезти из депрессии.

Бруно вздохнул, потрепал его по плечу. Несколько минут шли молча, слушали кряканье уток, крики и смех какой-то компании на лужайке. Позади раздались топот множества ног, трель свистка.

По аллее прямо на них неслась команда бегунов. Юноши в трусах и майках с выбритыми затылками и висками казались совершенно одинаковыми, сбоку бежал тренер в длинных штанах, со свистком. Карл и Бруно едва успели сойти с аллеи, прижались к мокрым кустам. Обдало горячим воздухом и крепким запахом пота.

— Молодежная группа СС, — сказал Карл, когда бегуны скрылись за поворотом и затихла трель свистка. —

Гиммлер выводит новую породу людей, арийскую элиту, которая будет править миром в ближайшее тысячелетие. Принцип отбора — чистота крови до седьмого колена, высокий рост, голубые глаза, светлые волосы. Мой Отто мечтает попасть в СС.

— Ну что ж, он вполне подходит по всем параметрам. Сколько ему?

— Пятнадцать. Бруно, я смертельно устал. Мне хочется однажды проснуться в нормальном мире и забыть все это как ночной кошмар.

— Забыть? Ни в коем случае! Ты имеешь возможность наблюдать совсем близко уникальных исторических персонажей. Кто знает, как повернется жизнь? Твои наблюдения могут очень пригодиться.

— Кому?

— Потомкам. Когда-нибудь проснешься в нормальном мире, выпьешь кофе и сядешь писать мемуары.

Да, прогулки и разговоры с Бруно бодрили. Карл не чувствовал себя таким одиноким. Впрочем, был еще один человек, которому не нравился Гитлер, — десятилетний Макс.

В гимназии Максу приходилось вместе со всем классом петь:

Адольф Гитлер — наш спаситель, наш герой,
он благороднейший человек на земле.
Мы живем для Гитлера,
мы умрем для Гитлера,
Гитлер — наш бог.

Макс шепотом признался отцу, что не может петь, сразу тошнит. Во время хорового пения он только открывал рот. Однажды мальчик, стоявший рядом, заметил, донес учителю. Пришлось врать, что заболело горло. Один раз сработало, но постоянно горло болеть не может.

Было мучительно стыдно объяснять сыну, что ему придется петь, и выбрасывать правую руку в нацистском приветствии, и маршировать, и притворяться, что ты — как все.

И стало совсем уж тоскливо, когда ребенок не задал ни единого вопроса, покорно кивнул и сказал:

— Да, папа, я понимаю, я постараюсь.

В отличие от Макса, пятнадцатилетний Отто кипел романтическим энтузиазмом. Его завораживали мифы. Атлантида, древняя раса сверхлюдей, магическая символика рун, факельные шествия, ночные костры, походы, военные игры, спортивные соревнования — все это заполняло его жизнь. Эльза твердила, что Отто растет здоровым, сильным, свободным от сложных подростковых комплексов, которые мучают и уродуют мальчиков в переходном возрасте. А вот Макс ее тревожил. Слишком закрытый, мрачный.

Мальчики почти не общались друг с другом, любой пустяшный бытовой разговор мог закончиться жестокой ссорой. Отто стал нервным, агрессивным, зло подшучивал над пожилой горничной Магдой, корчил рожи у нее за спиной, передразнивал ее шепелявость, неуклюжую походку. Отказывался пить молоко, потому что молочник горбун, а все горбуны коммунисты и молоко может быть отравлено. Выбросил новый джемпер, потому что он куплен в еврейском магазине и в узоре отчетливо видны шестиконечные звезды. Никакие слова на него не действовали. В ответ он молча усмехался, хлопал дверью своей комнаты, включал радио на полную громкость и под бравурные марши упражнялся с гантелями, качал мускулы.

Однажды Эльза нашла у него на столе несколько номеров газеты «Дер Штюрмер». Там были картинки: страшные носатые евреи насилуют белокурых арийских девушек. Голые девушки в публичном доме, жирный хозяин-еврей подсчитывает прибыль. В статье Юлиуса Штрайхера, главного редактора «Дер Штюрмер», карандаш Отто подчеркнул фразу о том, что девяносто процентов проституток Германии вовлечены в свою профессию евреями. Эльза бросила газеты в камин и тут же заявила, что Юлиус Штрайхер просто грязный ублюдок, который под прикрытием идеологии распространяет порнографию.

— Юлиус Штрайхер видный партийный деятель, — напомнил Карл, — депутат рейхстага, друг и соратник Гитлера. Тираж «Штюрмера» шесть миллионов, ты много раз видела эту газетету на улицах, в ларьках.

— Перестань! Я уверена, это провокация. Скорей всего, Штрайхер сам еврей и нарочно доводит идеи фюрера до абсурда, чтобы оттолкнуть от них простых людей, — она чиркнула спичкой и подожгла газеты.

Огонь в камине весело разгорелся. Карл смотрел на освещенный розовым светом профиль жены и вдруг произнес:

— Эльза, у тебя нос с горбинкой, губы пухлые, волосы вьются.

Она застыла, несколько секунд сидела неподвижно, потом вскочила, бросилась к зеркалу.

— Карл, что ты говоришь! Я блондинка, натуральная, некрашеная, и глаза у меня голубые, Карл, как ты можешь?

— Блондинка? Нет, Эльза, ты рыжая, а это типично еврейский цвет волос, — он взял с каминной полки фотографию, протянул Эльзе. — Если бы твой брат Отто не погиб на войне, наверняка сейчас кто-нибудь заинтересовался бы его, а заодно и твоей родословной. Видишь, у него типично семитские черты. Горбатый нос, пухлые губы, выпуклые глаза, кудрявые волосы, прямо как на карикатурах в «Штюрмере».

— Карл, что ты несешь? Ты отлично знаешь, вся наша семья — чистокровные немцы! Прабабушка Гертруда была родом из Голландии, но голландцы относятся к нордической расе.

— В Амстердаме издавна полно евреев. Твой прадедушка был ювелиром, типично еврейская профессия. И звали его Якоб Берг. Типично еврейское имя.

— Но они были протестанты!

— Выкресты, как многие евреи. По линии Бергов в тебе, Эльза, безусловно есть еврейская кровь.

— Карл, эта линия безупречная, кристально чистая. Берги — голландцы! Зачем ты все это говоришь? Почему ты такой жестокий? — она всхлипнула, хотела выбежать из гостиной, но Карл удержал ее, обнял, прижался носом к ее макушке и прошептал:

— Прости. Конечно, я знаю, Берги — голландцы, и как все голландцы, относятся к высшей арийской расе. Но я больше не могу спокойно наблюдать, как ты сходишь с ума, а вместе с тобой Отто.

Он так и не понял, услышала его Эльза или нет, она судорожно, горько рыдала. Он гладил ее по голове. Рубашка у него на груди промокла от ее слез. Наплакавшись, она умылась и, глядя на свое отражение в зеркале над раковиной, сказала:

— Нет, нет, я совершенно не похожа на еврейку.

* * *

Поскребышев открыл дверь, заглянул, но в кабинет не зашел, буркнул что-то, захлопнул дверь и побежал дальше. Это означало, что Хозяин выехал с Ближней дачи. Поскребышев проверял, на месте ли спецреференты. Он никогда не делал этого по внутреннему телефону, ему необходимо было увидеть каждого своими глазами.

В коридоре слышался тяжелый топот. Бегала, суетилась охрана. Все проверялось в тысячный раз. Уборщицы стирали последние невидимые пылинки с подоконников, перил, дверных ручек. В буфете заваривали свежий чай, нарезали теплый хлеб.

Спецгруппа врачей ежедневно снимала пробы с продуктов, собирала в пробирки воздух сталинского кабинета, на анализ брали чернила из чернильницы, грифели карандашей, бумагу, ворсинки ковров. Огромный сложный механизм под названием Кремль работал безупречно. Два года назад, в 1935-м, его основательно прочистили, проверили каждую деталь, негодные колесики и винтики заменили новыми, более надежными и совершенными.

В 1934-м, когда Илья получил должность спецреферента, кремлевским хозяйством заправлял секретарь ЦИК СССР Авель Сафронович Енукидзе, добродушный голубоглазый грузин, старинный друг хозяина, крестный отец его жены Надежды Сергеевны. Заслуженный большевик, участник трех революций, он с удовольствием пользовался плодами героической борьбы за рабочее дело. Главной его слабостью были женщины. Он знал в них толк, любил блондинок и брюнеток, худышек и полненьких, юных и зрелых, комсомолок и беспартийных. Щедрость его была безгранична. Каждую красавицу, завладевшую его горячим большевистским сердцем, он одаривал талонами в закрытый распределитель, билетами в правительственные ложи лучших театров и стадионов, должностями, квартирами, путевками на курорты. Он жил широко, весело и не обращал внимания на сигналы о контрреволюционных высказываниях кремлевской челяди.

Тогда, в 1934-м, челядь еще болтала что хотела, почти открыто, не понижая голоса.

— *Товарищ Сталин хорошо ест, а работает мало. За него люди работают, потому он такой и толстый. Имеет себе всякую прислугу и всякие удовольствия,* — ворчала, надраивая пол, уборщица Анастасия Константинова тридцати трех лет.

— *Товарищ Сталин получает денег много, а нас обманывает, говорит, что получает двести рублей. Он сам себе хозяин, что хочет, то и делает. Может, он несколько тысяч получает, да разве узнаешь?* — вторила ей уборщица Бронислава Катынская, тридцати девяти лет.

Их товарка Анна Авдеева двадцати одного года, отжимая половую тряпку над ведром, заявила:

— *Сталин убил свою жену. Он нерусский, очень злой, ни на кого не смотрит хорошим взглядом, а за ним-то все ухаживают!*

Сантехник Михаил Зыков, ликвидируя засор в женской уборной, в присутствии уборщиц Мешаковой, Жалыбиной и Авдеевой рассказал анекдот:

— *Как можно за две копейки удивить заграницу и обрадовать население СССР? Убить Сталина. Пуля две копейки стоит.*

Уборщицы хихикали, особенно громко та, которая обо всем этом донесла.

Прочитав очередной донос, Авель Сафронович махнул рукой, сказал, что у него нет ни времени, ни желания разбираться в болтовне уборщиц. Комендант Кремля Петерсон Рудольф Августович* также не придал значения тревожному сигналу. Но товарищи из органов отнеслись к этой информации весьма серьезно. Первой вызвали Авдееву. Она сначала все отрицала, потом призналась, что контрреволюционные сплетни, будто товарищ Сталин застрелил свою жену, ей передала телефонистка Кочетова.

Кочетова, двадцать лет, член ВЛКСМ, тоже вначале все отрицала, потом призналась, что провокационную клевету на товарища Сталина услышала от Синелобовой, библиотекарши кремлевской библиотеки, беспартийной, двадцати девяти лет.

Синелобова призналась сразу и назвала много имен. Следствие особенно заинтересовалось двумя библиотекаршами правительственной библиотеки: Раевской Е.Ю., тридцати одного года, урожденной княжной Уросовой, и Розенфельд Н.А., сорока девяти лет, из рода князей Бебутовых.

Эта Розенфельд, мало что княжеского рода, была замужем за братом троцкиста Л.Б.Каменева, Розенфельдом Н.Б.

---

*Петерсон Рудольф Августович расстрелян в 1937-м.

Мгновенно был арестован их сын, Розенфельд Б.Н., двадцати шести лет, инженер Мосэнерго. Он признался, что его отец Розенфельд и дядя Каменев говорили о необходимости устранения Сталина, а мать выражала готовность лично убить Сталина.

К апрелю 1935-го органы вскрыли крупные террористические группы в Оружейной палате, правительственной библиотеке, комендатуре Кремля, а также террористическую группу троцкистской молодежи. Все работали на разведки иностранных государств. Все готовили убийство товарища Сталина.

Библиотекарши, бывшие дворянки-белогвардейки, пытались проникнуть в квартиру товарища Сталина с целью совершения над ним террористического акта. Одна библеотекарша, бывшая графиня, собиралась пропитать ядом страницы книг, которые читает товарищ Сталин. Кроме графини-отравительницы, имелись еще отравители-водопроводчики, они готовились подмешать яд в систему водоснабжения Кремля. Отравитель из кремлевской комендатуры женился на подавальщице с целью отравить еду, которую она будет подавать товарищу Сталину.

Многие участники и в особенности участницы кремлевских террористических групп пользовались прямой поддержкой и высоким покровительством товарища Енукидзе. Он лично принимал их на работу, с некоторыми сотрудницами сожительствовал. Таким образом в аппарат ЦИК СССР проникли деклассированные элементы, последыши дворянства, бывшие княгини, графини и т.д. Они представляли собой контрреволюционный блок зиновьевцев, троцкистов, агентов иностранных государств.

Когда только заваривалось «Кремлевское дело», Илья ждал ареста каждый день и пытался угадать, как именно это произойдет. Возьмут его на службе, прямо в Кремле, или явятся ночью домой? Но скоро он понял, что коршуны Ягоды облетают Особый сектор стороной. Спецреферентов не трогают, потрошат комендатуру, обслугу и секретариат ЦИК.

В кремлевских кулуарах все догадывались, что главной мишенью был Енукидзе. Илья думал: «Неужели чтобы уничтожить доброго Авеля, требуется такая грандиозная театральная постановка? Сто двенадцать действующих лиц, девять расстреляны, остальные посажены. Сотни страниц протоколов допросов, яды, бомбы, гранаты, револьверы — только ради Авеля?»

Перепуганные уцелевшие служащие шептались совсем тихо, но все-таки еще шептались, перебирали, как четки, грехи арестованных, словно вымаливали ответ на вопрос «За что?». Перечень грехов очередной жертвы создавал иллюзию, будто существует некий свод правил безопасности. Вспоминали неосторожные высказывания, ходатайства за арестованных, какие-то статьи и брошюры, в которых Енукидзе неправильно отразил роль Хозяина в революционном подполье, нашумевшую историю о двух юных сотрудницах секретариата ЦИК. Товарищ Енукидзе возил к себе на дачу обеих, потом выдал им отличные характеристики, пристроил в советскую торговую делегацию в Париж, щедро снабдил валютой. Из Парижа девушки на родину не вернулись.

Встречая поникшего, растерянного Енукидзе в коридоре, Илья думал: «Эх, Авель Сафронович, вы же неглупый человек, почему не догадались вовремя смыться? Двум девчонкам помогли сбежать, а сами? Что вас держит? Жены и детей у вас нет. Неужели верите, что Инстанция пощадит вас по старой дружбе?».

Новая кремлевская челядь ни о чем не шепталась, анекдотов не рассказывала, частушек не пела. Все боялись друг друга и старательно строчили доносы. Существовала устойчивая иллюзия, что доносчика не посадят, он свой, бдительный, преданный, нужный. Но и доносчиков брали.

В постановлении Политбюро «Об аппарате ЦИК СССР и тов. Енукидзе» от 3 апреля 1935 года отмечалось: *«Само собой разумеется, что тов. Енукидзе ничего не знал о готовящемся покушении на товарища Сталина. Его использовал классовый враг как человека, потерявшего политическую бдительность и проявившего несвойственную коммунистам тягу к бывшим людям».*

Не знал тов. Енукидзе, при всем желании не мог знать о том, чего не существовало в реальности. Никакого «Кремлевского заговора» не было, покушения на товарища Сталина никто не готовил. Авеля Сафроновича действительно использовали, но вовсе не уборщицы, не водопроводчики, не графини-библиотекарши, а сам товарищ Сталин в своих, ему одному ведомых целях.

Среди документов, с которыми работал Илья, готовя первую сводку для Хозяина в январе 1934-го, имелось письмо, датированное августом 1933-го. Его отправил из Москвы в Берлин посол Германии Дирксен. Это был отчет о поездке на дачу к Енукидзе. Вместе с послом в гости к Авелю явился советник посольства фон Твардовски, также присутствовали заместители наркома иностранных дел Крестинский и Карахан.

Посол Дирксен подробно пересказывал слова Енукидзе. *«Руководство СССР уверено, что национал-социалистическая перестройка Германии послужит делу укрепления германо-советских отношений. После захвата власти агитационный и государственный элементы внутри партии размежуются. Германское правительство обретает полную свободу действий, которой советское правительство пользуется уже много лет. В Германии, как и в СССР, есть люди, ставящие на первый план партийно-идеологические цели. Их надо сдерживать с помощью государственного мышления».*

Советская пресса проклинала немецкий фашизм, для прогрессивной мировой общественности СССР стал оплотом борьбы с национал-социализмом. Сквозь багровый дым официальной пропаганды Сосо дружески кивал и подмигивал Адольфу: маска, я тебя знаю, мы с тобой можем договориться.

Октябрем 1933-го были датированы телеграммы фон Твардовски в Берлин, в которых он докладывал об инициативах «нашего советского друга». Этим «другом» был известный большевистский журналист, остроумный пройдоха Карл Радек. Он предлагал устроить в Москве встречу Дирксена с Молотовым. Дирксен к тому времени был переведен послом в Японию и собирался посетить Москву с прощальным визитом. Встреча состоялась. Через Дирксена, устами Молотова, Сосо передал Адольфу очередной горячий привет.

«Двурушник, — бормотал про себя Илья, вчитываясь в перехваченные отчеты немцев о тайных переговорах. — Товарищ Сталин — двурушник».

На жаргоне профессиональных нищих «двурушничать» — значит в толпе, из-за спин товарищей, протягивать для подаяния не одну, а обе руки. Словечко так нравилось Инстанции, что приобрело новое, политическое значение, мелькало в митинговых речах, обвинительных заключениях, газетных статьях. Двурушниками называли замаскировавшихся вредителей и шпионов. Товарищ Сталин, заигрывая с Гитлером, вел себя как двурушник в изначальном, нищенском смысле, протягивал обе руки.

Илья пытался отыскать хотя бы намек на ответную реакцию фюрера.

Из разведсообщений и перехваченной дипломатической переписки 1933—34-го следовало, что Гитлер намерен сотрудничать с поляками, французами, англичанами, с кем угодно, только не с Россией. Риббентроп летал в Париж, Геббельс в Варшаву, полным ходом шли тайные и официальные переговоры. В январе 1934-го был заключен пакт о ненападении между Германией и Польшей.

Предложения Сталина фюрер игнорировал. Судя по всему, тайная миссия Авеля Сафроновича провалилась.

Повинуясь больше инстинкту, чем здравому смыслу, Илья не упомянул в своей первой сводке письмо Дирксена. Никакой новой информации в письме не содержалось, хозяин и так отлично знал, о чем беседовал Енукидзе с немецким послом. Касаться этой темы стоило, лишь когда Гитлер откликнется, в одну протянутую руку положит очередные миллионные кредиты, другую пожмет в знак тайной сердечной дружбы.

Именно тогда, весной 1934-го, сама собой включилась и заработала в сознании спецреферента Крылова система трех «У». Чтобы Уцелеть, следовало Угодить Инстанции, то есть правильно расставлять акценты в сводках. А для этого нужно было Угадать, как относится к Гитлеру не товарищ Сталин, а уголовник Сосо.

Хозяин мягко отстранил Авеля Сафроновича от переговоров с немцами, ни в чем не упрекнув старого доброго друга. Его ярость не закипала, она была холодной и твердой, она медленно кристаллизовалась, подобно соли в перенасыщенном растворе.

Енукидзе исключили из партии, «поставили на ноги», то есть лишили персонального автомобиля; «ударили по животу», то есть лишили доступа к закрытому распределителю и права питаться в кремлевской столовой. Квартиру и дачу отняли, отправили в Сочи заведовать санаторием, потом в Харьков заведовать трестом.

В 1936-м, перед началом первого показательного процесса, Авель Сафронович примчался в Москву, умолял Сосо пощадить старых большевиков Зиновьева и Каменева. Ничего не понял добрый Авель*.

Теперь, в январе 1937-го, Енукидзе сидел в тюрьме, а Сосо упорно продолжал протягивать Адольфу обе руки.

— Вы, уважаемый Сосо, конечно, не еврей, — беззвучно прошептал Илья, глядя в глаза бронзовому бюсту на столе. — В «Майн кампф» о грузинах ничего не написано,

*Авель Сафронович Енукидзе расстрелян в 1937-м.

вряд ли фюрер вообще знает, что существует такая национальность. Но вы, батоно Сосо, жгучий брюнет, а для Гитлера все брюнеты относятся к неполноценным расам. Думаете, его помешательство на расах всего лишь пропагандистский трюк? *«Агитационный элемент»?* Нет, он искренне верит собственному бреду, считает себя мессией. Ну и на хрена вам, товарищ Джугашвили, этот бесноватый ефрейтор?

ГЛАВА ДЕВЯТАЯ

Окончательное решение покинуть Германию доктор Штерн принял в январе 34-го, когда вступил в силу закон о гигиене и стерилизации. Ничего особенного в этом событии не было, но оно оказалось последней каплей. Пришлось расстаться с иллюзией, что власть нацистов скоро закончится, что абсурд не может длиться вечно. Несколько его бывших коллег эмигрировали. Остальные вступили в партию и с энтузиазмом принялись выполнять призывы ефрейтора *«сконцентрировать все силы на сотворении новых детей божьих. Очищать наши ряды и с помощью чисток вернуть себе божественную избранность».*

Отто прошел отбор и готовился к вступлению в молодежную группу СС. Макс стал заикаться и болеть тяжелыми ангинами. Эльза покрасила волосы в платиновый цвет, чтобы скрыть рыжину. Горничная Магда уволилась, она проработала в доме пятнадцать лет. Эльза и Карл просили ее остаться, но она ответила, что слишком стара и больше не может терпеть насмешек господина Отто. Извиниться перед ней Отто категорически отказался, заявив, что эта толстая старуха, наполовину чешка, неполноценна в расовом отношении.

Горбун молочник исчез. Появился новый, с прямой спиной. Новая горничная состояла в Лиге немецких девиц и была осведомительницей гестапо.

Доктор понимал, что в его положении подавать документы на эмиграцию, идти легальным путем — самоубийство. Эльза и Отто, разумеется, никуда уезжать не собирались. Карл надеялся, что позже, за границей, в нормальной стране, ему удастся объяснить им, почему больше нельзя жить в Германии, помешательство пройдет, они опомнятся.

Старинный приятель, главный врач дорогого швейцарского санатория, давно приглашал поработать, гарантировал бесплатное жилье, солидные гонорары.

Доктор Штерн не спешил, искал подходящего случая. О работе за границей, даже временной, заикаться не стоило. А вот на отдых в Швейцарию его вполне могли выпустить.

Теперь жизнь приобрела какой-то смысл. В цюрихском банке у него имелся счет, там скопилась небольшая сумма в швейцарских франках — гонорары за научные статьи, за лекции на медицинском факультете Цюрихского университета. Он был благодарен себе, что удержался, не тронул эти деньги в самые трудные времена. Надолго не хватит, но можно прихватить все имеющиеся наличные марки, а главное, ему обещали работу и бесплатное жилье на первое время.

Он продолжил переписку со швейцарским приятелем и стал потихоньку внушать Эльзе, Отто и Максу мысль об отдыхе в Швейцарии.

В конце июня подвернулся удобный случай. Полковник Вирте, бывший однополчанин Геринга, отправлялся на неделю в Швейцарию, отдохнуть в альпийском санатории. В его личном самолете, конечно, нашлось место для доктора и его семьи.

За сутки до отлета Карлу внезапно сообщили, что ему придется отложить отпуск и остаться в Берлине. Его заверили, что через несколько дней он сможет присоединиться к своей семье в Швейцарии. Доктор отнесся к этому вполне спокойно. Накануне он вручил Эльзе солидную сумму в марках. Бережливая Эльза удивилась:

— Зачем так много? Мы отправляемся всего на месяц.

— Макс должен пройти специальный курс лечения, это дорого, — объяснил Карл.

Перед сном он зашел к Максу. По ковру были разбросаны игрушки, среди них детали «юнкерса», который когда-то подарил Максу на день рождения Вирте. Рядом с крыльями лежали крошечные фарфоровые фигурки летчика и пассажиров.

— Папа, я пытался починить самолет, но не получилось, — зевнув, сказал Макс.

— Ты же знаешь, это невозможно, мы с тобой много раз пытались.

Карл сложил детали «юнкерса» в коробку, вспомнил, как маленький Макс показывал пальчиком на фигурки: «Вот мама, Отто, я... А ты с нами не полетел, ты остался в Берлине». Случайное воспоминание неприятно кольнуло. Он поцеловал Макса, погасил свет, тихо вышел из комнаты.

Ночью Карл спал крепко, и ничего ему не снилось. Встали рано, завтракали в спешке, Вирте просил не опаздывать. Эльза нервничала, боялась забыть что-нибудь. Макс зевал и покашливал. У Карла мелькнула мысль, не оставить ли его дома, слишком он бледный, вялый, и горло опять красное, но он тут же подумал, что в альпийском санатории, на свежем воздухе, Макс поправится быстрее.

Когда вышли к машине, Отто попросился за руль. Он уже научился водить. Было тихое воскресное утро, пустые улицы, Карл разрешил, сел рядом. До аэропорта Темпельхоф доехали за сорок минут. Самолет Вирте стоял на летном поле. Сам Вирте возле самолета беседовал с какими-то людьми в комбинезонах. Подойдя ближе, доктор услышал:

— Я не понимаю, он вчера еще был здоров!

— Господин полковник, не волнуйтесь, самолет готов к полету, мы все тщательно проверили.

— Я не доверяю никому, кроме моего механика! — Вирте явно нервничал, почти кричал.

— Господин Вирте, мы можем садиться в самолет? — спросил Макс.

— Подожди, малыш, я должен разобраться, — ответил Вирте и взъерошил ему волосы.

— Что-нибудь случилось? — тревожно прошептала Эльза.

— Нет-нет, не волнуйтесь, все в порядке.

Карл увидел, как из ангара вышел высокий офицер люфтваффе и быстро направился к ним. После обязательного нацистского приветствия он пожал руку Вирте и с улыбкой произнес:

— Пооль, я думал, ты уже в небе. В чем дело?

— Дитрих, я не понимаю, куда исчез мой механик, этих я не знаю.

— Зато я их знаю, — офицер рассмеялся и похлопал Вирте по плечу. — Это мои механики, Пооль, поверь, они надежные ребята, профессионалы, не хуже твоего Шульца. А это провожающие?

Офицер обратил, наконец, внимание на Карла и его семью.

— Провожающий тут только один, доктор Штерн. Фрау Штерн и мальчики летят со мной, — объяснил Вирте.

— Ах, вот как? — полковник скользнул взгядом по лицам.

— Господин Вирте любезно согласился прихватить нас, — с вежливой улыбкой объяснила Эльза. — Мой муж вынужден задержаться в Берлине, он прилетит позже.

— Ну можно, наконец, в самолет? — Макс нетерпеливо топтался у трапа. — Пожалуйста, господин Вирте, вы обещали, что позволите мне сесть рядом с вами в кабину. Можно?

— Да, конечно, малыш, залезай, — кивнул Вирте.

— Макс, подожди! — Карл обнял его. — Я прилечу к вам совсем скоро, не забывай полоскать горло.

Механики подняли чемоданы, погрузили в салон. Карл поцеловал Эльзу, Отто, напомнил, чтобы сразу отправили ему телеграмму.

Заурчал мотор, самолет пошел на разгон. Карл увидел за стеклом кабины рядом с Вирте счастливое, улыбающееся лицо Макса. Самолет разогнался, оторвался от земли, стал набирать высоту, удаляться, уменьшаться, превратился в крестик, потом в точку. Карл, задрав голову, глядел в чистое безоблачное небо, пока точка не исчезла.

Впереди был свободный день. Он отпустил горничную, долго слонялся по пустой притихшей квартире, чувствуя себя уже не хозяином, а постояльцем. Из комнаты Отто орало радио. Транслировали речь министра по делам церкви доктора Керрля:

— *Партия стоит на платформе позитивного христианства, а позитивное христианство есть национал-социализм. Национал-социализм есть волеизъявление Господа Бога. Воля Божья воплотилась в немецкой крови. Нам пытаются внушить, что христианство подразумевает веру в Христа как Сына Божьего. Это смешно. Истинным олицетворением христианства является партия, и в первую очередь фюрер, призывающий немецкий народ поддерживать истинное христианство. Фюрер — выразитель новой божественной воли.*

— Все, хватит... — пробормотал доктор и выключил приемник.

Днем он обедал с Бруно в маленьком ресторанчике на острове Музеев.

— Тебе объяснили, почему ты должен задержаться? — спросил Бруно.

— Нет. В понедельник вечером меня ждет Геринг, думаю, обойдется одним сеансом, он сейчас в отличной форме. Жаль, конечно, так хотелось послать все к черту, улететь сегодня с Эльзой и мальчиками.

— Скажи, а что за человек этот Вирте?

— Летчик-ас, герой войны. Я лечил его от морфинизма. На общем нынешнем фоне кажется вполне приличным человеком.

— Да, ты рассказывал, — кивнул Бруно и заговорил о чем-то другом, но как только вышли из ресторана, опять вернулся к Вирте.

— Я слышал, среди ветеранов люфтваффе кое-кто разочаровался в Геринге, говорят, он захапал слишком много постов и денег, организовал тотальный контроль над армией, его поведение недостойно офицера, а история с поджогом рейхстага дурно пахнет. Как ты думаешь, твой Вирте входит в число недовольных?

— Кто угодно, только не Вирте. Он боготворит Геринга. Я не могу назвать его оголтелым нацистом, но к режиму он вполне лоялен.

Он ждал телеграмму, но ее не было. Понедельник пролетел незаметно, Карл весь день работал над статьей о навязчивых неврозах, хотел закончить ее перед отъездом. Только на двадцать минут вышел из дома, отправил телеграмму на адрес своего швейцарского коллеги. Он немного волновался, что до сих пор нет вестей. Вечером за ним приехали от Геринга. Сеанс длился полтора часа. Прощаясь, он спросил, когда ему можно уехать в отпуск.

— Придется задержаться дней на пять, — ответил Геринг.

— Вы уже отправили семью? — участливо спросила Эмма, новая жена Геринга.

— Да, они улетели вчера утром. Полковник Вирте любезно согласился взять их в свой самолет.

— Кто? — гаркнул Геринг так громко, что Карл вздрогнул.

— Пааль Вирте, ваш бывший однополчанин.

— О боже, — прошептала Эмма и закрыла рот ладонью.

— Штерн, повторите еще раз, когда, с кем, на каком самолете улетела ваша семья! — орал Геринг и тряс доктора за плечи.

Карл повторил и почувствовал, как все тело наполняется ледяными колючками. Он смотрел на трясущуюся физиономию Геринга и сквозь пульсацию в ушах слышал его крик:

— Какого черта вы не обратились ко мне? Вы сами, сами виноваты! Надо было поставить меня в известность!

— Герман, не кричи, кажется, господин Штерн ничего не знает, — сказала Эмма и взяла Карла за локоть. — Сядьте. Вы что, не слушали радио? Не читали утренних газет? Вот, выпейте воды. Произошла авария. Самолет полковника Вирте упал и разбился в районе Боденского озера, на швейцарской границе. Пилот и трое пассажиров погибли. Примите мои соболезнования, Карл.

Дальнейшее он помнил смутно. Его довезли до дома, у двери ждал Бруно. Он узнал о случившемся из радионовостей. Утром позвонили от Геринга, по телефону говорил Бруно. Потом присел на край дивана и тихо произнес:

— Карл, послушай меня, постарайся услышать. Нужно опознать и забрать их. Авария произошла на швейцарской территории. Геринг готов помочь, он предоставит специальный самолет. Я полечу с тобой.

Во время опознания в морге у доктора Штерна случился инфаркт, он надеялся умереть, но выжил, очнулся в клинике под Цюрихом.

Его навещал Бруно, рассказал, что Эльзу и мальчиков похоронили тут, в городке Хорген, на католическом кладбище. В Германии за одну ночь убито несколько тысяч человек, в том числе руководство СА и сам Эрнст Рем. Готовясь к этой акции, Геринг и Гиммлер опасались за нервы фюрера, поэтому доктора Штерна задержали в Берлине.

Швейцарская полиция обнаружила в обломках самолета признаки того, что авария была подстроена, двигатель и вся система управления нарочно испорчены. Немцы пытаются договориться со швейцарскими властями замять эту историю. Это ведь было убийство. Вирте не мог успокоиться из-за поджога рейхстага, много болтал в армейских кругах, на каком-то приеме что-то брякнул в разговоре с английским журналистом. Геринг планировал незаметно убрать Вирте. Никто не предполагал, что на борту окажется семья доктора Штерна.

* * *

«Бедный, бедный Май, — думала Маша, сидя на ковре и штопая чулок. — Конечно, я нравлюсь ему, но у меня есть Илья, у меня скоро начнется совсем другая, взрослая жизнь».

Тонкий фильдеперс расползался под иглой, рвались нитки. Это был последний моток штопки телесного цвета из старых запасов. И чулки фильдеперсовые — последние. Спасибо, дырка на большом пальце. Даже если не удастся заштопать, под обувью не видно. А вот с обувью беда. Пока мороз, можно ходить в валенках, смирив гордыню, как говорит мама. Но начнется весна, и попробуй побегать по талому снегу, по лужам в валенках без галош. Как ни смиряй гордыню, обязательно промокнешь, простудишься, не дай бог заработаешь ревматический полиартрит, воспаление голеностопных и коленных суставов. Для танцовщицы это страшнее чумы, и промокшие ноги — лучший способ заболеть. Достать галоши сейчас нереально, хотя и мама, и папа прикреплены к закрытым распределителям, но и там нет галош. С галошами в СССР перебои. И с чулками перебои. У мамы тоже последняя пара.

«Стыдно переживать из-за такой чепухи, — одернула себя Маша. — Вот у Мая действительно беда. Никого не осталось, кроме бабушки. Живут в подвале, в страшной коммуналке, с пьяницами соседями. Вода в колонке на улице, вместо туалета выгребная яма во дворе. Он может нормально помыться только в театре. Утром и вечером выносит горшок за бабушкой, она больная, старенькая, ей трудно ходить в уличный нужник, в городскую баню. Май таскает воду, греет на примусе. Бабушка моется в корыте прямо в комнате. Недавно корыто прохудилось, для них это катастрофа, нового не купишь. Бедный, бедный Май, так мужественно держится, не хнычет. Если бы не Илья, наверное, я могла бы полюбить Мая. Ну а вдруг я все придумала про Илью? Не позвонит сегодня, значит, ничего не будет. Попробую забыть о нем, жить, как жила раньше. Допустим, все это мне просто приснилось. Ночь, каток, конная милиция. Замечательный был сон, только сон и ничего больше. Не позвонит сегодня, значит, нет у меня никакого Ильи».

Нитка рвалась, чулок скользил по грибу. Маша услышала, как хлопнула входная дверь. Судя по шарканью, покашливанию, пришел Карл Рихардович. Зазвонил телефон. Маша продолжала штопать чулок. Из прихожей доносился голос Карла Рихардовича. Он поговорил пару минут. Слов она разобрать не сумела. Голос стих, зашаркали шаги, послышался тихий стук в дверь.

Иголка вонзилась в палец, Маша бросила чулок вместе с грибом, прижала палец к губам, сморщилась.

— Машенька, ты здесь? Можно тебя на минуту? — спросил Карл Рихардович.

Она вскочила, поправила юбку, забыв поздороваться, вскрикнула:

— К телефону?

— Нет-нет, зайди ко мне, пожалуйста. А что с рукой?

— Палец уколола, ерунда.

Он взял ее руку, щурясь сквозь очки, посмотрел.

— Ранка маленькая, но глубокая, кровоточит, надо промыть перекисью.

В его комнате на столе стояла обувная коробка. Карл Рихардович усадил Машу на диван, достал из шкафчика темную склянку, клок ваты.

— Подержи немного, кровь остановится, потом замажем зеленкой, — он взял коробку со стола, поставил на пол у Машиных ног, поднял крышку.

Маша увидела новенькие темно-коричневые сапожки. Они были еще лучше тех, что украли на катке. Высокие, на небольшом устойчивом каблуке, внутри мягко поблескивал бежевый мех.

— Карл Рихардович... — ошеломленно прошептала Маша.

— У тебя ведь тридцать шестой размер, верно? — он крякнул, присел на корточки. — Ну-ка, давай ногу.

— Что вы, я сама! Это точно мне?

— А кому же? Погоди, я расшнурую, палец еще кровоточит.

Сапоги оказались впору. Маша прошлась по комнате, обняла, поцеловала доктора и, краснея, спросила:

— Они, наверное, ужасно дорогие?

— Понятия не имею.

— То есть это... это не вы купили? Я думала, случайно в вашем распределителе давали... Папа обязательно вернет деньги, они же дорогущие, импортные...

— Машенька, ну что ты бормочешь? Какие деньги? Я тут вообще ни при чем. Скажи, не жмут? Не трут?

Маша не решалась задать главный вопрос, смотрела вниз на свои ноги в сапогах, вверх на улыбающегося доктора и готова была заплакать, то ли от смущения, то ли от счастья, наконец, выпалила шепотом:

— Это он купил?

Доктор кивнул, продолжая улыбаться.

— А... А что он сказал?

— Он сказал: «Передайте, пожалуйста, Маше. Надеюсь, я не ошибся с размером».

— И все?

— Машенька, послушай меня, — доктор опять усадил ее на диван, сел рядом. — У Ильи сейчас очень напряженный период, он занят на службе практически круглые сутки. Позвонить тебе оттуда нет никакой возможности. Дома он бывает только глубокой ночью, когда звонить поздно. Подожди, потерпи.

— Ну, хотя бы записку написал, маленькую, — слезы брызнули внезапно, как у клоуна в цирке, фонтанчиками.

Доктор вытащил платок, стал вытирать ей щеки.

— Записку, всего пару слов... — бормотала Маша, всхлипывая, и вдруг замерла, уставилась на доктора. — А что я родителям скажу? Они ведь спросят откуда?

Карл Рихардович удивленно поднял лохматые брови.

— Они разве не знают, с кем ты ночью ходила на каток?

— Нет. Я сказала, что со своими, балетными, с Маем Суздальцевым, с Катей Родимцевой.

— Да? А обувь украли у всех или только у тебя?

— Я не помню.

— Когда врешь, надо запоминать. Ладно, ты взрослый человек, сама решай, что говорить родителям. Только смотри меня не впутывай. Если они попробуют вернуть мне деньги, я скажу правду.

Утром после суточного дежурства пришла мама, у нее слипались глаза, но сапоги она заметила сразу.

— Откуда такая красота?

— Дали денежную премию за концерт для передовиков, а тут как раз в наш распределитель завезли несколько пар, — краснея, объяснила Маша.

Было удивительно приятно ступать по обледенелому тротуару, ноги радовались теплу, мягкости, толстая рифленая подошва совсем не скользила.

«Они как будто с невидимыми крылышками, так легко в них, сами бегут», — думала Маша, пока мчалась к трамвайной остановке.

В набитом трамвае она заметила белую вязаную шапочку с помпоном, черный цигейковый воротник, узнала со спины Катю Родимцеву, пробралась сквозь толчею к задней площадке.

Катя жила на Трифоновской, недалеко от Маши, они часто встречались по дороге. В училище они были ближайшими подругами. Катю тоже взяли в Большой, но никаких сольных партий ей пока не давали, это слегка охладило детскую дружбу. В «Аистенке» она была занята в кордебалете и только после перераспределения ролей получила «Пионерку Олю» во втором составе.

Они перезванивались иногда, болтали о пустяках, но давно уже не возникало потребности забежать друг к другу в гости, вместе сходить в кино. Да и времени не было. Маша репетировала с утра до вечера. У Кати закрутился роман с офицером НКВД.

— Это что-то невероятное, такая любовь только в книжках бывает, представляешь, нам снятся одинаковые сны, мы друг друга чувствуем на расстоянии, — говорила Катя всего пару недель назад.

Маша видела мельком ее героя. Красавчик-блондин, плечи широченные, глаза голубые, улыбка, как с рекламы зубного порошка «Гигиена».

Обычно к балетным девочкам липли женатые старперы, на которых без слез не взглянешь. Катиному герою не надо было пользоваться своим служебным положением, с такой внешностью он мог запросто закадрить любую. К тому же был холост и, кто знает, может, правда, влюбился в Катю? Почему нет?

Маша чмокнула Катю в щеку, хотела спросить, как поживает красавчик, но Катя повернула к ней лицо, и Маша застыла с открытым ртом.

Лицо было бледным до синевы, глаза воспаленные, красные, на белых сухих губах запекшиеся трещинки. В ответ на приветствие Катя слабо кивнула, отвернулась, уставилась в окно.

— Что с тобой? — спросила Маша.

— У меня все отлично.

Трещинка на нижней губе разошлась, Катя слизнула кровь. Маша достала из рукава носовой платок и спросила:

— Может, все-таки расскажешь, что случилось?

Катя прижала платок к губам и молчала, пока не вышли из трамвая.

— Постираю, отдам тебе чистый, — она сунула платок в рукав, четко, по слогам, произнесла: — Держись от них подальше.

Маша отлично поняла, кого она имеет в виду, ни о чем не стала спрашивать, только сказала:

— Забудь. Жизнь продолжается.

Несколько минут шли молча. У сквера перед театром Катя остановилась, достала из сумочки папиросы и сказала:

— Иди, опоздаешь на репетицию.

— Ты тоже опоздаешь.

— Плевать, — Катя легонько толкнула ее. — Иди, Акимова, не стой ты тут, не смотри на меня так, нас увидят вместе, ты потом не отмоешься.

— Родимцева, эй, ты с ума сошла? — разозлилась Маша. — Прекрати пихаться! Что ты вообще несешь? Ни один мужик не стоит таких страданий. Ну, бросил, подумаешь!

Катя усмехнулась, хриплым чужим голосом проговорила:

— Ага, бросил! Сначала на диван, потом на стол, потом на ковре продолжили. Все, Машка, отстань. Иди на репетицию, — она полезла в сумочку, нашла спички, закурила.

Совсем близко прозвучал голос:

— Привет, Акимова.

Мимо проплыла Света Борисова в своей голубой норке, улыбнулась и помахала варежкой Маше, по лицу Кати скользнула взглядом, как по пустому месту. Катя выпустила дым из ноздрей.

— Так-то, Машуня. У Борисовой глаз-алмаз, со мной не здоровается, в упор не видит. Врожденное чутье на прокаженных, ничего не скажешь, молодец.

— Девочки, доброе утро. Катя, не знала, что ты куришь.

Пасизо в потертой каракулевой шубе, в ажурной пуховой шали быстро семенила по обледенелой аллее. Поравнявшись с ними, притормозила.

— Доброе утро, Ада Павловна, — произнесли они хором и присели в реверансе.

С шести лет, с первого класса, их приучили приседать, здороваясь с педагогами. Они делали это машинально. И так же машинально Пасизо, вытянув руку из огромной каракулевой муфты, взяла прямо изо рта у Кати папиросу, бросила в снег, растоптала каблуком.

— Хватит болтать, марш в театр, — произнесла она строгим командным тоном и засеменила дальше, к зданию филиала.

— Хорошо, Ада Павловна, сейчас идем, — крикнула ей вслед Маша и, обняв Катю за плечи, прошептала:

— Сию минуту рассказывай! Почему ты прокаженная? Что он с тобой сделал?

Катя скинула ее руку, прорычала сквозь зубы:

— Ты отвяжешься от меня или нет? — Потом уткнулась лицом в Машин воротник и забормотала: — Их там трое было, патефон завели, коньяк лили в рот, чтоб расслабилась, и пихали икру ложками, чтоб совсем не отрубилась с непривычки. Он в самом начале, когда привез меня на эту дачу, предупредил, что предстоит проверка, настоящая ли я комсомолка или затаившийся враг. Я думала, он шутит.

Маша слушала, поглаживала суконную спину Катиного пальто и почему-то вдруг вспомнила, что пальто перешито, перелицовано из студенческой шинели Катиного дедушки. Перед глазами возникла маленькая комната в коммуналке на Трифоновской. Катя жила с мамой и с дедушкой, отец их бросил, когда ей был год, никто никогда о нем не вспоминал.

В комнате с трудом помещались две кровати. На той, что пошире, спали Катя с мамой, на узенькой походной койке за ширмой спал дедушка.

Почетное центральное место занимал старинный обеденный стол, круглый, накрытый кремовой скатертью. За столом ели, за ним же Катя делала уроки, дедушка раскладывал пасьянс. Когда Маша приходила в гости, они с Катей сидели под столом. Скатерть свисала до пола, получалось что-то вроде палатки.

Катина мама, Ольга Николаевна, работала чертежницей в Мосгорпроекте. Вечерами шила. Старая плюшевая штора превращалась в нарядное платье для Кати и теплую жилетку для дедушки. Истертая наволочка — в блузку, шерстяной плед, проеденный молью, становился теплой клетчатой юбкой. Уютно стучала швейная машинка, мерно качалась под ногой Ольги Николаевны чугунная педаль.

Маше захотелось опять услышать стук машинки, оказаться под столом в комнате на Трифоновской, и чтобы им с Катей было лет восемь, не больше. Самое счастливое время, третий класс, их впервые выпустили на сцену училища с «Танцем маленьких лебедей».

— Когда те двое вошли, я думала, они сейчас уйдут, — продолжала бормотать Катя. — А он при них говорит: настоящая комсомолка любит нашу Советскую Родину, стало быть, должна всей душой и всем телом любить ее доблестных защитников, чтобы они, защитники, чувствовали искренность. Не будет искренности, значит, ты, Катерина, затаившийся враг, двурушница, троцкистка, немецкая шпионка.

На аллее Маша увидела очередную знакомую фигуру, аккомпаниаторша Надежда Семеновна в овчинном тулупе, в валенках, в толстом деревенском платке издали напоминала сторожиху или дворничиху из кинокомедии.

— Девочки, что такое? Катюша, неужели ногу подвернула?

— Нет-нет, Надежда Семеновна, все в порядке, — ответила Маша.

— Как же в порядке, если она плачет?

— С ногами все в порядке, а плачет потому, что у нее сейчас в трамвае вытащили из сумочки три рубля, — поспешила соврать Маша.

Вера Семеновна поохала, пошла дальше. Катя достала измазанный кровью платок, высморкалась и уже спокойно, без всхлипов, произнесла:

— Самое интересное, что я старалась. Да, я старалась, чтобы они чувствовали мою искренность, потому что если я шпионка, то и мама, и дедушка тоже. Враги никогда не действуют в одиночку. Ладно, пойдем. Ты удачно придумала про три рубля в трамвае.

В раздевалке они опять столкнулись с Борисовой. Она закалывала волосы перед зеркалом, зажав губами несколько шпилек. Маша села на скамейку, принялась развязывать шнурки и вдруг почувствовала взгляд Борисовой, подняла голову. Света смотрела на сапоги. Встретившись глазами с Машей, вытащила изо рта последнюю шпильку, подмигнула:

— С обновкой тебя, Акимова. — Она подошла к своему шкафчику. Прежде чем закрылась дверца, Маша увидела там, на нижней полке, точно такие же сапоги.

— Мгм, — хмыкнула Борисова и улыбнулась по-кошачьи. — Из одной кормушки питаемся.

* * *

— Хотя бы записку написал, маленькую, всего пару слов, — шептал Илья, переворачивая страницы свежей порции развведсообщений.

Следовало решить, включать ли что-то из поступившей информации в готовую сводку. На первый взгляд, ничего нового, ничего достойного внимания Хозяина свежая порция не содержала. Но Илья не доверял себе, слишком занят был мыслями о Маше.

«В самом деле, почему я, дурак, не написал никакой записки? Прав Карл Рихардович, я веду себя нелепо. Ну а с другой стороны, что я мог написать? Носи на здоровье, люблю-скучаю-целую! Это правда, я действительно ее люблю, очень скучаю по ней, и больше всего на свете мне бы хотелось самому надеть ей на ноги эти несчастные сапоги. У старика хватило жестокости спросить, что же помешало мне это сделать? У меня хватило глупости ответить, что помешали мне свинячьи глазки капитана ГБ Колоды из четвертого отдела».

Колоду, куратора театров, Илья встретил у прилавка распределителя. Колода взял точно такие же сапоги, понятно, что не для своей семипудовой супруги. «Товарищ Крылов, — прошептал он, — без примерки брать не боязно? Ножка-то небось балетная?» У Колоды воняло изо рта, свинячьи глазки впились в лицо. Илья буркнул в ответ: «Извините, спешу», схватил коробку и чуть ли не бегом покинул торговый зал.

— Ну и что? — резонно спросил Карл Рихардович. — При чем тут Колода?

Да, Колода был совершенно ни при чем. Все дело в страхе. Раньше Илья не боялся таких вот свиноглазых капитанов ГБ, чувствовал себя неуязвимым, поскольку терять ему, кроме собственной жизни, было нечего.

«А теперь боюсь. Мы ни разу не виделись, не говорили с ней после той ночи на катке, а мне уже страшно. Что же будет, когда мы начнем встречаться, поженимся? Господи, ну почему я такой трус? Сижу в этой келье сутками, копаюсь в бредовых бумажках, на это уходит жизнь. Вызовет, не вызовет».

Илья позвонил в буфет, попросил принести чаю, бутербродов и принялся внимательно читать свежую порцию разведсообщений.

Хозяин мог вызвать в любую минуту вместе со сводкой, а мог потребовать только сводку и вызвать через неделю или вообще не вызвать, отдать папку Поскребышеву с пометкой на первой странице: «В мой архив. И.Ст.».

Однажды, в мае 1934-го, Поскребышев забрал готовую сводку и вызов последовал через десять минут, Илья даже не успел покрутить свой пятак.

В кабинете сидели Молотов, Каганович, Жданов. На столе перед Хозяином лежала открытая папка, Илья сразу узнал ее по обтрепанным лиловым ленточкам.

157

Когда он вошел, Сталин не шевельнулся, не поднял головы, не сказал: «Садитесь, товарищ Крылов».

Молотов, Каганович и Жданов также не удостоили его взглядом, сосредоточенно читали бумаги.

«Изба-читальня», — подумал Илья, и сердце перестало учащенно бухать, прошла сухость во рту. Он стоял и ждал, когда к нему обратятся, спокойно перебирал в памяти подробности сводки.

Начиналась она с обзора внутреннего положения в Германии. В первых числах мая на совещании руководства рейхсвера Гитлер произнес речь, в которой назвал рейхсвер самой надежной своей опорой в борьбе не только с внешним врагом, но и с внутренним. Затем заявил, что история знает случаи, когда вчерашние друзья становятся врагами. Это был явный намек на штурмовые отряды СА и самого Рема.

— Товарищ Крылов, сколько штурмовиков в СА? — Сталин произнес это, не поднимая головы, очень тихо.

— Два с половиной миллиона, товарищ Сталин.

— Два с половиной миллиона вооруженных людей, — задумчиво повторил Хозяин, поднялся из-за стола, не спеша направился к Илье, обошел его, встал за спиной и следующий вопрос задал еще тише, почти шепотом:

— Какие отношения у Гитлера с этим Ремом?

— Они были близкими друзьями, но сейчас у них серьезные разногласия, — ответил Илья не оборачиваясь.

Он отлично помнил наставления Товстухи: «Если он у тебя за спиной, не оборачивайся, стой смирно и продолжай говорить как можно громче, он глуховат, но ни в коем случае не кричи».

— Товарищ Крылов, это вы написали в сводке, я читал, — Сталин обошел Илью, остановился прямо перед ним. — Как вы думаете, Гитлер сказал о бывших друзьях, чтобы успокоить военных, которые недовольны Ремом, или за словами последуют действия?

— Я думаю, последуют действия, товарищ Сталин.

Хозяин на мгновение застыл, глядя в глаза Илье, и пошел дальше. Молотов, Каганович и Жданов сидели молча, следили за каждым его движением. Хозяин как будто забыл о них, обращался только к Илье.

— Какие именно действия?

— Он избавится от Рема.

Сталин подошел к столу, взял папиросу, закурил, опять направился к Илье, глядя на него сквозь клубы дыма.

— Каким же образом, по-вашему, он это сделает, товарищ Крылов?

— Он его убьет, товарищ Сталин.

Хозяин покачал головой и улыбнулся. Тут же, как по команде, оскалились Молотов и Каганович, а Жданов даже захихикал. Впрочем, он явно перестарался. Сталин остановился, бросил на него сердитый взгляд.

— Товарищ Жданов, разве смешно, когда убивают старых верных друзей?

Столбик пепла упал на ковер. Сталин, опять оказался за спиной у Ильи, остановился, спросил:

— Когда?

— Скоро, товарищ Сталин.

— Почему скоро? Гитлер умный человек, в таких вещах не стоит спешить.

— У него мало времени. Гинденбургу восемьдесят семь лет, он болен, его кончина может стать поводом для путча. Гитлеру надо успеть ликвидировать Рема, пока Гинденбург жив.

Хозяин долго молчал, расхаживал по кабинету.

— А как же два с половиной миллиона вооруженных штурмовиков? Они, наверное, обидятся.

— Ничего, товарищ Сталин, я думаю, Гитлер сумеет их утешить.

Илья не видел лица Инстанции, только спину и затылок. Спина была круглая, сутулая, плечи покатые, на затылке жирные складки. Дойдя до стола, Хозяин сел, затушил окурок в пепельнице, перевернул страницу в открытой папке и сказал, не глядя на Илью:

— Спасибо, товарищ Крылов. Продолжайте внимательно следить за событиями в Германии. Можете идти.

Товстуха предупреждал: «Если он тебя обругает, грубо обматерит, считай, что похвалил. А вот похвалит — беда. Особенно плохо, когда начнет спрашивать о здоровье, о семейных делах, знаешь, так участливо, по-свойски, с теплой улыбкой».

В тот раз не было ни мата, ни теплой улыбки. Возможно, не стоило так уверенно заявлять, что Гитлер убьет Рема. А вдруг не решится? Все-таки старый близкий друг. Тогда получится, что спецреферент Крылов не в состоянии правильно анализировать и прогнозировать. Но если убьет, то спецреферент Крылов окажется слишком умным. Что лучше — быть умным или глупым в глазах Инстанции?

Конец мая и весь июнь 1934-го прошли в напряженном ожидании. Илья следил за событиями в Германии, как болельщик за схваткой на ринге. Жадно читал газеты, слушал в специально отведенном помещении передачи немецких радиостанций.

Против чемпиона-мордобойца Рема с его штурмовиками выступали «два Г», мастера-тяжеловесы Геринг и Гиммлер. Их шансы отправить мордобойца в нокаут росли с каждым днем. На их стороне была армия. Последнее слово оставалось за Гитлером. Он колебался.

Илья ждал вестей от Дока, наивный и мудрый немецкий доктор помог бы разобраться в настроениях фюрера. Но очередное сообщение Флюгера не содержало никакой информации от Дока.

«Два Г» наносили противнику удар за ударом. По Германии распространялись слухи, будто Рем готовит кровавый путч. Рем занял оборонительную позицию. 19 июня «Фолькише Беобахтер» опубликовала официальное коммюнике. Рем заявил, что с 1 июля весь состав СА отправляется в отпуск на месяц. В течение этого месяца штурмовикам запрещено носить форму и оружие.

Рем пытался успокоить фюрера, показать, что его отряды разоружились, хотят отдохнуть на баварских озерах и устраивать заварушку в Берлине никто не собирается.

Последовал ответный удар. 25 июня главнокомандующий, генерал фон Фрич, привел армию в боевую готовность, отменил отпуска и запретил солдатам покидать казармы. 28 июня Рема исключили из немецкой офицерской лиги. «Фолькише Беобахтер» опубликовала статью за подписью военного министра генерала Бломберга, в которой утверждалось, что армия на стороне Гитлера.

«Два Г» дубасили Рема стальными кулаками рейхсвера, нагнетали панику вокруг заговора, убеждали Гитлера, что месячный отпуск штурмовиков всего лишь хитрый маневр перед решающей атакой.

29 июня Берлинское радио сообщило о небывалой жаре на всей территории рейха, особенно в Баварии, где дневная температура в тени достигала плюс тридцати семи градусов. Объявили штормовое предупреждение, ждали грозы. Вечером она разразилась с такой силой, что возникли помехи в эфире. Когда они исчезли, по радио звучала легкая музыка.

Утром 30 июня сообщения посыпались градом, аккредитованные в Берлине иностранные корреспонденты присуствовали на пресс-конференции, которую провел Геринг. Он долго и необыкновенно эмоционально рассказывал, как бесстрашные рыцари СС под его руководством разоблачили тайный заговор, предотвратили злодейский путч, спасли великий рейх и всех его честных граждан от неминуемой гибели.

Скоро пришло короткое сообщение от Флюгера. Геринг приказал полицейским управлениям сжечь все дела, связанные с «акциями двух последних дней». Министерство пропаганды специальным распоряжением запретило публиковать в прессе любую информацию об убитых или «застреленных при попытке к бегству».

Док опять не упоминался. Ни слова от него, ни слова о нем.

13 июля Гитлер выступил в рейхстаге. Спецреферент Крылов спешно с листа диктовал перевод речи машинисткам, ел за письменным столом и продолжал диктовать. Гитлер говорил пять часов. Илья сочувствовал слушателям в рейхстаге. Впрочем, для них время летело быстро. Для них это был спектакль.

Машинистки менялись, Илья диктовал. Он много раз видел выступления Гитлера в кинохронике и, чтобы не сбиться, не заснуть на ходу, пытался угадать, какие жесты и какие гримасы сопровождали каждый пассаж.

«Бунты подавляются по извечно одинаковым железным законам. Если кто-нибудь упрекнет меня в том, что мы не провели эти дела через обычные суды, то я могу ответить: в этот час я нес ответственность за судьбу немецкой нации и являлся единственным судьей немецкого народа».

Произнося «меня», «я», он ударял себя в грудь, а словосочетание «немецкий народ» сопровождалось выброшенной вперед правой рукой и паузой, во время которой взгляд из-под нахмуренных бровей устремлялся вдаль, поверх голов.

«Я приказал расстрелять главных виновников этого вредительства, я приказал выжечь язвы внутренней заразы до здоровой ткани. Нация должна знать, что никто не смеет безнаказанно угрожать ее существованию. Каждый должен навсегда запомнить, что, если он поднимет руку на государство, его неминуемой участью будет смерть!»

Первые две фразы фюрер пролаял громко и отрывисто, постучал стиснутым кулаком по трибуне. Перед третьей опять сделал паузу, на этот раз задумчивую, почти печальную. Голову опустил, смотрел вниз, затем резко вскинулся и заговорил медленно, глубоким, низким голосом. На последнем слове «смерть» сложил руки на груди, как складывают покойникам.

Илья расхаживал по кабинету с листками в руке, воспроизводил интонации, мимику и жесты фюрера, не замечая изумленных улыбок машинисток. Он не успевал вычитывать и редактировать текст перевода. Поскребышев влетал в кабинет, хватал свежие страницы. Хозяину не терпелось прочитать эту речь.

Через неделю Флюгер прислал большое сообщение, в котором изложил подробности событий в ночь с 29 на 30 июня.

Накануне Рем и его приближенные устроили грандиозную пьянку в гостинице «Ганзльбауэр» в Бад-Висзее на берегу озера Тегернзе. На рассвете к гостинице подъехала вереница автомобилей. Перепившиеся штурмовики спали. Гитлер в сопровождении двух инспекторов уголовной полиции ворвался в номер к спящему Рему. В руке у него был кнут из кожи гиппопотама, с которым он не расставался в те горячие дни.

Арестованного Рема отвезли в Мюнхен, в тюрьму Штадельхайм, где ему уже приходилось сидеть после «Пивного путча». Гитлер распорядился выдать ему в камеру пистолет. Но Рем отказался стреляться, заявил: *Пусть этот трус сам придет и убьет меня, когда-то он был солдатом*, имея в виду Гитлера. Охранники пристрелили Рема в камере.

Большинство руководителей СА до последней минуты не понимали, что происходит, перед расстрелом кричали «Хайль Гитлер!»

Когда Илья стал читать последнюю страницу сообщения, у него чуть быстрее забилось сердце. Наконец мелькнул долгожданный Док. Ему был посвящен один коротенький абзац.

«Использовать D/77 как источник на территории рейха впредь не удастся. Однако появилась возможность нелегально переправить его в СССР. Если Центр сочтет такой вариант целесообразным, необходимо разработать план операции».

Подробности расправы Гитлера с бравыми штурмовиками и со старым товарищем по борьбе Ремом очень позабавили Сталина. На заседании Политбюро он делился с товарищами свежими впечатлениями: *Вы слыхали, что произошло в Германии? Гитлер такой молодец! Вот как надо поступать с политическими противниками!*

Через четыре месяца после «Ночи длинных ножей», 1 декабря 1934-го, был убит Киров.

В дверь постучали. Илья закрыл папку, убрал в ящик, только потом сказал: войдите. Официантка поставила на стол поднос с чаем и бутербродами. Чай был крепкий, хлеб свежайший, еще теплый. Масло слегка подтаяло под толстым слоем паюсной икры. Наверное, такой же поднос принесли спецреференту по сельскому хозяйству Сергею Телинскому дождливой летней ночью тридцать второго года. Илья каждый раз думал об этом, когда входила полненькая румяная официантка Тася в крахмальном фартуке и с улыбкой говорила:

— Приятного аппетита, товарищ Крылов, кушайте на здоровье.

ГЛАВА ДЕСЯТАЯ

Бруно катил инвалидное кресло по аллее. Он навещал Карла каждый день, вывозил на прогулку в парк, окружавший клинику. Он снял комнату в пансионе рядом с клиникой, поселился там с женой и дочерью. Девочке было двенадцать, ее звали Барбара, она родилась с тяжелым пороком сердца, мало двигалась, сразу начинала задыхаться. Все ее двенадцать лет родители жили в страхе, что в любую минуту могут ее потерять.

— Послушай, у нас хорошие новости, — произнес Бруно, сворачивая с главной аллеи на небольшую стриженую лужайку. — Вчера Барбару посмотрел профессор Липперт, ты знаешь, он лучший в Европе специалист по врожденным порокам. Он приехал сюда вовсе не консультировать, главный врач этой клиники его племянник, и Липперт явился на пятидесятилетие племянника. Ганна каким-то чудом поймала Липперта и уговорила посмотреть Барбару. Ты меня слушаешь, Карл?

— Конечно, Бруно. И что сказал Липперт?

— Он считает, что можно обойтись без операции. Есть положительная динамика, он согласен наблюдать Барбару, его заинтересовал наш случай. Гипертрофия правого желудочка не прогрессирует, устье аорты...

Невозможно громко чирикали воробьи. По аллее прыгала трясогузка. От лужайки наплывал пьянящий запах свежескошенной травы. Карл закрыл глаза. Красота летнего дня была ему противна. Бруно остановил кресло.

— Эй, ты что, уснул? За тобой должок.

Карл, не открывая глаз, отрицательно помотал головой.

— Двадцать шагов, — Бруно тронул Карла за руку. — Вчера ты сделал восемнадцать, сегодня всего на два больше. Ну, вставай!

— Зачем?

— Просто вставай и иди. Ты можешь ходить, поэтому иди.

Да, он мог ходить, мог сделать не двадцать, а двести шагов без малейшей одышки. Инфаркт не оправдал надежд, оказался неудачной шуткой. Проклятое сердце удивительно быстро включилось и затикало как ни в чем не бывало.

— Господин Штерн, сегодня двадцать шагов! — прозвучал рядом детский голос.

Они подошли неслышно. Ганна, маленькая, рыжеволосая, в свои тридцать пять выглядела не старше восемнадцати. Круглое лицо, усыпанное мелкими веснушками, казалось веселым и жизнерадостным всегда, даже если Ганна едва сдерживала слезы. Но сейчас она улыбалась. Лучший в Европе специалист по врожденным порокам сердца сказал, что ее девочка может обойтись без операции. Раньше, двенадцать лет подряд, Ганна и Бруно слышали от врачей только одно: без операции ребенок умрет, но операция слишком тяжелая, шансов практически нет.

— Карл, вы уже знаете? — она подошла и поцеловала его в щеку.

— Да, Бруно рассказал мне, этот Липперт, он действительно лучший, ему можно верить.

Барбара присела на корточки напротив Карла и смотрела на него снизу вверх. Огромные глаза, зеленые, с голубоватыми белками, были точным отражением ослепительного летнего дня. Подсвеченные солнцем листья на фоне бледно-голубого неба едва заметно трепетали, ветра не было, но дрожал горячий воздух и дрожали золотые, прямые и длинные, как солнечные лучи, ресницы Барбары. Она была такой худой, что могла бы взлететь, короткие широкие рукава желтого платья напоминали крылья бабочки-капустницы. Карл подумал: «Господи, Ты все перепутал, это я должен умереть, я, никому не нужный мешок с костями, а маленькая девочка должна жить. Пожалуйста, Господи...»

Ему казалось, что он навсегда утратил способность растягивать губы, изображая улыбку, но рефлекс внезапно включался. Он чувствовал знакомое движение лицевых мышц. Он не мог видеть себя со стороны, забеспокоился, что вместо улыбки получилась жуткая гримаса, которая напугает ребенка, и тут же встал на ноги.

— Двадцать шагов, — строго напомнила Барбара и забралась в его кресло.

В руках она держала немецкий дамский журнал «Серебряное зеркало», собственность маленького печального гомосексуалиста барона фон Блефф, одного из бывших пациентов доктора.

— Барбара, не знал, что тебе нравятся дамские журналы, тем более немецкие, — удивился Карл.

— Журнал довольно глупый, но в этом номере статья Габи о разных ароматах, как изобретают новые духи. Очень интересно, хотите почитать? И вот сама Габи тут на обложке, посмотрите, какая красивая!

Она протянула ему журнал, он машинально пролистал, не видя ни лица на обложке, ни картинок, ни заголовков.

— Спасибо, потом как-нибудь обязательно прочитаю, — он протянул Барбаре журнал.

— Нет-нет, оставьте себе. — Барбара по-взрослому сдвинула брови и добавила очень серьезно: — Вы болеете, вам нужно выздоравливать, статья Габи поднимет вам настроение.

— Хорошо, спасибо. А кто такая Габи? — он спросил, просто чтобы продолжить разговор, не обижать ребенка полнейшим безразличием, но вдруг заметил, как напряженно переглянулись Бруно и Ганна.

— Разве вы не знаете Габи? — удивилась Барбара. — Габриэль Дильс, жутко популярная немецкая журналистка, ее снимают в рекламе и для нацистских плакатов, мы с ней познакомились этой весной в Вилль-Франш, она мой самый лучший друг...

— Барбара, господину Штерну это вряд ли интересно, — мягко перебила ее Ганна и покатила кресло вперед по аллее.

— У малышки совсем нет друзей-сверстников, — объяснил Бруно и взял Карла под руку. — Вот и придумывает всякую ерунду.

— Как «придумывает»? Ты хочешь сказать, она незнакома с этой жутко популярной немецкой журналисткой? Просто увидела фотографию в журнале?

— Нет-нет, фрейлейн Дильс действительно была нашей соседкой по отелю в Вилль-Франш, иногда она развлекала Барбару и терпеливо слушала ее болтовню. Для малышки любой взрослый, который уделяет ей время, сразу становится самым лучшим другом. Кстати, ты, кажется, знаком с хозяином журнала. Франс Герберт Мария фон Блефф, отпрыск древнего баронского рода. Он правда гомосексуалист или это грязные слухи?

— Я лечил его от депрессий, он гомосексуалист, панически боялся, что об этом узнает его мать.

— Та самая Гертруда фон Блефф, которая пожертвовала партии кучу денег?

— Та самая.

— Ее ты тоже лечил?

— Нет.

— А надо бы.

— Она неизлечима.

— Карл, да ты сегодня молодец! — радостно воскликнул Бруно. — Я сбился со счета, не двадцать, триста двадцать шагов или все четыреста.

Это была первая настоящая пешая прогулка. Карл не чувствовал усталости, шел, как послушный автомат. Ганна отстала на несколько метров, медленно катила кресло. Барбара свернулась калачиком на сиденье и задремала.

Бруно проводил Карла до палаты, присел на край кровати и сказал:

— Знаешь, мне кажется, тебе не нужно возвращаться в Германию.

До этой минуты они ни разу не говорили о будущем, только о прошлом. Надо было что-то ответить, и Карл выпалил первое, что пришло в голову.

— Вернусь и убью ефрейтора.

— Тогда уж заодно и Геринга, — Бруно грустно усмехнулся. — Нет, это плохая идея. Убийцы из тебя не получится. Они тебя прикончат.

— Отлично. Инфаркт оказался всего лишь неудачной шуткой. Сам я решить эту проблему не могу, я все-таки католик, а на счету нацистов появится хотя бы один по-настоящему милосердный поступок.

— Есть другой способ борьбы с нацизмом, более разумный и достойный, — Бруно вытащил платок, вытер вспотевшую лысину и произнес по-русски: — Карл, тебя очень ждут в Москве.

Да, странный был день. Опять включился рефлекс, уголки губ поползли в стороны, и даже какое-то подобие смеха защекотало гортань.

— Бруно, Бруно, я помню, в Тюбингене ты запоем читал Маркса и Плеханова. Но тогда все читали, было модно. Не думал, что для тебя это так серьезно.

169

— При чем здесь Маркс и Плеханов? Я понимаю, большевики нравятся тебе не больше, чем нацисты, но третьего не дано. Мы работаем не на какую-то абстрактную доктрину, мы пытаемся остановить зло, прости, мне трудно найти точную формулировку, все это звучит слишком высокопарно, мы...

— Мы?

— Да, Карл, мы. Ты уже сделал очень много для нас, хотя почему для нас? И для себя, и для...

Бруно запнулся, у него едва не вырвались три имени — Эльза, Отто, Макс. Приподнявшись на локте, Карл пытался сфокусировать взгляд на его лице. Зрение было в норме, просто все это время глаза застилала дымка безразличия, мешавшая видеть внешний мир и человеческие лица.

— Неужели твои руководители в Москве всерьез считают, что им нужен мешок с костями?

Бруно засмеялся слегка фальшиво, но весело, глаза заблестели, он легонько ткнул Карла пальцем в грудь.

— Мешок с костями! Ты старый осел, а кокетничаешь, словно барышня. Да тебе цены нет. Гитлер, Геринг, Гесс! Ты их знаешь как облупленных, твой опыт общения с ними уникален...

— Бруно, скажи честно, у тебя будут большие неприятности, если я откажусь?

Глаза погасли, спрятались под тяжелыми веками, палец принялся обводить узор на покрывале, голос зазвучал глухо, монотонно.

— Ну, видишь ли, за провал операции меня могут отозвать в Москву. В принципе ничего страшного, но Барбара... Она родилась в Швейцарии, все свои двенадцать лет жила в тепличных условиях. При ее болезни любое волнение смертельно. Мы с Ганной внушили ей, что Советский Союз — этакое сказочное королевство, где все счастливы и нет плохих людей. Если меня отзовут, мы приедем в Москву, Барбара увидит сказку своими глазами, для нее это будет сильнейший шок, она поймёт, что мы с Ганной врали ей... В Швейцарии мы приглашаем учителей на дом, она не может ходить в школу, а там... представить Барбару в советской школе... дети бывают жестоки, ну ты понимаешь... К тому же именно сейчас, когда сам Липперт согласился наблюдать ее, когда впервые после стольких жутких лет появилась надежда...

Бруно продолжал говорить. Глаза метались, дрожащий палец обводил узоры на покрывале. Карл тронул его руку.

— Ладно, не трудись, не объясняй...

Через две недели Карла выписали из клиники. Бруно вместе с ним доехал до Парижа, там передал его молодой семейной паре. Их звали Андре и Софи. Путь лежал через Францию, Норвегию, Данию. Андре имел медицинское образование, профессионально и аккуратно следил за здоровьем Карла, считал пульс, проверял зрачки.

Доктор Штерн выполнял все, о чем просили его любезные спутники. Предъявлял фальшивые документы, повторял заранее заученные ответы на вопросы пограничников, принимал сердечные капли, ускорял шаг и не оборачивался, надвигал шляпу до бровей, однажды дал наклеить себе усы. Ему было все равно, кто, куда и зачем его везет. Он чувствовал себя неодушевленным предметом, багажом, и машинально, по наследственной интеллигентской привычке, старался ничем не затруднить своих спутников.

В конце путешествия, на борту советского теплохода «Михаил Фрунзе», глубокой ночью, Карл потихоньку выбрался из каюты, по палубе добрел до кормы. Он ни о чем не думал, просто хотел избавиться от боли. Боль жгла нестерпимо, а вода Балтийского моря холодная. Он смотрел на воду, губы его шевелились, бормотали молитву. Достаточно было небольшого усилия, нескольких простых движений, чтобы оказаться в воде и утопить боль. Вдруг мужской голос спросил по-немецки:

— У вас не найдется спичек?

Рядом с Карлом стоял человек, лицо терялось в темноте, но это был точно не Андре. Карл молча помотал головой. Он надеялся, что незнакомец уйдет. Однако тот не двинулся с места, минуту стоял рядом, молча смотрел на воду, потом достал спички из кармана, тряхнул коробком:

— Надо же, нашел, — он закурил и произнес чуть слышно: — Вы хотите избавиться от боли, я понимаю, но поверьте, это самый неподходящий способ из всех возможных. Вы просто заберете ее с собой, и она будет мучить вас вечно.

Сквозь тучи пробилась луна, стало чуть светлее. Карл покосился на незнакомца. Это был молодой человек лет тридцати, худой, темноволосый. После катастрофы Карл не мог никому смотреть в глаза, ни Бруно, ни своим попутчикам. Прямой взгляд обжигал, как прикосновение к открытой ране. Карл отвернулся, он вовсе не собирался вступать в диалог, но неожиданно для себя сказал:

— Мне жить дальше незачем.

— Это не вам решать. У каждого свой срок. Ваш еще не настал, в противном случае вы оказались бы в самолете полковника Вирте вместе со своей семьей, или скончались в Цюрихе от инфаркта, или вас подстрелил бы агент гестапо возле норвежской границы. Но ничего этого не случилось. Стало быть, вам придется жить дальше.

— Кто вы? Откуда вы знаете?

— А, вам уже интересно! Любопытство отличное лекарство. Я шпион. Ненавижу нацизм так же, как вы, и шпионю против гитлеровской Германии. А теперь я провожу вас в каюту, — он выбросил окурок за борт, взял Карла под руку и повторил: — Вам придется жить дальше.

— Зачем?

— Чтобы, как говорят индусы, развязать узлы, решить какие-то внутренние задачи и уйти свободным, в свой срок.

Доктор покорно брел с ним рядом, чувствовал холод деревянной крашеной палубы под босыми ступнями, слышал запах и плеск ночного моря, видел сквозь слезную пелену дрожащие звезды над бескрайней гладью.

По коридору навстречу бежал Андре в халате.

— Карл, что случилось? Куда вы исчезли?

— Все в порядке, Андре, — ответил за доктора незнакомец. — Товарищ Штерн вышел подышать морским воздухом перед сном.

Он произнес это по-русски, без акцента. Лицо Андре побелело, он кашлянул и спросил, тоже по-русски:

— Простите, с кем имею честь?

— Меня зовут Джованни Касолли, я журналист, сотрудник пресс-центра Министерства иностранных дел Италии. Плыву в СССР по своим служебным делам, наш общий приятель Бруно попросил меня заодно подстраховать вас.

Остаток ночи доктор проспал, он впервые уснул по-настоящему крепко. Ему приснилась комната Макса, крошечные фарфоровые фигурки на ковре. Он сжал их в ладонях, почувствовал, как они теплеют, движутся, растут, раскрыл ладони, и перед ним возникли Эльза, Отто, Макс, живые и невредимые.

— Карл, обещай, что больше никогда не попытаешься убить себя, милый мой, любимый, ты ничего не знаешь, все пройдет, потерпи, — сказала Эльза.

— Папа, я хочу тебя обнять, но не получается, — сказал Отто.

— Папа, я собрал самолетик, он летает и не падает, так хорошо в небе, так красиво, ты даже не представляешь, — сказал Макс.

Они исчезли, но во сне он продолжал чувствовать их тепло, и колючий ледяной сгусток боли в груди стал медленно таять. Когда он проснулся, подушка была мокрой от слез, первых за долгие дни и ночи после катастрофы. Теплоход вошел в Финский залив и вскоре причалил.

Доктор Штерн вместе со своими провожатыми сошел по трапу на берег в Ленинградском порту. В толпе мелькнуло лицо Джованни Касолли, черный плащ, черная шляпа, белый длинный шарф, прощальный взгляд больших карих глаз.

Остаток осени и начало зимы 1934-го доктор Штерн провел в Крыму, в санатории. Его опекала молодая женщина, с ее помощью он должен был совершенствовать свой русский. Она представилась преподавательницей, была отлично образованна, могла говорить о чем угодно — о Достоевском, о Гёте, о медицине вообще и психиатрии в частности, одинаково легко по-русски и по-немецки. Она показала ему Воронцовский дворец, Ласточкино гнездо, при этом рассказала множество интересных подробностей, как профессиональный экскурсовод. Высокая, с длинными светло-рыжими волосами, полными, красиво очерченными губами и зеленовато-голубыми глазами, она была чем-то похожа на Эльзу, и звали ее Лиза, Елизавета.

«Как будто нарочно подобрали», — подумал Карл, увидев ее впервые. Скоро понял по ее вопросам, по цепкому холодному взгляду красивых глаз, что не «как будто», а в самом деле подобрали нарочно, причем единственным человеком, который мог описать Эльзу, был Бруно.

«Зачем понадобился этот грубый, кощунственный фарс? Чтобы я легче адаптировался? Чтобы доверился красивой Лизе и поведал ей какие-то особенные секреты, которые хочу скрыть от Советской власти? Красивая Лиза, конечно, строчит отчеты о каждом нашем разговоре. Ну, пусть строчит. Наплевать».

В начале января 1935-го из Крыма поездом его привезли в Москву.

Вряд ли кто-нибудь мог узнать в сгорбленном, истощенном старике прежнего доктора Штерна. Выпали остатки волос, лицо сморщилось, глаза провалились. Ему не было пятидесяти, но выглядел он лет на семьдесят. Впрочем, узнавать прежнего Карла было некому. Он очутился в другом мире, за пределами собственной жизни.

* * *

Илья поел спокойно, с аппетитом. Кремлевские бутерброды были хороши. Икра свежайшая, нигде такой икры не отведаешь. Для здоровья очень полезно. В икре содержатся особые белки, они дают силы даже в состоянии крайней усталости. Чай натуральный, без примесей, ароматный, бодрящий. От паники не осталось следа. Минутное подозрение, что еда и чай могут быть отравлены, отлично помогло ему настроиться на волну Хозяина.

Товарищ Сталин обязан беречь собственную жизнь как самое драгоценное сокровище во Вселенной. А какое же это сокровище, если на него никто не покушается? Жизнь товарища Сталина мало что сокровище, она залог счастья. А какое же это счастье, если никто не завидует? Чем больше счастья, тем сильнее зависть врагов, тем коварнее их козни. Враги хотят отнять сокровище, разрушить счастье. На страже стоят герои. Лучше, если один, самый главный, идеальный герой. Могут быть другие, но только мертвые. А живой один-единственный. Когда героев много, выходит путаница: кто идеальнее, кто главнее? Нарушаются законы жанра. Герой один, он же сокровище и счастье, олицетворение светлых сил. Чем светлее светлые силы, тем темнее темные. Это называется обострением классовой борьбы.

Узкоплечий некрасивый Сосо страдал радикулитом, гипертонией, псориазом, аденоидами, бессонницей и кишечными расстройствами. Товарищ Сталин, как положено идеальному герою, был широкоплеч, красив, здоров и богатырски могуч. Товарища Сталина обожали сотни тысяч женщин. У Сосо первая жена умерла, вторая застрели-

175

лась. Товарищ Сталин был лучшим другом миллионов трудящихся. Сосо не имел друзей.

В сказке Гитлера сокровищ оказалось слишком много, практически все немцы, и героев многовато. Кроме себя, главного идеального героя, Адольф напридумывал кучу других разной степени идеальности. Злые враги определялись по четким признакам: во-первых, расовым, во-вторых, идеологическим. В Третьем рейхе человек мог чувствовать себя в безопасности, если он не еврей и не выступает против режима. Страх не становился всеобщим, имел открытые границы не только в символическом, но и в географическом смысле. Из рейха можно было уехать, эмигрировать.

В СССР никаких «если» не существовало, никто не чувствовал себя в безопасности, и границы страха были замкнуты, от остального мира отделяла глухая стена, никаких лазеек, все дырки намертво закупорены. Дыши воздухом сказки или вообще не дыши.

Гитлер возглавлял партию, которую создал сам, получил власть в результате законных демократических выборов и никого насильно в своем рейхе не удерживал.

Немцы обожали Гитлера за то, что он им здорово польстил, объявив сверхрасой, спустившейся с небес. Тут не было магии, работали другие законы, очень древние, грубые и точные, но психологические, а не сказочные.

Сосо никакой партии сам не создавал, никто не выбирал его ни вождем, ни главой государства. В его сказке психологические и политические законы рассыпались в труху. Если бы они работали, любой человек в любой момент сумел бы разглядеть в Великом Сталине наглого самозванца Сосо, и любой был опасен, все опасны. Только сказочный, магический страх гарантировал Сосо безопасность. Постоянная судорога смертельного, необъяснимого страха делает людей слепоглухонемыми.

Товарищ Джугашвили развернул свою простенькую сказку про бесценное сокровище и злых врагов в такое гигантское, такое сложное таинственное действо, в котором никто никогда не разберется. Оно длится уже четвертый год и будет продолжаться еще долго. Как угодно долго, может быть, вечно. Начинающий грузинский поэт Джугашвили имел все основания гордиться грандиозными литературными победами Великого Сталина.

Первые решительные ходы Гитлера, поджог рейхстага и расправа с Ремом подсказали Сосо идею первого акта его собственного грандиозного действа. События в рейхе вдохновили, подогрели творческий кураж.

Ходы Гитлера были вполне прозрачны, строились не по сказочным, а по психологическим и политическим законам. Любой мало-мальски разумный наблюдатель мог понять, как и зачем это сделано. Поджог рейхстага напугал население, доказал правомерность репрессий, заткнул рты остаткам недовольных, обеспечил партии легальную победу на выборах.

Расправа со старым другом Ремом и его штурмовиками объяснялась еще проще. Рем не нравился ближнему окружению фюрера, генералам и офицерам рейхсвера, иностранным политикам, германскому населению. Он всем надоел. Гитлер был вынужден от него избавиться, подчиняясь политической необходимости, и открыто заявил об этом, публично оправдывался пять часов. Идеальный герой оправдываться не должен ни перед кем никогда.

Первый акт гигантского действа, сочиненного товарищем Сталиным, тоже мог бы называться «Расправа со старым другом, или Ночь длинных ножей». Но сюжет строился совсем иначе. Расправа не имела никакого политического смысла, никто не понимал, как и зачем это сделано. Ночь растянулась на годы, количество жертв исчислялось десятками тысяч и постоянно росло.

Чтобы все наглядно убедились, как ужасны враги, как темны темные силы, нужен труп убитого друга. Но идеальный герой не убивает старых друзей, их убивают враги, а герой защищает друзей и карает врагов.

Сосо все тщательно продумал и рассчитал. Если убийство произойдет в Москве, в непосредственной близости от товарища Сталина, то возникнет закономерный вопрос: почему жертвой стал кто-то другой, не он? Позже, когда задуманное действие развернется во всю свою мощь, вопросы исчезнут сами собой, но завязка сюжета должна быть достоверной. Вот вам труп, вот убийца, вот сообщники, заговор, ядовитые щупальцы, пригретые на груди змеи, коварные сети.

Итак, если не Москва, то Ленинград. Там темные силы свили гнездо, чтобы нанести первый пробный удар. Им не хватило наглости бить сразу по главной цели, им потребовалась генеральная репетиция.

Сергей Миронович Киров отлично подходил на роль убитого друга. Он был популярен, его искренне любили простые люди. Товарищ Сталин публично называл его своим братом, возвеличивал и осыпал почестями. Так в древних языческих мистериях умащали благовониями и украшали цветами избранную для кровавого заклания жертву.

Поджог рейхстага подсказал Сосо идею с правильным сумасшедшим, который должен оказаться в нужном месте в нужное время. Но одно дело — найти иностранного оборванца и запустить в пустое здание рейхстага, чтобы он бегал там с горящей тряпкой, и совсем другое — подобрать психа, который способен войти в охраняемое здание Смольного с оружием, подняться по лестнице, не заблудиться в коридорах, выстрелить, не промахнуться, убить сразу наповал и потом еще дать нужные показания, назвать поименно многочисленых своих сообщников.

Сосо лично занялся выбором сумасшедшего из числа обиженных. Не ленился читать жалобы и доносы на Кирова и нашел подходящую кандидатуру, маленького обиженного человечка по фамилии Николаев. Оставалось организовать появление Николаева в нужном месте в нужное время. Это ответственное дело было поручено Ягоде и его ястребам.

Никто никогда не узнает, каким образом товарищ Сталин договаривался с исполнителями столь щекотливого поручения, где кончались намеки и начинались приказы, понимал ли Ягода, чего на самом деле хочет Хозяин, или только догадывался. Судя по результату, Ягода скорее догадывался, чем понимал, и был растерян, испуган. Его ястребы действовали бестолково, наследили сверх меры. Сразу после убийства возникло множество вопросов, клубились слухи.

По Ленинграду и по Москве пошла гулять частушка:

Эх, огурчики-помидорчики,
Сталин Кирова убил в коридорчике.

Возникла невинная народная версия, будто Николаев узнал, что Киров путается с его женой, и убил из ревности, а вовсе не по заданию разветвленной террористической организации. В узких партийных кругах шептались, что Николаеву помогали не старые астматические пердуны троцкисты-зиновьевцы, а кто-то другой, кто именно, недоговаривали, мусолили странные подробности.

В день убийства по распоряжению из Москвы со всех этажей Смольного сняли охрану, задержали перед входом телохранителя Кирова, и Сергей Миронович остался наедине с поджидавшим его убийцей.

Николаев задолго до убийства привлек внимание кировской охраны, подозрительно крутился возле Кирова. Его дважды задерживали, нашли у него заряженный револьвер, но оба раза отпустили и револьвер вернули.

Председатель Контрольной комиссии при СНК Валериан Куйбышев потребовал провести независимое партийное расследование и через несколько дней скоропостижно скончался в возрасте сорока семи лет, после чего шепот в узких кругах стих, вопросов и собственных версий у товарищей поубавилось.

Сумасшедший Николаев отказывался давать нужные показания, путался в именах и датах, бился в истерических припадках. Хозяину пришлось лично явиться к нему на свидание, они пробыли наедине больше часа, никто никогда не узнает, о чем говорили, но Николаев успокоился, дал показания, назвал имена, все подписал, после чего был расстрелян. Всех его родственников и знакомых тоже расстреляли, точно следуя рецепту Гитлера, которым он поделился в своей пятичасовой речи: *«Я приказал выжечь язвы внутренней заразы до здоровой ткани»*.

Повальные аресты в Ленинграде развеяли слухи, прояснили неясности. «Кремлевское дело» заткнуло рты болтливой челяди и блестяще завершило первый акт, наглядно демонстрируя, кто настоящее сокровище, главный идеальный герой, залог счастья, в кого метят враги. Но герой не позволит отнять сокровище и разрушить счастье, он отомстит за смерть друга, разоблачит и покарает врагов. Их много, невероятно много, они коварно маскируются, и борьба будет долгой. До «здоровой ткани» еще далеко. Везде сплошные «язвы».

В 1936-м начался второй акт, открытый процесс над Каменевым и Зиновьевым. Сейчас, в январе 1937-го, всего через несколько суток начнется третий акт. Потом четвертый, пятый, и сколько их будет еще, неизвестно. Действо продлится долго, может быть, вечно. Люди, даже совсем взрослые, охотно верят простеньким сказкам о борьбе светлых и темных сил. Никому не хочется, чтобы идеальный герой оказался наглым самозванцем, а сотни тысяч врагов — невинными жертвами. Ведь тогда все окажутся в дураках. Это обидно и для взрослых людей очень унизительно.

Сосо твердо следовал законам жанра, не заботился о правдоподобии, и ему удалось растворить в своей сказке всю реальность без остатка.

Адольф суетился, метался между сказкой и реальностью, фиглярствовал, пытался доказать, что он идеальный герой. По законам жанра ничего не надо доказывать. Все обязаны верить, кто не верит, тот враг.

«Майн кампф», речи с жестами и гримасами — дешевка, бабье кокетство. Идеальный герой так себя не ведет. «Ночь длинных ножей» — одноактный фарс, который к тому же придумал не сам Гитлер, а Геринг и Гиммлер. Примитивно. Неинтересно. Гитлер вообще вел себя как слабак и трус. Не трогал своих зазнавшихся генералов, позволял им болтать что угодно, позволял спорить с собой.

И все-таки Адольф был единственным в мире человеком, которого уголовник Сосо уважал и считал равным себе, великому.

«Если эти двое великих договорятся, они уничтожат половину человечества, а выживших превратят в неодушевленные автоматы, — думал Илья. — Потом, конечно, перегрызут друг другу глотки. Но людей уже не останется, только персонажи. Если не договорятся, будет война. Гитлер нападет первым, ему нужны восточные территории. Война — его стихия, главный смысл жизни. Он прошел Первую мировую, храбро воевал. А Джугашвили в Первую мировую отсиживался в ссылке, в Гражданскую на фронт не совался, прятался в тыловых штабах. Сосо панически боится войны. Война — это реальность, а Сосо может оставаться идеальным героем только внутри придуманной им сказки. Он боится, что Адольф нападет, и делает все, чтобы это произошло. Двурушничает, тянет к нему обе руки. Вот тут он уязвим. Он легко манипулирует теми, кто дышит воздухом его сказки. Но за пределами сказки он все тот же уголовник Сосо. Не умеет общаться на равных, не понимает, что в его заигрываниях Гитлер видит проявления страха и слабости расово неполноценного жгучего брюнета.

Илья вернулся к готовой сводке, аккуратно извлек одну страницу, там оставалось немного свободного места, расчехлил пишущую машинку и впечатал абзац из последнего донесения швейцарского резидента Флюгера, датированного ноябрем 1936-го.

«*Наш надежный источник в Берлине утверждает, что все попытки умиротворить и задобрить Гитлера с советской стороны обречены на провал. Основным препятствием на пути взаимопонимания с Москвой является сам Гитлер*».

ГЛАВА ОДИННАДЦАТАЯ

С января 1935-го доктор Штерн жил в Москве, ему дали комнату в квартире на Мещанской улице. По московским меркам это было шикарное жилье, так называемая профессорская коммуналка. Ванная с газовой гарелкой, кухня, кладовка. Соседи — только одна семья, интеллигентная, тихая. Акимов Петр Николаевич, инженер-авиаконструктор, высокий, худощавый мужчина, ровесник Карла, выглядел лет на двадцать моложе его. Волосы, густые и жесткие, совершенно седые, были подстрижены коротким бобриком. Узкое смуглое лицо с большим гладким лбом сразу понравилось Карлу. У Акимова были ясные голубые глаза, широкие, черные с проседью брови. Улыбку портили стальные зубы, но скоро Карл привык к таким советским улыбкам. В стране победившего социализма здоровые белые зубы были редкостью. Плохая еда, отвратительная стоматология.

Акимов свободно владел немецким, бывал в Германии в конце двадцатых, но говорить об этом не любил. В нем чувствовалась странная скованность, запуганность, и это никак не вязалось с его обликом. Карлу потребовалось несколько месяцев, чтобы понять, почему сильный, умный, образованный, абсолютно нормальный человек иногда посреди обычного невинного разговора нервно вздрагивает, сжимается, становится как будто ниже ростом, отводит взгляд, замолкает.

Впервые Акимов вздрогнул и отвел взгляд, когда доктор спросил, кто жил в этой комнате раньше.

— Семья инженера, такая же семья, как наша, — объяснила Вера Игнатьевна, жена Акимова.

Она была хирургом-травматологом в какой-то закрытой клинике для партийной элиты. Красивая женщина, под стать мужу, высокая, стройная, кареглазая, со светлыми коротко остриженными и завитыми волосами. Могла бы выглядеть еще лучше, если бы не постоянная, хроническая усталость и такое же, как у мужа, затравленное, испуганное выражение глаз. На вопрос о прошлых жильцах она ответила шепотом и совсем неслышно добавила:

— Отца взяли, мать и двух детей выслали из Москвы.

— Что значит «взяли»?

— «Взяли» — значит арестовали.

— За что?

Вера Игнатьевна молча покачала головой, пожала плечами, отвела глаза и после короткой паузы принялась оживленно объяснять, что посуду сначала нужно сложить в тазик.

— Простите, но у меня нет тазика, — смущенно заметил доктор.

— Можете пользоваться нашим. Так вот, посуду в тазике заливаете кипятком, сыпете сухую горчицу, потом ополаскиваете в раковине.

— Вера Игнатьевна, посуды тоже нет, и горчицы...

— Не проблема, поделимся, пока не обзаведетесь своим хозяйством, берите что нужно. А продукты зимой очень удобно вывешивать в авоське за окно, через форточку.

О семье, которая жила когда-то в его комнате, Карл больше не спрашивал, поинтересовался, что такое авоська. Вера Игнатьевна объяснила, тут же вручила ему эту авоську, сетчатый нитяной мешок, в котором носят продукты, а потом спросила:

— Карл, как ваше отчество?

Прежде чем ответить, он произнес про себя: «Эльза, я попал к удивительно добрым людям, мне повезло. Смотри, вот эта штука называется авоська, а я теперь называюсь Карл Рихардович».

Улетая из Берлина в Цюрих, он имел при себе лишь германский паспорт, пятьсот марок в бумажнике и военный дневник. Старую, на три четверти исписанную тетрадь он заметил на столе в последний момент перед выходом из дома и сунул во внутренний карман пиджака, опасаясь гестаповских глаз горничной.

В чемодане, с которым доктор сошел на советский берег, лежало несколько смен белья и носков, три сорочки, шерстяной пуловер, брюки, ботинки, домашние тапочки, кусок туалетного мыла в мыльнице, зубная щетка, коробка порошка, набор безопасных бритвенных лезвий. Все это вместе с чемоданом купил для него заботливый Бруно еще в Цюрихе.

Немецкий паспорт куда-то пропал, да он уже и не был нужен. Кроме бумажника и военного дневника, от прошлой жизни остался номер дамского журнала «Серебряное зеркало» за март 1934-го, который вручила ему маленькая Барбара. Он так и не удосужился прочитать статью журналистки Габриэль Дильс, но журнал хранил.

Деньги со счета в цюрихском банке ушли на лечение, клиника, куда он попал с инфарктом, оказалась непомерно дорогой. После оплаты операции и прочих медицинских услуг Карл остался с пятьюстами марками. Но это его не волновало. В голове вертелась старинная прусская поговорка: «Саван карманов не имеет».

Все дорожные расходы взяли на себя Бруно и Андре.

185

Пока доктор жил в крымском санатории, бытовых проблем для него не существовало. Его кормили в столовой три раза в день, кормили на убой, но есть он почти не мог, вкуса еды не чувствовал. В его отдельном номере с огромным балконом, выходившим на море, имелись ванная и уборная. Полотенца и постельное белье меняли ежедневно. Личные вещи — носки, рубашки — заботливая товарищ Лиза отдавала в стирку и возвращала все идеально чистым, отглаженным. В Крыму прохладными осенними вечерами он надевал на рубашку пуловер, сверху пиджак, и не мерз. Но когда приехал в Москву, там лежал снег, понадобились теплое пальто, шапка, шарф, ботинки.

Французское мыло давно смылилось, зубной порошок закончился, бритвенные лезвия затупились, носки порвались.

Карл считал себя скромным, непритязательным человеком. Быт мало занимал его. Он знал, что еду готовит кухарка, убирает в доме горничная. Одежда и обувь продаются в магазинах. На окнах висят шторы, в ванной — полотенца и халаты. Кровать всегда застелена свежим бельем. Он привык ежедневно принимать душ, утром и вечером чистить зубы, скоблить щеки хорошим безопасным лезвием.

В первый же вечер в новом своем жилище доктор Штерн, краснея от неловкости, попросил Веру Игнатьевну одолжить ему чистое полотенце и немного туалетной бумаги. Полотенце получил сразу. Что касается бумаги, Вера Игнатьевна, смущаясь не меньше него, сказала:

— Там, на гвоздике, зеленый ящичек.

В ящичке на гвоздике возле унитаза лежали аккуратно нарезанные куски газеты. Вначале доктор решил, что это временные трудности. Но скоро выяснил, что альтернативы не существует. Все население СССР подтирается газетами вместо туалетной бумаги, советская промышленность ее не производит.

— Вера Игнатьевна, простите меня, я понимаю, это глупо, бестактно, однако мы с вами врачи и можем говорить откровенно. Типографская краска пачкает кожу, оставляет черные пятна, к тому же содержит свинец, это негигиенично и очень вредно... — он замолчал на полуслове, заметив реакцию соседки.

Она вздрогнула, отвела глаза, прикусила губу.

«Я дурак, — подумал Карл. — Разумеется, она отлично знает, насколько ядовиты пары свинца, но она, ее муж, ее дети вынуждены пользоваться газетой, как все население СССР. Миллионы задниц — мужских, женских, детских — измазаны свинцом, это невозможно вообразить».

— Карл Рихардович, хорошо, что вы заговорили об этом. Я забыла сказать вам главное. На газетах, которые лежат в уборной, ни в коем случае не должно быть портретов вождей и передовиц с их речами.

Голос ее звучал глухо. Лицо продолжало пылать.

Впервые за долгие месяцы после катастрофы Карл почувствовал, как подступает к горлу булькающий нервный смех. Пришлось сделать огромное усилие, чтобы не выпустить его наружу. Он сглотнул несколько раз, сморщился, стараясь скрыть дурацкую неуместную улыбку, откашлялся и произнес вполне серьезным голосом:

— Простите меня, бестолкового иностранца, каких именно вождей вы имеете в виду? Я знаю только Сталина.

— Молотов, Ворошилов, Каганович, Буденный, — быстро перечислила она и добавила уже другим, спокойным голосом: — На первое время мы можем одолжить вам подушку, простыню и одеяло.

В комнате стояли кровать, тумбочка, письменный стол, платяной шкаф, пара стульев. На мебели доктор заметил овальные латунные бирки с номерами. Вера Игнатьевна объяснила, что все имущество прошлых жильцов конфисковано, комната долго пустовала, дверь опечатали, а перед его приездом открыли, завезли казенную мебель.

«Завезли казенную мебель и казенного меня, придется как-то обустраивать жизнь», — писал он на оставшихся страницах военного дневника.

Теперь это был не дневник, а письма Эльзе, Отто и Максу. В первые дни он писал, слюнявя чернильный карандаш, позже удалось купить перьевую ручку и чернила. Писал по-русски. Вероятность, что его жена и дети поймут этот язык, была равна вероятности, что послания доходят до них.

«Ладно, давайте будем называть это жизнью. Эльза, ты не поддержала мою идею прекратить балаган, осудила меня, когда я хотел броситься за борт, наверное, именно ты прислала ко мне того симпатичного парня, итальянца Джованни Касолли. Что ж, изволь терпеливо выслушивать мои жалобы.

Меня завезли и забыли о моем существовании. Люди с деревянными лицами, которые сопровождали меня в поезде из Симферополя в Москву, не отвечали на мои вопросы, ничего не объясняли. На вокзале меня встретили точно такие же деревянные двое, усадили в машину. Сначала привезли в какую-то огромную контору с ковровыми дорожками и вооруженными охранниками на каждом шагу. Пригласили в кабинет. Над столом висел портрет Сталина. За столом сидел толстый мужчина в форме, он представился Иваном Петровичем, сказал, что я буду жить здесь под собственным именем. Я немецкий коммунист, которому Советское государство спасло жизнь и дало политическое убежище. Затем потребовал, чтобы я подписал несколько бумаг. Я уже вполне свободно говорю и читаю по-русски, но язык, на котором были написаны эти документы, показался мне слишком сложным. Я понял почти все, но не уловил общего смысла. Лысый любезно объяснил, что я должен дать подписку о неразглашении. Любая информация, касающаяся моей прошлой работы в Германии и предстоящей работы здесь, в СССР, является государственной тайной. На вопрос, что это будет за работа, он ответил: «С вами свяжутся». Потом в другом кабинете мне вручили советский паспорт с моим именем, датой рождения, национальностью и адресом, по которому я буду жить. Я попытался спросить о чем-то суровую женщину в форме, вручившую мне паспорт, и опять услышал: «С вами свяжутся». Те же волшебные слова повторили на прощанье деревянные люди, которые привезли меня сюда, в квартиру на Мещанской.

Прошло две недели. Никому до меня нет дела, никому, кроме соседей. Они помогают мне, чем могут, и не задают вопросов, кто я, откуда, для чего тут появился, чем занимался раньше. Они ведут себя так, словно все четверо, не только взрослые, но и дети, подписали обязательства ни о чем меня не спрашивать. Вполне допускаю, что так и есть.

Мне удивительно повезло с ними. Но еще больше мне повезло с их детьми. Маша, балерина, всего на год старше тебя, Отто. Длинные каштановые волосы стянуты узлом на затылке. Глаза голубые, огромные. Лицо совершенно детское. Я бездарный портретист. Можете поверить на слово: Маша чудесная девочка.

Впрочем, если вы читаете мои послания, понимаете русский язык, то, скорее всего, вы собственными глазами видите Машу, ее брата Васю (он младше тебя, Макс, на три года), их родителей, меня в профессорской коммуналке на Мещанской улице, за голым казенным столом, у окна, лишенного занавесок. Выгляжу я скверно. Из зеркала в казенном шкафу глядит на меня незнакомый безобразный старик. То, что мне удалось за несколько месяцев состариться на двадцать лет, внушает надежду на скорую встречу с вами, Эльза, Отто, Макс.

Ладно, давайте будем называть это жизнью.

Совершенно чужие люди спасли меня от голода и холода, снабдили множеством предметов, которые здесь бесценны. Простыня, подушка, одеяло, полотенце. На пятьсот марок, оставшихся в моем бумажнике, мне удалось купить в специальном магазине под названием Торгсин приличное зимнее пальто, брюки, шарф, перчатки, теплые ботинки, носки, нижнее белье. Оставшиеся семьдесят марок я потратил на небольшой запас продуктов и подарки моим ангелам-хранителям, соседям. В стране победившего социализма пара шелковых чулок или флакон духов — королевский подарок для женщины, набор золингеновских лезвий или кожаный брючный ремень — королевский подарок для мужчины. Плитка шоколада или апельсин осчастливит любого ребенка. Приличный чай без палок и плесени, молотый кофе, сыр, копченая колбаса — все можно купить в торгсине за иностранную валюту. В магазинах для рядовых граждан не продается практически ничего. Огромные очереди выстраиваются задолго до открытия, на ладонях чернильным карандашом пишут номера. Никто точно не знает, что сегодня «выбросят». Товары для населения здесь не продают, а «выбрасывают», и люди рады всему, будь то ситец, будильники, граммофонные иглы. Если у человека нет граммофона, он иглы все равно купит; если есть уже три будильника, купит четвертый.

Множество самых простых и необходимых вещей не продается даже в торгсине. Кастрюли, тазы, гвозди, электрические лампочки, нитки, пуговицы, постельное белье, полотенца. Большая проблема достать мыло. Промышленность выпускает три сорта: «Хозяйственное» для стирки и мытья посуды, «Дегтярное» как лечебное при кожных болезнях и «Земляничное», которое считается туалетным. Все три сорта пахнут отвратительно, особенно «Земляничное».

Эльза, ты, конечно, помнишь кризисы у нас в Германии сразу после войны и потом, в двадцать девятом, когда рухнула биржа. А теперь представь: такое положение длится годами, при этом никто не говорит о кризисе. Кризисов не существует, как и биржи. Демонстрации собираются, но не протестуют, а выражают восторг и бешено благодарят правительство. Никаких забастовок, уличных волнений. Все счастливы.

Здесь безработных нет, но рабочие одеты как нищие, едят помои, ютятся в бараках. По уровню чистоты и удобства я мог бы сравнить бараки только с фронтовыми окопами. Но

190

в окопах не жили постоянно, семьями, с младенцами и стариками.

Тут официально объявлено: «Жить стало лучше, жить стало веселей». Радио и газеты твердят об изобилии, успехах и достижениях. И люди верят. Голодные верят, что сыты, замерзшие верят, что им тепло. Этот парадокс завораживает».

Карл оторвался от тетради, встал, прошелся по комнате. Была глубокая ночь. Он вдруг обнаружил, что впервые за долгие месяцы после их гибели, которую он про себя называл разлукой, ему удается думать о них спокойно, не захлебываясь болью. И впервые, не в глубоком сне, а наяву, в собственной полысевшей старой голове он услышал их голоса.

Сначала заговорил Отто.

— Папа, мне приходится съедать все злые, глупые слова, которые я произносил. Они лезут назад, в рот, их ужасно много, я не могу выплюнуть, должен съедать, они тухлые, меня от них тошнит.

Карл стоял у окна. В стекле вместо собственного отражения он увидел живое лицо Отто, но не пятнадцатилетнего, а совсем маленького. Отто плакал и пытался отодрать от древка флажок со свастикой.

Рядом возникли Макс и Эльза. Они тоже сильно изменились. Макс выглядел значительно старше Отто и самого себя. Эльза казалась девочкой-подростком, Карл не помнил ее такой.

— Папа, видишь, Отто постоянно плачет, теребит этот несчастный флажок и твердит о тухлых словах, которые должен съедать. На самом деле ничего этого нет, просто он все не может проснуться, — сказал Макс.

— Макс, я не понимаю, — ошеломленно прошептал Карл.

Макс не ответил, заговорила Эльза:

— Карл, не верь старику в зеркале, он будет пугать и мучить тебя. Не верь ему, он врет. Мы всегда с тобой, даже если ты не видишь и не слышишь нас, мы рядом.

Их лица стали таять, растворяться в темноте. Он мог разглядеть только крупные снежинки за окном.

— Эльза, подожди! Отто, Макс! Не уходите!

Никто не ответил. Он прикоснулся к стеклу, оно было теплым от его дыхания.

* * *

«Я бы лучше ходила в валенках, я бы променяла эту кожаную роскошь на один его звонок, — думала Маша, повторяя в десятый раз сольный танец Аистенка из второго акта. — Нет, не надо никаких звонков, я не хочу питаться из одной кормушки с Борисовой. Конечно, это не конфискаты, они совсем новенькие, их могли давать в нескольких разных распределителях, не только в энкавэдэшном, где отоваривается товарищ Колода».

— Акимова, что у тебя с руками? Это не руки, это деревяшки, а должны быть крылья! Соберись, соберись, Маша, о чем ты думаешь? — кричала Пасизо.

У Маши звенело в ушах от ее голоса и треньканья клавиш. Глаза заливал пот, мокрое трико липло к телу. Пасизо гоняла ее третий час подряд.

— Пошла на разбег, баллон! И-р-раз! Держись, держись в воздухе! Колени! Гнешь колени! Ой, елки-палки! Еще раз так приземлишься, сниму с роли! Все, отдыхаем двадцать минут!

Маша добрела до коврика, рухнула навзничь, закрыла глаза. Сердце стало гигантским, его биение заполнило все тело. Жар сменился ознобом, трико неприятно холодило кожу. Прежде чем выйти из зала, Пасизо накрыла ее старой вязаной шалью, проворчала:

— Мокрая, как мышонок, простынешь.

Стукнула дверь. Маша слабо шевельнулась, натянула шаль до подбородка. Шерсть пахла нафталином, бахрома щекотала шею, от батареи веяло сухим жаром, в трубах тихо булькала вода, между рамами завывал ветер, звенело оконное стекло. Надо было разумно использовать эти драгоценные двадцать минут, расслабиться, чтобы со свежими силами выполнить, наконец, несколько па, из-за которых Пасизо держала ее в зале до позднего вечера. Но расслабиться не удавалось.

«Он позвонит, пригласит на дачу, а там будут еще двое. Чем я лучше Кати? Чем он лучше того красавчика-блондина? Катя верила, что это настоящая любовь... Одинаковые сны... Господи, я устала, мне страшно, я хочу просто жить, хочу танцевать, я должна отработать этот несчастный баллон, для танца нужно душевное спокойствие, ни о чем постороннем думать нельзя... Патефон завели, коньяк лили в рот... Окажись я на месте Кати, тоже пришлось бы стараться, чтобы они чувствовали искренность, чтобы не тронули папу, маму, Васю. Нет любви. Есть глупые фантазии, как у Кати, или кормушка, как у Борисовой. А в итоге одно и то же — патефон, коньяк, сапоги из распределителя... Вурдалаки... во мраке вурдалаки... ни ответа, ни привета... ночью снег кажется черным... черный снег большой зимы... так темно потому, что вурдалаки напустили мрак... Вот и чудится во мраке...

— Маша, просыпайся, — голос Пасизо вытащил ее из темного странного сна.

Маша открыла глаза, не сразу поняла, где находится, вскочила на ноги. Мышцы отозвались тягучей болью.

— Тихо, тихо, не нужно так резко вскакивать. Эй, ты что, плакала?

— Нет, — Маша быстро взглянула на себя в зеркало.

Глаза были красные, опухшие, щеки мокрые. Она провела ладонью по лицу, встретила в зеркале тревожный внимательный взгляд Пасизо.

— У тебя что-то случилось?

— Нет-нет, Ада Павловна, все в порядке, просто я, кажется, заснула и приснился дурной сон.

— Сон это пустяки, проснулась и забыла. Главное, чтобы ты не отвлекалась на разные глупости, помнила, кто ты и что ты. Январь уже, считай, пролетел, у нас всего четыре месяца, а на самом деле три, в мае пойдут прогоны для руководства. Вот об этом ты должна думать, а все прочее выкинь из головы.

Маша смиренно кивнула и только сейчас заметила, что нет Надежды Семеновны. Пасизо подошла к роялю, закрыла крышку.

— Я отпустила ее домой, хватит на сегодня, поздно. Ты хорошо поработала.

Маше показалось, что она ослышалась, сон продолжается, но только уже не страшный, а счастливый. Пасизо никогда в жизни ее не хвалила. Других — сколько угодно, ее, Машу Акимову, никогда.

— Ада Павловна, я же запорола все баллоны, не приземлялась, а шлепалась, как сырое тесто, — краснея, пролепетала Маша.

— Пару раз так и было, — Пасизо улыбнулась. — Но если из дюжины баллонов только два получаются плохо, это отличный результат. Ну что ты так удивленно смотришь? Не все же мне орать на тебя, иногда можно и похвалить. Ты мою брань слушаешь с первого класса, тебе всегда достается больше, чем другим. Знаешь почему? Потому что кому дано много, с того много и спросится. У тебя уникальная элевация. Ты зависаешь в прыжке на сто секунд. Никто здесь, в Большом, и никто в Мариинке не может держаться столько времени в воздухе. Это вовсе не значит, что ты лучшая, тебе просто подарена такая способность при рождении. Как говорили в моей дореволюционной юности — ангел поцеловал в колыбели. Редкий, загадочный дар. Когда танцевала Тальони, дирижеру приходилось замедлять темп оркестра, чтобы ее приземление совпало с музыкой. Тальони тоже поцеловал ангел. Никакая наука не объяснит, и научиться этому нельзя, как ни старайся. Дольше всех в полете держался Нижинский.

— Кажется, он сошел с ума, — прошептала Маша.

— Да, но не потому, что умел летать. Ладно, ступай переодеваться, завтра приходи пораньше.

На улице мела метель, ветер сшибал с ног. Снег летел в лицо и казался черным. Маша издали увидела огни трамвая, помчалась к остановке, вскочила на заднюю площадку в последнюю минуту, прошла вперед по вагону, высыпала мелочь в ладонь кондукторши и, случайно взглянув ей в лицо, заметила восковую бледность, грубые морщины, жидкую седую прядь, выбившуюся из-под теплого платка, поверх которого была нахлобучена форменная ушанка. Позади кондукторши сидел старик в ветхом тулупе, запавший рот медленно двигался, то ли жевал, то ли бормотал что-то. Рядом девочка лет десяти, обмотанная рваной вязаной шалью, со взрослыми темными тенями под глазами, дальше мужчина в железнодорожной шинели, небритый, худой, хмурый.

Никогда прежде Маша не замечала отдельные лица в толпе, в транспортной давке, они мелькали, сливались в единую рябую массу. Но сейчас не было ни давки, ни спешки и странно обострилось зрение.

Она чувствовала себя так, будто ее омыли мертвой и живой водой. Сначала история с Катей, тоска, отчаяние — мертвая вода. Потом разговор с Пасизо — живая вода. В этом новом своем состоянии она вглядывалась в лица и видела, какие они хмурые, бледные, словно им не хватает света. Кто-то крадет у них свет и воздух, тянет из них жизненную энергию. Нечто страшное, ненасытное отбрасывает густую удушливую тень, и лица людей становятся серыми, обескровленными. Таким стало лицо Кати после «проверки», которую устроил ей красавчик-блондин. Он и те двое, что были с ним на шикарной даче, — вурдалаки. Патефон, коньяк, икра... Смутные фрагменты кошмара, приснившегося во время короткой передышки в репетиционном зале, сами собой сложились в очередной стишок.

Вурдалаки ходят стадом,
жрут икру и пьют коньяк,
и командует парадом
самый главный вурдалак.
Ни ответа, ни привета,
черный снег большой зимы.
Вурдалак боится света,
человек боится тьмы.
Вот и чудится во мраке,
что кругом лишь вурдалаки,
а людей и вовсе нет.
Перестань, все это враки,
успокойся, это бред.

Трамвай доехал до Мещанской, Маша выскочила, побежала сквозь вьюгу, повторяя про себя последние строчки нового стихотворения. Впервые захотелось записать, но было очевидно, что записывать нельзя, даже на промокашке простым карандашом. Нельзя. Значит, нужно просто запомнить.

Она вошла в подъезд, отдышалась, отряхнула снег. Лампочки опять выкрутили, на лестнице было темно, только немного света сочилось от уличных фонарей сквозь грязные оконные стекла на площадках между этажами. Она поднималась медленно, смотрела под ноги. Вдруг кто-то громко чихнул.

— Будьте здоровы, — машинально произнесла Маша, пригляделась и увидела брата Васю. Он стоял в расстегнутом пальто, в шапке, из кармана торчала свернутая в трубку тетрадь.

— Васька, ты что здесь делаешь?

— Шпиона выслеживаю. Я его давно приметил, ошивается тут постоянно, сволочь троцкистская. Вот он!

За окном, в глубине двора, маячил смутный мужской силуэт.

— Хватит валять дурака, тебе надо уроки делать, — Маша взяла его за руку. — Пойдем домой.

— Отстань! — он вырвал руку. — Сама иди домой, нечего тут командовать. Скажешь родителям, что я здесь, будешь предателем, поняла?

— Не скажу, не бойся. Но, знаешь, мне кажется, наблюдать за твоим шпионом можно и дома, из наших окон открывается точно такой же вид.

— Ага, попробуй понаблюдай, когда свет горит в комнате.

— Так ты погаси.

— Погаси! А мама? Она же дома сейчас. Как я погашу? Вот, кстати, учти, я маме сказал, что иду к Валерке геометрию делать.

— Молодец. Когда пару по геометрии принесешь, как врать станешь?

— Да сделал я уже твою паршивую геометрию. Смотри, смотри, к подъезду идет!

— И что? Ты его арестуешь?

Вася дернул Машу за руку, оттащил от окна.

— Заметил! Точно заметил! Тикаем!

Они рванули вверх, добежали до следующей площадки. Маша невольно включилась в игру, вместе с братом осторожно выглянула во двор. Сквозь грязное стекло было видно, как мужчина остановился метрах в десяти от подъезда, принялся чиркать спичками. Наконец прикурил. Огонек осветил лицо, и Маша тихо засмеялась.

— Да-а, Васька, ты великий сыщик, настоящий Пинкертон. И давно ты следишь за этим шпионом?

— Неделю! — Вася был так возбужден, что не обратил внимания на ее смех. — Машка, смотри, озирается, проверяется, сволочь троцкистская, сообщника небось ждет. А! Идет в подъезд! Тикаем!

Он опять потащил ее вверх так резко, что оба чуть не упали. Внизу хлопнула дверь, застучали неторопливые шаги по лестнице. Вася и Маша добежали до четвертого этажа.

— Все, стоп, мы пришли домой, — Маша высвободила руку, стала искать ключи в сумке. — Шпиона твоего зовут Носовец Григорий Тихонович, он наш управдом, просто усы отрастил, шапку другую надел, вот ты его и не узнал. Он, между прочим, тоже занят слежкой, ищет воришку, который выкручивает лампочки. Будешь торчать на лестнице, товарищ Носовец решит, что ты и есть лампочный воришка.

Вася надулся, ничего не ответил, обиделся, будто Маша была виновата, что шпион оказался банальным управдомом. Поймать шпиона стало для десятилетнего ребенка навязчивой идеей. В школе его кормили историями о бдительных пионерах, которые в счастливом советском огороде выпалывают матерых шпионов и сдают в органы пучками, как сорную траву.

— Ты что, не понимаешь, Машка, они повсюду, они везде гадят, чтобы мы не построили коммунизм, из-за них очереди, продуктов не хватает, они специально подмешивают в масло толченое стекло, бьют яйца, напускают червяков в муку, и трамваи из-за них редко ходят, им выгодно устраивать давку в транспорте, — возбужденно бормотал Вася.

Он щурился, морщился, кривил рот и в тусклом свете коридорной лампочки стал похож на маленького сердитого старичка. Маша взяла его щеки в ладони, поцеловала в нос.

— Васька, уймись. Перестань, все это враки, успокойся, это бред!

Он ошалело взглянул на нее, словно увидел в первый раз.

— Маня, ты чего сказала?

— Что слышал.

— Но ты... — он осекся.

В коридор вышла мама, заспанная, в байковом халате поверх ночной рубашки, поцеловала их, зевнула, спросила мирным, уютным голосом:

— Вася, где ты был?

— У Валерки. Уроки все сделал. А ты что, спала?

— Мг-м, отлично выспалась, не знаю, что теперь буду ночью делать, — она потянулась, покрутила головой, разминая шею. — Все кувырком с этими суточными дежурствами, никак не могу наладить правильный режим. Папа возвращается завтра, в семь утра. Он приедет, а я опять уйду на сутки. Ладно, давайте чайку выпьем.

ГЛАВА ДВЕНАДЦАТАЯ

Карл Рихардович ждал Илью, прогуливаясь по Никитскому бульвару. Илья издали узнал в фонарном свете высокую фигуру и ускорил шаг, подумал: «Замерз старик. Хотя какой он старик? Ему нет и пятидесяти».

Доктор обернулся, заметил Илью, пошел навстречу.

— Я уж решил, ты не выберешься сегодня, хотел ехать домой.

— Замерзли?

— Не успел, мороза нет, метель кончилась. Илья, какое сегодня число?

— Восемнадцатое января тридцать седьмого года. А что?

— Ну, вспомни.

Илья замедлил шаг, нахмурился, несколько секунд озадаченно глядел на доктора, наконец, улыбнулся и произнес:

— Спасибо Климу!

— Клин клином вышибают, — весело отозвался доктор.

— Так, может, отпразднуем, сходим в ресторан? Тут «Прага» совсем близко, — предложил Илья.

— Ну ее, твою «Прагу», — доктор махнул рукой в меховой перчатке. — Есть совсем не хочется. Давай просто погуляем полчасика, проводишь меня до трамвая. Да и праздновать особенно нечего. Пару лет назад встретились две мухи, молодая и старая, в одной паутине. Жужжим, лапками дергаем. Тоже мне праздник. Ты в «Прагу» лучше пригласи Машу, просто так, без всякого повода.

— Приглашу. После процесса обязательно. Вы ей скажите... — Илья запнулся.

— Что? Что я должен ей сказать? Ты в командировку уехал на месяц?

— Нет, не месяц, пара недель, после процесса там все утихнет, станет легче. А про командировку врать не нужно. Скажите правду. Я не уверен, что имею право связывать с кем-то свою жизнь. Меня могут арестовать в любую минуту, один неверный шаг, случайное слово...

— Перестань, Илья. Ее родителей точно так же могут — в любую минуту. Тебе не приходило в голову, что это просто самооправдание? Отношения с женщинами, которые складывались у тебя прежде, к которым ты привык, были холодными, скользящими, ни к чему не обязывали.

— К осторожности.

— Ну разве что к осторожности. А тут совсем другое, тут девочка чистая, влюбленная до одури, обидеть такую грех. Не любишь ее, так и скажи.

— В том-то и дело, что люблю, думаю о ней постоянно.

— Вот это я и передам.

Дальше шли молча, переулками до Патриарших, оттуда к Новослободской.

«Неужели только два года? Кажется, мы знакомы лет сто», — думал Илья.

«Два года пролетели, я не заметил, кажется, все было вчера», — думал Карл Рихардович.

Два года назад, морозной январской ночью 1935-го, в квартире на Мещанской зазвонил телефон. Доктор Штерн крепко спал, звонок не разбудил его, он проснулся от стука в дверь. В полумраке блеснули испуганные глаза Веры Игнатьевны.

— Карл Рихардович, вас!

Доктор вскочил, зажег свет, часы показывали четверть третьего. Халата у него не было, он спал в нижнем белье. Накинув на плечи одеяло, бросился босиком в коридор. В трубке механический мужской голос произнес:

— Товарищ Штерн, сейчас с вами будут говорить.

— Кто? — сипло спросил доктор.

Вместо ответа послышались сухие шорохи, какое-то потрескивание, пощелкивание. Доктор переминался с ноги на ногу, кашлял, пытаясь прочистить осипшее горло. Вера Игнатьевна ушла к себе, бесшумно закрыла дверь. Он стоял один в холодном полутемном коридоре, левой рукой сжимал трубку, правой придерживал тяжелое одеяло. Внезапно все механические звуки стихли и приятный баритон произнес:

— Здравствуйте, товарищ Штерн, как вы устроились на новом месте?

Карл Рихардович успел привыкнуть к московской речи, сразу заметил акцент. После долгих дней ожидания он так занервничал, что не придал этому акценту никакого значения. В самом деле, почему чиновник из конторы с ковровыми дорожками и вооруженными охранниками обязательно должен говорить на чистом русском языке, без акцента? Он ни секунды не сомневался, звонят именно оттуда, поскольку ни одна живая душа за пределами конторы не знала его имени и номера, по которому с ним можно связаться. Вслед за этой мыслью возникло нечто вроде дежавю. Точно такие ночные звонки когда-то звучали в его берлинской квартире.

«Неужели сейчас за мной пришлют машину?» — подумал доктор, попытался поймать край сползающего одеяла, чуть не выронил трубку и спросил:

— Простите, кто говорит?

Последовала пауза, в течение которой доктор успел поймать одеяло, прижимая трубку ухом к плечу, кое-как натянул его на зябнущую спину и услышал:

— Товарищ Штерн, с вами товарищ Сталин говорит, — баритон произнес это невнятно, как будто жевал что-то, доктор услышал чавканье, смех, кто-то рядом с баритоном тоненько, с подвыванием, хихикал.

«Розыгрыш, глупая шутка, да, но случайные шутники не могут знать моего имени и что я живу здесь, а те, из конторы, вряд ли стали бы так шутить. Что же мне делать? Положить трубку или поверить, продолжить разговор? Пожаловаться ему, что меня тут забыли, оставили в полной неизвестности, без работы и средств к существованию?» — все это мгновенно пронеслось в голове, а баритон вдруг сказал:

— Заткнись, Клим! — хихиканье прекратилось, словно его выключили. — Извините, товарищ Штерн, это я не вам, — ласково продолжил баритон. — Тут у нас с товарищами в Политбюро вышел спор, будьте любезны, помогите нам его разрешить. Скажите, товарищ Штерн, Гитлер нормальный мужчина или нет?

— Товарищ Сталин, я не рискнул бы назвать Гитлера нормальным, у него есть очевидные психические отклонения... — ошеломленно забормотал доктор.

— Товарищ Штерн, не надо так подробно объяснять, — перебил Сталин. — Я спрашиваю, Гитлер гомосексуалист или нет?

— Нет.

В трубке опять послышался смех, на этот раз смеялись несколько человек, включая Сталина, затем что-то забулькало, пьяный тенорок пробормотал:

— Хули он знает, свечку, что ли, держал?

Тенорок явно принадлежал неизвестному хихикающему Климу. Долетали еще другие мужские голоса, но понять, что они говорят, доктор не мог. Булькание повторилось, звякнуло стекло.

— Спасибо, товарищ Штерн. Если что нужно, не стесняйтесь, обращайтесь. Спокойной ночи.

Доктор не успел ответить, раздались частые гудки.

Несколько секунд он стоял с трубкой в руке, слушая однообразное пиканье. Одеяло валялось на полу, ноги заледенели. Наконец опомнился, повесил трубку на рычаг, волоча за собой одеяло, вернулся в комнату. Остаток ночи не мог уснуть, сотни раз прокручивал в голове разговор, пытался угадать, действительно ли говорил с самим Сталиным или это все-таки была чья-то пьяная шутка.

Утром, услышав шаги в кухне, он встал, оделся. Вера Игнатьевна готовила завтрак. Он ждал, что она спросит о ночном звонке, как-никак событие неординарное, почти месяц он прожил тут, и никто ему не звонил, ни одна живая душа. Но Вера Игнатьевна только улыбнулась, сказала «доброе утро» и предложила чаю. Он поблагодарил, извинился, что звонок разбудил ее.

Сидя на шаткой табуретке между столиком с примусом и облупленной раковиной, прихлебывая чай, он вдруг засомневался, а не приснился ли ему этот странный разговор, голос с акцентом, бульканье, хихиканье пьяного Клима.

— Карл Рихардович, попробуйте печенье, у меня на работе фельдшерица сама печет, вот угостила. И тут для вас яичко, хлеб с маслом.

— Спасибо, — он взял печенье, положил в рот, отхлебнул чаю.

— В кастрюльке овсяная каша, я много сварила, давайте вам положу, — Вера Игнатьевна поставила перед ним тарелку.

Запас продуктов, купленных в Торгсине, закончился, как ни старался он экономить консервы, крупу и сырокопченую колбасу. К тому же от сухомятки болел живот. Последние несколько дней его кормили соседи, они делали это удивительно тактично. Утром он находил на своем кухонном столике хлеб, вареные яйца, миску с квашеной капустой, несколько сваренных в мундире картошин. Когда Вера Игнатьевна бывала дома, просто предлагала ему еду.

— Вот нахлебник на вашу голову, — бормотал он, сгорая от стыда.

— Ешьте, пожалуйста, кашу, пока теплая.

— Спасибо. Вера Игнатьевна, что такое «хули»?

Она изумленно подняла брови.

— Как, простите? Впрочем, не нужно, не повторяйте, я поняла. Это нецензурное ругательство, очень грязное.

— А «держать свечку»?

— Ну, это значит быть свидетелем, присутствовать во время чьей-то интимной близости.

Он чуть не задал третий мучивший его вопрос: кто такой Клим? Но сообразил, что она вряд ли сумеет ответить.

Второй звонок прозвучал на следующий день в десять утра. Соседей дома не было, доктор давно проснулся и сам взял трубку.

— Товарищ Штерн, здравствуйте. Через тридцать минут за вами приедет машина. Водитель поднимется к вам, его зовут Григорий, он будет в штатском.

Собеседник не представился, и доктор не стал спрашивать, кто говорит. Какая разница? Главное, о нем вспомнили, с ним связались. Ночной звонок не был ни сном, ни случайной хулиганской шуткой.

Одеваясь, он обнаружил, что у единственной приличной рубашки оторвались две пуговицы и распоролся рукав. Но соседей не было, он не мог попросить иголку с ниткой. На носке, на большом пальце, зияла дыра. И вообще вид у него был потрепанный. Он уговаривал себя, что все это пустяки, однако не мог смириться, чувствовал неловкость.

Шофер Григорий оказался совсем молодым человеком, назвал доктора по имени-отчеству и приветливо улыбнулся. У подъезда стоял новенький «паккард». Карл Рихардович еще не знал Москву, но почти сразу сообразил, что везут его не в контору с ковровыми дорожками. Контора находилась в самом центре, неподалеку от Кремля. А «паккард» определенно ехал в другом направлении. Это вместе с улыбкой и человеческим лицом шофера добавило бодрости.

Дорога заняла минут пятнадцать. «Паккард» въехал во двор, остановился возле жилого дома. Григорий вместе с доктором вошел в подъезд, вызвал лифт. Все выглядело вполне обычно, однако тут было слишком тихо и чисто. Он успел привыкнуть к заплеванной лестнице на Мещанской, к мутным от грязи окнам на площадках. А тут все сияло чистотой, в подъезде в стеклянной будке сидел вахтер в синей униформе, в лифте доктор увидел зеркало и сразу отвернулся, не хотелось разглядывать собственную физиономию в ярком электрическом свете.

Дверь квартиры на седьмом этаже была обита вишневым дерматином, она открылась, на пороге возник невысокий крепкий мужчина лет тридцати в теплом джемпере, без пиджака.

— Здравствуйте, Карл Рихардович. Меня зовут Крылов Илья Петрович, — он улыбнулся и пожал доктору руку.

Паркетный пол в прихожей сверкал, в проеме двери виднелся светлый дорогой ковер. Доктор присел на скамеечку, снял грязные ботинки, очень быстро, чтобы никто не заметил дырявый носок, сунул ноги в предложенные тапочки.

В комнате горел свет, плотные плюшевые шторы на окнах были задернуты. Доктор опустился в глубокое кожаное кресло, огляделся. Полосатые обои, круглый стол у окна, накрытый кремовой вязаной скатеркой, буфет, в углу этажерка, на ней патефон. Кожаный диван, еще два кресла, низкий журнальный столик, тоже под кружевной скатеркой. Рядом торшер с шелковым абажуром, светлозеленым, под цвет обоев, штор и ковра. Идеальный порядок, как в хорошем гостиничном номере. Ни книг, ни журналов. На полках этажерки под патефоном ни одной пластинки. На журнальном столе массивная хрустальная пепельница, совершенно чистая.

— Вы здесь живете? — спросил он Крылова.

— Нет. Это казеная квартира для встреч с сотрудниками. Хотите кофе?

Кофе оказался настоящим, без примеси цикория. Доктор успел забыть этот вкус. Бутерброды с паюсной икрой на тонких ломтиках ржаного хлеба, швейцарский сыр, шоколадные конфеты принесла на подносе вместе с кофейником пожилая горничная в белоснежном фартуке поверх строгого темного платья.

— Я служу в германском отделе, мне поручено курировать вас, — сказал Крылов, когда она удалилась. — Как вы устроились?

Вначале доктор смущался, отвечал, что всем доволен и ни в чем не нуждается, но Крылов стал задавать вопросы о деньгах, о распределителе и через несколько минут уже звонил кому-то, отдавал распоряжения. Телефон был в соседней комнате, Крылов говорил тихо, долетали только отдельные слова.

— Безобразие... нет, сегодня... это ваши проблемы.

Вернувшись в гостиную, он сказал:

— Они приносят вам свои извинения. Я бы на вашем месте никаких извинений не принял.

— Кто «они»?

— ИНО. Иностранный отдел НКВД. Там, видите ли, очередная кадровая перестановка, и в суматохе они о вас просто забыли. Ладно, черт с ними. Давайте подумаем, как нам разумнее организовать нашу работу.

То, что Крылов называл работой, показалось доктору какой-то ерундой. Просто разговоры вроде тех, что он вел когда-то с Бруно. Конечно, в Берлине этот досужий треп мог представлять определенную ценность, но здесь...

— Я знаю только их прошлое, а вам ведь нужно настоящее, — сказал доктор. — Я слишком давно покинул Берлин, многое изменилось, они изменились. Гитлер, Геринг, Гесс. Впрочем, последнего я и не лечил.

— Это неважно, кого вы лечили, кого нет. Главное, вы общались с ними. Вы лично знакомы с Гитлером, Герингом, Геббельсом, со всей нацистской верхушкой, с чиновниками, банкирами, военными. Вы их не просто знаете, вы их видите насквозь, умеете оценивать здраво и точно, прогнозировать, как они поступят в той или иной ситуации.

— Почему вы так решили? Мы с вами только что встретились, впервые видим друг друга, — произнес доктор по-немецки.

Крылов быстро взглянул на него и ответил тоже по-немецки.

— Господин Штерн, я знаю вас достаточно давно, все это время вы очень помогали мне в моей работе.

— Я? Помогал вам? Каким образом? Ах, ну конечно, Бруно ваш агент. Неужели моя болтовня действительно представляла какую-то ценность для вас? Да, кстати, я все хочу спросить, кто такой Клим?

— Клин — острый угол, любой предмет треугольной формы, есть старинная поговорка: «Клин клином вышибают». И еще есть город Клин, недалеко от Москвы, — ответил Крылов по-русски, громко и четко, обращаясь не к доктору, а к этажерке, на которой стоял открытый патефон.

— Спасибо. Мой русский еще недостаточно хорош, часто встречаются незнакомые слова, — так же громко, и тоже по-русски произнес доктор.

Крылов едва заметно улыбнулся и подмигнул:

— Для иностранца вы говорите вполне прилично, неплохое произношение, солидный словарный запас, но вам еще долго придется совершенствовать язык, узнавать разные поговорки, словечки, и с Москвой надо бы познакомиться, а то вдруг заблудитесь, потеряетесь. Я люблю гулять, не хотите составить мне компанию?

Мороз, конечно, крепкий, но ветра нет и солнце выглянуло.

Он опять перешел на немецкий, говорил почти без акцента, у него было чистое берлинское произношение. Впервые за долгие месяцы доктор почувствовал легкий укол ностальгии.

Когда они вышли на Сретенский бульвар, Крылов сказал:

— Клим Ворошилов, нарком обороны, то бишь министр. Именно он затеял спор с Хозяином о сексуальной ориентации Гитлера.

— Откуда вы...

— Я спецреферент по Германии, сначала они позвонили мне, и это был отличный повод напомнить Хозяину о вас. Они позвонили вам в начале третьего ночи, верно?

Доктор изумленно кивнул.

— Ваш ответ понравился Хозяину, — продолжал Крылов. — Ворошилов проиграл пари, и Хозяин приказал мне вас курировать.

— Хозяин — это Сталин? — уточнил доктор.

— Так его называет близкое окружение. Я знал, что вы в Москве, но вы числились за ИНО и мне было сложно выйти на вас, мне давно хотелось поговорить с вами, источник Док.

— Док — это моя кличка?

— Псевдоним. Кодовый номер «дэ семьдесят семь». А ваш приятель Бруно существует как агент Флюгер, кодовый номер «дабл-ю двадцать четыре». Кстати, то, что его зовут Бруно, я впервые услышал от вас, наивный и мудрый немецкий доктор Док «дэ семьдесят семь». Не надеялся, что мы встретимся, даже когда вас уже привезли в Москву, не надеялся. Спасибо Климу.

— Знаете, мне показалось, они были пьяны, этот Клим, он все время хихикал, вот так. — Доктор изобразил нечто вроде поросячьего хрюканья. — И сам Хозяин был навеселе.

Крылов ничего не ответил, как будто пропустил эту фразу мимо ушей. Несколько минут шли молча, снег скрипел под ногами, пар валил изо рта, застывали губы.

— Вы не замерзли? — спросил Крылов по-русски и добавил по-немецки, очень тихо: — То, что вы мне сейчас сказали, может стоить жизни нам обоим. Но говорить мы все равно будем. Если никому не доверяешь и не с кем поговорить, просто сходишь с ума, превращаешься в мертвый механизм, уж поверьте мне.

— Верю, — кивнул доктор. — Верю хотя бы потому, что в Германии было всего два человека, с которыми я мог говорить. Мой младший сын Макс, десятилетний ребенок, и Бруно, ваш агент. Они меня понимали, думали и чувствовали, как я. Все остальные, включая самых близких, жену и старшего сына, жили в другом измерении.

Вернувшись домой на Мещанскую, доктор не узнал своей комнаты. На окнах висели плотные желтые шторы, кровать была застелена свежим бельем, теплое стеганое одеяло вдето в пододеяльник, в ящиках комода он обнаружил запас белья и полотенец. На кухне, рядом с примусом, стояла посуда, набор новеньких кастрюлек. Доктор кинулся к письменному столу. Старая тетрадь оказалась там, где он ее оставил, в стопке книг, одолженных у соседей, между томом Толстого и сборником статей академика Павлова.

На следующий день за ним опять приехал шофер Григорий. В старинном особняке в переулке неподалеку от Кремля находилось какое-то безымянное учреждение, где доктору выдали шестьсот рублей, его первую советскую зарплату, и пропуск в распределитель.

Каждый раз, встречаясь с Ильей, когда нужно было поговорить о чем-то без посторонних ушей и прослушек, один из них произносил:

— Спасибо Климу.

Другой отвечал:

— Клин клином вышибают.

И они отправлялись бродить по московским бульварам.

Первое время Карл Рихардович занимался составлением психологических портретов нацистских лидеров, по личному указанию Сталина написал небольшую книжицу, всего сто двадцать страниц. Илья перевел ее с немецкого на русский. Она вышла тиражом пятьдесят экземпляров, под грифом «Совершенно секретно» для членов Политбюро и руководства НКВД.

Примерно за год доктор Штерн выложил в письменной и устной форме практически все, что знал. Ему стало скучно и неловко получать зарплату за тот мизерный труд, который сотрудники ИНО называли консультациями. Он просил устроить его по специальности в какую-нибудь московскую больницу.

Вскоре его пригласили в маленькую контору без вывески в Лубянском переулке, незнакомый человек в штатском, представившийся Петром Ивановичем, сообщил, что руководство поручает товарищу Штерну принять участие в сверхсекретных психологических исследованиях государственной важности. Затем пришлось подписать очередную порцию бумаг о неразглашении и услышать знакомые магические слова: «С вами свяжутся».

* * *

«А вот не надо быть суеверным, не надо!» — ехидно заметил про себя Илья и поздоровался негромким бодрым голосом:

— Доброе утро, Николай Иванович.

По коридору шел нарком внутренних дел Ежов. Встреча с ним лицом к лицу считалась плохой приметой.

Карлик в ответ молча кивнул, не удостоив спецреферента взглядом, зашагал дальше.

Перед процессом Ежов не вылезал из хозяйского кабинета, являлся ежедневно, и ни разу не столкнуться с ним в коридоре было бы огромным везением. Даже если откинуть все суеверия, встреча с Ежовым вызывала неприятное чувство. От него пахло. Какой-то омерзительный печеночный запашок пробивался сквозь тройной одеколон и утренний кислый перегар. На рубашке под расстегнутым пиджаком темнели коричневые пятна. Маленький нарком не успевал переодеваться после бурных лубянских ночей и как-то на вопрос одного из членов Политбюро, гордо ответил: «Да, это пятна крови, крови наших врагов».

Илья закрыл дверь и тут же распахнул форточку, вдохнул морозный утренний воздух, чтобы очистить легкие от вони маленького наркома.

Мамаша, натыкаясь на портреты Ежова в газетах и на плакатах, всякий раз усмехалась: «Ишь, глядит орлом, а сам-то воробышек плюгавенький».

Кое-кто из секретариата помнил, что на взлете своей стремительной карьеры, заведуя сразу двумя отделами ЦК, Промышленным и Политико-административным, Ежов был вежливым, застенчивым, очень добрым человеком. Удочерил девочку-сироту из детдома, пел романсы чистым тенором.

Глядя на плюгавое существо, страдающее, кроме алкоголизма, еще и туберкулезом и псориазом, было сложно представить, как добрейший Николай Иванович своими хрупкими ручками и ножками колотит арестованных на допросах. После допросов застенчивый Николай Иванович устраивал оргии, на фоне которых бесовские шабаши из «Фауста» кажутся детскими утренниками.

«Нет, не надо быть суеверным, — повторил про себя Илья. — И не стоит приписывать этому спивающемуся полутрупу какие-то магические способности, он всего лишь воробышек плюгавенький. Однако сколько еще людей он угробит, пока не опрокинется лапками вверх? От-

212

вет прост: убьет столько, сколько нужно Хозяину. А сколько нужно Хозяину? И главное, зачем?».

Вопрос «Зачем?» давно сидел в мозгу занозой. Зачем нужно уголовнику Сосо убивать такое огромное количество людей? Чтобы получить абсолютную, безграничную власть? Она у него уже есть, абсолютная и безграничная. А для чего нужны ему подлинные подписи под абсурдными признаниями?

Воробышек Ежов ночами порхает по камерам, чтобы утром принести Хозяину в клюве очередную порцию подписанных признаний. Инстанция желает получить собственноручную подпись каждого арестованного. Ради этого по всей стране работают тысячи следователей, ведут конвейерные допросы, доводят человека до полнейшего отупения, угрожают расправой с близкими, пока на каждой странице протокола не появится заветная закорючка. Подписанные самооговоры складываются в папки с грифом «Хранить вечно». Зачем?

«У Сосо своя бухгалтерия, дебет-кредит. Для кого же хранит он эти аккуратные отчеты? Для потомков? Ерунда, потомки всего лишь люди, а что такое люди для Сосо?»

Илья достал из кармана мамашин пятак, крутанул. Монета упала решкой вверх.

— Ладно, дружок дорогой, наверное, ты прав. Сегодня опять не вызовет.

Он подкинул монету на ладони, поймал, стиснул в кулаке, хотел убрать назад, в карман, машинально разжал пальцы и увидел, что на этот раз пятак лежит вверх орлом.

— Издеваешься? — прошептал Илья, убрал пятачок в карман и принялся перечитывать сводку в десятый раз, но теперь совершенно спокойно, отстраненно, без спешки, без карандаша.

Основным мотивом агентурных сообщений было существование тайного военного заговора и подготовка германским генштабом переворота в СССР. Уже четыре года переворота ожидали со дня на день, вскрывались поразительные подробности.

«Проверенный источник» сообщал:

«Русский контрреволюционный лагерь делится на две группировки — национал-большевистскую и монархическую. Первую поддерживает Геббельс, она имеет значительное количество своих сторонников в крестьянстве, Красной армии и связана с видными работниками Кремля — оппозиционерами, которые добиваются экономических реформ и падения Сталина.

Немцы поддерживают тесный контакт с этой группой и совместно разрабатывают экономическую программу, увязывая ее с колониальным вопросом.

Монархическую группу поддерживает Геринг. Главные силы этой группы находятся за границей, однако они развили активную работу по разложению крестьянства и Красной армии.

Тактика обеих группировок направлена к дезорганизации советского хозяйства, к всевозможным препятствиям во внешней политике СССР и должна завершиться переворотом с провозглашением военной диктатуры.

Между Герингом и Геббельсом существуют разногласия в вопросах форм управления будущей России. Гитлер пока еще колеблется между этими двумя течениями. Розенберг в этом деле ведет двойную игру и интригует против обоих. Геринг якобы заявил, что наступит такой момент, когда он будет вынужден арестовать Геббельса за его национал-большевистские идеи. Геринг твердо убежден, что только монархический строй обеспечит немецкое влияние в России.

Заместитель Гитлера по партии Гесс заявил, что работа, направленная против СССР, ведется усиленным темпом и есть основания полагать, что это даст положительные результаты в ближайшие же месяцы».

Из агентурных сообщений 1933—35 годов следовало, что основные претенденты на роль главы заговора и будущего диктатора России — Буденный, Ворошилов и некто «Т», или «Турдеев». Под этим псевдонимом разумелся Тухачевский.

После тридцать пятого имена Буденного и Ворошилова не упоминались, остался лишь Тухачевский, уже без всяких псевдонимов. Его величали «Красным Бонапартом» и безусловным главой военного заговора. Но злодеем номер один неизменно оставался Троцкий. Все враждебные товарищу Сталину силы сосредоточились вокруг Троцкого, от него получали инструкции, с ним вступали в тайные переговоры.

Чем активнее товарищ Сталин заигрывал с товарищем Гитлером, тем обильнее становился поток информации о том, что Троцкий в сговоре с немецкими национал-социалистами планирует переворот и убийство товарища Сталина. Все показания обвиняемых на процессе тридцать шестого сводились к заговору, о заговоре твердили сообщения разведки. Нынешний январский процесс также весь посвящался заговору.

«Германские национал-социалисты совместно с троцкистами разрабатывают террористические планы свержения сов. правительства.

1. Оперативное руководство террористической деятельностью из Германии в СССР осуществляет «Антикоминтерн» (объединение всех антисоветских союзов в Германии), подчиняющийся Гессу и Розенбергу.

2. Террористическая деятельность согласована с Троцким, в ней принимают участие троцкисты, находящиеся в СССР.

3. В СССР эта немецко-троцкистская организация имеет много сторонников, преимущественно в Красной армии».

В какой-то своей речи Сталин заявил: *«В тылы Советского Союза буржуазные государства должны засылать вдвое, втрое больше вредителей, шпионов, диверсантов и убийц, чем в тылы любого буржуазного государства».*

Тут же от зарубежной агентуры полетели сводки об активизации шпионской работы иностранных разведок на территории СССР, прежде всего немецкой; о заброске и внедрении бесчисленных агентов в самые сокровенные организации нашей Родины. Товарищ Сталин сказал: должны засылать, вот буржуазные государства и стали засылать вдвое, втрое, в тысячу раз больше.

«На одном из сугубо секретных совещаний руководителей работников германских контрразведывательных органов докладчик — представитель абвера заявил, что германская военная разведка, перестроив свою работу на новых началах, внедряет свою агентуру в разведывательные организации противника. Основная ставка делается на сотрудников и агентов советской разведки, являющихся тайными сторонниками Троцкого.

На совещании в категорической форме было сказано, что работа абвера внутри СССР продвинулась очень далеко, прежде всего благодаря разветвленной сети троцкистских организаций, опутавшей все государственные структуры Советского Союза».

В декабре 1936-го Хозяин приказал сворачивать агентурную сеть в Германии и опять был прав, лучше не иметь никакой разведки, чем такую. К тому же он хотел угодить Гитлеру, выстроить с ним особые отношения. Агентов отзывали домой. Из Германии шел сплошным потоком стандартный пропагандистский бред, согласно которому вся государственная машина Третьего рейха только и делала, что вела переговоры с Троцким и готовила переворот в СССР. Прежний начальник ИНО Артузов* комментировал особенно абсурдные пассажи короткими репликами *«источник не заслуживает доверия»*, ставил на полях жирные вопросительные знаки и пометки *«чушь, бред, прово-*

---

*Артур Христофорович Артузов (Фраучи) расстрелян в 1937-м.

кация». Нынешний начальник ИНО Слуцкий не позволял себе таких вольностей.

С первых дней своей службы спецреферент Крылов пытался понять, зачем товарищу Сталину вместо реальной информации понадобилось многоголосое эхо собственных его, товарища Сталина, мифов? Неужели он верит, что это может быть правдой?

Наконец ответ возник сам собой.

Да, великий вождь товарищ Сталин, родившийся 21 декабря 1879 года, верит. Но недоучка-семинарист, сын горийского сапожника-пьяницы Сосо Джугашвили, родившийся 6 декабря 1878 года, не верит. Спецреферент Крылов должен был составлять сводки не для товарища Сталина, а для хитрого уголовника Сосо Джугашвили, при этом делая вид, что никакого Сосо не существует, есть только Великий Вождь, Солнце народов, родной, любимый, мудрый, прекрасный, гладкокожий товарищ Сталин.

К январю 1937-го остался единственный берлинский источник, от которого приходила реальная информация. Источник фигурировал под кличкой Эльф, имел кодовый номер А/91.

Сообщения от Эльфа начали поступать в мае 1934-го. Эльф был немец, гражданин рейха, вероятно, «инициативщик», убежденный антифашист, и сталинской дрессуре не поддавался.

Эльфа завербовал все тот же Флюгер, швейцарский резидент Бруно Лунц. Он торчал за границей многие годы, плохо понимал, что происходит дома, потому так бесстрашно отправлял реальную информацию, а не пропагандистский бред.

Подробности расправы со штурмовиками Флюгер получил от Эльфа, именно Эльф первым предупредил о предстоящем подписании пакта между Польшей и Германией. Именно Эльф сообщил, что Гитлер планирует вопреки Версальскому договору ввести всеобщую воинскую обязанность.

В одном из донесений Эльф рассказал, что абвер вскрыл мошенническую организацию русских эмигрантов. Организация занималась информационным надувательством, продавала немецким агентам в Бухаресте, Данциге, Брюсселе и Париже сведения, якобы полученные от «тайных друзей» в СССР. Сотрудникам Канариса удалось установить, что никаких «тайных друзей» в СССР эти платные осведомители не имеют, донесения состряпаны из передовиц советских газет и подсолены вольными фантазиями осведомителей.

Благодаря Эльфу спецреферент Крылов понял, каким образом формируется поток разведсообщений о заговоре внутри СССР и верном соратнике Гитлера злодее Троцком. Механизм оказался до обидного примитивным.

Среди русских эмигрантов было много желающих заработать, продавая информацию о России. Но реальной информации они получить не могли, им оставалось штудировать советские газеты и выдавать желаемое за действительное. В советских газетах печатались сталинские сюжеты. Мечты эмигрантов совпадали с фантазиями Великого Вождя, советские нелегалы не осмеливались спорить с «генеральной линией», им оставалось только преподносить на блюдечке Великому Вождю его же фантазии.

В результате главным героем разведсообщений из Германии за весь период с 1933-го по 1937-й был вовсе не Гитлер, а Троцкий. Хозяин здорово выдрессировал сотрудников ИНО и зарубежную агентуру, они говорили и писали только то, что хотелось читать товарищу Сталину. За эту тупую покорность Сосо презирал их и, как всегда, был прав. О том, что происходит в рейхе на самом деле, можно было узнавать из перехваченной диппочты, из нелегально добытых секретных документов германского посольства, из зарубежной прессы и от Эльфа.

Пока приходили сообщения от Эльфа, в душе спецреферента Крылова теплилась надежда, что его работа имеет какой-то смысл.

Илья не знал, кто это, мужчина или женщина. Судя по характеру информации, Эльф имел доступ в круги высших офицеров СС, абвера и рейхсвера, но ни в одной из этих структур никакой официальной должности не занимал.

Эльф помогал Илье составлять для уголовника Сосо и класть на стол товарищу Сталину сводки, которые хоть немного отличались от передовиц газеты «Правда» и ее нацистского аналога «Фолькише Беобахтер».

ГЛАВА ТРИНАДЦАТАЯ

Далеко не на каждом берлинском кафе висела табличка «Евреи не обслуживаются». Владельцы кафе «Люциус» на углу Вагнерштрассе табличку повесили, да еще внутри красовался огромный, в полный рост, портрет фюрера в золоченой раме. По собственной воле Габриэль Дильс ни за что не зашла бы в такое заведение, но вот уже третье воскресное утро приходилось тут сидеть, пить их паршивый кофе, ковырять ложкой розовый крем клубничного пирожного.

«Никто не придет, — думала Габи, — хватит играть в эти игры. Глупо, опасно, а главное, никому не нужно».

И тут она увидела связника. Он сидел за столиком у окна. Худой розовощекий мальчик, не старше двадцати, лопоухий, сероглазый. Затылок и виски выбриты, от макушки до лба дыбится густая светло-русая щетинка.

Он держал в левой руке свернутый в трубку декабрьский номер журнала «Серебряное зеркало». Держал именно так, как было условлено, не закрывая ладонью квадратик рекламы на задней обложке. Белокурая женская голова в полупрофиль нюхает своим идеально прямым арийским носом флакон с яркой этикеткой. Внизу полуготическим шрифтом надпись, крупно: *«Классический одеколон «4711» предназначен только для истинных немцев»*. Ниже, чуть мельче, пояснение: *«Самый известный немецкий одеколон «Настоящая Кельнская вода» получил свое оригинальное название «4711» по номеру дома в Кельне, где вот уже несколько веков торгуют этим сильным и нежным, исконно арийским ароматом»*.

Девушка на рекламной фотографии была Габи, Габриэль Дильс, корреспондент дамского журнала «Серебряное зеркало», член Имперской ассоциации немецкой прессы, популярная журналистка. Кроме одеколона, ей приходилось рекламировать пудру, зубную пасту, шляпки, вечерние платья, торжество нацистской идеологии. Она терпеть не могла такой вид заработка, хотя платили за это больше, чем за статьи и репортажи. Сниматься в рекламе ее просил владелец журнала, ему она не могла отказать.

Франс Герберт Мария фон Блефф был убежден, что лицо Габи в рекламе и на плакатах работает на популярность журнала лучше, чем ее статьи. Габи считала это глупостью.

Пресса Третьего рейха стала нестерпимо скучной, тиражи газет и журналов падали. Картинки с идеальными нордическими лицами окружали обывателя на улицах, в кафе, в транспорте, в магазинах, от них давно уже тошнило, а вот текстов, написанных легко и живо, катастрофически не хватало. Мода осталась чуть ли не единственным прибежищем для приличной журналистики, все прочее было пропитано идеологией настолько, что читать невозможно.

Впрочем, съемки для рекламы и плакатов отнимали не слишком много времени и сил. К тому же тиражирование идеального нордического лица Габриэль Дильс являлось еще одним косвенным подтверждением ее лояльности.

С владельцем журнала у Габи сложились весьма близкие отношения. Она считала огромной удачей, что отпрыск древнего баронского рода гомик. Во-первых, это избавляло ее от необходимости спать с ним. Во-вторых, она была посвящена в его постыдную, опасную тайну, и это давало ей определенную власть над ним. В-третьих, матушка фон Блефф, оголтелая нацистка, отвалила Гитлеру огромные деньги, и теперь ее сын имел доступ в высшие сферы. Помогая Франсу скрывать тайну, она появлялась с ним на разных закрытых мероприятиях в качестве сначала близкой подруги, а теперь уже невесты, и таким образом узнавала много интересного.

Связнику принесли кофе. Он выглядел забавно, этот мальчик, он изо всех сих старался казаться взрослым, опытным. Надменно щурился, когда затягивался, и смешно пучил губы, выпуская дым. Небрежно бросил журнал на стол, кивнул официанту. Даже в его коротком «данке шен» слышался русский акцент. Ботинки у него были дешевые, из какого-то грубого материала, и явно холодные для берлинской зимы. Габи заметила, как его взгляд скользнул по рекламной картинке, потом по ее лицу. Он сверял портрет с оригиналом. Жутко волновался, бедняга.

«Ничего, малыш, ты справишься», — мысленно подбодрила его Габи, поймала его взгляд, подмигнула, скорчила смешную рожу.

В ответ он сердито нахмурился, отвернулся.

«Ладно, не буду тебя смущать, ты такой серьезный, — Габи тоже отвернулась, подумала: — Господи, они там с ума сошли? Прислали ребенка. Засыпется, меня засыпет. Вот кретины!»

Она оглядела кафе. Из дюжины посетителей любой мог оказаться агентом гестапо, в том числе и смешной мальчик, предполагаемый связник.

Официант, вышколенный хлыщ, точно был осведомителем. А кто не был? Подавляющее большинство граждан рейха аккуратно выполняли циркуляр Геринга, в котором утверждалось, что отказ от доносительства должен рассматриваться как враждебный по отношению к правительству акт.

Габи попросила счет. Связник услышал, но не повел бровью, медленно, мрачно цедил свой кофе, смотрел в окно. Официант подошел через пару минут. Вместе со счетом он принес журнал «Серебряное зеркало», тот же номер, что лежал на столе связника.

— Фрейлейн Дильс, позвольте автограф, — голос у официанта был высокий, почти женский.

«Как у Гейдриха», — невольно подумала Габи, размашисто расписалась на рекламной картинке и вытащила из сумочки несколько марок.

— Фрейлейн Дильс, пожалуйста, вас не затруднит вот здесь, где ваша статья, написать какое-нибудь пожелание моей невесте, ее зовут Эрика, завтра день ее рождения.

«Дорогую Эрику поздравляю с днем рождения, желаю здоровья и счастья» — написала Габи.

— Благодарю вас, фрейлейн Дильс, — официант краснел, часто моргал и улыбался. — Нам так нравятся ваши статьи. Эрика и я, мы всегда ждем их с нетерпением.

У него были рыжие пушистые ресницы. Улыбка широкая, во весь рот. Он, как фокусник, извлек из рукава маленькую яркую бонбоньерку, перевязанную розовой лентой.

— Это вам, от заведения. Шоколадные конфеты ручной работы.

Связник нервно курил и постукивал пальцами по скатерти. Подкрашивая губы, Габи поймала в зеркальце его напряженный взгляд.

В гардеробе, на журнальном столе, среди разложенных газет она заметила пару номеров «Серебряного зеркала». У нее пересохло во рту.

Идея сделать журнал опознавательным знаком принадлежала прежнему связнику или кому-то из его руководителей. Вроде бы вполне надежно. Мужчины не читают дамских модных журналов, и тот, кто будет сидеть в воскресенье в полдень в кафе «Люциус» с номером «Серебряного зеркала», никак не может оказаться случайным человеком. Однако авторы этой чудесной идеи не учли, что в рейхе практически не осталось нормальной прессы. Нацистские газеты, разложенные на столике, наполнены истерической геббельсовской пропагандой и враньем. Даже официант с фюрерскими усиками предпочитает дамский журнал.

«Успокойся, — приказала себе Габи, — журнал — всего лишь первый опознавательный знак. Должны быть другие. Случайный человек не может пойти следом за тобой в кинотеатр «Марс» на двухчасовой сеанс, сесть рядом в последнем ряду и уж тем более произнести слова пароля: «Вы удивительно похожи на Марику Рёкк». Даже если предположить самое невероятное стечение обстоятельств: какой-нибудь тайный воздыхатель, приставала, любитель уличных знакомств, увяжется за мной из кафе, он ни за что не скажет именно эту фразу. На Марику Рёкке я ни капельки не похожа».

Было ужасно холодно, градусов десять мороза. Январь 1937-го выдался какой-то особенно злой. Широкие берлинские улицы, кафельные туннели проходных дворов продувались насквозь ледяным колючим ветром. Габи подняла воротник шубки, спрятала руки в тонких перчатках в рукава, пошла очень быстро, почти побежала, запрещая себе оглядываться.

Каблуки весело цокали по обледенелому тротуару. Несколько раз ветер чуть не сорвал шляпку. Остановившись на переходе, пока гремел трамвай, Габи повторила про себя ответ на пароль: «Мы с Марикой близнецы, еще бы нам не быть похожими». За этим должно последовать: «И вы так же великолепно танцуете?» — «Нет, я танцую значительно лучше». Потом придется сидеть молча до конца сеанса, выйти по отдельности, петлять по улицам, площадям, проходным дворам, не теряя друг друга из виду и бесконечно проверяясь.

Наконец, продрогнув до костей, они встретятся и пойдут рядом. Габи сможет выложить информацию. Если не случится ничего непредвиденного, то последовательность действий должна быть именно такой.

Габи перевела дыхание. В фойе было пусто. Она стянула перчатки, потерла заледеневшие уши, подошла к окошку кассы.

— Пожалуйста, один билет. Последний ряд, середина.

В дневные часы в кинотеатр «Марс» позволялось приходить евреям. Третий год подряд тут днем крутили «Триумф воли», только после пяти вечера показывали комедии с Марикой Рёкк, драмы с Царой Леандер и Теодором Лоосом, американские триллеры с Марлен Дитрих. У людей, отмеченных желтыми звездами, выбора не осталось. Почти все кинотеатры для них закрылись.

Кассирша хмуро взглянула на Габи и не поленилась предупредить:

— Фрейлейн, на этом сеансе в зале могут быть евреи.

Габи вдруг подумала: совсем недавно человека, произнесшего такую фразу, сочли бы сумасшедшим.

«Впрочем, я тоже скоро сойду с ума. Мне уже страшно. Вдруг эта стерва меня приметит, запомнит, а еще, не дай бог, узнает, проявит бдительность и в очередном донесении сообщит, что известная журналистка Габриэль Дильс посещает кинотеатр в еврейское время?»

— Надеюсь, их будет не слишком много, — Габи улыбнулась и тут же пожалела об этом.

Глаза кассирши сузились, губы побелели, она бросила сдачу так резко, что пфенниги вылетели из окошка и со звоном посыпались на пол. Маленький сгорбленный старик с желтой звездой на рукаве кинулся поднимать, протянул Габи монетки на дрожащей ладони.

— Спасибо. Оставьте себе, — быстро произнесла Габи, пересекла фойе, нырнула в пыльный мрак, за бархатные шторы.

Капельдинерша с фонарем проводила ее к последнему ряду. Шла хроника, «Еженедельное обозрение». Утренняя линейка в лагере гитлерюгенда. Ряд мальчиков. Одинаковые лица, позы, выражение глаз. Вздернутые подбородки, шеи повязаны галстуками. Трубач трубит, барабанщик бешено колотит палочками. Трудовые будни Лига немецких девушек. Вот они бодро маршируют по проселочной дороге, вот чистый коровник, девушки доят тучных коров. Вот сидят рядами, обнявшись, качаются и хором поют песню о любимом фюрере.

Габи открыла сумочку, нащупала бонбоньерку, сунула в рот конфету. Шоколад оказался очень кстати, поднял настроение. Она старалась не смотреть на экран, не слушать бодрый лай закадрового комментатора.

В конце концов, можно просто подремать. В последнее время ей редко удавалось побыть одной. Она снималась в рекламе, брала и давала интервью, шлепала на пишущей машинке статьи и репортажи, фланировала на приемах и вечеринках, занималась верховой ездой, играла в теннис и в гольф, часами выслушивала трагические тирады Франса о том, как трудно ему живется в этом жестоком, вульгарном мире. Тирады почти всегда содержали ценную информацию, поэтому Габи слушала Франса очень внимательно и сочувственно.

Чтобы не выпадать из роли невесты барона фон Блефф, приходилось дважды в неделю ночевать в баронском особняке, в спальне Франса. Они входили туда на глазах матушки баронессы и прислуги, нежно обнявшись, запирали дверь, ставили граммофонные пластинки с музыкой Моцарта или Вагнера. Сначала Габи казалось, что у Франса паранойя, когда он говорил, что его дом напичкан подслушивающими устройствами, прислуга вся завербована гестапо и отсутствие соответствующих звуков в спальне может вызвать подозрение. Но довольно скоро она поняла: Франс не сумасшедший, ничего он не преувеличивает.

Обычно, пока играла музыка, Габи валялась на ковре, листала альбомы со старыми фотографиями рода фон Блефф. Ей нравилось разглядывать лица, позы, наряды представителей древнего аристократического семейства. Франц сидел рядом и шепотом комментировал снимки.

— Тетя Гудрун вышла замуж за дядю Августа из рода фон Сект, их старший сын, генерал, изо всех сил дружил с красными, пил водку с Тухачевским, теперь прозябает в отставке, а хитрый Гейдрих снимает сливки с той давней дружбы.

О ком бы он ни рассказывал, всегда рано или поздно главным героем повествования становился Гейдрих. Барона несло к этому гестаповскому утесу, как щепку быстрым течением. Габи уже давно подозревала, что Франс тайно, безнадежно влюблен в Гейдриха, ревнует его не только к многочисленным проституткам, с которыми развлекается всесильный шеф Главного управления имперской безопасности, но и к жене, холодной красавице аристократке, и к романтическому ублюдку Гиммлеру, и даже к Канарису, которого Гейдрих ненавидит.

Когда заканчивалась музыка, Габи принимала ванну, ложилась спать и всегда отлично высыпалась на бескрайней баронской постели, на шелковом белье, в полном одиночестве.

Франс уходил в кабинет, примыкавший к спальне. Там его навещал семнадцатилетний юноша. Он жил в особняке, числился поваренком. Франц называл его Путци. У Путци было лицо рафаэлевского ангела. Шелковые локоны цвета липового меда, бледно-серые глаза, алые пухлые губы. Барон привез его из Гамбурга год назад. Никто не знал о его происхождении, Франс уверял, что тоже не знает. Вроде бы мальчик служил на каком-то иностранном судне, потерялся в порту, голодал, пропадал, пока не попался на глаза благородному великодушному барону, который приютил несчастного в своем доме. Национальность Путци установить не удалось. Он был глухонемой, писать и читать не умел. Но в доме фон Блеффов не могли жить личности неизвестного происхождения. Следовало как-то узаконить присутствие поваренка. Путци подвергся проверке на расовую чистоту. Ему измерили череп, по специальной таблице определили цвет волос, глаз, кожи. Все оказалось идеально арийским. Высший сорт.

Пока шла проверка, барон так страшно нервничал, что не удержался, шепнул Габи: «Какое счастье, что его родители приняли лютеранство и мальчик не обрезан!»

Габи череп не мерили, в этом не было необходимости. Родословную фрейлейн Дильс проверили по личному распоряжению Гиммлера, когда Франс фон Блефф начал регулярно появляться с Габи на закрытых вечеринках. Оказалось, что с 1750 года ни со стороны отца, скромного почтового служащего, ни со стороны матери, домохозяйки, в кровеносную систему Габи не попало ни капли грязной крови.

Чистокровные особи маршировали по экрану. Подремать не удалось. Вид марширующих кукол вызывал у Габи приступ тошнотворного страха. Пора было привыкнуть, научиться отключать чувства, но эти бесконечные парады на экране и в жизни казались жутким сном, из которого нельзя вырваться, проснувшись. Ее мучал вопрос: «А что, если великий фюрер победит и весь мир станет кукольным? Куда мы спрячемся? Полетим на Луну?»

Она очень редко позволяла себе даже мысленно произносить это «мы». Разумнее всего было бы вообще забыть «мы», научиться существовать в единственном числе.

Во время музыкальных инсценировок в спальне барона Габи иногда думала: «Бедный гомик, знал бы ты, что служишь мне таким же прикрытием, как я тебе. Моя тайна пострашнее твоей. Ты не можешь спать с женщиной. Я могу спать с единственным мужчиной на свете. Но этот мужчина — еврей. В отличие от твоего Путци, он обрезан, и внешность у него самая что ни на есть семитская. Итальянский паспорт на имя Джованни Касолли, удостоверение сотрудника пресс-службы МИД Италии дают ему возможность беспрепятственно разъезжать по территории рейха. Однажды он удостоился взять получасовое интервью у фюрера, получить священное рукопожатие, ледяное и влажное, как прикосновение дохлой рыбы».

«Еженедельное обозрение» закончилось. Вспыхнула надпись «Триумф воли». Экран заполнили пышные облака, ничего, кроме облаков, но зритель знал, чувствовал: там, в бескрайнем небе, происходит великое таинство. Лени Рифеншталь удалось невероятное. Фюрер-небожитель чудесным образом спускался с небес, а вовсе не прилетал на личном самолете в Нюрнберг. Готические башни застыли в ожидании божества. Были бы у башен руки, они вскинули бы их в нацистском приветствии, были бы глотки, они заорали бы «Хайль!».

Лени отлично сняла и смонтировала панораму утреннего города. Толпы костюмированных жителей, шеренги бойцов трудового фронта, цветы в окне, девочка, жующая яблоко. Но с божеством ничего не могла поделать даже ее гениальная камера. Как ни старалась фрейлейн Рифеншталь найти самые выгодные ракурсы, все равно было видно, что у великого фюрера жирно напомажены волосы, плечи узкие, таз широкий, лицо глупое. Даже Гесс со своим истерическим воплем в честь открытия съезда: *«Партия — это Гитлер! Гитлер — это Германия, так же как Германия — это Гитлер!»* — выглядел внушительнее, интереснее.

— Вы удивительно похожи на Марику Рёкк.

Габи вздрогнула так сильно, что сумочка упала на пол с колен. Связник наклонился, поднял, в темноте блеснули его глаза.

— Мы с Марикой близнецы, еще бы нам не быть похожими, — прошептала Габи.

Неужели ее так увлек шедевр Лени Рифеншталь, что она не заметила фонарного луча, не услышала скрипа соседнего кресла?

— И вы так же великолепно танцуете?

— Нет, я танцую значительно лучше. Хотите конфету?

— Спасибо, не откажусь.

Она протянула ему открытую бонбоньерку и спросила шепотом:

— Сколько вам лет?

— Двадцать четыре.

— Выглядите моложе. Немецкий вам нужно подтянуть. Акцент сильный.

Он ничего не ответил, жевал конфеты, глядел на экран. Толстый луч света из будки киномеханика коснулся его щеки, просветил насквозь большое розовое ухо.

На экране просыпался палаточный лагерь молодых штурмовиков. Бодрые крепкие юноши прыгали в озеро. Упитанный повар в колпаке и переднике размешивал варево в котле, камера скользнула по его добродушному лицу, остановилась на огромных гирляндах сосисок. Каждый партийный съезд съедал сотни тысяч сосисок и выпивал тонны пива. Но пиво осталось за кадром, как и грязные скандалы, кровавые драки, палатки, трясущиеся от пьяных гомосексуальных соитий, кислая вонь блевотины.

В кадре толстозадое божество произносило речь перед идеально ровными шеренгами.

«Вы — это Германия! Когда вы действуете, с вами действует Германия! Тот, кто с гордостью осознает себя носителем чистой крови, осознает себя ответственным перед нацией, никогда не откажется от этого права и выберет путь активной борьбы. Когда старейшие из нас уйдут (он сделал паузу и сложил руки на груди, как складывают покойникам), *окрепшая молодежь продолжит наше дело!»* Правая рука взметнулась вверх, левая вытянулась вдоль туловища.

Связник съел все конфеты, не отрывая глаз от экрана. Никого, кроме них двоих, в последних пяти рядах не было, во всем зале торчало не более дюжины зрительских голов. Габи подумала, что можно было бы и здесь поговорить, шепотом, на ухо, выложить информацию, не плутать несколько часов по морозу. Соблазнительно, однако где гарантия, что в спинках кресел нет «жучков»?

Марширующие шеренги заполнили весь экран, они выглядели как идеально ровные, плотно спрессованные брикеты, движущиеся в едином механическом ритме. Фильм кончился.

— Александрплац, в арке возле входа в здание вокзала, через тридцать минут, — прошептал связник и быстро направился к выходу.

Габи замотала шею шарфом, застегнула крючки шубы, аккуратно надела шляпку, принялась поправлять волосы, подкрашивать губы и повернула зеркальце таким образом, чтобы увидеть левую сторону последних рядов. Пока шел фильм, она туда не смотрела, казалось, там пусто, но сейчас вдруг заметила женщину, совсем близко, в соседнем ряду. Женщина поднялась, пошла к выходу. Среднего возраста, роста, телосложения, все такое среднее, неприметное, и лицо тусклое, и одежда серенькая, скромная. Только взгляд, мгновенный, как вспышка, отразился в зеркальце.

«За кем хвост? За мной или за ним? Господи, какая разница? Нет, разница огромная. Если за ним — это нормально. Он иностранец, проверяют всех иностранцев. Но если серая фрау идет за мной, тогда беда», — думала Габи, стуча каблуками по ледяному тротуару.

Фрау двигалась по противоположной стороне улицы, в том же ритме, почти в ногу. Габи ждала, что она исчезнет, свернет куда-нибудь. Но нет, не исчезала, не отставала. Если бы не воскресенье, можно было бы запросто нырнуть в любую лавку, погреться и заставить фрау ждать на морозе. Но лавки и магазины не работали и, как назло, ни одного кафе поблизости не было.

Прогремел трамвай, остановился метрах в пятидесяти. Габи ускорила шаг, заметила, как фрау переходит на ее сторону. Трамвай стоял на остановке. Габи побежала, фрау тоже. Габи вскочила на заднюю площадку в последнюю минуту. Фрау не успела.

* * *

Поскребышев переступил порог, захлопнул дверь и повернул ключ.

— Дай папиросу, передохну две минуты, совсем замордовали, суки, — он упал в кресло у стола, зажмурился, повертел головой. — Третью ночь не сплю, ни хера не соображаю, а тут Минога опять приперлась.

Миногой старые большевики называли Крупскую. Она имела привычку являться в самое неподходящее время. Вместе с ней приема требовали еще несколько старых большевиков, в связи с предстоящим процессом закидывали секретариат письмами, рвались в приемную, тешились надеждой, что при личной встрече уговорят Хозяина пощадить кого-то из обреченных.

— Эти пердуны думают, я их нарочно мариную, я, сволочь хитрожопая, скрываю от Хозяина! Я докладываю, о каждом докладываю, он велит отказать в вежливой форме, — Александр Николаевич затянулся, выпустил клуб дыма, а следом огненный поток матерной брани в усатую физиономию на портрете.

Да, Хозяин требовал именно этого: отказать вежливо, *зачем обижать уважаемого товарища?*, даже если уважаемый товарищ завтра будет арестован, через неделю превратится в отбивную, а через месяц в покойника, все равно — *«зачем обижать?»*

Но и тут нельзя было проследить никакой закономерности. Отказ в приеме мог означать, что человек еще поживет. Свежих кандидатов в покойники Хозяин принимал радушно, беседовал тепло, дружески. Человек выходил из кабинета расслабленный, размягченный. Илье доводилось сталкиваться в приемной с такими размягченными, и вспоминался случайно подслушанный разговор кремлевских поваров: «Товарищ Сталин кушает мясо только парное, любит, чтобы мягонькое было, сочное».

Поскребышев успокоился, погасил папиросу, поднялся, с хрустом потянулся, зевнул.

— Крылов, Крылов, будь здоров, — он потрепал Илью по плечу. — Хороший ты парень. Тоже, я вижу, устал, ждешь который день как на иголках. Слушай, сводку он сейчас, до процесса, вряд ли станет читать, а тебя вызвать может. Хотя не думаю. В общем, ты пару часиков еще посиди, если до восьми не вызовет, отпущу домой. Добро?

— Спасибо, Александр Николаевич, я понял.

— Понял он! А вдруг вызовет в четверть девятого, а? До моего распоряжения сиди и не рыпайся. И сводочку проверь-перепроверь, важная сводочка, черт знает, может, и потребует до процесса.

Проверить-перепроверить важную сводочку действительно стоило, поскольку поступила очередная порция материалов из ИНО и возможно, что-то придется добавить оттуда.

«Наш источник сообщает новые подробности военного заговора в СССР, на место военного диктатора прочат маршала Тухачевского».

Вставлять это в готовую сводку не имело смысла, там это уже было, «наш источник», не удостоившийся ни клички, ни даже кодового номера, долбил, как дятел, одно и то же несколько лет подряд.

«Послушай, упорная птичка, тебе никогда не приходило в голову, что если бы кто-то из военных пожелал убрать Хозяина, он хотя бы разок попытался? — мысленно обратился Илья к «нашему источнику». — Это можно сделать, допустим, во время массовых мероприятий вроде встречи Чкалова или Всеармейского совещания жен командно-начальственного состава, или на полигонах, когда Хозяин приезжает смотреть новую боевую технику. На заседаниях ЦИК, ВЦИК, Военного совета при НКО, да мало ли мест, где есть возможность приблизиться к нему с оружием? Почему никто никогда не рискнул? Никто, никогда. Выходит, нет желающих? Конечно, нет! Разве кому-то придет в голову покуситься на жизнь Великого Вождя? Это все равно что выстрелить в Солнце. Нет желающих, даже полоумного одиночки до сих пор не нашлось, а ты долбишь про огромный разветвленный заговор!»

Вступать в мысленный диалог с дятлом было пустым делом, дятел упорно отбивал привычную дробь, Илья переворачивал страницы и отчетливо слышал однообразное «тук-тук»:

«Троцкий продолжает вести переговоры с заместителем председателя нацистской партии Гессом».

Илья тихо присвистнул, «наш источник» иногда выдавал забавные перлы. Назвал Гесса «заместителем председателя», стало быть, Гитлер — председатель. Отлично звучит: председатель нацистской партии Адольф Гитлер. Что-то смутно знакомое мелькнуло в этой оговорке, Илья стал читать дальше.

«Троцкий сообщил «центру» заговорщиков внутри СССР, что в 1937 году планируется нападение Германии на СССР. В этой войне, по мнению Троцкого, Советский Союз неизбежно потерпит поражение. Чтобы уберечь своих многочисленных тайных сторонников внутри СССР от гибели, Троцкий заручился обещанием вождей Третьего рейха допустить троцкистов к власти, пообещав им за это предоставление концессий и продажу Германии важных экономических объектов СССР, поставку ей сырья и продовольствия по ценам ниже мировых и территориальные уступки в форме удовлетворения германской экспансии на Украине. Чтобы ускорить поражение СССР, Троцкий поручил «центру» подготовить ряд важнейших промышленных предприятий к выводу из строя в начале войны».

Илья вспомнил, что совсем недавно читал этот текст, именно этот, слово в слово. Перед процессами членам Политбюро рассылались протоколы признаний обвиняемых. Несколько копий обязательно попадало в Особый сектор, и аккуратный Поскребышев передавал спецреференту Крылову все, что так или иначе касалось Германии.

Илья встал, прошелся по кабинету из угла в угол, открыл сейф, достал одну из папок и в очередной раз убедился, что зрительная память у него отменная. Информация от «нашего источника» была переписана с протокола допроса Карла Радека. Круг замыкался. Все, что приходило из внешнего мира, без остатка растворялось в сказочной реальности внутри замкнутого круга фантазий Великого Вождя.

Если показания арестованного Радека, полученные на Лубянке, выдаются за свежую развединформацию из Берлина, значит, конец разведке и спецреференту Крылову тоже конец. Очень скоро ему нечего будет писать в своих сводках.

«Троцкий также пообещал немцам, что во время войны между Германией и СССР фронтовые троцкисты-командиры будут действовать по указаниям германского генштаба, а после войны новое правительство компенсирует Германии часть ее военных расходов товарами и предприятиями.

Одновременно Троцкий вел переговоры с англичанами и французами, они тоже не окажутся обойденными в случае прихода Троцкого к власти. Им вернут дореволюционные долги, на что Германия милостиво согласилась».

На процессе так называемого «Параллельного центра» Карлу Радеку предстояло стать гвоздем программы. Он должен был выступить в роли резонера, озвучить то, что желал внушить миру автор и режиссер великого действа, маленький уголовник Сосо.

Пройдоха Радек был посвящен в самые сокровенные тайны советско-германских отношений, участвовал в секретных переговорах начиная с 1918-го, с позорного Брестского мира и еще раньше, в Первую мировую, когда завязывались деловые контакты между рейхсвером и большевиками.

Илья работал с архивами несколько лет и знал, что большевики брали деньги у немцев. Немцы не давали

Ленину никаких шпионских поручений, просто им было выгодно поддерживать самую экстремистскую из всех российских партий, чтобы в России наступил хаос и она не смогла участвовать в военных действиях. Позорный Брестский мир, заключенный ленинским правительством с Германией в марте 1918-го, явился платой по счетам.

Радека немецкие дипломаты и генералы называли «нашим советским другом». В речах и статьях начала двадцатых пламенный большевик Радек призывал протянуть руку германским национал-социалистам, настрочил брошюру «Свастика и звезда» о родственной близости коммунистов и нацистов.

За Брестским миром последовал Рапалльский договор, подписанный 16 апреля 1922 года. С тех пор Берлин давал денежные кредиты, поставлял техническое оборудование и специалистов. Красная армия дружила с рейхсвером, на советской территории немцы производили оружие, которое Германии по Версальскому договору запрещалось производить. В Москве, Филях, Харькове, Самаре при участии фирмы «Юнкерс» строились авиазаводы, фирмами «Вико» и «Метахим» — заводы по производству снарядов и отравляющих газов. Командиры Красной армии обучались в Германии, летчики и танкисты вермахта тренировались на советских аэродромах и полигонах.

«Лампочки Ильича» производила немецкая фирма «Осрам». Ножницы и бритвенные лезвия «Золинген», фотоаппараты «Лейка», швейные машинки «Зингер» — все мало-мальски пригодное к потреблению было немецким. На долю Германии приходилась четверть общего объема импорта и экспорта СССР.

Когда Гитлер пришел к власти, долги СССР немецким кредиторам составляли полтора миллиарда рейхсмарок, из которых семьсот миллионов подлежали уплате в 1933-м. В мае 1933-го в Берлине был подписан очередной договор о продолжении экономического сотрудничества.

Но Сосо хотелось большего, ему хотелось сотрудничества политического, а возможно, даже личной дружбы.

Программное сочинение Гитлера читал именно Сосо, читал и перечитывал, багровел, посапывал аденоидным носом, впитывал энергетику текста всеми своими оспинами, делал пометки в тексте двусторонним сине-красным карандашом. А гладкокожий товарищ Сталин высокомерно усмехался, называл программное сочинение бредятиной, и был, как всегда, прав.

Великий вождь товарищ Сталин определенно чувствовал свое превосходство, между тем как хитрый Сосо продолжал унизительные заигрывания с Гитлером.

После провала тайной миссии Енукидзе следующим эмиссаром стал Давид Владимирович Канделаки, бывший эсер, назначенный торгпредом в Берлин. Он вел переговоры с министром экономики Шахтом при участии Герберта Геринга, двоюродного брата Германа Геринга.

Весной 1935-го пришло радостное сообщение:

«Шахт уверяет, что его курс на сближение с СССР проводится им с ведома и одобрения Гитлера».

Дальше — еще радостнее:

«Шахт, задумавшись, проронил следующую фразу: если бы состоялась встреча Сталина с Гитлером, многое могло бы измениться».

Илья видел на докладе Канделаки косой росчерк: *«Интересно. И. Ст.».*

Канделаки везло больше, чем бедняге Авелю. Он продолжал вести активные переговоры с Шахтом по экономическому сотрудничеству и постоянно закидывал удочки по поводу улучшения политических отношений.

Наконец Гитлер откликнулся. Он изложил свою позицию следующим образом: *«Если внутренняя политика СССР будет уходить от идей коммунизма в сторону абсолютного деспотизма, поддерживаемого военными, Германия не должна упустить возможность для восстановления добрых отношений с Москвой».*

Товарищ Сталин мотал на ус, в прямом смысле мотал, нежно, двумя пальцами покручивал кончик уса, читая и слушая доклады Канделаки. Абсолютный деспотизм — отлично. Только при чем тут военные? Нет, товарищ Гитлер, военные тут ни при чем, мы сами с усами.

В марте 1935-го в Москву прибыл Энтони Иден, лорд-хранитель печати. В беседе с лордом Сталин небрежно заметил: вряд ли стоит принимать всерьез антибольшевизм Гитлера. Затем похвастался, что немцы предлагают кредит в двести миллионов марок, желают заключить крупные контракты на поставки военного снаряжения. Лорд опешил, поскольку в Москву явился прямо из Берлина и от Гитлера слышал нечто совсем иное.

В конце беседы Сталин совершенно обескуражил лорда, заявив с хитрой ухмылкой, что немцы пустили в ход версию, будто замнаркома обороны Тухачевский встретился с Герингом и предложил ему предпринять кое-какие меры против Франции.

«Тухачевский обречен, — думал Илья, — а вот Троцкий еще поживет. Хозяин знал, что делает, когда в 1929-м выслал Троцкого за границу. Мог посадить, потом расстрелять или оставить на свободе и тайно отравить, имитируя естественную смерть. Но нет, пальцем не тронул. Живой Троцкий за границей — драгоценный подарок, который Сосо преподнес самому себе в двадцать девятом, на мнимое пятидесятилетие (в реальности ему исполнился 51 год). Советские люди — убежденные материалисты, в призраков не верят, стало быть, мертвый Троцкий на роль главного врага не годится, мертвый Троцкий никак не сумел бы вести переговоры с Гессом и готовить переворот в СССР».

Илье приходилось слышать, что Инстанция ненавидит красавчика, польского аристократа Тухачевского. Ерунда. Инстанция беспристрастна. Будь ты красавчик или урод, говорун или молчун, спорь с Инстанцией или со всем соглашайся, сохраняй достоинство или пресмыкайся — ничто не изменит участь, предназначенную тебе Инстанцией.

Неважно, каков Тухачевский. Важно, что он когда-то вошел в число тайных переговорщиков с руководством рейха.

Лорд не успел покинуть Москву, а в «Правде» появилась антинацистская статья Тухачевского. Он утверждал, что Гитлер непременно развяжет войну, нападет на европейские страны, на СССР. Он цитировал «Майн Кампф», приводил конкретные цифры роста численности германской армии. На следующий день статью перепечатали «Известия» и «Красная звезда».

Разразился небольшой скандалец, германский посол Шуленбург официально возмутился, что известный военный деятель позволяет себе называть дутые цифры в целях антигерманской пропаганды, переслал статью в Берлин, там тоже возмутились.

Статья вышла с санкции Хозяина. Сталин лично редактировал текст. Таким образом он продемонстрировал Гитлеру: вот они какие, военные, вот как скверно они к вам относятся, дорогой товарищ Гитлер. Ну-ка, смотрите, что будет дальше.

Именно статья запустила часовой механизм, который начал отсчитывать оставшееся маршалу Тухачевскому время. Он ничем не прогневал Инстанцию, не нарушил правила игры, просто из военачальника он превратился в персонажа драматургического действа, в такого персонажа, которому по сюжету предстоит умереть. В августе 1936-го арестовали Примакова, заместителя командующего войсками Северо-Кавказского военного округа. В начале сентября отозвали из Лондона военного атташе Путну* и тоже арестовали. Оба — лучшие друзья Тухачевского. Оба уже дали свои показания против него.

Для антигитлеровской мировой общественности Сталин придумал троцкистов — нацистов-террористов во

---

*Примаков Виталий Маркович и Путна Витовт Казимирович расстреляны в 1937-м.

главе с Троцким. Гитлеру в качестве главного антинациста Советского Союза предложил маршала Тухачевского. А сам не спеша, с удовольствием, принялся уничтожать коммунистов и евреев, посылая одного за другим к Гитлеру своих эмиссаров, прощупывая через них, доволен ли товарищ Гитлер, чувствует ли тайное родство душ двух великих вождей?

После завершения первого показательного процесса от Эльфа пришло короткое сообщение: Гитлер, просматривая советскую кинохронику, восхищался Сталиным на трибуне Мавзолея, сказал что-то вроде: «Он отличный парень, какое хорошее, значительное у него лицо».

* * *

Габи уже полчаса бродила по Александрплац. Площадь продувалась ледяным ветром. Связника не было. Серой фрау тоже не было, да и откуда ей взяться? Она не успела вскочить в трамвай. Никого, похожего на агента гестапо, Габи не заметила, но тут же напомнила себе: агент обязан быть незаметным. Вот этот мальчишка, торгующий вечерним выпуском «Фолькишер Беобахтер», вполне может работать на гестапо. Слишком вяло выкрикивает название газеты, слишком равнодушно подзывает покупателей. А может, он просто устал, замерз, голоден? Газетой торгует по поручению гитлерюгенда, и неохота ему драть глотку.

Или тот пожилой господин с тростью у афишной тумбы — он ждет кого-то? Увлекся чтением афиш? Полная фрау с детской коляской уже второй раз проходит мимо. Странное время и место для прогулки с младенцем.

Габи спряталась от ветра под закопченные каменные своды бывшего скотного рынка и в зыбком фонарном свете разглядела, что стрелка на маленьких наручных часиках сдвинулась еще на десять минут. Мимо прошел полицейский, взглянул на Габи, остановился.

Габи занервничала еще сильнее. «Только этого не хватало! Меня примут за проститутку, отведут в участок».

— Битте, фрейлейн.

Она вжалась в холодную стену, ей показалось, что полицейский окликнул ее, но нет, голос прозвучал сзади. Полицейский пошел дальше, своей дорогой. Она резко оглянулась, увидела связника и спросила, стуча зубами:

— Послушайте, вам не стыдно?

Он замерз не меньше нее, нос и уши пылали, глаза слезились.

— Простите, мне пришлось петлять, проверяться много раз. Сейчас вроде бы чисто, мы можем зайти в вокзал, там хотя бы ветра нет.

— Идемте куда угодно, иначе я превращусь в ледышку.

Вокзал на Александрплац был не самым подходящим местом для разговора, но плутать по улицам ни он, ни она больше не могли. Оказавшись внутри, Габи хоть немного согрелась, перестали стучать зубы. Связник достал портсигар, предложил ей сигарету.

— Лучше бы стакан глинтвейна, кресло у камина и шерстяной плед, — проворчала Габи, прикуривая.

— В следующий раз обязательно, — пообещал связник и, наконец, улыбнулся.

Два передних зуба у него были стальные, кривые и слишком крупные, как у кролика.

«Что, там у них в НКВД приличных дантистов нет? — подумала Габи. — Бедный малыш, стесняется улыбаться, потому такой зажатый, сердитый».

— Ладно, слушайте, — произнесла она с легким вздохом. — В Праге с декабря прошлого года шли секретные переговоры, Хаусхофер и граф Траутсмадорф обсуждали с президентом Бенешем вопрос о Судетах. Бенеш хитрит, крутится, ни на какие уступки не идет. Неделю назад переговорщики вернулись в Берлин ни с чем. Фюрер в бешенстве, требует как следует надавить на чехов. Он уверен, что упрямство Бенеша объясняется надеждами на помощь русских, и потребовал изо всех сил форсировать слухи о том, что в России готовится государственный переворот, Сталина скинут, установят военную диктатуру. Во главе заговора маршал Тухачевский.

Габи заметила, как вытянулось и застыло лицо связника. Серые глаза посветлели, стали почти белыми.

— При чем здесь Бенеш и Судеты? — спросил он глухо.

Вопрос ошеломил Габи. Она так занервничала, что стало жарко. Захотелось развернуться и бежать без оглядки. Ей все меньше нравился этот стеснительный мальчик. Она пыталась понять: он провокатор или просто дурак? Если провокатор, бежать уже поздно, если дурак, надо набраться терпения. Связи давно не было, спасибо, хоть такого прислали. Главное, чтобы он ничего не забыл, не перепутал, донес до своего руководства все, от первого до последнего слова. Она заговорила медленнее и чуть громче:

— Бенеш — президент Чехословакии. Судеты — часть чехословацкой территории. Там живет много немцев. Гитлер хочет получить Судеты. Между СССР и Чехословакией заключен договор. В случае нападения Бенеш рассчитывает на помощь Красной армии. Чтобы не рассчитывал и стал сговорчивее, аппаратом Гейдриха запускается дезинформация о заговоре в Красной армии.

Лицо связника осталось таким же вытянутым, глаза — такими же белыми. Стоило Габи замолчать, тут же прозвучал следующий ошеломительный вопрос:

— Почему дезинформация?

— Простите, у вас заложило уши? Или мозги заледенели? — спросила она с вежливой улыбкой. — Дезинформацию пускают не «почему», а «зачем». Тактическая цель — надавить на чехов, лишить их надежды на помощь СССР и получить Судеты без всяких военных усилий. Стратегическая — максимально ослабить Красную армию.

Габи показалось, что лицо связника слегка оттаяло, и она поспешила продолжить:

— Заодно Гейдрих собирает компромат на наших генералов, несогласных с военными планами Гитлера. Он затребовал у Канариса документы, касающиеся сотрудничества Красной армии с рейхсвером. Мне не удалось узнать, выдал ли Канарис ему бумаги, но это неважно. Любые документы можно подделать, да, в общем, они и не нужны. Слухи курсируют уже давно. Волна вранья будет нарастать, посыплются сообщения из разных источников, дипломатических, военных, эмигрантских. Тухачевский и другие будто бы готовят переворот, надеясь на поддержку немцев, но не Гитлера, а оппозиционных генералов, с которыми общались в конце двадцатых, в начале тридцатых. У Гейдриха большая агентурная сеть в среде бывших белых офицеров. Российский общевоинский союз, так, кажется, называется их организация в Париже. Один из ее руководителей, генерал Скоблин, платный агент гестапо, задействован в игре с дезинформацией о заговоре. Главное, вы не должны поддаваться на провокацию и помнить: тут ни слова правды.

Габи почти успокоилась, решила, что вечер ошеломительных вопросов окончен, но она ошиблась.

— Почему ни слова правды? — спросил мальчик и дрожащей рукой стал теребить край своего серого кашне.

— Потому что никакого заговора в Красной армии нет, — произнесла она медленно, по слогам. — Никто не собирается скидывать Сталина. Это вранье, понимаете?

— Вы бывали в СССР? — он оттянул кашне от шеи, как будто оно стало его душить.

— Никогда не бывала.

— В таком случае откуда вам известно, что нет никакого заговора?

— От Гейдриха, — Габи тяжело вздохнула и почувствовала, как с этим вздохом испаряются остатки ее ангельского терпения.

— Не понял, — упрямо буркнул связник.

— Как вы думаете, Гитлер хочет укрепить Красную армию или ослабить ее?

— Ослабить, — ответил мальчик не очень уверенно.

— Хорошо, молодец. Допустим, Гитлер узнал, что в Красной армии заговор. Что ему выгоднее — предупредить об этом Сталина или сохранить тайну, поддержать заговорщиков?

— Сохранить и поддержать, — растерянно прошептал связник.

— Умница. Теперь, пожалуйста, слушайте меня внимательно, я очень устала и замерзла. Канарис вербует агентуру среди украинских националистов, часто встречается с Коновальцем. Из неизвестного источника до фюрера дошли сведения, будто Рудольф Гесс тайно встречался со Львом Троцким и обсуждал с ним варианты отстранения Сталина от власти. После разговора с фюрером на эту тему у Гесса случилась истерика, хотя фюрер уверял его, что не верит грязным сплетням. На нескольких вечеринках эту историю рассказывали как анекдот. Всем смешно, кроме Гесса. Он заболел тяжелым нервным расстройством.

— Что смешного? Я не понял.

— О господи, — прошептала Габи. — Кто такой Гесс, вы знаете?

— Знаю. Рудольф Гесс — заместитель Гитлера по партии.

— Отлично. А кто такой Троцкий?

Ответа не последовало. Лицо связника опять окаменело, губы сжались, сигарета дымилась, рука сильно дрожала.

— Вы впервые слышите это имя? — спросила Габи, пытаясь заглянуть ему в глаза. — Пожалуйста, скажите что-нибудь, не пугайте меня, а то мне кажется, что вы псих.

— Что вы хотите услышать? — хрипло процедил он, бросил и растоптал сигарету.

— Хочу, чтобы вы ответили, известно ли вам, что Лев Троцкий еврей?

— Да, известно.

— А что у нас тут нацизм, знаете?

— Знаю.

244

— Рудольф Гесс — патологический антисемит. Для такого человека даже намек, что он встречался и разговаривал с евреем, тяжелейшее оскорбление.

— Да, но одно дело официальная идеология, и совсем другое — тайная политика.

— Браво. Кажется, вы проснулись. Первая осмысленная фраза за долгий морозный вечер. Я готова с вами согласиться, но Гесс не политик и никогда им не был. Он идеолог, фанатик. А Троцкий давно перестал быть политиком. Он изгнанник, никакого влияния внутри СССР он не имеет. Переговоры между этими двумя людьми абсолютно невозможны и бессмысленны.

— Почему вы считаете, что Троцкий не имеет влияния в СССР?

— Нет, вы не проснулись... — грустно пробормотала Габи. — Ну сами подумайте, если даже гестапо и абвер со всей их мощью не могут создать агентурную сеть внутри СССР, куда уж Троцкому!

— Что значит не могут? Вы хотите сказать, в СССР нет немецких шпионов?

Габи про себя досчитала до десяти, зажмурилась, помотала головой и очень ласково, словно перед ней больной ребенок, произнесла:

— Пожалуйста, будьте любезны, скажите, что самое важное в агентурной работе?

— Связь! — не задумываясь выпалил мальчик.

— Еще раз браво! А теперь скажите, как наладить связь в государстве, границы которого закрыты на замок, где за каждым иностранцем ведется усиленное наблюдение, граждане шарахаются от иностранцев, за любой контакт можно угодить в тюрьму? Как внедрить агента в общество с жесточайшей системой учета и проверки каждого гражданина? Как передать рацию из-за рубежа, если все, въезжающие на территорию СССР, включая дипломатов, обыскиваются? Выезжают из страны в заграничные командировки только единицы, после тщательной проверки. За последние четыре года было много попыток вербовки. Ни одна не удалась. Из агентов, заброшенных через Польшу и Литву, ни один на связь не вышел, все исчезали. Все! Я это знаю не из геббельсовской пропаганды, пропаганда как раз твердит, будто наша доблестная разведка успешно работает по всей территории СССР. Я знаю это из разговоров офицеров СС и абвера, я общаюсь с дипломатами, торгашами, профессиональными шпионами. Я слышала, как повторяют слова Канариса: «У нас нет никакого четкого представления о Советском Союзе и его военном потенциале, есть только разные степени незнания». Я никогда не бывала в Советском Союзе, а вы там живете. Ну скажите мне, что все это неправда!

Связник стоял, поникший, сутулый, ярко алели большие замерзшие уши. Он теребил угол своего серого кашне, скручивал в трубочку, раскручивал.

Мысленно Габи уже наполняла горячей водой ванну в своей маленькой уютной квартире на Кроненштрассе, три трамвайные остановки от Александрплац. Можно добавить в воду лавандовый экстракт. Она видела себя, согретую, разнеженную, в кресле у камина, в пушистом халате и в носках из кроличьей шерсти. Их связала для нее мама на прошлое Рождество. Голова обмотана чалмой из полотенца. На журнальном столе стакан глинтвейна, томик Чехова, русско-немецкий словарь. Она недавно начала потихоньку учить русский. Ей хотелось знать больше о стране, на которую она работала, которую считала единственным реальным противником нацизма. К тому же в России родился мнимый итальянец Джованни Касолли, Ося Кац, ее любовь. Он подарил ей томик рассказов Чехова. Она уже могла читать по-русски, очень медленно, со словарем.

— Ну что вы молчите? Давайте, назначайте мне свидание.

— Что? — он растерянно заморгал. — А, да, я понял. Остров Музеев, музей Древнего Египта, у стенда, где папирусы, «Книга мертвых», последнее воскресенье января, полдень.

Габи облегченно вздохнула. Музей Древнего Египта был главным местом свиданий с Бруно. Значит, все в порядке. Умный, надежный Бруно, наконец, появится и все объяснит.

— Пароль и опознавательные знаки те же, — продолжал связник.

— Повторите, будьте любезны.

При встречах с Бруно не требовалось никаких паролей и знаков. Если к стенду папирусов вдруг явится кто-то другой, он должен произнести цитату из «Книги мертвых»: «Я бог-крокодил Сухос, который обитает посреди ужаса». Отзыв: «Я змея Сата, мои годы нескончаемы, я рождаюсь ежедневно». Чтобы такой диалог звучал естественно, за цитатами следовал вопрос: «Вы умеете читать иероглифы?» Ответ: «К сожалению, нет. Но древние письмена были переведены на немецкий в середине девятнадцатого века».

Бруно предупредил, что этот длинный пароль, кроме них двоих, пока никому не известен и будет использован только в экстренном случае. Опознавательным знаком станет маленький рекламный каталог магазина египетских древностей «Скарабей», который находится в Цюрихе и принадлежит Бруно.

Связник молчал и хлопал телячьими ресницами.

— Повторите пароль, — сказала Габи чуть громче.

— Вы удивительно похожи на Марику Рёкк, — промямлил мальчик и недоуменно пожал плечами. — Ответ: «Еще бы нам не быть похожими»...

— Достаточно, — перебила Габи, — давайте запасные варианты.

— Не понял...

— Если никто не явится в музей в полдень, в последнее воскресенье января. Назовите, пожалуйста, место и время на февраль, март, апрель. Теперь поняли?

— Да, но... — мальчик нахмурился и закусил губу. — Я не знаю, у меня нет инструкций на этот счет. А почему вы думаете, что никто не явится в музей?

— Бред, — пробормотала Габи. — Ладно, если инструкций нет, извольте получить их от меня. Чтобы назначить следующую встречу, поместите объявление в воскресное приложение «Берлинер Тагеблатт». «Срочно отдам в хорошие руки щенка королевского пуделя женского пола. Возраст три месяца, окрас шоколадный, кличка Флора, нрав веселый. Звонить по вторникам и пятницам, в любое время». В телефонном номере должны быть цифры 16 и 18. Текст набран жирным курсивом, обведен волнистой рамкой. Каждый вторник, с четырех до шести, я буду ждать связи в кафе «Флориан», Штайнплац, 8, Шарлоттенбург. Опознавательные знаки — пачка французских сигарет голубые «Голуаз», рекламный буклет универмага «Вертелль».

— У вас или у связного?

— У нас обоих. Пароль тот же. Марика Рёкк. Запомнили или повторить?

— Запомнил, но я...

— Всего доброго, — она развернулась, быстро зашагала к выходу.

«Бруно, Бруно, где ты? Что происходит? Невыносимо иметь дело с такими кретинами... Ладно, я зря паникую. «Марика Рёкк» — мой обычный пароль. Он работает не только в кинотеатре, но и в кафе, и где угодно. Текст из «Книги мервых» это сигнал тревоги, и то, что он пока не звучит, скорее хорошо, чем плохо», — думала она, пока шла через вокзальный зал к выходу.

— Погодите, одну минуту, — мальчик догнал ее. — О том, что Троцкий встречался с Гессом, напечатано в «Правде»! А я вам все равно не верю, что нет у нас немецких шпионов, не верю!

— И правильно делаете, — улыбнулась Габи. — Не верьте мне, верьте товарищу Сталину. Он такое же чудовище, как наш фюрер, но именно поэтому у него есть шанс покончить с нацизмом. Гуманным западным демократам Гитлер не по зубам, они даже не понимают, с чем имеют дело. Только равный может понять и победить наше чудовище, только ваш товарищ Сталин. Верьте ему. Желаю удачи!

Габи побежала к остановке, успела вскочить в отъезжающий трамвай, из окна увидела силуэт связника в холодном коротком пальто, в дурацкой шляпе и подумала, что надо обязательно сказать Бруно, пусть одевает своих агентов теплее и пусть не присылает больше таких юных наивных фанатиков.

* * *

Хозяин не вызывал референта Крылова и сводку не требовал. Очередной кремлевский день закончился, так и не начавшись. Поскребышев отпустил Илью домой в четверть девятого, как только Хозяин уехал.

Хотелось пройти пешком по вечерним улицам. Илья шел очень быстро, почти бежал. Во время таких прогулок возникало обманчивое чувство свободы. Он не заметил, как очутился у Краснопресненского парка. Каток был ярко освещен прожектором, звучала музыка, по радио передавали вальс из «Щелкунчика». Сквозь ограду мелькали фигуры катавшихся. Илье почудилась среди них Маша. Он увидел ее одновременно вдали, на катке, и совсем близко, лицом к лицу, ему даже показалось, что он обнимает и целует ее. Усилием воли прогоняя галлюцинацию, он заставил себя вернуться на землю, почувствовал холод, усталость, тяжесть авоськи, задрал край варежки, взглянул на фосфорный светящийся циферблат. Без пяти девять. Если сейчас Маша и крутит свои фуэте, то не здесь, а в театре, на репетиции.

От Карла Рихардовича он узнавал все подробности ее жизни. Старик не упрекал его, но постоянно рассказывал, как девочка ждет звонка. Чем дольше он не звонит, тем труднее будет объясниться. Так нельзя поступать. Но как можно и должно поступить, Илья не знал. Только чувствовал, что, если увидит ее, расстаться уже не сумеет.

Он ускорил шаг, как будто убегая от самого себя. Вечер был тихий, с легким морозцем, с яркими звездами на безоблачном небе. Снег весело скрипел под ногами, искрился в фонарном свете. Мамаше Настасье сегодня исполнилось шестьдесят лет. В авоське лежали бумажные пакеты, в них батон сырокопченой колбасы, банка паюсной икры, плитка пористого шоколада «Конек-Горбунок», три апельсина, белая пуховая шаль, розовые байковые панталоны пятьдесят второго размера. Настасья всегда заранее заказывала подарки, Илья в точности выполнял заказы. На этот раз по случаю круглой даты он купил для нее женские наручные часы «Полет» на изящной серебряной браслетке.

Настасья жила в той самой коммуналке, куда они переехали в двадцатом. Илья звал ее к себе на Грановского, ему было совестно, что он один занимает шикарную квартиру, а мамаша ютится в сырой комнатенке с полукруглым окном у пола, которое смотрит в глухую стену соседнего дома. Общая кухня, утром очередь в уборную и в ванную. Но мамаша твердила, что ей тут веселее, всегда есть с кем поболтать, посмеяться, поругаться. Вот если он женится, родит ей внуков, тогда, так и быть, она переселится на Грановского. А пока он живет бобылем, ей в его казенных хоромах делать нечего, там тоска смертная.

Дверь открыл соседский сын Николаша, маленький, тощий, обритый налысо подросток. Босой, в широких отцовских подштанниках, в материнской вязаной кофте, с пионерским галсуком на шее, он выглядел как огородное чучело.

— Здрасть-дядь-Илья, — просипел он простуженно и помахал белыми ресницами. — Сумка-то тяжелая, давайте помогу.

Николаша учуял запахи, взгляд его прирос к авоське, ноздри затрепетали. Илья вытащил апельсин.

— На, угощайся. Ты чего босиком шастаешь?

— Так это, вырос я из всего, мамка говорит, на меня не накупишься обувки, — Николаша взял апельсин обеими руками, прижал к лицу. — Спасиб-дядь-Илья. Колбаса какая у вас, можно я посмотрю?

Илья стянул варежку, погладил обритую голову. Он помнил Николашу младенцем, а его родителей молодыми, здоровыми, счастливыми. Они работали на Трехгорке. Мать ткачиха, отец слесарь. Сейчас мать болела, отец пил.

— Слушай, Николаша, у тети Насти сегодня юбилей, шестьдесят лет, ты через полчасика зайди, поздравь, вот она тебя и угостит, хорошо?

— Хорошо, дядь-Илья, да только я уж поздравлял, — Николаша шмыгнул носом. — Тетя Настя меня макарошками накормила, с фаршем. Очень вкусно. Мамка-то все болеет, готовить не может, вот врачиха с поликлиники приходила, сказала, в больницу нужно ей лечь, а то помрет.

— Ну, может, и правда в больницу? И ничего она не помрет, не бойся, поправится как миленькая.

Николаша стоял потупившись, гладил пальцами апельсин. Ногти были обкусаны, на костяшках свежие ссадины. В полутемном коридоре пахло вареной капустой и хозяйственным мылом. Работало радио, Козловский пел арию Ленского. Из кухни выплыла незнакомая молодая бабенка в цветастом халате, с шипящей сковородой, увидела Илью, остановилась, прищурилась.

— Добрый вечер, — поздоровался Илья.

Бабенка не ответила, надменно тряхнула рыжей головой, унизанной белыми папильотками.

— Лисина Клавка, ей комнату Бренеров дали, — шепотом объяснил Николаша. — Стервозина такая, жуть.

Илья не стал спрашивать, куда делись Бренеры. Дверь Настасьиной комнаты распахнулась, ударил волной и растекся по коридору страстный тенор:

«Паду ли я, стрелой пронзенный,
Иль мимо пролетит она?»

Мамаша включала радио на полную громкость, как только там начинали петь, и приглушала, как только начинали говорить, совсем не выключала, чтобы не пропустить, если перестанут трепаться и запоют.

— Явился, бобыль бесприютный, — громовой бас Настасьи заглушил Козловского. — Я уж и не чаяла дождаться тебя, думала, забыл мамашин юбилей.

В комнате за круглым столом сидели соседи. Две старушки, Верочка и Веточка, библиотекарши. Когда Илья учился в университете, Настасья решила заняться самообразованием, записалась к ним в библиотеку, читать не читала, а двух ветхих библиотечных барышень практически удочерила. Они пересказывали ей «Анну Каренину» и «Графа Монте-Кристо». Она подкармливала их столовскими котлетами.

Илья не знал, сколько им лет. Они были двоюродными сестрами, но с возрастом стали похожи, как близнецы, обе высокие, худые, тихие, белоснежно седые. Аккуратно заштопанные кружевные воротнички, темные платья. Настасья как-то обмолвилась, что Веточка в гражданскую потеряла мужа и ребенка, а Верочка монашка с юности, теперь в миру, монастырей-то не осталось.

Рядом с библиотекаршами сидел Евгений Арсентьевич, бухгалтер, маленький, толстенький, с глянцевой лысиной. Круглые очки в стальной оправе увеличивали серые глаза и придавали бледному сморщенному лицу выражение испуга и растерянности. Фамилию он носил самую неподходящую для такого печального и застенчивого человека: Гогот. Жил за стенкой, в соседней комнате. Когда-то давно сватался к Настасье. Она долго размышляла, принять ли предложение. Ее смущало, что Евгений Арсентьевич ниже нее на голову (люди засмеют); моложе на пять лет (бросит, найдет молодую); не пьет спиртного, ест

252

только диетическое, страдает язвой желудка (ну и на хрена такая радость?).

Получив отказ, Евгений Арсентьевич продолжал ходить в гости, Настасья привыкла к нему, жалела.

Илья поздоровался со стариками, вручил мамаше подарки. Все съедобное она сразу выложила на стол, дала Евгению Арсентьевичу нож и доску, велела нарезать колбасу. Розовые трико конфузливо убрала в ящик комода, шаль развернула, накинула на плечи. Достала из коробочки часы, разохалась, надела на запястье и потом все время поглядывала на них, трогала блестящую браслетку, стеклышко циферблата.

Специально для юбилея Настасья с лета заготовила рябиновку, она очень гордилась этим напитком. Прежде чем выпить, нюхала, жмурилась, приговаривала:

— Ой, да хорош домашний ликерчик, вкуснее любого французского.

Рябиновка была крепкая, липкая, приторно сладкая. Только Евгений Арсентьевич имел право не пить, ему Настасья поставила бутылку нарзана. Верочка и Веточка вежливо пригубили рябиновку, Илье пришлось опустошить рюмку.

— Ну, давай, сынок, за тебя, за будущих внуков-правнуков.

— За тебя, мамаша, — Илья поцеловал Настасью в пухлую, совсем не старческую щеку. — Будь, пожалуйста, здорова. Тебе больше сорока никак не дашь.

— Правильно, сынок, сорок лет — бабий цвет, — Настасья тоненько засмеялась, встала и положила свою огромную лапищу на голову Евгения Арсентьевича. — Вот он, женишок-то мой, суженый, ряженый, напомаженный.

— Почему же я напомаженный, Настя? — краснея, млея под ее ладонью, спросил бухгалтер.

— Это так, для рифмы, — улыбнулась Веточка.

— Понятное дело для рифмы, помадить-то нам нечего, волосины ни одной не осталось, — Настасья наклонилась,

253

громко чмокнула Евгения Арсентьевича в лысину и опять засмеялась.

Но смех у нее получался искусственный, невеселый. Для веселья не хватало водки. В этой тихой компании Настасья водку никогда не пила, только «ликерчик», в крайнем случае красное сухое. Водочными собутыльниками были другие соседи, судомойка и подавальщица из наркомпросовской столовой да Федор, отец Николаши. Их она называла «простой народ», а библиотекарш и бухгалтера — «унтельгенция». На свой юбилей пригласила только «унтельгенцию», хотела посидеть культурно, к тому же считала, что ее образованному сыну за одним столом с «простым народом» делать нечего.

По радио продолжался концерт, классический репертуар сменился народными песнями. Женский хор медленно, под балалаечные переливы и гул аккордеона, выводил:

Океан да с океаном — братья кровные.
Сталин Ленину да кровный брат
по работе, по размаху орлиному,
по полету, по простору соколиному.
Мы идем со Сталиным, как с Лениным.
Говорим со Сталиным, как с Лениным.
Знает все он наши думки-думушки,
всю он жизнь свою о нас заботится.

— И думки знает, и заботится, вот уж верно сказано, — с кривой усмешкой пробормотала Настасья, протянула руку, выключила радио. — Ну, что скисли? Сидим как на поминках...

Молчание за столом стало тягостным. Перепробовали и похвалили Настасьин винегрет, селедку с луком, пирожки с капустой, колбасу, икру. Обсудили погоду. Выпили за здоровье каждого из присутствующих по отдельности и за всех вместе. Пришел Николаша, тихо, мрачно сообщил Илье:

— Клавка-стервозина про вас спрашивала, мол, кто этот гражданин с авоськой, к кому явился?

— Шпиенка-фашистка! — мамаша шлепнула себя ладонью по коленке. — Прямо так и спросила — к кому явился?

— Ага, — кивнул Николаша, — и даже поинтересовалась, чего там у него в авоське.

— Нахалюга, мать ее! Чего в авоське! Все ей надо знать, заразе! Ну а ты?

— Я грю: тети Насти сын, Ильей Петровичем звать, чего в авоське, я без понятия.

— Ну а она чего?

— Ничего. Жопой вильнула.

Николашу усадили за стол, он быстро, жадно поел и унес тарелку с угощением больной маме. Евгений Арсентьевич задремал, Настасья уложила его на кушетку, сняла с него очки, заботливо накрыла своей старой шалью.

— Вот ведь несуразный человек, ночами не спит, а к вечеру валит его дрема. Я все думаю, может, и надо было за него выйти, а, сынок?

— Так и выходи, кто мешает? — улыбнулся Илья.

— А и выйду! — Настасья поднялась, гордо выпятила грудь, подбоченилась, плавно повела могучими плечами. — Ну чем не невеста? Ладно, чайник вскипячу, чаю охота! — она притопнула каблуками нарядных туфель, отправилась на кухню.

— Настасья Федоровна одна, Евгений Арсентьевич один, вдвоем все-таки веселее, — робко заметила Верочка.

— Что ты говоришь, Вера? — шепотом выкрикнула Вета. — В таком-то возрасте жениться? Курам на смех!

— Куры посмеются, лучше понесутся! — парировала Вера.

— Как же ты не понимаешь, нельзя сейчас заводить семью, нельзя! — нервничая все больше, прошептала Вета.

— Одному как перст, без любви, без радости разве можно? — Вера налила себе нарзану и залпом выпила, глаза у нее заблестели, сморщенные щеки раскраснелись, как будто выпила она не минеральной воды, а водки.

— Какая сейчас любовь? Только злоба да страх, — чуть слышно пробормотала Вета и откашлялась в кулак. — Одному безопаснее, спокойнее. Случится что, один и пропадешь, никого за собой не потянешь.

— Перестань, Вета, если уж случится, не дай бог, так мы тут все друг друга за собой потянем. Лучше не думать об этом. Уныние грех, главное, чтобы войны не было. Как, Илюша, ты думаешь, будет война?

— Что ты пристаешь с глупыми вопросами? — сердито одернула ее Вета. — Откуда он знает про войну, в архиве сидючи?

Все, в том числе и мамаша, верили, что Илья продолжает служить в Институте марксизма-ленинизма, никогда ни единого вопроса о его службе старики не задали.

— Про войну ничего не знаю, — Илья улыбнулся, — а что касается личной жизни мамаши, так это не нам с вами решать, у нее семь пятниц на неделе. Вон как она замучила своего ухажера, ночами не спит.

Кушетка заскрипела, шаль сползла на пол, Евгений Арсентьевич сел, хрипло крикнул:

— Что? Звонят? Нет меня, я умер, умер! Гражданин Гогот скоропостижно скончался, так им и передайте, — он открыл глаза, стал испуганно озираться, шарить рукой в поисках очков.

Илья подал ему очки, поднял шаль с пола.

— Благодарю, Илюша, простите, сон, знаете ли, такой гадкий приснился, — виновато забормотал Евгений Арсентьевич.

— Мне тоже все время снится, что за мной пришли, — спокойно произнесла Вера.

Опять повисло молчание. Обе старушки принялись собирать грязные тарелки. Вернулась Настасья, стала разливать чай, ни на кого не глядя, тихо, злобно матерясь. Кажется, она все-таки успела потихоньку хлебнуть водки, пока ходила на кухню. Заглянула к родителям Николаши, там ей и налили.

— Мамаша, ты чего? — спросил Илья, взял чайник у нее из рук, она лила кипяток мимо чашки.

— Ничего! Видеть не могу поблядушку эту, околачивается на кухне, керосин из примусов ворует. Все настроение мое юбилейное испортила рожей своей наглой!

— Ты о ком?

— Да о Клавке, о ней, шпиенке-троцкистке! Въехала в комнату Бренеров, зараза. Какие хорошие люди были, — мамаша развернула шоколадку, принялась отламывать дольки, выкладывать на блюдце ровным кружком. — Видишь, как все получилось: Лида, дочка ихняя, студентка... Ну ты помнишь ее, маленькую-то?

— Помню, конечно, — кивнул Илья.

— Так вот, она ключи забыла, вернулась поздно, в третьем часу ночи. Ну, позвонила четыре звонка, не на улице же ей ночевать. Моисей и Римма спросонья перепугались, решили, за Моисеем пришли. У Риммы приступ сердечный, померла сразу, — Настасья плеснула себе в рюмку «ликерчику», выпила залпом, шумно высморкалась в тряпицу, замолчала, скорбно поджав губы.

— А Моисей, а Лида? — спросил Илья.

— Моисея Ароновича прямо на похоронах и взяли, — продолжила за Настасью Вера. — Не просто так они с Риммой Семеновной перепугались. Ждали.

— Ждали, — эхом отозвалась Настасья. — А Лида таблеток напилась снотворных. Я, старая дура, не углядела, пьяная была после похорон-то, наклюкалась, чтоб забыться, жалко мне их, Риммочку, Моисейчика.

— Мы тоже не углядели, хотя и не пили вовсе, — сказала Вета. — На похоронах Лидуша такая спокойная стояла, ни слезинки, ни слова. А Моисея взяли тихо-незаметно, подошли двое в штатском, отвели в сторонку. Никто вначале не понял, в чем дело. Только потом хватились, догадались.

— Лидуша сразу поняла, — Вера вздохнула. — Как вернулись с похорон, заперлась в комнате, сказала: не волнуйтесь, мне нужно побыть одной, поспать.

— Вот и поспала, — зло усмехнулась Настасья.

— Нельзя молиться за самоубийцу, а я все равно молюсь за Лидушу, — пробормотала Вера.

— Да какая же она самоубийца! Это они убийцы, они! — Настасья указала пальцем на окно. — Шпиены, диверсанты, фашистские морды!

— Мамаша, не кричи, — Илья погладил ее руку. — Выпей чайку, успокойся.

— Да не кричу я, — отмахнулась Настасья. — Ты мне объясни, сынок, за что их, Бренеров, за что? За Лидушей-то, сволочи, на следующую ночь пришли. Дверь взломали, а девочка уж холодная. Такая красавица была, умница. Вот теперь в их комнате Клавка-проблядь живет, дверь починила, замок новый вставила, керосин ворует.

— Мамаша, я же просил тебя, никогда не спрашивай, «за что?» Никогда не задавай этого вопроса, пожалуйста, — сдерживая раздражение, отчеканил Илья.

— Хорошо, сынок, я поняла, не буду, — Настасья смиренно кивнула, высморкалась, размазала кулаком слезы.

Чай допили молча, Илья сидел между Веточкой и Верочкой, бухгалтер привалился к плечу Настасьи, опять задремал. Настасья обняла его, пропела тихим жалобным фальцетом:

Эх, Евгеша, нам ли быть в печали?
Вымай гармонь, играй на все лады.

Илья вместе со старушками понес на кухню грязную посуду. Они принялись мыть тарелки, он открыл форточку, закурил.

— Что же это творится? — произнесла Вета по-французски. — Нет, я совершенно уверена, Сталин ничего не знает, ему кто-то очень умело, целенаправленно морочит голову. Сама подумай, берут исключительно хороших, честных людей, профессионалов, специалистов, как будто нарочно хотят ослабить все отрасли хозяйства. Берут старых большевиков, своих берут. Это немыслимо, Вера! Ты знаешь, я никогда не сочувствовала большевикам, но у них были какие-то принципы, идеалы. Кто-то должен открыть Сталину глаза на происходящее, и когда он узнает...

— Перестань, Вета, все он знает. Сталин — Ирод. Вот только Младенца Христа среди советских граждан нет.

— Вера! Господь с тобой! — воскликнула по-русски Вета и чуть не выронила тарелку. — Не смей, не смей говорить такие ужасные слова!

— Можно молчать, можно говорить что угодно, — по-французски ответила Вера, выключила примус под чайником, подлила в тазик кипятку, насыпала сухой горчицы. — Ты же помнишь, как арестовали глухонемого Стриженко? Человек за всю жизнь слова не произнес, ни единого слова!

— Он листовки писал антисоветские!

— Ты веришь в это?

— Не знаю!

В проеме возникла Клавка, уже без папильоток, с подкрашенными губами, но все в том же халате. Старушки стояли спиной к двери.

— Вера Игоревна, вас не продует? Может, закрыть форточку? — громко спросил Илья, чтобы не дать им продолжить разговор при этой девке.

— Нет, нет, Илюша, не беспокойся.

Они увидели Клавку, обе сгорбились, вжали седые головы в плечи, словно испугались, что их ударят. Клавка, не обращая внимания на старух, подплыла к Илье, смерила долгим взглядом. От нее приторно пахло «Красной Москвой».

— Вы, товарищ, Настасьин сын? Крылов ваша фамилия?

Илья молча кивнул, отвернулся, выпустил дым в форточку.

— Меня зовут Клавдия, — она протянула руку.

Илья машинально пожал. Она задержала в его ладони свою влажную мягкую кисть с наманикюренными алыми коготками.

— Папиросы у вас хорошие, товарищ Крылов. Не угостите?

Пришлось дать папиросу, зажечь спичку. Прикуривая, она слегка погладила его руку и снизу вверх заглянула в глаза.

«Шалава, стукачка, — подумал Илья. — Кончилась мамашина беззаботная жизнь. Такая вот Клавка выдавит отсюда стариков, теперь все они должны молчать в тряпочку».

— Вы спортом занимаетесь? — спросила Клавка, тронув коготком его плечо. — У вас такие руки сильные и фигура очень даже спортивная.

Илья загасил папиросу, взял у Веты стопку чистых тарелок, отправился в комнату к Настасье. Старушки засеменили следом. Из комнаты опять гремело радио, пел Утесов. Настасья играла в дурачка со своим бухгалтером. Илья запер дверь, жестом подозвал к себе стариков.

— Все ваши разговоры прекратить, даже у себя в комнатах, даже при запертых дверях, даже во сне, понятно? Веточка, Верочка, по-французски теперь беседуйте только на прогулке, в парке. Мамаша, с Клавкой этой ругаться нельзя, веди себя с ней спокойно, вежливо.

— Так как же вежливо, сынок? Как же, если она, блядища, керосин ворует из примусов-то?

— Мамаша, ты меня услышала. И вы все услышали. А теперь ложитесь спать, поздно уже.

— Сынок, может, переночуешь? — жалобно спросила Настасья.

Он обнял ее, поцеловал, шепнул на ухо:

— Пожалуйста, будь осторожнее, и не пей столько.

ГЛАВА ЧЕТЫРНАДЦАТАЯ

Ранней весной 1934 года Габриэль Дильс на отдыхе в курортном городке Вилль-Франш под Ниццей познакомилась и подружилась с соседями по отелю. Семейство из Швейцарии. Отец, Бруно — пожилой высокий господин с глянцевой лысиной и детской улыбкой, антиквар, специалист по Древнему Египту. Мать, Ганна — маленькая, круглолицая, зеленоглазая, с каштановой копной волос и россыпью веснушек. Их дочке Барбаре было двенадцать, она страдала какой-то врожденной болезнью сердца, мало двигалась, быстро уставала. Худющая, почти прозрачная, с огромными зелеными, как у матери, глазами, она рисовала крошечные яркие акварельки и дарила всем подряд. Габи получила от нее свое миниатюрное изображение в полный рост, с ракеткой, на теннисном корте. Барбара запечатлела ее в высоком прыжке и сказала:

— Вы отлично летаете, фрейлейн.

Бруно и Ганна любили теннис, с ними было весело и удивительно легко. Однажды, увидев томик Гофмана в руках Барбары, Габи сказала, что давно хотела перечитать «Золотой горшок» и «Песочного человека». Бруно взял книгу и стал зачитывать вслух куски из «Крошки Цахеса», потом спросил:

— Вам этот уродец никого не напоминает?

И тут Габи стала смеяться так, как давно не смеялась. Вслед за ней захохотали Барбара и Ганна. Бруно только улыбался, а потом сказал:

— Эрнст Теодор Амадей Гофман придумал сказку о крошке Цахесе больше ста лет назад. По капризу феи злобный уродец стал невероятно привлекательным, сделал блестящую карьеру. Окружающие как будто ослепли, свихнулись, он казался им верхом совершенства. Это всего лишь сказка. Любимого фотографа фюрера зовут Генрих Гофман. Именно он создал тот изначальный образ великого народного вождя, который завладел сердцами миллионов немцев. Это реальность. Тайна Цахеса заключалась в трех красных волосках, спрятанных в шевелюре. Стоило их выдернуть, и наваждение прошло. Интересно, в чем тайна Гитлера? В усиках или в челке?

Бруно ничего не стоило завербовать Габи. Это даже нельзя назвать вербовкой. Они просто разговаривали. Габи ненавидела нацизм, Гитлера считала чудовищем и готова была делать что угодно, лишь бы в Германии закончился этот унизительный бред. Когда она узнала, что Бруно резидент советской разведки, ей стало еще интереснее. Ее мало заботил коммунизм, она Маркса не читала потому, что это безумно скучно, зато читала Толстого и Достоевского в хороших переводах. Россия была страной Анны Карениной и князя Мышкина. Ужасы революции, гражданской войны, коллективизации она воспринимала как нацистскую пропаганду.

Бруно предложил ей приличное вознаграждение, регулярные гонорары, но она категорически отказалась.

— Я ненавижу нацистов. Брать деньги за ненависть все равно что за любовь. Это пахнет проституцией.

— Нужно как-то объяснить наши свидания, — сказал Бруно, назначая первую встречу в Берлине.

— Кому объяснить? — удивилась Габи. — Единственный человек, которого это может интересовать, — Ганна, но она знает, что мы не любовники.

— Я имею в виду вовсе не Ганну. Ты знаменитость, твой образ жизни и круг общения привлекают к тебе усиленное внимание гестапо.

— Ерунда! Плевала я на них! Я журналистка, встречаюсь с десятками разных людей и никому не обязана отчитываться.

— Габи, пойми, ты ввязываешься в очень серьезное, рискованное дело. Тут нет мелочей. Любой пустяк может иметь самые ужасные последствия, и не только для тебя. Оставь свой подростковый кураж для вечеринок. Ты встречаешься со мной потому, что решила написать книгу об истории моды и косметики. Вполне логично начать с Древнего Египта.

— Гениально! — Габи хлопнула в ладоши. — Слушай, может, мне правда написать книгу? Отличная идея!

Ни за какую книгу Габи так никогда и не засела, слишком бурной и насыщенной была ее жизнь, она едва успевала строчить статьи для «Серебряного зеркала».

С тех пор прошло почти три года. Габи регулярно выкладывала Бруно все, что удавалось узнать. Они встречались на острове Музеев, в музее Древнего Египта, куда Бруно часто наведывался в качестве консультанта. Иногда играли в теннис и обедали в ресторанах. Каждая встреча, независимо от погоды, завершалась долгой прогулкой по парку или по улицам. Бруно учил ее соблюдать элементарную осторожность, не забывать, что любое помещение может быть оборудовано прослушками и передавать информацию следует только на свежем воздухе, подальше от случайных глаз и ушей.

На приемах, банкетах, генеральских вечеринках фрейлейн Дильс элегантно флиртовала с офицерами абвера и гестапо, нежно приятельствовала с их женами. Жены любили поболтать о моде и косметике, а Габи всегда знала свежие новости, могла дать ценный совет, порекомендовать портниху, парикмахера, косметолога. Везде она была своим человеком. Ее идеально арийская физиономия красовалась на плакатах. Она получала щедрые журналистские премии. Многие считали ее тайной возлюбленной Геббельса.

Министр пропаганды славился своими любовными похождениями. Маленький, почти карлик, с большой головой на хилом тельце, доктор Геббельс был истерически, непредсказуемо влюбчив, постоянно менял женщин и хранил верность только одному человеку, своему божеству Адольфу Гитлеру.

Застенчивый сплетник-всезнайка Франс фон Блефф рассказывал Габи, что Йозеф Геббельс многие годы страдал безответной любовью к еврейке Анке Штальхерм и женился на идеальной арийке Магде Квандт по настоянию фюрера.

Красавица Магда, бывшая жена владельца сети берлинских ресторанов Квандта, имела свою «еврейскую историю» — бурный продолжительный роман с известным деятелем сионизма Хаимом Арлозоровым.

Уже охмурив Геббельса, Магда продолжала спать с Арлазоровым, а Геббельс, увлеченный Магдой, все еще страдал из-за неприступности Анке Штальхерм. Этот романтический четырехугольник вдохновил доктора философии на создание фундаментальной работы «Евреи виновны!».

Еще одним кандидатом в высокие покровители Габриэль Дильс стал Гиммлер. Сплетня звучала оригинально и надежно страховала от слишком назойливых поклонников. Личная жизнь шефа гестапо оставалась загадкой. Он нигде никогда не появлялся с женой. Было известно, что ее зовут Маргарита, она старше его на десять лет, у них двое детей. Остальное тонуло в слухах. Одни говорили, что они живут вместе и бедняга Генрих трепещет перед своей суровой супругой, бывшей медсестрой. Другие уверяли, будто Гиммлер давно расстался с семьей, поселил их где-то в баварской глуши и обзавелся постоянной подругой. Среди полудюжины кандидаток на звание подруги мелькало имя Габриэль Дильс.

Ее имя также мелькало в перечне предполагаемых любовниц Гитлера. При первом знакомстве фюрер публично восхитился красотой фрейлейн Дильс, припал к ручке, назвал «белокурой феей», и с тех пор каждая встреча сопровождалась ритуальным набором комплиментов, которые Габи выслушивала с очаровательной смущенной улыбкой. Никому не приходило в голову, что румянец, трепет ресниц, блеск глаз молодой журналистки вызван не смущением, а отвращением. Никто не замечал, как фрейлейн Дильс после беседы с Гитлером ускользает в дамскую комнату и тщательно моет руки, смывая невидимый след холодных влажных губ чудовища.

Для Габи рейхсканцлер Адольф Гитлер был чудовищем в прямом смысле этого слова. Впервые близко увидев фюрера, она узнала в нем призрака, обитателя детских кошмаров.

Призрак мерещился Габи, когда мать в наказание запирала ее в чулане. Свет сочился сквозь крошечное оконце под потолком, тени причудливо переплетались, образуя фигуру, похожую на человеческую. Плоское бледное лицо с кляксой усов под носом и косой прядью на лбу ухмылялось, гримасничало. Фигура кланялась, махала руками. Призрак репетировал роль живого человека, чтобы однажды выбраться из темного чулана на свет божий и наделать бед.

Из-под двери дуло. Маленькой Габи казалось, что от призрака веет могильным холодом. Выпученные глаза-стекляшки, как глаза кобры, видели только то, что движется, и Габи боялась пошевелиться. Там, в чулане, призрак не мог причинить ей вреда, он не имел нормального тела, его руки свободно скользили сквозь плотные предметы, пылинки в столбе тусклого света продолжали кружиться независимо от его движений. Но он мог заметить и запомнить маленькую девочку. В таком случае, выбравшись наружу, в мир живых людей, он обязательно найдет и убьет ее. Она знает его тайну. Знает, что он не человек, а призрак.

Взрослая Габриэль не помнила, из каких сказок сложились эти кошмары, но, впервые близко увидев фюрера, сразу вернулась в темный чулан своего детства.

«Ерунда, он обычный человек. Челка смазана бриолином, видны поры на носу, из ноздри торчит жесткий волос. Вот он улыбнулся, между зубами застряло перышко петрушки. Призраки не пользуются бриолином и не едят петрушку. Он просто сумасшедший, поэтому кажется таким странным», — успокаивала маленькую Габи взрослая Габриэль.

«Сумасшедших много, но ни один из них еще не становился рейхсканцлером Германии», — резонно возражала маленькая Габи.

Когда холодные влажные губы коснулись руки взрослой Габриэль, маленькая Габи сжалась в комочек и прошептала:

«Неужели никто не замечает, что он призрак?»

«Призраков не существует», — успокоила ее взрослая Габриэль, глядя в глаза чудовищу и улыбаясь застенчивой детской улыбкой.

Ей вдруг почудилось, что фюрер какими-то хитрыми внутренними щупальцами уловил мысленный диалог взрослой Габриэль и маленькой Габи. Легкая, едва заметная судорога пробежала по его лицу, глаза вспыхнули холодным голубоватым огнем. Но через мгновение губы растянулись в улыбке, огонь угас. Перед Габи стоял мужчина среднего роста, фигура его напоминала приплюснутую грушу — сверху узко, снизу широко. На бледном лице красовалась пошлая улыбочка, выпуклые светлые глаза

266

маслено блестели. Такими улыбочками и маслеными взглядами иногда провожали Габи на берлинских улицах мелкие чиновники, принаряженные и подвыпившие в честь выходного дня.

«Никакой он не призрак и даже не сумасшедший, в призраке и в сумасшедшем есть нечто таинственное, интересное, а он скучный, он самый обыкновенный пошляк», — говорила взрослая Габриэль маленькой Габи.

«Пошляков много, еще больше, чем сумасшедших, почему именно он стал главным?» — спрашивала маленькая Габи.

«Потому что в соревнованиях пошляков он занял первое место».

«Таких соревнований не бывает».

«Они идут постоянно, их для приличия называют солидным словом «политика», но на самом деле это соревнования пошляков, Гитлер одержал в них блестящую победу».

Маленькую Габи ответы не устраивали, она продолжала хныкать:

«Надо бежать отсюда, здесь противно и страшно».

Взрослая Габриэль иногда всерьез думала об эмиграции.

У нее были пожилые родители, режим их вполне устраивал. Сбежать по-тихому и оставить их в рейхе она не могла, уговорить ехать вместе — тем более.

Мама с папой восхищались Гитлером. Он выполнил все свои обещания: навел, наконец, порядок, накормил голодных, дал работу безработным, возродил дух нации, сплотил, воодушевил и ведет верным путем к великому будущему. Сталкиваясь с чем-то особенно жестоким, они всегда имели под рукой набор удобных объяснений: «Гитлер ничего не знает, все это тайные козни врагов, последствия войны, навязанной евреями, отрыжка гнилого либерализма и большевизма».

«С ними невозможно разговаривать! — хныкала маленькая Габи. — Они порют ахинею, называют чудовище

267

святым. Если они так думают, значит, они сами такие же чудовища, как он».

«Они не думают, просто повторяют то, что каждый день слышат по радио и читают в газетах», — заступалась за родителей взрослая Габриэль.

«Вот именно, не думают. Ни одной собственной мысли, только чужие. Что же они за люди?»

«Почему ни одной собственной? Кое-какие мысли есть. Мама думает, сколько набрать петель и как вывязать узор? Почему в лавке Зильбера сахар дешевле, чем в лавке Мюллера? Зильбер такой честный или сахар у него мокрый? Чем фрау Кох чистит свои кастрюли? Откуда у фрау Рон такая дорогая шляпка? Что лучше помогает от запора, сырая свекла или чернослив? А папа думает: в пивной «У Клауса» пиво кислое, зато сосиски всегда свежие и сочные, а в «Золт» пиво хорошее, но сосиски с душком, и пожалуй, лучше взять в «Золте» к пиву соленый крендель, а сосиски поесть дома, чем хлебать кислятину «У Клауса», к тому же «У Клауса» постоянно ошивается Фриц Шмидт, противно смотреть на этого бездельника, все норовит выпить за чужой счет».

«Хватит! — кричала маленькая Габи. — Они глупые и злые, никогда они меня не любили».

«Глупые, да, — соглашалась взрослая Габриэль. — Но злые — это слишком громко сказано. В чем-то добрые, в чем-то злые, в общем, нормальные люди и любят меня, только по-своему, не так, как мне хочется. Сейчас они старые, у папы гипертония, у мамы диабет, нельзя их бросать. Если я попытаюсь удрать, их могут отправить в лагерь, и я никогда себе этого не прощу».

В квартире родителей в гостиной висел небольшой скромный портретик фюрера в ореховой рамке. Под ним на этажерке в вазочке всегда стояли живые цветы. Заикнись Габи за воскресным семейным обедом, что фюрер наглое ничтожество, а национал-социализм омерзительное вранье, которое приведет Германию к катастрофе, мама и папа, наверное, свалились бы со стульев.

Они раздувались от гордости, когда видели ее лицо на плакатах и журнальных обложках. Папа считал, что своими успехами Габи обязана Гитлеру. Раньше всюду лезли евреи, оттесняли немцев, а теперь простая, но чистокровная немецкая девушка из небогатой, но честной семьи имеет возможность достичь высокого положения в обществе. Мама была с ним полностью согласна, но добавляла, что важную роль играет еще и правильное, строгое воспитание простой, но чистокровной немецкой девушки.

«Спасибо дорогому Гитлеру, что вывел меня в люди! Спасибо дорогой мамочке, что запирала меня в чулане!» — хихикала маленькая Габи.

«Ничего смешного, — одергивала ее взрослая Габриэль, — все правда. Если бы Гитлер не был похож на чудовище, а нацизм на чулан, я не стала бы работать на советскую разведку. А если бы я не работала на советскую разведку, мне не пришлось бы строить глазки всяким высокопоставленным уродам, чтобы воровать секреты рейха, и тогда я вряд ли сделала бы такую успешную карьеру на радость маме с папой».

* * *

— Сегодня лабораторный день, — напомнил старикашка в овальном зеркале над раковиной.

Карл Рихардович ничего не ответил, намылил щеки и принялся аккуратно скоблить их безопасным лезвием.

— Собираешься как на праздник, — продолжал издеваться старикашка. — Еще бы, такая интересная работа! Такие уникальные возможности для научных исследований. Ну, опять станешь врать, что попал туда не по своей воле, что тебя заставили? Давай ври, а я послушаю.

Сквозь мыльную пену проступили капельки крови. Как ни старался доктор игнорировать злые речи зеркального жителя, а все-таки рука дрогнула. Доскоблив щеки, он смыл пену, прижег царапину одеколоном.

— Ты сам напросился, сам! Никто тебя не заставлял! — старикашка продолжал кричать, когда Карл Рихардович уже вышел из ванной и заваривал чай на кухне. Затих лишь на улице, добившись ответа:

— Да, ты прав, я сам напросился.

В глубине проходных дворов 2-й Мещанской, всего в паре кварталов от дома, где жил Карл Рихардович, высился глухой бетонный забор с колючей проволокой. Он закрывал от внешнего мира небольшое пространство, около четырехсот квадратных метров. Машины въезжали через железные ворота, пешеходы пользовались неприметной калиткой, расположенной с тыльной стороны, там, где между забором и глухой стеной соседнего дома был узкий проход.

Внутри прятался старинный купеческий особнячок без номера, без опознавательных табличек. Ни в одной адресной книге этот дом не числился, ни на одной карте не был обозначен.

Трехэтажный особнячок, снизу каменный, сверху деревянный, удивительно контрастировал с грубым серым бетоном забора. Он был отлично отремонтирован, выкрашен яркими красками, казался сказочным теремком, пряничным домиком. На фоне бирюзовых стен лиловые витые колонки, розовые резные наличники. Крыша зеленая, как майская трава, с выбеленными кирпичными трубами. Оконные стекла отмыты до блеска, за ними видны горшки с геранью, кружевные занавески. Летом в небольшом палисаднике перед крыльцом цвели маргаритки, по всему периметру забора пышно разрастались кусты сирени.

Зимой кусты стояли до пояса в сугробах, пространство двора аккуратно расчищалось от снега. Каждый раз, сворачивая за угол, ныряя в узкий туннель между стеной и забором, нажимая кнопку звонка у калитки, Карл Рихардович надеялся, что никто не откроет. Но надежда таяла через несколько секунд. Скрипел снег, тихо звякали ключи. Калитка открывалась бесшумно, петли и замок были хорошо смазаны.

В проеме возникала одна и та же фигура, зимой в телогрейке, летом в порыжевшем матросском бушлате нараспашку. Слышалось сухое покашливание, сиплый фальцет произносил:

— Здравия желаю, товарищ доктор.

— Доброе утро, Кузьма, — неизменно отвечал Карл Рихардович.

Было трудно определить не только возраст Кузьмы, но и его рост, цвет глаз, волос, черты лица. Он сутулился, подгибал колени. Зрачки тонули в глубоких глазных впадинах. Плоские щеки и раздвоенный тяжелый подбородок покрывала густая ржавая щетина. Никогда Карл Рихардович не видел Кузьму гладко выбритым или с нормально отросшей бородой. Зато усы свои Кузьма холил, красил в черный цвет, расчесывал специальной щеточкой, чтобы выглядели точно как у товарища Сталина.

Кузьма жил в пряничном домике, исполнял обязанности сторожа, истопника, уборщика, дворника. Под телогрейкой он всегда носил портупею, кроме пистолетной кобуры, к ремню была прицеплена кожаная сумка с набором слесарных инструментов.

Пока шли к крыльцу, доктор увидел в углу двора, под шиферным навесом, хлебный фургон и новенький шоколадный «бьюик». По широкой дороге, покрытой тонким слоем утреннего снега, тянулись следы нескольких пар ног, не только обутых, но и босых. По сторонам двери стояли два красноармейца в форме внутренней охраны НКВД.

— Вот, товарищи бойцы, доктора веду, — сообщил им Кузьма и осклабил в улыбке темные редкие зубы.

Бойцы ничего не ответили, скользнули по лицу Карла Рихардовича равнодушными взглядами, отвернулись.

Внутри дома слышались странные звуки. Мерное постукивание, поскрипывание, мычание. Карл Рихардович снял шапку, пальто, размотал кашне.

— Сегодня, это самое, троих доставили, — прошептал Кузьма, доверительно подмигивая и помогая надеть белый халат. — Везут их сюды, падл троцкистских, двурушников, прям как в санаторий, здоровьице проверяют, давленьице, рост-вес, сердечную деятельность. Какая же это сердечная? Вражеская их деятельность, едрена вошь. А тута им нате-извольте, ванна горячая, белье свежее, питание калорийное, все по высшему разряду, за их-то шпионство, понимаешь.

Звуки затихли, потом усилились, мычание переросло в однообразный унылый вой. Карл Рихардович направился к лестнице, хотел подняться на второй этаж, но Кузьма остановил его, взял за локоть.

— Не-е, товарищ доктор, приказано вам сюды, Григорь Мосеич велел вас весть сюды.

«Сюды» означало просторную комнату за широкой двустворчатой дверью, бывшую купеческую гостиную с изразцовой печкой, лепниной на потолке. В углу поблескивал вишневыми лаковыми боками рояль, рядом на этажерке стоял патефон. Рояль, этажерка, да еще оттоманка, обитая цветастым ситцем, остались от старых домовладельцев. Все прочие предметы обстановки были завезены год назад, зимой тридцать шестого, после тщательного ремонта здания.

Вдоль стены сверкали чистыми стеклами белые медицинские шкафы, рядом стояли столы: лабораторный с микроскопом, аптекарскими весами, спиртовками и операционный, новейшей модели, с рычагами регулировки высоты. Из-под него торчала больничная каталка, обтянутая клеенкой. Возле печки, за китайской ширмой, прятался канцелярский стол, довольно облезлый, с латунным овалом инвентарного номера.

Центральное место занимало зубоврачебное кресло, но бормашины при нем не было. В кресле полулежал длинный худой мужчина, одетый в нижнюю грязную фуфайку и подштанники. Руки и ноги, пристегнутые ремнями, дергались так сильно, что тяжелое кресло тряслось и скрипело. Корпус выгибался дугой, обритая голова прыгала на подголовнике. Мужчина выл, кричать он не мог, изо рта торчал кляп.

За канцелярским столом сидел маленький худощавый брюнет в белом халате, писал что-то, низко склонившись, не обращая внимания ни на мужчину в кресле, ни на вошедшего доктора. Длинная, густо смазанная бриолином челка свисала до кончика носа и подрагивала в ритме движения пишущей руки.

Дипломированный врач, выпускник Тифлисского медицинского института, пламенный большевик Григорий Моисеевич Майрановский еще недавно заведовал токсикологической спецлабораторией Всесоюзного института экспериментальной медицины (ВИЭМ). Лаборатория занималась изучением ядов и разработкой противоядий. Григорий Моисеевич обожал яды, знал о них все и пытался создавать новые, более надежные, удобные в применении, имитирующие картину естественной смерти и не оставляющие следов в организме.

Ему требовалась зарубежная научная литература, он бесстрашно совал свой нос куда не следует, вынюхивал подходы к сверхсекретным разработкам, которые вел сверхсекретный спецотдел НКВД. В результате был уволен с занимаемой должности, исключен из партии «за развал работы спецлаборатории и попытку получить доступ к секретным сведениям».

В ожидании неминуемого ареста Григорий Моисеевич успел настрочить жалобу в ЦКК, в которой откровенно поведал о своих специфических научных изысканиях. Из ЦКК последовал приказ немедленно восстановить тов. Майрановского в партии. Сотрудники НКВД явились к нему, но не арестовали, а пригласили работать в секретной «Лаборатории Х» при 12-м отделе.

Майрановскому выделили удобное здание, особнячок на 2-й Мещанской, который прежде использовался для конспиративных встреч с секретными сотрудниками. В качестве «лабораторного материала» Майрановский получал заключенных, приговоренных к высшей мере наказания.

Поставкой заключенных ведал Василий Михайлович Блохин, начальник Комендантского отдела административно-хозяйственного управления НКВД. Майрановский передавал ему в устной форме заявки. Блохин подбирал людей требуемого возраста и телосложения. Молодые, старые, худые, полные, здоровые, больные доставлялись в особнячок на 2-й Мещанской в полное распоряжение Майрановского. Когда они умирали, Блохин подписывал акт об исполнении приговора.

В ходе опытов Майрановский обнаружил, что некоторые вещества не убивают, а развязывают язык. Испытуемый болтает без умолку, не контролируя себя. Это вдохновило Григория Моисеевича на поиски «таблетки правды».

Заказчиками продукции, производимой Майрановским, были сотрудники Иностранного отдела. Совершенные яды требовались им для спецопераций за рубежом. Работа над созданием «таблетки правды» вызвала у них жгучий интерес, было решено предоставить в помощь Майрановскому опытного психиатра. Руководство ИНО остановило свой выбор на докторе Штерне.

— Опаздываете, товарищ Штерн, — произнес Майрановский, не поднимая головы. — Я буду вынужден сигнализировать руководству.

Карл Рихардович ничего не ответил, подошел к мужчине в кресле, вытащил кляп, приложил пальцы к запястью, стал считать пульс.

Майрановский поднялся из-за стола.

— Ну-ну, Карл, я пошутил. Обиделись? Опоздали вы всего на пять минут, просто я не люблю ждать, вы знаете, я страшно нетерпелив, когда чувствую близость заветной цели. Азарт ученого, вам ли не понять этого сладкого и мучительного чувства.

Ясные голубые глаза Майрановского смотрели в упор на доктора, тонкие бледные губы мечтательно улыбались.

«Челка, голубые глаза навыкате, не хватает чаплинских усиков, а так — одно лицо», — подумал Карл Рихардович и спокойно произнес:

— Близость заветной цели, азарт ученого, все это замечательно, только зачем вы человеку с разбитым носом сунули кляп в рот? Нос у него не дышит. Еще немного, он бы умер от асфиксии.

Больной жадно хватал воздух беззубым ртом. Пульс был бешеный, но конвульсии закончились. Тело обмякло, глаза закрылись. Доктор быстро пересек комнату, распахнул окно. Сухо затрещали бумажные ленты, которыми Кузьма заклеивал на зиму рамы, вздыбились и полетели на пол бумаги с канцелярского стола, приоткрылась и с грохотом захлопнулась дверь

— Товарищ Штерн, что вы делаете? Меня продует! — в ужасе пискнул Майрановский.

— Ему нужен воздух, много воздуха, — доктор вернулся к больному, расстегнул ремни на запястьях, помассировал вспухшие кисти, приложил пальцы к шейной артерии.

Пульс немного успокоился. Лицо из багрового сделалось бледно-желтым.

— Вы меня слышите? — спросил доктор.

— Зачем? — пробормотал больной на выдохе. — Зачем подохнуть не дали?

Майрановский пытался закрыть окно, рама разбухла, он никак не мог втиснуть ее обратно.

— Простите, сработал рефлекс, наверное, я поступил неразумно, — прошептал Карл Рихардович на ухо больному.

— Так исправьте, пока не поздно. Не могу больше, — морщась, пробормотал больной. — Вколите мне что-нибудь, для вас пустяк, для меня огромное облегчение.

Майрановскому надоело возиться с рамой, он подошел к двери, громко позвал Кузьму. Тот явился мгновенно, окно закрыл на крючок, проворчал:

— Едрена вошь, заклейку содрали, теперь дуть будет, понимаешь. А чего это документы валяются? Документы государственные на полу, ну-ка я подберу.

— Не трожь, я сам! — рявкнул Майрановский. — Окно заклеишь сегодня же. Все, иди.

Пока Майрановский собирал бумаги, Карл Рихардович освободил от ремней ноги больного, повернул рычаг кресла так, чтобы опустилась спинка, прошептал:

— Отдохните, попробуйте поспать.

— Вечным сном... послушайте, меня все равно расстреляют, ну что вам стоит? Укольчик, и никаких мучений, — бормотал больной.

— Нет.

— Дайте пить, раз уж подохнуть не дали.

Карл Рихардович налил воды из графина, приподнял голову больного, поднес стакан к губам. Глядя, с какой жадностью он глотает, доктор подумал, что человек этот мог бы еще пожить, даже после всего, что с ним сотворили.

— Он по всем параметрам подходящий экземпляр, — сказал Майрановский. — Я испробовал на нем хлораль-скополамин*, но, кажется, произошла передозировка.

— Подходящий экземпляр? — Карл Рихардович подошел к Майрановскому, встал у него за спиной. — Вы хотите сказать, что источник информации долго сидел в тюрьме, его там лишали сна, сломали нос, выбили зубы, кормили соленой рыбой и не давали пить?

---

* Хлораль-скополамин — реальное название вещества, которое профессор Майрановский испытывал на заключенных в спецлаборатории при 12-м отделе НКВД. Никакой «таблетки правды» профессор не изобрел. Хлораль-скополамин, «кола-с» и прочие научные достижения Майрановского — смертельные яды. Один из филиалов лаборатории находился на 2-й Мещанской улице в Москве.

Майрановский развернулся на стуле, снизу вверх уставился на доктора. Глаза казались огромными и хрустально прозрачными. Такие же глаза были у полоумного ефрейтора. Дело, конечно, не в цвете радужки, не в прозрачности и выпуклости. Просто из этих окошек глядит на тебя нечто непостижимое.

«Психиатрия — наука о душевных болезнях. Существа, у которых душа отсутствует, никакому изучению и лечению не поддаются, — подумал доктор. — Куда же девается душа у таких существ? Кажется, Данте пытался ответить. В одном из последних кругов ада обитают души тех, кто формально числится живущим на земле. «Он есть, и пьет, и спит, и носит платье...»

Последнюю фразу, цитату из Данте, доктор пробормотал вслух, по-немецки. Майрановский молчал и продолжал смотреть на него не моргая, не двигаясь. Видимо, простой вопрос озадачил его, что-то сместилось в мозговом механизме.

— Источник информации, — спокойно продолжил доктор по-русски, — служит в каком-нибудь министерстве — обороны, экономики, неважно. Не мое дело, где он служит, но я знаю совершенно точно, что этот человек сыт, отлично высыпается, не искалечен побоями, не измотан болью. Вы, Григорий Моисеевич, повторяете все ту же методологическую ошибку. Прежде чем испытывать пилюли правды, необходимо привести человека в подобающий вид, а не пихать вашу дрянь дистрофику, полутрупу.

— Срочный заказ, — промямлил Майрановский. — Запасного подходящего экземпляра не нашли.

— Тем более странно, что вы чуть не угробили его.

— Я действую по инструкции!

Никаких инструкций не существовало. Похоже, это была одна из кодовых фраз. Как только Майрановский произнес ее, подвижность вернулась к нему, на щеках выступил легкий румянец, глаза заморгали, ноздри затрепетали. Мозговой механизм включился и заработал в нормальном режиме.

Больного перевели в лазарет, на второй этаж. Там в просторной чистой комнате стояли койки, на них лежали измученные полуживые люди. Доктору удавалось держать их у себя несколько дней. При помощи двух медбратьев, тоже из заключенных, Карл Рихардович лечил, мыл, кормил их. Препараты, разработанные Майрановским, он потихоньку подменял глюкозой, хлористым кальцием, физраствором, прочими безобидными снадобьями.

Ему ни разу не удалось сохранить человеку жизнь. Рано или поздно всех его подопечных убивали. Он не знал, правильно ли поступает, давая обреченным короткую передышку. Одни благодарили его, другие проклинали.

ГЛАВА ПЯТНАДЦАТАЯ

Когда Маша вернулась из театра, дома никого не оказалось. Мама дежурила в больнице, папа после недельной командировки забежал домой, бросил чемодан и умчался на работу. Вася торчал у Валерки или опять где-то ловил шпионов. Она не успела раздеться, зазвонил телефон. Взяв трубку, она услышала голос Мая.

— Машка, прости, ты устала, и поздно уже. Ничего, если я зайду минут на двадцать?

Мая не было на репетиции. Маша не знала, что случилось, на всякий случай сказала Пасизо, что он заболел.

— У тебя голос простуженный, может, лучше я к тебе? Лекарства какие-нибудь принести?

— Я здоров, ко мне сейчас нельзя, соседи опять что-то празднуют. Ну, пустишь в гости?

— Конечно.

Маша повесила трубку, сняла шубу, разулась. Май звонил из будки в двух шагах от ее дома. Телефона в его подвале не было. Соседи праздновали что-нибудь почти каждый вечер. Напивались, орали, дрались. Случалось, вламывались в их комнату, требовали валокардин и пустырник, если не хватало водки, выгребали из аптечки все спиртовые настойки. Май отдавал им бабушкины лекарства, не драться же с ними. Уйти вечером из дома Май не мог, бабушка боялась соседей, когда они что-то праздновали, а когда бывали трезвы, боялась еще больше.

— Почему ты не вызовешь милицию? — однажды спросила Маша.

— Потому что мы с бабушкой ЧСВР, члены семьи врагов народа, живем в Москве на птичьих правах, и нам лучше не возникать.

— Не понимаю, как можно все это терпеть, — сказала Маша.

Сейчас она ни за что не задала бы такого идиотского вопроса, не произнесла бы высокомерного «не понимаю». Май и его бабушка тоже не понимали, но терпели.

Май позвонил в дверь через пять минут. Он был синий от холода, глаза припухли и покраснели.

— Бабушку в больницу забрали. Я просто погреюсь чуть-чуть и пойду.

— Май, да ты ледышка.

Маша дала ему папины шерстяные носки, ладонями растерла уши, поставила на огонь чайник, выложила на стол все, что нашла в буфете. Пока она бегала из кухни в комнату, он ходил за ней, рассказывал, едва ворочая языком:

— Бабушке ночью стало плохо, пришлось вызвать «скорую». Они увезли ее в Склифосовского. Сказали, нужна операция. Двое хирургов отказались, она старая, вряд ли выдержит наркоз, у нее высокое давление, плохие сосуды. Есть один, который возьмется, но он в Склифе только консультирует, а оперирует в другой больнице, туда бабушку не положат.

— Почему? — машинально спросила Маша и сняла чайник с примуса.

280

В шкафчике она нашла гречку, высыпала в кастрюльку, залила кипятком. Надо было покормить Мая чем-то горячим. Он стоял сзади, ткнулся носом в ее макушку и пробурчал:

— Потому что больница ведомственная.

«В Кремлевке отличные хирурги-кардиологи, мама могла бы договориться», — чуть не сказала Маша, но вовремя опомнилась.

Беспартийных старушек из грязных подвалов, к тому же ЧСВР, не кладут в ведомственные больницы, не оперируют хирурги из Кремлевки, надо быть идиллической дурой, чтобы предлагать это Маю и просить маму «договориться». Мама, если бы могла, сделала бы для бабушки Мая все, что в ее силах. Но это абсолютно невозможно.

«Невозможно потому, что смертельно опасно, причем не только для нас, но и для Мая с бабушкой. Если мама заикнется, фамилию назовет там у себя в Кремлевке, органы мигом заинтересуются и мамой, и старушкой, за которую она хлопочет. Ну а если я преувеличиваю? Чего-то не понимаю? Если все-таки попросить маму?» — думала Маша.

— А может, правы те двое, которые отказались, и не стоит рисковать? — спросила Маша и накрыла кастрюльку крышкой, уменьшила огонь. — Пойдем в комнату, минут пятнадцать будет вариться. Мама говорила, у стариков все болезни протекают медленно, вяло, и бывает, старики выкарабкиваются сами потихоньку, без операций. В Склифе бабушку подлечат, подкормят, она отдохнет от ваших жутких соседей.

Май сморщился, махнул рукой.

— Подлечат, подкормят... Брось, Машка, она лежит в коридоре, чтобы судно поменяли, нужно нянькам дать, сестрам дать. Но суден не хватает, и простыней, и нянек, и койкомест. Я отдал все, что было, но слишком мало. Я сам мог бы там за ней ухаживать, но не пускают, у них карантин.

— В больнице все равно лучше, чем в вашем подвале. А деньги не проблема, у меня есть заначка, я откладывала Ваське на подарок, — она открыла ящик комода, достала из-под стопки белья конвертик. — Возьми, тут двадцать восемь рублей, потом еще что-нибудь придумаем.

Он помотал головой.

— Убери.

— Что значит «убери»?

Он взял конверт, положил назад в комод, закрыл ящик, обнял Машу, прижался колючей щекой к ее виску и прошептал:

— Спасибо, Машка, ты не обижайся, я понимаю, ты от чистого сердца, но я сам справлюсь. Твои двадцать восемь рублей бабушке не помогут, а Василий останется без подарка. Сколько ему исполняется?

— Одиннадцать.

— Ну вот, такая серьезная цифра, второй десяток, лучше поцелуй меня и давай поедим, с утра ничего не жрал.

Она чмокнула его в щеку, попыталась выскользнуть из его рук, но он не отпустил.

— Машка, у меня никого, кроме тебя, нет, только бабушка, но ей немного осталось, я один не смогу, не выдержу.

Губы у него были твердые и горькие, от волос, от ветхого джемпера пахло больницей. Пальцы, все еще холодные, дрожали, пытаясь расстегнуть пуговицы Машиной кофточки.

— Май, пожалуйста, не надо, миленький мой, хороший, не надо, ты хотел поесть, чай остынет, — бормотала Маша, уворачиваясь от его губ и рук, но вырваться, грубо оттолкнуть не могла.

«Этого не должно быть между нами, не из-за Ильи, нет, просто я не люблю Мая, мне его безумно жалко, и я его люблю, но не так, совсем по-другому, если сейчас это произойдет, получится ложь, получится ужас для всех, и я буду виновата».

— Машка, я уйду, не бойся, я уйду, только согреюсь чуть-чуть, капельку согреюсь, иначе умру, — шептал Май.

Он приподнял ее, оторвал от пола, она привыкла доверять его рукам, они отработали вместе множество сложных поддержек.

«Я не могу оттолкнуть его, но этого не должно произойти, ни за что на свете, нет... Господи, что мне делать?»

Хлопнула входная дверь, голос Васи крикнул:

— Эй, кто дома?

Май осторожно опустил ее, принялся бестолково возиться с кофточкой, пытаясь застегнуть пуговицы, бормоча:

— Прости, прости, не понимаю, что на меня нашло.

— Все, успокойся, — прошептала Маша, быстро застегнулась и крикнула:

— Васька, надень тапочки и вымой руки!

— Машка-какашка! — прозвучал ответ из коридора.

Вася был румяный с мороза и мокрый насквозь. Поздоровался с Маем сквозь зубы. Маша принесла из кухни кастрюльку. Вася приподнял крышку, сморщил нос.

— Опять гречка, — он схватил горсть карамели из вазочки.

— Положи конфеты, сядь и поешь нормально, — сказала Маша.

— Ел у Валерки, — он прихватил еще и пряник, шмыгнул за перегородку, хлопнул фанерной дверью.

Май сидел, низко опустив голову, катал по скатерти сушку, закручивал ее волчком, подкидывал, ловил.

— Ешь, пожалуйста, — Маша пододвинула тарелку. — Ты должен поесть горячего и нормально выспаться. Завтра воскресенье. В понедельник, если не явишься в театр, мне придется репетировать с Борькой Прохоренко.

— Ну, понятно, он же злой Петух во втором составе, знает все партии, — Май поймал сушку, сжал кулак и сломал ее.

— Я не хочу с ним. Ты должен танцевать премьеру. Это твой шанс. Твой и бабушкин.

— Она вряд ли дотянет до июня, — Май разжал кулак и высыпал обломки сушки на блюдце.

— Что ты ее хоронишь? Проснись, наконец! Пасизо не трогают, хотя муж ее сидит. Она ЧСВР, но ее не трогают. Знаешь почему? Потому что Пасизо лучший педагог-репетитор, она готовит солистов. Думаешь, вас с бабушкой оставили в Москве просто по забывчивости? Ерунда. Вас оставили потому, что ты можешь стать солистом.

— Машка, откуда ты знаешь? Лиду Русакову сняли с «Аистенка», когда арестовали ее отца.

Маша взяла сушку и с треском сломала ее в кулаке.

— Спасибо, что не сказал: ее сняли, а тебя поставили, но ты, Машка, в этом не виновата.

— Но ты правда в этом не виновата.

— Разумеется, нет, — Маша налила остывшей воды из чайника себе и Маю и произнесла быстро, со злой гримасой:

Я танцую лучше всех,
ждет меня большой успех.
Почему ж мне так паршиво,
будто подлость совершила?

— Это что? — удивленно спросил Май.

— Стишок. Сочинился сам собой, когда я увидела новый список распределения ролей. Мне действительно паршиво, мне стыдно и очень жалко Лиду. Но я хочу танцевать Аистенка и буду танцевать премьеру, причем с тобой, а не с Борькой Прохоренко.

— Почему? Чем я лучше?

— А чем я лучше Лиды? Ну скажи!

— Скажу, — спокойно кивнул Май. — У Лиды идеальная техника, она великолепно работает. Но она работает, а ты танцуешь. У нее хороший прыжок. Но она прыгает, а ты летаешь. Я говорю это как твой партнер, а не как взбесившийся жеребец, который тут атаковал тебя.

— Скорее уж не жеребец, а злой петух, — Маша, наконец, улыбнулась.

Май тоже улыбнулся, взял ложку, принялся за кашу.

— Ну вот, молодец. Кушай и слушай. Тебе дали танцевать Злого Петуха, когда твои родители были уже давно арестованы. А Лиду решили снять с роли еще до ареста ее отца. Возможно, Пасизо сказала это, чтобы мне стало полегче, но вряд ли. Такие нежности не в ее стиле. С самого начала, когда распределяли роли, был выбор между Лидой и мной. Лида работает точно, аккуратно, техника у нее филигранная. У меня техника слабее, я позволяю себе спонтанные импровизации. Выбрали Лиду, а мне дали Пионерку. Но потом решили все поменять. Дело не в отце Лиды, а в ее коленке. У нее хондроматоз, хроническое воспаление коленного сустава. Они испугались выпустить на премьеру танцовщицу с хондроматозом. Важная премьера, явятся вожди, иностранные дипломаты. Мало ли что может случиться? Но если бы Лида танцевала Аистенка, ее никто не посмел бы тронуть, из комсомола не исключили бы. Кстати, ее оставили в труппе, в кордебалете.

— Ты так и не сказала, чем я лучше Прохоренко, — напомнил Май.

— Ты видел меня в дуэтах с другими, с Камалетдиновым, с тем же Прохоренко. И ты знаешь, чувствуешь, как я танцую с тобой. Зачем что-то еще говорить?

Май доел кашу, запил остывшим чаем и, перегнувшись через стол, прошептал:

— Машка, ты танцуешь со мной так, что мне кажется, будто ты меня очень сильно любишь. Это правда? Или я ошибаюсь?

Маша протянула руку, погладила его по голове.

— Правда. Люблю очень сильно. Ты мой самый лучший друг, мой главный и единственный партнер, но есть человек...

Май резко убрал голову из-под ее ладони и сразу обмяк, сгорбился, бессильно уронил руки.

— Значит, я ошибаюсь. Вот дурак! Ладно. Есть человек. Я его знаю?

— Нет, он не наш, не балетный, не из театра, никто его не знает, я никому... — она осеклась, вздрогнула.

Фанерная дверь перегородки бесшумно приоткрылась, из полумрака поблескивал любопытный Васькин глаз.

— Теперь ты дома ловишь шпионов? — крикнула Маша. — Ну-ка брысь!

Глаз исчез, дверь закрылась, но тут же опять открылась. Показалась Васина голова. Притворно зевнув, он произнес тягучим басом:

— Маня, ты чего орешь? Я вот уснул, а ты меня разбудила. Я чаю хочу.

— Хорошо, — она встала, взяла чайник.

Май прихватил грязные тарелки, поплелся за ней на кухню.

— Не спрашивай меня больше ни о чем, — прошептала она. — Я сама ничего не понимаю, и хватит, все, забыли.

— Ладно, забыли. Только скажи, он не из них, не из этих?

— Нет. Он сам по себе.

— Невозможно, — Май помотал головой. — Так не бывает.

— Что ты имеешь в виду?

— Здесь и сейчас никто не может быть сам по себе.

— Все, хватит, пожалуйста. Ты не ответил, придешь в понедельник на репетицию?

— Вряд ли. Я не смогу танцевать, когда она лежит в коридоре.

— А когда лежала в вашем гнилом подвале, мог? Ну допустим, ты не придешь. Что дальше? К ней тебя все равно не пустят.

— Попробую устроиться туда санитаром.

— И этим окончательно ее добьешь. Я помню, когда у нее был очередной приступ, я пришла к вам, она лежала и повторяла: «Маинька, танцуй, пожалуйста, танцуй!»

— Она и сегодня это сказала, — мрачно кивнул Май, — но я не могу, когда она там.

— Можешь. Если ты уволишься из театра, тебя арестуют. Но когда мы удачно станцуем премьеру, ты станешь солистом, у тебя появится возможность лечить бабушку совсем в других условиях, и вас, наконец, переселят из подвала. Кино, театр, особенно Большой, это витрина. Витрина должна сверкать. Киноартистов, балетных и оперных солистов не трогают. Поэтому в понедельник ты явишься на репетицию. Завтра я с тобой поеду в Склиф и дам, кому нужно, денег, чтобы ее положили в палату и выносили судно. Сегодня ты останешься у нас, постелим на полу в нашей с Васькой комнате.

Послышалось легкое покашливание, на пороге кухни стоял Карл Рихардович и улыбался.

— Добрый вечер, Машенька. Здравствуйте, Май. Может, будет удобнее у меня? На диване лучше, чем на полу.

— Да, спасибо, это отличный вариант, — поспешила ответить Маша.

На самом деле в их с Васей комнате, если уложить на пол третьего человека, то можно запросто наступить на него ночью, места между двумя кроватями совсем мало и лишнего матраца нет. Но отпускать Мая в таком состоянии в его подвал, тем более в ночь с субботы на воскресенье, когда соседи празднуют, ужасно не хотелось.

Май забормотал, что ему неудобно и сейчас он пойдет домой, но глаза у него закрывались, он еле держался на ногах.

— Идемте, дам вам чистое полотенце, — Карл Рихардович тронул его за плечо. — Примите горячий душ и как следует выспитесь. Утром расскажете мне, что с вашей бабушкой, подумаем, чем можно помочь. Вы уж простите меня, я невольно слышал ваш разговор на кухне, двери открыты. Ты, Машенька, все правильно говорила, но очень уж громко.

Поздно вечером Илья забежал к мамаше на полчаса, узнал, что арестовали Верочку и Веточку, их комнату мгновенно заняла Клавка.

«Вот тебе и встреча в коридоре с товарищем Ежовым. Станешь тут суеверным!» — подумал Илья.

Разумеется, донос на старушек настрочила Клавка и выбрала их только потому, что ее комната была соседней, через стенку. Управдом выдал ей разрешение проделать в стенке дверь, и в квартире возился нанятый Клавкой плотник, стучал, пилил. Евгений Арсентьевич изнывал от приступа язвы, лежал в мамашиной комнате на диване, обмотанный вокруг пояса старой шалью. Мамаша крепко выпила, материла Клавку, грозилась отравить ее.

— Сынок, ну сделай что-нибудь, Верочка с Веточкой пропадут в тюрьме, сынок, помоги им, похлопочи, — повторяла Настасья, сидя на диване в ногах Евгеши и раскачиваясь взад-вперед.

— Настасья, с ума сошла? На что сына подбиваешь? — сипло зашептал Евгений Арсентьевич. — Хочешь, чтобы и его тоже? Берут, кто просит за арестованных, как сообщников берут, разве не знаешь? Начнет он хлопотать, сам пропадет, ты этого хочешь?

— Молчи, Евгешка! — рявкнула мамаша. — У моего Ильи должность ответственная, он ценный работник, он попросит, для него все сделают!

Но Евгеша не унимался, сел, свесил ноги с дивана, упрямо стукнул кулаком по коленке.

— Тем более если ответственная должность, сколько на его место желающих, а? Ради таких апельсинов с паюсной икрой мигом глотку перегрызут, только подставься! Смирно надо сидеть на должности!

— Ты-то, старый дурак, откуда знаешь? Чего за Ильюшу говоришь? Ну скажи ему, сынок!

— Мамаша, сейчас, именно сейчас, ничего нельзя сделать, — мрачно процедил Илья. — Потом, позже, может, удастся попробовать.

— О-ой, Пресвятая моя Владычица Богородица, — простонала Настасья, — когда позже-то? Пропадут они там, Божьи ласточки, передачу носила, не взяли, хер казенный в окошке: «Не положено, проходите, следующий», слова от него не добьешься, люди в тех очередях сутками дежурят, на морозе, с малыми детьми. Сынок, объясни ты мне, что ж это такое? Сколько еще упырю нужно кровушки? Сколько нужно, чтобы насытилась его гнилая утроба?

— Мамаша, все, молчи, молись про себя Пресвятой Богородице и молчи, — Илья обнял ее, погладил седую голову. — Я не могу помочь Веточке и Верочке, никак не могу, прости меня, от Клавки держись подальше, прекрати пить и болтать.

— Хорошо, сынок, я поняла, — она взглянула на него опухшими мокрыми глазами. — Ты меня прости, что пристаю к тебе с глупыми бабьими просьбами, прости дуру старую.

Прощаясь, он шепотом спросил Евгения Арсентьевича:

— Фамилия Клавки — Лисова?

— Лисина Клавдия Ивановна.

— Где работает?

— Машинистка в Краснопресненском райкоме комсомола, — Евгеша испуганно заморгал. — Илья, что ты собираешься делать?

— Не знаю. Еще не придумал.

Ничего он не мог придумать, как ни ломал голову. О том, чтобы вытащить Верочку и Веточку, он даже не мечтал. Знал, что пропали Божьи ласточки, из мясорубки нет пути. Сейчас никого не выпускают, разве что заведомых стукачей-провокаторов, но даже их крайне редко и неохотно, по капризу Инстанции.

Он почти не спал ночью, утром явился на службу вялый, сонный, позвонил в буфет, попросил принести крепкого кофе и бутербродов.

«Забрать мамашу к себе? Не согласится, много раз предлагал. Да и не сумеет она жить на Грановского без своего Евгеши, без подружек-подавальщиц и прочего «простого народа». Если даже уговорю, все равно станет постоянно мотаться туда, на Пресню. И как ей объяснить, что в мои хоромы гостей своих она позвать не сможет, а разговаривать с соседями, которых встречаешь в лифте и во дворе, можно только о погоде, и то аккуратно подбирая слова?»

Он массировал виски, болела голова, перед глазами маячили старенькие библиотекарши Верочка и Веточка, не мог не думать о них, представлял, как они сидят на протертой кушетке, прямые, застывшие, пока деловитая ежовская сволочь роется в их ветхом барахлишке. Потом воронок, камера. Вряд ли их уже водили на допрос, обычно людей держат в неизвестности нарочно долго. Впрочем, сейчас, перед процессом, для срочного пополнения рядов террористов Божьи ласточки вполне сгодятся. Все пришьется к делу — дворянское происхождение, французский язык, Бестужевские курсы, тайное монашество Верочки, муж Веточки, царский поручик, погибший двадцать лет назад.

— Пропали Божьи ласточки Верочка и Веточка.

Голова болела так сильно, что он забылся, произнес это вслух, чуть слышным шепотом. А в кабинет уже вошла румяная подавальщица Тася с подносом, накрытым белой крахмальной салфеткой.

— Вы что-то сказали, Илья Петрович? Не расслышала я, извиняюсь.

— Нет, ничего, Тася, думаю вот, шоколаду я напрасно не попросил, — быстро, с обаятельным оскалом произнес Илья.

— Шоколаду? А тут вам конфеточки, трюфель. Вы не заказали, только подумали, а я уж положила, с кофейкомто самое оно, сладенькое с утра хорошо, полезно. Кушайте на здоровье, Илья Петрович.

«Пирамидону, что ли, принять? — подумал Илья, когда дверь за ней закрылась. — Боль пройдет, тоска останется, неизвестно, что хуже».

Он развернул стул и спросил, обращаясь к портрету Хозяина:

— Может, отравить эту Клавку, подсыпать стрихнину в суп?

Усатое лицо выразило безусловное одобрение, даже показалось, что подмигнул прищуренный глаз.

— А пошел ты, Сосо... — прошептал Илья и неожиданно для себя вдруг выдал матерную тираду не хуже тех, которыми утешался Поскребышев.

Полегчало, боль отпустила. Он сжевал пару бутербродов, выпил кофе с конфетами, закурил, попытался представить Веточку и Верочку не в общей камере, не в кабинете ублюдка следака, а на райском побережье, где всегда тепло, шумит море, никогда не вянут живые цветы и Божьи ласточки вьют гнезда под черепичными крышами.

В дверь постучали. Илья решил, что вернулась Тася забрать поднос с посудой, но вошел фельдъегерь с Лубянки, вручил запечатанный пакет. Сургуч был еще теплый. Илья расписался в получении.

Судя по штампам, послание пришло от Слуцкого Абрама Ароновича, начальника ИНО. Такое случалось крайне редко. Обычно информация из всех отделов НКВД, включая Иностранный, стекалась в секретариат Ежова, там сортировалась, фильтровалась, шла к Поскребышеву и уже от него попадала к спецреферентам.

Илья вскрыл пакет. Сверху лежали копии свежих агентурных сообщений. Проверенные источники, все тот же дятел и прочие, строго следуя генеральной линии, продолжали талдычить: Троцкий вместе с Гессом и гестапо организует заговоры, наводняет СССР шпионами, террористами, вовсю идет подготовка государственного переворота и убийства товарища Сталина.

Вряд ли умный Слуцкий ради очередной порции ритуальной белиберды решился бы действовать в обход секретариата.

Илья листал бумаги одну за другой, все это были машинописные копии, вторые экземпляры, отпечатанные под копирку на бланках. Ничего нового в текстах не содержалось. Он уже хотел убрать стопку в сейф, но заметил страницу, которая существенно отличалась от прочих. Сразу бросилось в глаза, что это первый экземпляр, отпечатанный не на бланке, а на простом листке, плотно, через один интервал. Сверху лиловыми чернилами отмечены число, время получения и расшифровки текста, кодовое имя агента Сокол, номер Z/248, неразборчивая подпись шифровальщика.

Заголовок вписан от руки, простым карандашом: «Сообщение агента Сокол Z/248 из Берлина».

«Он не имеет права отправлять мне распечатку сообщения, полученного и расшифрованного всего час назад. Зачем он это делает?» — подумал Илья, встал, прошелся по маленькому кабинету, размял закостеневшие от долгого сидения мышцы, несколько раз наклонился вперед-назад, повертел головой, плечами и, успокоившись, вернулся за стол.

Агент под кодовым именем Сокол и номером Z/248 никогда прежде в сводках не встречался, вероятно, это был новый человек. Прочитав первую фразу: «Мною проведена оперативная встреча с источником Эльф», — Илья улыбнулся и поздоровался:

— Привет, Эльф. Давно не было от тебя вестей. Как поживаешь?

«Получена следующая информация, — писал Сокол.

1. Канарис в последнее время часто встречается с руководителем украинских националистов Коновальцем. Гей-

дрих имеет свою агентуру среди бывших белых. Один из руководителей РОВС, генерал Скоблин, — платный агент гестапо.

2. В Праге с декабря прошлого года шли секретные переговоры, Хаусхофер и граф Траутсмадорф обсуждали с президентом Бенешем вопрос о Судетах. Бенеш ни на какие уступки не идет. Гитлер видит причины его неуступчивости в том, что в случае военного конфликта Бенеш надеется на помощь СССР. Агент Эльф утверждает, будто бы Гейдрихом с санкции Гитлера запущен слух о готовящемся в СССР военном перевороте, целью которого является свержение товарища Сталина и установление военной диктатуры. Военные во главе с Тухачевским готовят переворот, надеясь на поддержку немцев, но не Гитлера, а оппозиционных генералов. Генерал Скоблин задействован в дезинформационной игре.

3. Гейдрих затребовал у Канариса документы, касающиеся сотрудничества Красной армии с рейхсвером. Эльфу не удалось узнать, выдал ли Канарис требуемые бумаги, но Эльф утверждает, что это неважно, поскольку любые документы гестапо может подделать.

Слухи о заговоре упорно распространяются, приходят из разных источников: дипломатических, военных, эмигрантских. Эльф категорически настаивает, чтобы мы ни в коем случае не верили этим слухам.

Гейдрих организовал широкую кампанию дезинформации, преследующую несколько целей. А) повлиять на Бенеша, заставить его пойти на уступки; Б) скомпрометировать оппозиционных Гитлеру генералов вермахта в глазах Гитлера; В) очернить советских военачальников в глазах Сталина и таким образом ослабить Красную армию.

Далее Эльф заявил, будто ему из личных разговоров офицеров абвера и гестапо известно, что ни одного эффективно действующего немецкого шпиона в настоящее время на территории СССР нет. Все попытки переброски и вербовки агентуры заканчиваются провалом. Эльф приводит слова Канариса: у нас нет никакого четкого представления о Советском Союзе и его военном потенциале, есть только разные степени незнания.

Эльф категорически утверждает, что переговоры между Троцким и Гессом невозможны из-за фанатичного антисемитизма Гесса и еврейской национальности Троцкого, а также потому, что ни Троцкий, ни Гесс не представляют сегодня реальной политической силы и переговоры между ними не имеют практического смысла.

В конце беседы Эльф сообщил, что для назначения следующей встречи необходимо поместить объявление в воскресном приложении «Берлинер Тагеблатт». «Срочно отдам в хорошие руки щенка королевского пуделя женского пола. Возраст три месяца, окрас шоколадный, кличка Флора, нрав веселый. Звонить по вторникам и пятницам, в любое время». В телефонном номере должны быть цифры 16 и 18. Текст должен быть набран жирным курсивом, обведен волнистой рамкой. После размещения вышеуказанного объявления с четырех до шести вечера Эльф будет ждать связи в кафе «Флориан», Штайнплац, 8, Шарлоттенбург, каждый вторник с 16 до 18 часов. Опознавательные знаки — пачка французских сигарет голубые «Голуаз», рекламный буклет универмага «Вертелль». Пароль без изменений».

— Ай да Эльф, — пробормотал Илья и бесшумно хлопнул в ладоши. — Что бы я без тебя делал, умница Эльф?

Новость о регулярных контактах Канариса с Коновальцем следовало сию минуту внести в готовую сводку, не случайно Сокол начал сообщение именно с нее. Что касается генерала Скоблина, о нем давно было все известно. Генерал работал не только на гестапо, но и на НКВД.

Илья вставил в машинку чистую страницу и напечатал с пометкой «срочно» информацию о Канарисе и Коновальце.

Задребезжал аппарат спецвязи.

— Товарищ Крылов, я отправил вам срочное сообщение. Вы получили?

Голос начальника ИНО Слуцкого звучал глухо, напряженно. Илья представил, как он сидит в своем кабинете на Лубянке и обливается холодным потом.

— Да, Абрам Аронович, я все получил.

В трубке слышалось тяжелое дыхание. Слуцкий не решался продолжить разговор. Илья молча ждал.

— Нужно встретиться, — наконец выдавил Слуцкий. — Можете часам к десяти подъехать в Настасьинский?

— Постараюсь.

Как только он положил трубку, в кабинет вошел Поскребышев. На этот раз лысина его была сухой и бледной, толстые губы поджаты, подвижная обезьянья физиономия имела сероватый оттенок. Не глядя на Илью, он сипло крикнул:

— Давай!

— Сейчас, Александр Николаевич, одну минуту, — Илья вложил в папку листок с информацией о Канарисе и Коновальце, аккуратно завязал ленточки.

— Что ты возишься? Быстрей! — рявкнул Поскребышев и облизнул губы. — Будь на месте, понял? Вызвать может в любую минуту!

Он схватил папку и вылетел.

Оставшись один, Илья еще раз перечитал сообщение Сокола, сжал виски ладонями и пробормотал:

— Эльф, Эльф...

ГЛАВА ШЕСТНАДЦАТАЯ

Габи снилась Венеция, этот сон повторялся часто и оставался неизменным, в нем каждый раз с точностью кинохроники прокручивались одни и те же реальные события, то есть это был вовсе не сон, а воспоминание.

Габи любила Венецию, а с июня 1934-го считала этот город лучшим местом в мире. Она прилетела туда в составе журналистской делегации освещать официальную встречу Гитлера и Муссолини. Фланируя среди журналистов и дипломатов по фойе Гранд-отеля, где в королевских апартаментах должен был остановиться фюрер, она выронила блокнот, наклонилась и стукнулась головой о чью-то голову. Удар получился довольно сильный и болезненный. Распрямившись, Габи увидела перед собой молодого итальянца, он протягивал ей блокнот, который успел поднять первым, и виновато улыбался.

— Простите, фрейлейн, вам не больно? Наверное, стоит сразу приложить холод, чтобы не выросла шишка.

Он говорил по-немецки с легким акцентом. Она смотрела на него и не понимала, почему не может оторвать глаз. Вполне обычное мужское лицо, темные коротко остриженные волосы, узкий овал, тонкий нос с небольшой горбинкой, черные прямые брови.

Тогда, в июне 1934-го, и потом, много раз, наяву и во сне, Габи пыталась разгадать загадку дикого примагничивания ее к нему с первой минуты. Ему она никогда в этом не признавалась и повторяла про себя: «Без него было так спокойно, а теперь я пропала».

Ни наяву, ни во сне она не находила ответа, почему не может без него жить. Вначале надеялась, что наваждение пройдет, их роман закончится и она станет прежней фрейлейн Дильс, свободной и сильной, насмешливой и хитрой. Но надежда оказалась напрасной. Роман длился третий год, ее к нему тянуло так же неодолимо, как при первой встрече.

«Зачем это мне? Кто он, собственно, такой?»

— Меня зовут Джованни Касолли.

Он сунул ее блокнот в карман своего пиджака, взял с подноса проходившего мимо официанта стакан, достал носовой платок, завернул в него кубик льда, добытый из стакана, и приложил к голове Габи, точно к ушибленному месту.

Все это он проделал быстро, ловко и даже успел кинуть на поднос официанту какую-то мелочь. Габи подняла руку, чтобы самой держать холодную примочку, встретилась с его рукой, сказала:

— Габриэль Дильс... спасибо, мне вовсе не больно, а вам? Вы тоже ушиблись, у меня такая твердая голова...

Они стояли рядом, соприкасаясь плечами, в толпе, встречавшей фюрера и дуче, и шепотом, на ухо делились впечатлениями.

Фюрер в мятом сером дождевике и лаковых ботинках выглядел жалко рядом с дуче, облаченным в парадную военную форму, и было заметно, как его нервирует такой контраст. Он хотел нравиться Муссолини, дружить с ним. Габи знала, что в штаб-квартире нацистской партии в

Мюнхене на столе Гитлера с давних пор красовался огромный бронзовый бюст Муссолини. В 1933-м, став рейхсканцлером, он повторял в интервью и публичных выступлениях, что испытывает глубокие дружеские чувства к дуче, а тот на вопрос, как он относится к Гитлеру, неизменно отвечал: «Мне нет до него дела».

Вечером во внутренних покоях Дворца дожей был дан концерт. Симфонический оркестр исполнял Верди и Вагнера. Предполагалось, что при выходе из концертного зала дуче и фюрера встретит восторженная толпа, но вечер выдался холодный, толпа замерзла и разошлась раньше, чем закончился концерт. Дуче и фюрера встретила пустая площадь, даже голуби разлетелись.

Габриэль и Джованни бродили по ночному городу, вдоль каналов. На набережной Неисцелимых он обнял ее, чтобы согреть, они не заметили, как начали целоваться, потом наняли гондолу, плавали до рассвета, закутавшись в жесткие колючие пледы.

Отель, в котором жила Габи, кишел агентами гестапо. Она успела к завтраку. Сонная, разнеженная, она сидела на веранде гостиничного ресторана, смотрела на залив, пила маленькими глотками крепчайший итальянский кофе, стараясь не заглушить вкус губ Джо, когда к ней подсел одышливый толстяк Густав Раух, исполнительный секретарь Имперской палаты прессы, верный песик Геббельса, и спросил:

— Фрейлейн Дильс, где вы провели ночь?

— Спала в своем номере, — равнодушно зевнув, ответила Габи. — А почему вас это интересует?

— Охрана доложила, что никто не видел, как вы вернулись в отель после концерта. Вы исчезли, ночная Венеция не самое безопасное место для молодой фрейлейн.

— Милый Густав, Венеция самое чудесное место в мире, ночью она особенно прекрасна, я бы с удовольствием погуляла по ночной Венеции, но было слишком холодно, я устала, легла спать.

— Габриэль, я стучал к вам в номер, никто не ответил, — он понизил голос до шепота и придвинул стул ближе. — Господин министр лично интересовался вашим здоровьем.

«Ах ты, жирная шавка, сводня, — выругалась про себя Габи. — Проклятый уродец решил заняться мной всерьез».

Знакомство с Джованни напрочь выбило из головы эту проблему. Накануне встречи двух вождей Геббельс выступал на заседании Имперской ассоциации немецкой прессы, наставлял журналистов, как освещать эпохальное событие. Габи сидела в третьем ряду и несколько раз ловила на себе долгий взгляд больших карих, с поволокой, глаз министра пропаганды. Когда министр после заседания подошел к ней, Габи испугалась всерьез. Было известно, что любвеобильный карлик болезненно обидчив и отказ чреват серьезными неприятностями.

Вскоре Геббельс явился в фотоателье, где проходили съемки Габи для очередного рекламного плаката, с букетом пурпурных роз и предложением сегодня вечером поужинать вдвоем на лоне природы. Габи со свойственной ей прямотой призналась министру, что как раз сегодня отвратительно себя чувствует из-за обычного женского недомогания, но в другой раз обязательно, непременно.

На следующее утро Габи отправилась в Венецию, но было ясно, что это только отсрочка, проблему предстоит решать. Как, пока неизвестно.

— Густав, вы могли стучать до утра, когда я ночую в отелях, обязательно затыкаю уши ватой и ничего не слышу, — произнесла она таким же интимным шепотом.

С Джованни они встретились у площади Сан-Марко, где проходил парад чернорубашечников. Дуче стоял на одном балконе, фюрер на другом. Толпа весело махала платочками дуче и не замечала фюрера. Габи и Джо не замечали ни толпы, ни вождей. Они не могли расцепить рук и едва сдерживались, чтобы не начать целоваться у всех на глазах.

Повторить ночную прогулку они не рискнули. Вечером, на торжественном приеме в Гранд-отеле им пришлось держать дистанцию, Густав Раух не спускал с Габи глаз. Им удалось ускользнуть на несколько минут, обняться в темном углу кофейного павильона.

Когда Габи вернулась в Берлин, уже вовсю шла подготовка к предстоящей расправе с Ремом, министру пропаганды в те дни было не до любовных похождений, а потом его сердцем завладела опереточная актриса Эда Хольдах и он забыл о фрейлейн Дильс.

«Ночь длинных ножей» спасла Габи от ухаживаний очаровашки Геббельса и подарила несколько восхитительных часов наедине с Джо. В числе прочих иностранных журналистов Касолли прилетел в Берлин, чтобы присутствовать на пресс-конференции, которую давал Геринг. Сразу после пресс-конференции Джо и Габи отправились на разных такси в Шарлоттенбург, в маленький пансион, где задорого сдавали комнаты, не проверяя документов.

Вот уже два с половиной года они тайно встречались в Берлине, в разных городах Европы, иногда им удавалось побыть вместе несколько дней на Лазурном побережье Франции, в Сицилии, в Швейцарских Альпах, иногда свидания оказывались совсем короткими, всего пара часов. Расставаясь, они не знали, когда и где увидятся в следующий раз, увидятся ли вообще.

С ноября 1936-го Габриэль Дильс считалась уже не просто подругой, а невестой барона фон Блефф. Матушка-баронесса мечтала о внуках. Капризный отпрыск ни о каких женщинах, кроме фрейлейн Дильс, не желал слышать, и матушке пришлось, наконец, смириться с простонародным происхождением Габриэль.

Никто не догадывался, что баронская невеста по уши влюблена в сотрудника пресс-центра итальянского МИД синьора Касолли, который часто бывает в рейхе, берет интервью у нацистских вождей, у самого Гитлера. Никому не могло прийти в голову, что Касолли еврей, родившийся в Одессе, и зовут его Ося Кац.

— Зачем это мне? Ну зачем, Господи? Я не хочу, я боюсь, я не могу без него, — бормотала во сне Габи, уткнувшись лицом в подушку.

Ее разбудил телефонный звонок. Услышав в трубке голос Франса, она сморщилась. Нежный жених вздыхал, похныкивал. Верный признак очередной депрессии.

— Где ты была в воскресенье?

— Франс, что случилось? Ты встал не с той ноги?

— Горничная Роза видела тебя в кинотеатре «Марс», ты смотрела «Триумф воли».

«Вот тебе и серая фрау», — подумала Габи и промурлыкала в трубку:

— Мг-м, а потом я бегала голая по Александрплац и разбрасывала большевистские листовки.

— Перестань дурачиться, она говорила не со мной, а с мамой. Все это очень неприятно. Горничная Роза видела рядом с тобой какого-то юношу, во время сеанса вы шептались.

«Она, конечно, агент, и наблюдательна, как положено хорошему агенту, — размышляла Габи, — но в «Марс» пришла отдохнуть в свой законный выходной, посмотреть кино, а не следить за фрейлейн Дильс. Вряд ли ко мне приставили бы горничную из дома фон Блефф, наверняка поручили бы кому-то другому, ведь я могу узнать горничную».

— Она скромница, ваша Роза, — произнесла Габи елейно жалобным голоском. — Мне очень стыдно, Франс, мы не только шептались, мы целовались и даже занимались любовью, это было ужасно неудобно, кресла в «Марсе» такие жесткие и скрипучие.

— Заткнись! — взвигнул Франс. — Мама в ярости, она ударила Путци.

— О боже, при чем здесь Путци?

— Случайно попался под руку.

— Франс, я не верю в такие случайности. Матушка сурова, но справедлива. Неужели горничная Роза сказала, что юноша, с которым я шепталась в кинотеатре, — Путци?

— Нет-нет-нет! — Франс задыхался и всхлипывал.

— Конечно же, нет, милый, на такую чудовищную ложь неспособна даже горничная Роза. Но тогда за что же досталось бедному мальчику?

В трубке шелестело, трещало. Франс долго сморкался, наконец, произнес:

— Кто-то разбил крышку от супницы из фамильного сервиза, свалили на него, и мама ударила его по лицу.

«Отлично! В таком случае при чем здесь я?» — подумала Габи и запричитала:

— Бедняжка Путци! Это подло, мерзко — валить все на глухонемого, он ничего не скажет в свое оправдание!

— Она ударила очень сильно, ты знаешь, какая у нее тяжелая рука, — всхлипывая, продолжал Франс. — Губа распухла и кровоточит, передний зуб шатается. Габи, кто был тот юноша рядом с тобой в чертовом кинотеатре?

— Советский агент.

— Прекрати! Мне не до шуток!

— Ладно. Клянусь говорить правду и только правду. Во всем виноваты мамочкины картофельные оладьи.

— Габи!

— Не кричи, солнышко, дай мне сказать. В воскресенье утром я приехала к родителям, мы давно не виделись, я обещала, что проведу с ними весь день. Но моей дочерней любви хватило только на полтора часа. Я придумала какую-то уважительную причину и сбежала. Немного посидела в кафе, запила мамины оладьи большой чашкой паршивого кофе, потом решила пройтись пешком по Вагнерштрассе. И то и другое оказалось роковой ошибкой. У меня прихватило живот, едва успела добежать до кинотеатра, единственного места на несколько кварталов, где имелась уборная. Эй, милый, ты слушаешь?

— Да, Габи, слушаю очень внимательно. Почему ты не вышла сразу из кинотеатра? Зачем осталась смотреть фильм, который видела раз десять?

— Ох, Франс, разве я могла рисковать? Вот выйду на улицу, и опять прихватит живот. А фильм Лени совершенно магический, начинаешь смотреть, оторваться уже невозможно, хотя каждый кадр помнишь наизусть. Я так увлеклась, что не заметила, как моя сумочка упала на пол. Какой-то любезный юноша поднял, я поблагодарила, разумеется, шепотом, чтобы не мешать другим зрителям.

— И все? Только поблагодарила, и все?

— Ну, если тебе этого мало, спроси горничную Розу, она лучше знает.

— Габи, извини, я понимаю, тебе противен этот разговор, мне тоже, я привык доверять тебе, но мама требует объяснений. Согласись, будет лучше, если объясняться с ней придется мне, а не тебе.

— Конечно, Франс, я не сержусь. Еще остались вопросы?

— Поклянись, что это не любовник!

— Клянусь, милый.

— Габи, мне так плохо...

«Если нас сейчас слушают, это замечательно! — Габи улыбнулась и подмигнула своему отражению в трельяже. — Барон фон Блефф подозревает невесту в неверности, он ее обожает, ревнует, не может сдержать рыданий. Кому придет в голову, что причина слез вовсе не фрейлейн Дильс, а глухонемой поваренок, которому грозная мамаша-баронесса разбила губу, и что молодой человек, с которым бдительная горничная застукала баронскую невесту в кинотеатре, на самом деле советский агент?»

— Франс, перестань хныкать, возьми себя в руки. Нужно обязательно разобраться, кто раскокал чертову крышку. Это принципиальный вопрос. Дело не в крышке. Человек, который способен свалить собственную вину на глухонемого мальчика и подставлять его под удар, не должен оставаться в доме. Ты согласен?

— Еще бы! Разумеется, согласен! — оживился Франс. — Но как выяснить? Устроить всем слугам допрос с пристрастием?

— Это ничего не даст.

— Почему?

— Потому что матушка наверняка уже допросила слуг.

— Никого она не допрашивала, ворвалась на кухню и ударила Путци. Бедняжка даже не понял, за что.

— Странно.

— Да, ты права, очень странно. Мне только сейчас пришло в голову, — озадаченно пробормотал Франс.

— Милый, но в таком случае круг подозреваемых сужается. Достаточно знать, с кем беседовала матушка перед тем, как ударила Путци. Именно этот человек оклеветал мальчика, он же разбил крышку. Мне почему-то кажется, это женщина, и зовут ее Роза.

Последовала долгая пауза, Франс тяжело дышал, сопел, наконец, прошипел, как раскаленная сковородка, на которую плеснули воды:

— Она за все ответит, я заставлю маму уволить мерзавку, сейчас же этим займусь.

— Займись, дорогой. В доме баронов фон Блефф не место подлым клеветникам.

— Сию минуту иду к маме! Я тебя обожаю, ты самая умная женщина в мире.

Габи бросила трубку, потянулась, пробормотала в подушку:

— Оревуар, агент Роза! Впрочем, какая разница? Ее место займет другая гестаповка. Вся прислуга в особняке фон Блефф завербована. Удивительно, как до сих пор никто не засек ночные забавы Франса с малышом Путци?

Не хотелось вылезать из-под перины, комната выстудилась за ночь, Габи привыкла спать с открытой форточкой. Давно уж рассвело, день был морозный, ясный. После небольшой ленивой гимнастики она встала под горячий душ и принялась насвистывать мелодию, отдаленно похожую на «Турецкий марш».

«На самом деле они знают».

Это сказала маленькая Габи. Взрослая Габриэль продолжала свистеть.

«Знают, — тревожно шептала маленькая, — не могут не знать, но молчат, Гейдрих хранит это в своей коллекции, он ведь собирает всякие тайные гадости о людях, как другие собирают марки и спичечные коробки».

Габриэль перестала свистеть, выключила воду, протерла запотевшее зеркало. Маленькая Габи, хоть и была напугана внезапным открытием, а все равно скорчила смешную рожицу, она всегда так делала, когда смотрела на себя в зеркало.

«Ладно, допустим, — размышляла Габриэль, расчесывая волосы, — Гейдриху известно, что предстоящий брак барона фон Блефф с фрейлейн Дильс — это блеф. Зачем блеф нужен барону, понятно, а чего хочет фрейлейн?»

Маленькая Габи, скорчив очередную рожицу, произнесла глуховатым высоким фальцетом, похожим на голос Гейдриха:

«Фрейлейн хочет стать баронессой фон блеф-блеф. Простая немецкая девушка из небогатой семьи мечтает о титуле и больших деньгах».

«Что ж, вполне естественное желание, — согласилась взрослая Габриэль. — Ради титула и состояния фрейлейн готова выйти замуж за педика, изображать семейное счастье».

«Ой-ой-ой, а ведь матушка-баронесса тоже знает», — жалобно простонала маленькая Габи.

«Конечно, знает, поэтому и врезала по физиономии бедняге Путци, когда горничная Роза рассказала ей о моем любовном свидании. Дело вовсе не в крышке от супницы. Постыдная семейная тайна прячется в укромном уголке большого материнского сердца. Если старая баронесса нервничает, у нее повышается давление, тайна бьет в голову».

Взрослая Габриэль готовила завтрак, маленькая молчала, с наслаждением вдыхала запах кофе и апельсинового сока.

Многие годы само слово «завтрак» вызывало тоску и тошноту. Габи ненавидела манную запеканку с кленовым сиропом, разваренную в молоке лапшу, жидкий приторный какао, все, что в детстве приходилось впихивать в себя ранним утром в холодной кухне. Она давно жила одна, но каждое утро радовалась свободе так, словно только вчера ускользнула из родительского дома.

«Да, но если старая баронесса знает, почему она постоянно твердит о внуках?» — спросила маленькая Габи, цокнув ложкой по яйцу.

«А что ей делать? Она родила Франса в сорок два года, вложила в него всю любовь, на какую способна. Франс единственный наследник древнего баронского рода, он обязан произвести потомство, единственный ребенок матушки баронессы, поздний, долгожданный. Нет у нее других детей, приходится прятать тайну в укромном уголке большого материнского сердца. Она так привыкла врать себе, что ее болтовня о внуках ей самой кажется вполне искренней».

«Она верит, что от Франса можно рожать детей?»

«А почему бы и нет? Она же верит, что Гитлер мессия и арийская раса спустилась с небес».

«Может, лучше отказаться, пока не поздно?» — осторожно спросила маленькая Габи.

«В том-то и дело, что поздно».

«Почему?»

«Слишком все это далеко зашло. Пока я рядом, Франс чувствует себя в безопасности, он привык и привязался ко мне. Если я уйду, разговоров не избежать. Наш разрыв поднимет волну слухов, постыдная тайна фон Блефф опять станет предметом сплетен. Матушка баронесса обрушится на меня всей своей мощью, задействует связи, не пожалеет денег. И что в итоге? Скандал, жуткая обида

Франса, свирепая месть матушки. Журнал принадлежит Франсу, я потеряю работу. Матушка позаботится, чтобы впредь никто не решился печатать мои статьи. Для рекламы и плакатов найдут сколько угодно белокурых голов, голубых глаз, прямых носов. Не будет генеральских вечеринок, поездок в Каринхалле, банкетов, приемов. Я больше не сумею воровать информацию и лишусь спасительной возможности сопротивляться нацизму. Я не смогу так жить, перестану себя уважать. Вот и получается, что бывшая невеста барона фон Блефф никому не нужна, даже самой себе».

«Никому, кроме Оси», — осторожно заметила маленькая Габи.

Взрослая Габриэль промолчала. Она сомневалась, что Джованни здорово обрадуется перспективе повесить себе на шею бывшую баронскую невесту, бывшую известную журналистку, безработную фрейлейн Дильс. Он ведь не возражал против ее помолвки с Франсом, не сказал: «Остановись, что ты делаешь?», не предложил выйти за него замуж.

«При его образе жизни нельзя заводить семью», — напомнила Габи.

«А при моем образе жизни вполне разумно стать баронессой фон Блефф», — огрызнулась Габриэль.

«И подарить старухе долгожданного внука, — хихикнула Габи, — наследника древнего баронского рода, рожденного от Оси Каца. Интересный способ борьбы с нацизмом».

Габриэль опять промолчала, больше всего на свете ей хотелось, чтобы Ося оказался рядом сию минуту и никогда никуда не уходил. Она знала, это невозможно. Тихая семейная жизнь на другом континенте, вдали от вождей и спецслужб, им не светит, в ближайшие несколько лет точно не светит. И все-таки он мог хотя бы предложить.

«Что?» — спросила маленькая.

«Не знаю», — ответила взрослая.

***

Начальник ИНО ГУГБ НКВД СССР Абрам Аронович Слуцкий ждал Илью на конспиративной квартире в Настасьинском переулке, лежа на диване с таблеткой валидола под языком.

— Сердце прихватило, — пожаловался он. — Если хотите чаю или чего покрепче, хозяйничайте сами, горничная ушла домой.

— Спасибо, ничего не хочу, — Илья уселся в кресло напротив дивана, заметил на журнальном столе чистые листы и несколько карандашей.

Слуцкий осторожно приподнялся, кряхтя, спустил ноги на пол. Илья не видел его пару месяцев и поразился, как плохо он выглядит. Нездоровая полнота, отечность, одышка. Трудно представить, что этому лысому человеку нет и сорока, он уже развалина с букетом стариковских хворей.

— Я вложил сообщение от Сокола отдельно, поскольку это первое сообщение нового агента, — произнес Слуцкий так тихо, что Илья с трудом расслышал его. — Сотрудник молодой, неопытный, информацию нужно проверять.

— Да, я догадался, что этот ваш Сокол новичок, но ведь информацию он передал от Эльфа, это гарантия надежности. Или думаете, Сокол мог что-то напутать?

— Парнишка зеленый совсем, растерялся...

Слуцкий побагровел и быстро коряво нацарапал на листке:

«Я нарочно оставил техническую часть сообщения, чтобы вы поняли, как плохо с агентами».

— Спасибо, что Эльф не забыл проинструктировать вашего зеленого парнишку насчет следующих встреч, — грустно усмехнулся Илья.

— Эльф, конечно, источник ценный, но идеологически чуждый, как говорится, с буржуазной гнильцой, к тому же информация носит явно субъективный, как говорится, оценочный характер, — бормотал Слуцкий сквозь одышку и выводил карандашом на чистом листе очень медленно, дрожащей рукой:

«Флюгер исчез, не выходит на связь».

«Тоже мне сверхсекретная новость, — усмехнулся про себя Илья. — Последнее сообщение от Флюгера датировано 24 ноября 1936-го. И незачем ради этого бумагу марать, вполне можно произнести вслух, авось не расстреляют».

Слуцкий еще летом 1936-го получил приказ сворачивать агентуру в Германии. Агентов под разными предлогами возвращали домой и арестовывали. Флюгер числился швейцарским резидентом, но именно от него шла самая серьезная информация по Германии. Возможно, его тоже позвали домой. Давно он торчал за границей, удобно там устроился, слишком много знал, слишком многое себе позволял. Что же случилось? Бруно Лунц вовремя сообразил, чем это может грозить ему, его жене Ганне, дочке Барбаре?

Карл Рихардович подробно рассказывал об этом семействе, у Ильи возникло чувство, будто он лично знаком с ними.

«Если ты все-таки удрал, ты правильно сделал, Бруно, — подумал он, прочитав каракули Слуцкого. — На твоем месте я, пожалуй, поступил бы так же. Достаточно представить Барбару в детприемнике, Ганну в лагере, самого себя с пулей в затылке, и выбора не остается. Другое дело, что на твоем месте я бы с самого начала не обзаводился семьей».

Эта последняя мысль заставила его сморщиться, поскольку разбудила дремлющую тоску по Маше. Болезненная гримаса не ускользнула от внимательных глаз Слуцкого.

— Что, Илья Петрович, устали? — спросил он с искренним сочувствием, при этом проворно скомкал листок и спрятал в карман.

— Голова раскалывается, сплю мало, работы невпроворот, — также искренне признался Илья.

Слуцкий подвинул ему бумагу и ногтем подтолкнул карандаш. Никого, кроме них двоих, в квартире не было, но работали прослушки. Слуцкий не отрывал взгляда от карандаша в руке Ильи. Илья играл с карандашом, крутил между пальцами с ловкостью фокусника, но ни слова пока не написал. Он не собирался вступать ни в какие тайные диалоги с начальником ИНО.

— Доля субъективности есть в любой информации, — он положил карандаш и расслабленно откинулся на спинку кресла. — Информацию передают люди, а людям свойственно ошибаться. Эльф работает на нас почти три года, мне кажется, за это время он успел зарекомендовать себя как источник вполне надежный.

— Ошибка ошибке рознь, — Слуцкий кинул в рот еще одну таблетку валидола. — Хорошо, если источник добросовестно, честно ошибается. Ну а если нет? Я хочу сказать, не скрывается ли за этим нечто более серьезное? Что, если Эльф стал гнать нам заведомую дезу? Что, если он перевербован гестапо, а? Ну разве не возникло у вас такого чувства?

— Абрам Аронович, я не медиум, — Илья криво усмехнулся, — не умею чувствовать на расстоянии.

— Что значит «на расстоянии»? Разве вы не читали сообщение Сокола? Там же все откровенная пурга. По какому, собственно, праву Эльф решает за нас, что у нас есть, чего нет? Говорить и думать такое может только матерый враг! Это пахнет предательством и провокацией!

Лысина Слуцкого влажно блестела, подбородок дрожал, отечное лицо налилось малиновой кровью. Илье было искренне жаль его.

Умный Абрам Аронович отлично знал, что в информации Эльфа все чистая правда, от первого до последнего слова. Никаких реальных немецких шпионов в СССР нет и быть не может, никакие переговоры между Троцким и

Гессом невозможны, эти люди никогда не встречались и вряд ли встретятся. Вот уже несколько лет идут совсем другие тайные переговоры, сначала между Енукидзе и кузеном Геринга, потом между Канделаки и Шахтом, идут они по приказу товарища Сталина, и многое из того, что приписывается Троцкому, на самом деле предлагает Гитлеру сам товарищ Сталин.

Интересно, как в этой связи начальник ИНО объясняет высочайшее повеление сворачивать агентуру в Германии? И какие мысли бродят под этой потной лысиной относительно заговора в Красной армии во главе с маршалом Тухачевским?

Допустим, заговор существует, Тухачевский его действительно возглавляет. Использовать в качестве страшилки для Бенеша мятежного маршала Красной армии, реального тайного союзника Германии, и таким образом сдавать его Сталину Гитлер ни за что не станет, наоборот, поручит своим спецслужбам трепетно оберегать репутацию маршала в глазах Сталина, вывести Тухачевского из числа подозреваемых, а на его место подсунуть кого-то действительно преданного Сталину — например Ворошилова или Буденного.

Что же происходит? Заговор во главе с Тухачевским открыто обсуждают европейские дипломаты, политики, шпионы, журналисты. Хорош тайный заговор, о котором все знают и болтают на каждом углу! Так активно могут распространяться только слухи, запущенные спецслужбами, когда проводится широкомасштабная кампания дезинформации потенциального противника. Если бы Эльф стал двойным агентом, он бы поддержал дезинформацию, состряпанную Гейдрихом по поручению Гитлера, и сообщил о заговоре как о реальном факте, с множеством убедительных доказательств и ужасающих подробностей. Именно этим сейчас занимается двойной агент Скоблин.

Любопытно, как объясняет самому себе товарищ Слуцкий удивительное совпадение кампании дезинформации, организованной потенциальным противником, с генеральной линией партии, которой аккуратно следуют многочисленные безымянные агенты-дятлы в своих донесениях?

Несложно сообразить, зачем понадобился мифический заговор во главе с маршалом Тухачевским Гитлеру. Ну а зачем это нужно Сталину?

Илья попытался представить, каким образом этот, в общем, вполне логичный и простой вопрос переваривается в мозговых извилинах начальника ИНО. Но не получалось, и поймать ускользающий взгляд выпуклых, в красных прожилках, глаз тоже не получалось. Илья вдруг понял, что умный Слуцкий вообще не задается подобными вопросами, чувствуя их смертельную опасность — даже на уровне молчаливых ночных размышлений наедине с подушкой.

— Абрам Аронович, когда возникают подозрения в честности источника, безусловно, необходимо все тщательно проверить, но в любом случае не стоит спешить, горячиться, тем более что речь идет о человеке, который работает на нас давно и, если не ошибаюсь, совершенно бескорыстно. Насколько мне известно, Эльф «инициативщик», денег не получает.

Слуцкий слабо кивнул.

— Двойными агентами, как правило, становятся те, кто работает за деньги, — продолжал Илья, все также безуспешно пытаясь поймать ускользающий взгляд. — Противная сторона платит больше, человек не в силах устоять. Конечно, бывает еще и шантаж, и прочие мерзости, мне трудно судить, я понятия не имею, что за личность скрывается под псевдонимом Эльф. Но все эти годы от Эльфа приходила весьма добротная и надежная информация. В последнем сообщении тоже есть кое-что действительно ценное, например новость о контактах Коновальца и Канариса.

Шлеп! Бегающий взгляд остановился, уперся прямо в глаза. Пухлые пальцы схватили карандаш и без дрожи, вполне четко и быстро, Абрам Аронович вывел на чистом листе:

«Вы уже доложили?»

Вот он, заветный вопрос, ради которого товарищ Слуцкий пренебрег своим больным сердцем и вместо того, чтобы отправиться домой, ведет здесь со спецреферентом Крыловым разговор, тяжелый и неприятный для них обоих. Разве может быть приятным разговор, когда собеседники не знают, кого бояться больше: друг друга или прослушек, которыми утыкано помещение?

Илья не стал писать ответ, просто кивнул. Слуцкий натянул на колени клетчатый плед, поправил диванную подушку.

— Илья Петрович, не возражаете, если я прилягу?

— Конечно-конечно, Абрам Аронович. Как сердце? Уже лучше?

— Вроде отпустило, но слабость, знаете ли.

— Вам бы отдохнуть, Абрам Аронович, вы плохо выглядите.

— Смеетесь, Илья Петрович? Какой теперь отдых!

Для начальника ИНО известие о контактах главы украинских националистов Коновальца с руководителем абвера Канарисом, когда о нем уже доложено Хозяину, имело огромную ценность. Очень скоро Хозяин прикажет провести очередную сверхсекретную спецоперацию, проще говоря, потребует шлепнуть Коновальца. Важно, чтобы никто не перехватил этот выгодный заказ. Необходимо заранее отобрать и подготовить правильных исполнителей, разработать план операции и первым доложить руководству. Под руководством разумелся Николай Иванович Ежов.

Нарком Ежов имел образование два класса начальной школы, умом никогда не блистал, а пьянство и прочие излишества неумолимо сжигали последние извилины в его бедном маленьком мозгу.

Николай Иванович твердо усвоил, что с любым человеком можно сделать что угодно: арестовать, изувечить, расстрелять, отравить. Эта непреложная истина крепко засела в уцелевших мозговых извилинах наркома. Попробуй объясни товарищу Ежову, что за границей шлепнуть человека несколько сложнее, чем в СССР! Он не понимал почему, а когда товарищ Ежов чего-то не понимал, он подозревал, что его хотят выставить дураком, надуть, перехитрить, очернить в глазах Инстанции.

Докладывать главе НКВД подробности проведения тайной спецоперации за границей было делом куда более трудным и опасным, чем сама операция. Товарищ Ежов очень подозрительно относился к ИНО и его начальнику товарищу Слуцкому.

Основным критерием эффективности работы аппарата НКВД являлось количество разоблаченных врагов народа. Главную задачу аппарата Хозяин видел в поставке заключенных и в производстве трупов. Возможности Иностранного отдела в этом смысле были крайне ограниченны, потому товарищ Слуцкий так отчаянно вцепился в информацию о Коновальце. Она давала шанс преподнести Инстанции труп и повысить показатели.

Специалистов по убийствам и похищениям в аппарате НКВД имелось достаточно, работали они грубо, но эффективно, получали правительственные награды и своими подвигами хоть как-то оправдывали существование ИНО.

— Да, Эльф, конечно, представляет для нас определенную ценность, но как объяснить ту пургу, которая содержится в разведсообщении? — Слуцкий произнес это громко и отчетливо, обращаясь скорее к прослушкам, чем к Илье.

— А забыть о запасных вариантах связи это не пурга? — спросил Илья шепотом, обращаясь не к прослушкам, а к Абраму Ароновичу. — К Эльфу надо присылать профессионалов, тогда и пурги не будет. Вы же сами сказали — сотрудник зеленый, неопытный. Первая поездка за границу, первая встреча с источником, немудрено, что растерялся ваш Сокол и напутал.

Слуцкий опять взял карандаш и написал:

«У меня других не осталось, только мальчишки», — он подвинул листок Илье, протянул карандаш.

Илья карандаш взял, но опять не стал ничего писать, пожал плечами, ответил вслух:

— Когда придет очередное сообщение, нужно просто сделать скидку на неопытность и растерянность агента, который его передаст.

«Но она несет такое, что мальчишкам опасно слушать!» Восклицательный знак получился огромным и жирным, на точке сломался карандаш.

«Она, — отметил про себя Илья, — стало быть, Эльф женщина. Вот уж никогда бы не подумал».

Взгляд Слуцкого опять бегал, брови напряженно сдвинулись, на лбу залегла вертикальная складка. Илье захотелось вытащить Абрама Ароновича на улицу, подальше от прослушек, и расспросить подробнее об Эльфе. Как-никак последний и единственный полноценный источник. Отправляя к ней на связь неопытных мальчишек, начальник ИНО подвергал опасности не только их, но и ее. Мальчишки легко могут засыпаться. Совсем не хотелось, чтобы Эльф попала в руки гестапо.

Но Илья понимал: на улицу Слуцкого вытащить ни за что не удастся. Мороз, ветер, а главное, не решится Абрам Аронович пойти на прямой открытый разговор. Где гарантия, что спецреферент не настрочит донос? Нет такой гарантии, и в том, что Слуцкий на него не стукнет, Илья вовсе не был уверен.

— Абрам Аронович, не могу с вами согласиться, что в донесении вашего Сокола все пурга и провокация, — медленно произнес Илья и вытащил папиросы. — Чего стоит только одна приведенная Эльфом фраза Канариса: «У нас нет никакого четкого представления о Советском Союзе и его военном потенциале, есть только разные степени незнания». Ведь это же замечательно, что они о нас ничего не знают, это прямое подтверждение эффективности работы наших доблестных чекистов под руководством коммунистической партии и товарища Сталина. Не возражаете, если я закурю?

— Курите, — кивнул Слуцкий, — только форточку откройте.

Когда Илья вернулся в кресло, увидел на листке очередную надпись:

«Устал, сил нет, не понимаю, что происходит».

Он едва успел прочитать, карандаш в руке Слуцкого быстро густо заштриховал короткую фразу. Глаза испуганно метались, потом застыли. Абрам Аронович смотрел на Илью.

— Вам надо больше гулять, — сказал Илья. — Когда сердце шалит, прогулки на свежем воздухе лучшее лекарство.

«Как думаете, Т. враг?» — вывел карандаш совсем бледно и мелко.

Илья в ответ пожал плечами и едва заметно помотал головой. Под «Т» разумелся Тухачевский. Бедняга Слуцкий все понимал не хуже Ильи.

Когда отгремит процесс «Параллельного центра», количество разоблаченных и расстрелянных резко увеличится. Следующим актом великого действа станет раскрытие колоссального заговора в Красной армии. Вряд ли аппетиты Инстанции ограничатся десятком высших офицеров. Колоссальный заговор предполагает много тысяч трупов. Это будут трупы красноармейцев, ведь заговор военный.

«Нет, — одернул себя Илья, — невозможно, Сосо не настолько сумасшедший, чтобы уничтожать собственную армию, когда война дышит в лицо. Он не пойдет на это».

— А вы насчет головы с доктором советовались? — спросил Слуцкий, нервно постукивая карандашом по краю стола.

— Не люблю к врачам ходить, — Илья махнул рукой. — Говорят одно и то же: больше спать, чаще бывать на свежем воздухе. Я и сам это знаю, без всяких врачей.

— Мг-м, мг-м, полностью с вами согласен, Илья Петрович, — пробормотал Слуцкий.

Карандаш между тем выводил очередное тайное послание.

«Поговорите со Штерном о Флюгере. Старые связи, на всякий случай».

Последние слова Слуцкий жирно подчеркнул и в очередной раз подвинул бумагу.

«На всякий случай»... Стало быть, пока нет точных данных, что исчезновение Бруно означает его побег? — подумал Илья. — Если выяснится, что Бруно действительно ушел, последует заказ на похищение или устранение. Слуцкий надеется, что доктор знает о старых связях Бруно, которые помогут вывести спецгруппу на беглого резидента. Встречаться с Карлом Рихардовичем самому или поручать это кому-то он пока не хочет, решил осторожно прощупать доктора через меня. Разумно, ничего не скажешь».

Ответить устно таким образом, чтобы фраза не вылезла из контекста непринужденного разговора, Илья не мог, к тому же упорный отказ вступить в письменный диалог начал явно нервировать Слуцкого.

«Попробую. Но это пустая затея. Общих знакомых у них не было, разве что Геринг и Гиммлер, но они нам вряд ли помогут».

Слуцкий прочитал, ухмыльнулся, покачал головой и написал:

«Тюбингенский университет».

Илья понимающе кивнул.

Пока продолжалась переписка, они вели оживленную беседу о пользе физических упражнений на свежем воздухе, пеших прогулок и холодных обливаний по утрам.

Слуцкий спохватился, скомкал листок, сунул в карман. Илья пытался угадать, где начальник ИНО будет жечь эти бумажки? Наверное, дома, заперевшись ночью у себя в кабинете. Форточку откроет и простудится, бедняга, поскольку сильно вспотеет от волнения.

***

Маша проснулась от собственного крика «Мама!». Приснился очень скверный сон. На этот раз никаких вурдалаков, совершенно реальные люди в форме уводят маму. В доме обыск, люди в форме потрошат книги. Папа и Вася сидят за обеденным столом неподвижно, сложив руки, как примерные школьники, и глаза у обоих закрыты. Мама в белом халате, в шапочке застыла в дверном проеме. Лица не видно, только смутный силуэт. Потом она исчезает, растворяется, вместо комнаты темный двор, вспыхивают фары «воронка». Вот тогда Маша и закричала и проснулась от собственного крика.

Было темно, фосфорные стрелки будильника показывали семь. Вася завертелся, забормотал тревожно:

— Что? Вставать? В школу опоздал?

— Спи, сегодня воскресенье, — прошептала Маша.

Она тоже могла бы еще поваляться, но боялась уснуть. Вдруг вернется жуткий сон? Вчера вечером она всего лишь подумала, что мама могла бы попросить за бабушку Мая, только подумала, даже не произнесла этого вслух, ничего не обещала Маю, не пыталась поговорить с мамой, а уже страшно. Надо встать и хорошенько размяться. Станок и партерный экзерсис — отличное лекарство от кошмариков.

Она зажгла маленький ночник, на цыпочках подошла к шкафу. Домашний костюм для занятий состоял из маминой старой тенниски и папиных сатиновых трусов, преображенных в шаровары при помощи двух резинок. На ногах толстые вязаные гольфы. В их с Васей комнате папа смастерил для нее балетный станок между двумя окнами. Переодевшись, Маша встала к станку.

Привычные упражнения хорошо разогревали мышцы, но не спасали от мутного, тошнотворного страха. Маша вдруг отчетливо осознала, что страх этот живет в ней давно и все попытки отмахнуться, не думать приводят к обратному результату. Становится еще страшнее и тошнее. Нельзя врать себе. Надо попробовать разобраться, откуда взялся страх, настоящий он или придуманный и чего именно она боится.

У Маши осталось смутное, очень тревожное воспоминание. Ночь, папа и мама сидят на полу, между ними стопки книг и журналов, рядом цинковый тазик. Они быстро молча пролистывают страницы, некоторые выдирают, рвут в клочья, бросают в тазик. Ей было тогда двенадцать лет, она встала пописать, спросонья ничего не поняла, но почувствовала тревогу и напряжение родителей. Они оба вздрогнули и замерли, смотрели на нее испуганно, словно она поймала их на чем-то грязном, запретном. Она не решилась спросить, что они делают, зачем ночью рвут книги и журналы. Потом Катя Родимцева рассказала по секрету, что ее мама и дедушка точно так же ночью вычищали домашнюю библиотеку, уничтожали все, что имело отношение к Троцкому, — портреты, цитаты. Катя объяснила, что Сталин ненавидит Троцкого, выслал его, объявил врагом и если у кого-то дома найдут что-нибудь с ним связанное, посадят в тюрьму.

В училище на собраниях и на политчасе проклинали Троцкого и прославляли Сталина. Двенадцатилетняя Маша видела в этом всего лишь ритуал, вроде обязательной гигиенической процедуры. Обе фигуры, Троцкий и Сталин, были одинаково далеки, нереальны. Кто кому враг, кто кого ненавидит, Машу вовсе не волновало. Но после той странной ночи и Катиных объяснений ей впервые стало страшно. Она вздрагивала, когда слышала слово «троцкист». Кого угодно могли назвать троцкистом, и человек исчезал, это было как прикосновение волшебной палочки злой ведьмы. Раз — и тебя нет.

Она стала взрослой, и страх вырос вместе с ней. Он пронизывал всю жизнь, и его постоянной спутницей была ложь, она сопровождала страх, как высокая температура вирусную инфекцию. Мама однажды объяснила, что температура при гриппе — защитная реакция, организм борется с инфекцией. Но в данном случае ложь не боролась со страхом, наоборот, она его усиливала. Чем больше люди лгали, тем сильнее боялись, и лгали еще отчаяннее.

«Почему я все время думаю об этом? — спрашивала себя Маша, прижимаясь лбом к коленке высоко поднятой ноги. — Ну ведь можно же просто жить как все люди. А что значит — все? Кто они, эти все? Из людей, которых я знаю, нет, наверное, ни одного, кому не страшно, но говорить об этом нельзя. Так, может, и не нужно думать?»

Она плавно опустилась на прямой шпагат, наклонила корпус вперед, уперлась локтями в пол, лицо уложила в ладони, закрыла глаза и сказала себе: «Просто у папы и мамы такая работа, что приходится бояться».

Папа был засекречен, он конструировал военные самолеты. На вопрос «Кто твой папа?» Маша и Вася всегда отвечали: «Инженер». Обычно никто не задавал уточняющих вопросов. Мама тоже была засекречена, поскольку работала хирургом не в простой больнице, а в Кремлевской. Она никогда не рассказывала о своих пациентах, так же как папа никогда не рассказывал о своих сослуживцах и самолетах, которые конструирует.

В тишине отчетливо прозвучал хлопок входной двери. Часы показывали без десяти восемь. Мама в это время обычно возвращалась с дежурства. Маша на цыпочках побежала в коридор, но вместо мамы увидела Карла Рихардовича.

— Твой Май ушел, — доктор виновато развел руками. — Я уговаривал подождать, позавтракать, не послушал.

— Вот дуралей, — рассердилась Маша. — Мы же собирались сегодня вместе ехать в больницу. Ладно, надеюсь, вечером объявится.

Она еще раз поблагодарила Карла Рихардовича за то, что приютил на ночь Мая, и отправилась в душ. Когда вышла из ванной, часы показывали половину девятого. Папа и Вася уже встали, мамы не было.

— Наверное, какой-то экстренный случай, — сказал папа. — Давайте завтракать.

Маша сварила овсянку и чуть не выронила кастрюльку, пока несла в комнату, так сильно дрожали руки. Мамины сутки заканчивались в семь утра, она всегда возвращалась с дежурств не позже восьми. Тем более сегодня, в воскресенье, когда, наконец, вернулся папа, не могла она задержаться, любого экстренного пациента она передала бы утренней смене.

За завтраком Маша рассказала о бабушке Мая, потом Вася принялся рассказывать, как в школе ставят к юбилею Пушкина «Сказку о попе и о работнике его Балде».

— Я все выучил наизусть, я так хотел Балду играть, Нафталиниха обещала, а потом отдала Балду Сашке Нестерову.

— Нафталиниха — это кто? — спросил папа и в очередной раз покосился на часы.

— Лидипална, которая драмкружок ведет, от нее нафталином разит, ужас. Сашка слов не знает, он здоровенный, на голову выше всех в классе и на артиста Столярова похож, вот она ему Балду и дала. А мне зайца. У зайца вообще ни одного слова, только бегает вокруг моря, ну я что, на зайца, что ли, похож? Так хотел Балду или в крайнем случае подосланного бесенка, у него слов много. Я даже специально в словаре посмотрел, что такое полба. Помните, Балда говорит: «Буду служить тебе славно, усердно и очень исправно, в год за три щелка тебе по лбу, есть же мне давай вареную полбу». Сашка путается, вместо «полбу» все время повторяет: «вареную воблу». Никто не замечает, они сами текста не знают, ни Нафталиниха, ни Раисмихална, русичка. Только я знаю.

— И что же такое полба? — спросила Маша и взглянула на часы.

Без двадцати десять. Папа поймал ее взгляд, нахмурился, еле заметно помотал головой, что означало: «Не паникуй, успокойся».

— Полба это злак, из него делают крупу вроде пшена, из крупы кашу варят, — объяснил Вася и вдруг спросил: — А где мама?

И папу, и Машу вопрос застал врасплох.

— Сейчас придет, — сказала Маша. — Кому еще чаю?

— Позвоню в ординаторскую, выясню, в чем дело, — сказал папа и вышел в коридор.

— Маня, я боюсь, — прошептал Вася, когда они остались одни.

— Чего ты испугался? Еще десяти нет, ну немного задержалась мама на работе, подумаешь, как страшно!

Папа вернулся, сказал, что в ординаторской никто ничего не знает. Пришла новая смена, мамы на работе нет. Он допил свой остывший чай и сердито обратился к Васе:

— Что ты сидишь? Собери посуду, отнеси на кухню. Будешь молодец, если еще и вымоешь тарелки.

— Почему я? — проворчал Вася. — Мне уроки делать и роль учить.

— Ты же сказал, заяц только бегает вокруг моря, а слов у него никаких нет, — напомнил папа.

— Да, а вдруг Нафталиниха передумает и даст мне Балду? Посуду он все-таки собрал, ушел на кухню.

— Пап, может, подождем еще два часа и позвоним в милицию? — предложила Маша, когда они остались вдвоем.

— Бесполезно, — чуть слышно ответил папа.

Маша обняла его, уткнулась лбом ему в плечо и прошептала:

— Папочка, пожалуйста, не говори так.

— Ну что ты, я совсем другое имею в виду, — он погладил ее по волосам. — В милицию надо не звонить, а идти, писать заявление, я это имею в виду, ты просто неправильно меня поняла, Манечка, и вообще нет никаких оснований для паники. Просто я очень соскучился по маме, поэтому нервничаю немного. Не обращай внимания.

На кухне что-то грохнуло и зазвенело. Вася разбил тарелку.

— Ну вот, к счастью. Все будет хорошо, — сказал папа и ушел курить на лестничную площадку.

— А вдруг ее арестовали? — шепотом спросил Вася, пока они сметали осколки.

— Прекрати, с ума сошел? За что, интересно, ее могут арестовать? — Маша убрала веник и совок, залила кипятком посуду в тазике.

— Не знаю. Могут. И ее, и папу, — продолжал шептать Вася. — У кого должность, всех берут. Товарищ Сталин сказал, у нас незаменимых нет.

— Это он сказал, чтобы укрепить дисциплину и повысить производительность, — парировала Маша. — А еще он сказал: «Жить стало лучше, жить стало веселей». То есть очень скоро Советская власть окончательно победит всех врагов и аресты закончатся, некого будет арестовывать.

— Он это давно сказал, а врагов больше и больше, вот у Борьки Терентьева отца взяли, и у Кольки Казаченко, и еще Чеснок исчез, взяли за агитацию с пропагандой.

— Кто такой Чеснок?

— Завуч, Чесноков Семен Иваныч. Он точно никакой не враг, зуб даю, не враг он, в гражданскую был красный командир, вместе с Фрунзе воевал. А директрису, Инфузорию Туфельку, еще давно взяли, она, конечно, противная была, но какая разница? Ее арестовали потому, что у нее должность. И у Чеснока должность. Машка, я не понимаю, ведь мы живем в самой счастливой и справедливой стране в мире, так?

— Да, конечно.

— Ну а тогда почему?

Маша не могла сказать брату ничего утешительного. Запас утешений иссяк. Вася был слишком взрослый, чтобы рассказывать ему сказки, и слишком маленький, чтобы принять честный ответ: «Я сама ничего не понимаю, мне тоже страшно».

— Потому что время такое. Война в Испании, фашизм, Гитлер, — беспомощно лопотала Маша. — И вообще ты все преувеличиваешь. Может, эта твоя Инфузория теперь в РОНО служит, и Чеснок просто перешел на другую работу, никто их не арестовывал.

— Ага, как же! Все в школе знают, что их взяли. У Инфузории сын Генка в седьмом классе учился, он тоже исчез. А Чеснок жил в квартире, где Валерка, и Валерка сам видел, как за ним пришли.

Они перемыли посуду, вернулись в комнату. Часы показывали без четверти одиннадцать.

— Это все из-за твоего Мая! — вдруг выпалил Вася. — У него родители репрессированные, он в Москве незаконно живет, и не надо было его домой к нам пускать!

— С ума сошел! Что ты несешь? — Маша не сдержалась и шлепнула брата по щеке.

Шлепок получился совсем легкий, но Маша никогда прежде никого не била по лицу и представить не могла, что на такое способна. От стыда и ужаса у нее пересохло во рту.

— Васенька, прости, я не хотела, прости, маленький, но ты сам виноват, ты ужасные вещи говоришь. При чем здесь Май? У него беда, бабушка заболела, я не могла его выгнать, он мой партнер, мой друг. Ну хочешь, ударь меня, дай сдачи.

Вася ничего не ответил, залез в угол между буфетом и родительской кроватью, где хранились в ящике его старые игрушки, высыпал на пол оловянных солдатиков и принялся выстраивать их в шеренгу. Маша ушла за перегородку, открыла заложенный в середине том Тургенева, попыталась читать, но не смогла, нашла в шкафу мешок с вязанием, уселась на кровать. Однообразные движения спицами успокаивали, слегка убаюкивали, притупляли тревогу. Но глаза то и дело прилипали к циферблату. Минутная стрелка сошла с ума, бежала по кругу со спринтерской скоростью. Только что было одиннадцать, теперь половина двенадцатого. Вася увлеченно возился со своими солдатиками, к которым не прикасался последние года два. Папа то застывал у окна, смотрел во двор, то усаживался за стол, шуршал газетой, но тут же вскакивал, уходил курить на лестницу.

Взглянув на часы, Маша вздрогнула, упустила петлю. Час дня. В очередной раз хлопнула входная дверь. Через минуту в комнату вошел папа и сказал:

— Мама вернулась.

У нее были красные глаза. Пройдя несколько шагов, она опустилась на коврик у буфета, села, поджав ноги, посмотрела снизу вверх и вдруг засмеялась.

Смех звучал странно, мама смеялась и мотала головой.

— Дети, не трогайте ее сейчас, — тихо сказал папа.

Он достал из аптечки фракон валерьянки, накапал в рюмку, разбавил водой из графина, опустился на коврик рядом с мамой и почти насильно влил ей в рот. Мама уже не смеялась, только слегка вздрагивала, по щекам текли слезы.

— Все, все, не бойтесь, я в порядке, — она вытерла слезы, высморкалась и даже улыбнулась. — Видите, жива, здорова. Просто был срочный вызов.

Маша и Вася решились подойти, сели рядом. Мама обняла их, стала целовать по очереди всех троих и опять заплакала.

— Господи, как будто с того света вернулась... Я уже собиралась домой, когда они приехали.

— Кто? — шепотом спросил Вася.

— Двое в штатском, один в форме. Посадили в машину и ничего, ни слова не сказали. А потом завязали глаза.

— Погоди, я не понял, когда они за тобой пришли, они ведь что-то сказали? — спросил папа.

— Мг-м... «Акимова Вера Игнатьевна? Пройдемте с нами».

— Ну а когда глаза завязали, как-то объяснили свои действия?

— «Повязку не трогать. Сидеть смирно».

— А вдруг это были переодетые бандиты? — ошеломленно прошептал Вася.

Папа сухо кашлянул и спросил чужим, равнодушным голосом:

— Веруша, может, ты сначала поспишь, потом расскажешь?

Мама не успела ответить, Вася схватил ее за руку.

— Нет, я никому, честное слово, никому, даже Валерке! Я понимаю, нельзя никому, пожалуйста, мамочка, дальше!

— Ладно, — вздохнул папа, — мы слишком все перенервничали, рассказывай, Веруша. Но ты, Васька, дал слово, все должно остаться между нами.

Вася вскочил, выглянул в коридор, прикрыл плотнее дверь.

— Как долго ехали, не знаю, было слишком страшно, — спокойно продолжала мама. — Наконец остановились, велели выйти из машины. Повязку не сняли, держали за руки. Я почувствовала, что мы за городом, воздух очень свежий. Вот тогда я и решила, что сейчас просто выстрелят в затылок. Но потом сообразила: если глаза завязали, значит сразу не убьют. Те, которые меня везли, передали кому-то другому, он оказался немного вежливее, взял под руку, повел, предупредил: осторожно, ступеньки. Когда сняли повязку, я в первый момент ослепла от света. Огляделась, вижу — какой-то коридор, наверное, со стороны кухни, внутри большого дома. Все сверкает белым кафелем. И ни души. Только человек, который меня привел в дом. Средних лет, лысый, маленький, с обезьяним лицом, в полувоенной тужурке. Он говорит: «Обождите здесь». И ушел, оставил меня одну сидеть на стуле в этом кафельном коридоре. Как долго сидела, не знаю, мои часы встали, а там часов не было. Наконец лысый явился и говорит: «Вы должны оказать помощь больному. Вот вам халат, маска, шапочка». Тут я осмелела, спрашиваю: «Что же сразу не предупредили? Я бы захватила инструменты». Он отвечает: «Не беспокойтесь, у нас все есть». Мы проходим в большую полутемную комнату. Горит камин, кресла в светлых чехлах, в центре странное сооружение из простыней, вроде ширмы. Перед ширмой табурет, на нем на подушечке-думке лежит мужская нога. В общем, нога как нога, левая, волосатая, с толстой щиколоткой, ничего особенного. Стопа плоская, второй и третий пальцы сросшиеся.

— Как — сросшиеся? — перебил Вася, до этой минуты он слушал, затаив дыхание.

— Ну вот так, — мама выпрямила и плотно сжала два пальца на руке, — синдактилия, очень редкая врожденная патология.

— Кто же это оказался? — спросил Вася.

Мама пожала плечами.

— Не знаю. Он сидел за ширмой, только нога торчала. Рядом, на журнальном столике, лампа, очень яркая, так повернута, что освещает ногу, а все остальное тонет в темноте. Из темноты кто-то сказал: «Товарищ доктор, осмотрите ногу». Я присела на корточки, вижу, на большом пальце у ногтя огромный нарыв.

— Голос был какой? — спросил папа.

— Довольно низкий, спокойный. Нет-нет, без грузинского акцента. Это не сам больной говорил, кто-то другой, рядом с ним. А он молчал. Лица его я так и не увидела, голоса не услышала. В общем, пришлось мне вскрывать этот нарыв. Возилась долго, очень много гноя вышло. Когда закончила, меня вывели в кафельный коридор, продержали еще около часа. Потом снова завязали глаза, усадили в машину. Даже не спрашивали, куда везти, знали домашний адрес. Повязку сняли где-то на Арбате.

327

— Чья же это была нога? — спросил Вася.

— Понятия не имею, — мама поднялась, поправила юбку. — Все, я приму душ и посплю.

Вечером Вася валялся на кровати, читал Фенимора Купера. В комнате родителей было тихо. Маша подошла к брату, чмокнула его в щеку. Он сердито дернул головой, чиркнул пальцами по щеке, смахивая поцелуй.

— Все еще дуешься? — спросила Маша.

— Отстань!

— Ну и пожалуйста, — она пожала плечами, вернулась к станку.

Минут через десять он прошептал:

— Машка!

Она сделала вид, что не услышала. Он позвал еще раз.

— Отстань! — она выгнулась дугой назад. — Ты же не желаешь со мной разговаривать!

Брат поднялся с кровати, подошел к ней, встал рядом.

— Хочешь, скажу, почему я нервный?

Маша выпрямилась, повернулась к нему, взяла за плечи, увидела, что глаза у него мокрые, губы кривятся и дрожат.

— Машка, я боюсь, — он пробормотал это очень быстро, на одном дыхании, и громко шмыгнул носом.

— Что за глупости? Мама вернулась, ничего страшного не случилось, наоборот, она помогла кому-то очень важному, ее станут ценить и уважать еще больше.

— Все равно боюсь, мама видела сросшиеся пальцы, — прошептал Вася.

— Ну-ну, не выдумывай, уж в этом нет совершенно ничего страшного. Мама врач, она много видит разных болезней, и чем же какие-то пальцы на чьей-то волосатой ноге так тебя напугали?

— Не знаю, сам не понимаю... страшно... — он смотрел на нее снизу вверх мокрыми глазами, шмыгал носом, кривил губы, ждал ответа.

Она обняла его и прошептала на ухо:

— Подлый страх все время врет,
лезет в уши, лезет в рот,
чтобы нам не нюхать вонь,
мы его прогоним вон.
Убирайся восвояси,
страх, от маленького Васи.

ГЛАВА СЕМНАДЦАТАЯ

На завтраке у матушки баронессы Габи сидела понурившись, не притронулась к еде.

— Что с тобой, детка? — спросила матушка.

— Все в порядке, фрау фон Блефф.

— Почему такой официальный тон? Мы же договорились, ты должна обращаться ко мне «Гертруда», — обиженно напомнила матушка.

— Все в порядке, Гертруда.

Горничная-гестаповка была уволена, шатавшийся зуб Путци спасен личным стоматологом баронессы. Франс заверил Габи, что мама признала свою ошибку и такое больше никогда не повторится.

Габи явилась на завтрак с чистым, ненакрашенным лицом, гладко зачесанными, стянутыми в узел волосами. Без пудры, румян и губной помады она выглядела как выпускница закрытого монастырского пансиона для девочек. Серое платье, круглый отложной воротничок и батистовый мешочек с вязанием завершали этот строгий образ.

Когда перешли из столовой в гостиную, Габи села в уголок и принялась вязать.

— Ты такая бледная сегодня. Тебе нездоровится? — матушка подняла ее лицо за подбородок и заглянула в глаза.

— Благодарю вас, Гертруда, вы очень добры, — Габи отвела взгляд, тяжело вздохнула, шмыгнула носом и продолжила двигать спицами.

— Франс, в чем дело? — тревожно прошептала баронесса.

— Габи необычайно ранима, все принимает близко к сердцу, — шепотом объяснил Франс.

— Позволь спросить, что именно она принимает близко к сердцу? Я не понимаю! — в голосе баронессы уже звучали высокие истерические нотки. — Софи-Луиза явится с минуты на минуту.

Софи-Луиза Рондорфф, младшая сестра баронессы, приехала из Цюриха специально, чтобы познакомиться с невестой Франса.

Унылый вид Габи выводил матушку из себя, она желала предъявить сестре двух счастливых влюбленных, воркующих голубков, как показывают в кинематографе.

— Детка, взбодрись, — баронесса нервно взглянула на часы. — Объясни, чем ты недовольна?

Габи всхлипнула и прошептала:

— Мне страшно.

— Страшно? Чего же ты боишься?

— Я боюсь потерять вашу доброту, ваше доверие и любовь Франса, ведь это все, что у меня есть, и вдруг оказывается, это так хрупко, любая ничтожная горничная может оклеветать меня, несколькими злобными словами разрушить мое счастье, мою жизнь, — Габи зарыдала, тихо и трогательно.

— Вот, мама, чего ты добилась! — Франс встал и направился к двери. — Я встречу тетю, попытаюсь ее задержать.

— Да, милый, пожалуйста, отведи Софи-Луизу в зимний сад, покажи, как распустились дамасские розы... Ну, ну, моя дорогая девочка, ты же знаешь, я выгнала эту мерзавку горничную, — баронесса погладила Габи по волосам и чмокнула в пробор. — Успокойся, у тебя покраснеют глаза.

— Они и так красные, я не спала несколько ночей, сердце разрывалось от отчаяния, вы для меня больше чем мать, вы идеал женщины, ваше благородство, великодушие...

Насыщенный кислотный раствор трогательных рыданий, патетических восклицаний, сдобренный патокой лести, размягчал большое материнское сердце баронессы, превращал железо в желе. Габриэль давно заметила, что все молящиеся Адольфу Гитлеру скроены по единому образцу. Для них не бывает слишком много фальши, они глотают фальшь большими ложками и не могут насытиться. Грубая имитация чувств для них как наркотик.

Чтобы реабилитироваться в глазах баронессы, недостаточно было просто объяснить, как и почему Габриэль оказалась в кинотеатре, что за человек сидел с ней рядом. Обычных слов матушка не понимала. Требовалось ритуальное представление с полным набором мелодраматических эффектов.

«Хватит, — бормотала маленькая Габи, — меня сейчас стошнит прямо на шелковое платье матушки».

— Моя дорогая девочка, я уверена, ты будешь достойной супругой Франса, — баронесса едва не задушила Габриэль в объятиях. — А теперь ты должна умыться, припудрить носик и встретить Софи-Луизу во всем блеске своего очарования.

Габриэль так и сделала. Нескольких минут в ванной комнате хватило, чтобы привести себя в порядок, прежде всего выпустить наружу нервный смех маленькой Габи. В гостиную она вернулась безупречно счастливая, приветствовала будущую родственницу милой детской улыбкой.

Габи хотела наладить приятельские отношения с Софи-Луизой, но вовсе не для того, чтобы порадовать матушку. Фрау Рондорфф жила под Цюрихом. Габи искала повод съездить в Швейцарию, именно в Цюрих, там неподалеку от городской ратуши находился магазин египетских древностей «Скарабей», принадлежавший Бруно.

Софи-Луиза Рондорфф была моложе Гертруды на четыре года, но выглядела как ее дочь. В свои шестьдесят пять она сохранила стройную, легкую фигуру, ясные живые глаза.

До приезда тети Франс успел рассказать Габи, что матушка с детства соперничает со своей любимой сестричкой и всегда проигрывает.

Софи-Луиза вышла замуж в девятнадцать лет за отпрыска рода фон Гоффенштайн, древнее и знатнее не придумаешь, родила двух сыновей и дочь. Гертруда стала баронессой фон Блефф только в тридцать и потом очень долго не могла родить ребенка. Когда Франс, наконец, появился на свет, Гертруде было сорок два, барону, ее супругу, пятьдесят. Барон страдал ожирением и вскоре умер от апоплексического удара, оставив Гертруде титул, огромное состояние и крошечного болезненного мальчика. Софи-Луиза к тому времени тоже успела овдоветь, но опять вышла замуж, не за кого-нибудь, а за герцога Августа Рондорффа, и родила от него близнецов, сына и дочь.

Состояние Гертруды исчислялось не меньшими суммами, чем состояние Софи-Луизы. По древности и знатности Блеффы вполне могли соперничать с Гоффенштайнами и, безусловно, превосходили Рондорффов. Но Софи-Луиза умудрилась дважды легко и счастливо выйти замуж, стать матерью пятерых детей и бабушкой восьми внуков. А Гертруда едва не осталась старой девой, путем сложных интриг, почти насильно, женила на себе жирного барона. О его тупости и обжорстве ходили анекдоты. Даже на тщательно отретушированных семейных фотографиях он выглядел тяжелым кретином.

После рождения Франса и скоропостижной смерти барона аристократические родственники и знакомые поглядывали на Гертруду косо, шептались у нее за спиной. Она мечтала стать хозяйкой шикарного светского салона, в котором будут собираться сливки европейской аристократии, знаменитые музыканты, поэты, ученые, но теплые отношения у нее складывались исключительно с нацистами, и то благодаря щедрым пожертвованиям в партийную кассу.

Софи-Луиза имела множество друзей среди представителей самых знатных и богатых семейств, легко сходилась с людьми, устраивала в фамильном замке своего мужа на Цюрихском озере блестящие вечеринки с фейерверками и голливудскими звездами.

Матушка болтала не закрывая рта, восторженно пересказывала последние выступления Гитлера, сыпала именами Геринга, Геббельса, Гиммлера, подчеркивала свою особую близость к нацистской элите, хвастала успехами правящей партии, как своими собственными, умильно закатывая глаза, твердила о неземной любви ее сына и Габриэль и пустила слезу, заявив, что видела во сне, как прижимает к груди долгожданного внука.

Софи-Луиза улыбнулась, потрепала Франса по щеке:

— Не сомневаюсь, ты будешь нежным отцом, ты такой добрый, чуткий мальчик. А кстати, как поживает глухонемой сирота, которого ты подобрал в Гамбурге?

Матушка налилась бурой кровью, Франс втянул голову в плечи, Габи поспешила ответить, что сироту оставили в доме, из него получился отличный поваренок.

Франс, желая скорее сменить тему и слегка уязвить матушку, принялся осыпать Софи-Луизу комплиментами.

— Ты потрясающе выглядишь, тетя, ни одной морщинки, чудесная кожа, свежий цвет лица. Глядя на тебя, можно подумать, что секрет вечной молодости наконец открыт. Признайся, ты прячешь в подземелье своего альпийского замка алхимическую лабораторию?

— Ты почти угадал, Франс, — тетушка подмигнула. — Есть у меня лаборатория, но только не в подземелье. Знаешь, я много лет потихоньку изучаю старинные растительные снадобья, это так увлекательно.

— Генрих очень верит в народную медицину, — оживилась матушка.

— Кто, прости? — спросила Софи-Луиза.

— Генрих Гиммлер, рейхсфюрер СС, — объяснила баронесса, гордо вскинув подбородок. — По его инициативе издана роскошная иллюстрированная энциклопедия лекарственных растений, он заботится о возрождении традиции древних германских врачевателей, под его руководством выращивают целебные травы.

«Заключенные в концлагерях», — мысленно уточнила Габи.

— Ну, мои опыты значительно скромнее, — Софи-Луиза пожала плечами. — В медицину я не лезу, меня больше интересует косметика. Цветочные воды, эссенции, кремы и мыло на растительной основе, никакой вредной химии, все натуральное.

— Тетя, только не говори, что ты сама варишь мыло! — воскликнул Франс.

— А почему бы и нет? Видишь ли, я страшная привереда. Когда я узнала, что в производстве мыла, даже самого дорогого, используют собачий жир, а в крем добавляют нефтепродукты, мне стало дурно.

— Какой ужас! — матушка всплеснула руками. — Лучше бы ты этого не говорила, Софи, как же мы теперь будем мыться?

— Гертруда, не волнуйся. Я привезла тебе, Франсу и Габриэль кое-что интересное, надеюсь, вам понравятся мои скромные подарки.

Вызвали горничную, через минуту лакей внес большую корзину. По гостиной разлились запахи флердоранжа, розы, сандала. Софи-Луиза принялась показывать склянки зеленого и синего стекла, керамические баночки, бруски мыла, обернутые в лоскуты тонкой рогожки.

— У меня сохранился бабушкин блокнот с рецептами домашней косметики, в библиотеке я раздобыла несколько старинных лечебников и просто попробовала. Август и дети вначале посмеивались надо мной, но теперь вся семья пользуется только моей продукцией. В саду, в одной из зимних беседок, я устроила отличную лабораторию.

— Ты всегда была чудачкой, — баронесса брезгливо принюхивалась и разглядывала подарки. — Но, признаться, такого я не ожидала даже от тебя, дорогая сестричка, стыдно сказать кому-то: герцогиня Рондорфф на старости лет...

— Это же прелесть! — перебила ее Габи, весело хлопнув в ладоши. — Гертруда, ваша сестра настоящая волшебница! Франс, ты чувствуешь, какие сказочные ароматы? Вот роза, лаванда. А это бергамот и чуть-чуть лимона? Верно? Я угадала?

— Почти. Это нероли, цветы апельсинового дерева.

— Напоминает нафталин, — холодно изрекла баронесса.

— Трудди, ты никогда не умела различать запахи, — мягко заметила Софи-Луиза.

— Я?! Да у меня с детства собачий нюх! И мне стыдно, что моя сестра занимается всякой ерундой!

— Но ведь твой обожаемый Гиммлер выращивает травы.

Матушка возмущенно запыхтела.

— Генрих глубоко образованный человек, изучал биологию, медицину, эзотерику, он лучший в рейхе специалист по древним наукам!

— Вот как? — Софи-Луиза недоуменно подняла брови. — А я слышала, он специалист по разведению кур.

— От кого, интересно, ты это слышала? — баронесса прищурилась. — От евреев, которыми кишит твой замечательный Цюрих?

— От кур, — небрежно бросила Софи-Луиза и обратилась к Габи: — Вот это я приготовила специально для вас, юная фрейлейн, флердоранж и жасмин. Для тебя, Франс, я выбрала сандал с розмариновой ноткой. Было бы очень мило с твоей стороны напечатать в «Серебряном зеркале» пару-тройку статей о преимуществах натуральной косметики.

— Что?! — вскинулась баронесса.

— Видишь ли, Трудди, мы с Августом решили открыть небольшую фирму, — терпеливо объяснила Софи-Луиза. — Уже есть название — «Нероли», в типографии заказаны этикетки, буклеты. Без рекламы нам не обойтись.

— Ты собираешься еще и торговать этим? — баронесса всплеснула руками. — С ума сошла? Хочешь стать посмешищем? Какой стыд! Франс не будет участвовать в твоем шарлатанстве, рекламировать твои жалкие домашние поделки! Я не позволю! «Серебряное зеркало» приличный журнал!

Когда матушка наоралась, повисла тишина. Франс хмуро нюхал кусок мыла. Софи-Луиза открыла портсигар, вставила в мундштук тонкую папироску. На лбу баронессы блестели капельки пота, она сопела и победно косилась на сестру. У той явно испортилось настроение.

— Я уверена, журнал только выиграет, если станет печатать материалы о натуральной косметике, — осторожно заметила Габи. — Здоровый образ жизни, возвращение к древним традициям, к истокам, к природе, все это очень актуально сегодня. Фюрер, рейхсфюрер наверняка одобрили бы такое полезное начинание.

По лицу баронессы пробежала легкая судорога. Последняя фраза подействовала на нее магически. Нарисованные ниточки бровей сдвинулись у переносицы, рука схватила граненый синий флакон.

— Это что?

— Герань и лаванда, — со вздохом объяснила Софи-Луиза. — Нет, Трудди, так ты не услышишь запах, флакон закрыт герметично.

— А ведь наверняка с природными ароматами связано много забавных историй, — задумчиво произнес Франс. — Вот только не знаю, кто мог бы взяться за это?

— Я! Кто же еще?!

— Габи, но это совсем непросто, ты до сих пор не закончила свою книжку, у тебя ни на что не хватает времени, — заметил Франс.

— К тому же ты должна готовиться к свадьбе, — напомнила матушка.

— Я справлюсь, я все успею, конечно, придется съездить в Цюрих, и не раз, и в библиотеке посидеть, но я люблю, когда много работы, это отлично мобилизует, тем более кое-что об ароматах я знаю, я ведь писала серию очерков по истории духо́в, и, между прочим, читателям это понравилось, даже поднялся тираж.

Софи-Луиза обняла и расцеловала ее.

— Габриэль, буду счастлива принять вас у себя в замке в любое удобное для вас время. Когда вы решите отправиться в Цюрих, дайте мне знать, я пришлю шофера встретить вас.

Было решено, что фрейлейн Дильс не только напишет серию статей, но и станет рекламным лицом косметической фирмы «Нероли».

Баронесса фон Блефф и герцогиня Рондорфф простились очень нежно, как подобает любящим сестрам.

* * *

Когда зазвонил внутренний телефон и трубка скомандовала голосом Поскребышева: «Иди!», Илья сначала не поверил своим ушам, а потом облегченно вздохнул. На самом деле не было ничего хуже, чем сидеть и ждать вызова. Постоянно имелась какая-нибудь работа, она отвлекала, но все равно ожидание превращалось в тихую вечную пытку, которая длилась день за днем, час за часом.

Илья быстро прошел через приемную, ни на кого не глядя. Это стало привычкой, рефлексом. Встретившись взглядом с кем-нибудь из ожидавших, можно было заразиться паникой, страхом, тупой безнадежностью. Краем глаза он заметил Давида Канделаки. Торгпред явился из Берлина с отчетом о тайных переговорах с Шахтом, и то, что его, такого доверенного, важного, заставляли ждать, как обычного посетителя, не предвещало ему ничего хорошего. Упитанный, холеный, в дорогом заграничном костюме, он вальяжно развалился в кресле, закинул ногу на ногу, развернул свежий номер «Правды», но было видно, как дрожит газета, как подергивается нога в тупоносом новеньком ботинке.

В кабинете сидели Молотов, Каганович, Орджоникидзе, Ворошилов. Хозяин встретил Илью любезно:

— Заходите, товарищ Крылов, присаживайтесь.

Судя по выражению лица Орджоникидзе, только что у него произошла очередная стычка с Хозяином. Илья знал, что Орджоникидзе пытался отстоять своего старшего брата Папулию, арестованного в Грузии, и своего близкого друга и заместителя Пятакова, который вместе с Радеком был главным действующим лицом второго Московского показательного процесса.

Папулия Орджоникидзе был арестован в дни всенародного празднования пятидесятилетия Серго Орджоникидзе. Такой подарок преподнес большевику Серго большевик Коба. Пятаков оказался удобной фигурой для второго показательного процесса. Такой подарок преподнес самому себе товарищ Сталин.

Орджоникидзе не понимал этого, не желал нырять в сталинскую реальность, упрямо, из последних сил шарил в непроглядном тумане, искал ответ на вопрос «За что?».

Румяный курносый Клим с явным торжеством косился на поверженного бледного Серго. Молотов калякал что-то в блокноте. Каганович хмуро крутил папиросу, крошки табака сыпались на стол. Хозяин не разрешал никому курить в своем кабинете, хотя сам дымил непрерывно.

— Товарищ Крылов, расскажите, что там новенького в Германии, — голос Хозяина звучал мягко, певуче, усы подрагивали, пряча сытую улыбку.

«Нажрался ужасом старого друга Серго, предвкушает десерт в виде старого друга Канделаки, а перед десертом решил закусить мной, маленькой букашкой. Вопрос задал самый жуткий из всех возможных и сейчас наслаждается моей растерянностью, ведь я не знаю, с чего начать, я должен угадать, что именно его интересует. Сводку, кажется, еще не открывал. В Германии, как назло, ничего существенного за последние десять дней не произошло. Затишье. Говорить о кампании по дезинформации, задуманной Гейдрихом, сейчас нельзя. Эту новость лучше выдать Инстанции наедине либо составить отдельное спецсообщение.

«Канделаки в Берлине встречался с Шахтом. Инстанцию может интересовать положение Шахта, конкретно конфликт Шахта и Геринга», — все это вихрем пронеслось в голове.

На глубоком вдохе Илья произнес про себя: «Господи, помоги!» — и на выдохе произнес вслух:

— Гитлер подводит итоги первых четырех лет своего правления, он называет эти годы «испытательными». Ему удалось покончить с безработицей, возродить армию, получить надежных союзников Муссолини и Франко, порвать Версальские цепи, занять Рейнскую зону, не встретив никакого сопротивления со стороны западных демократий.

— Молодец, — Хозяин постучал трубкой о край стола. — Ничего не скажешь, молодец.

«Молодцом», конечно, был Гитлер, а не спецреферент Крылов.

— А этот, как его, план четырехлетний они у нас спиз... — Вороширов хихикнул в ладошку и договорил с важным видом: — Позаимствовали у нас.

— Переняли передовой опыт, — флегматично, ни на кого не глядя, заметил Каганович.

— Товарищ Крылов это все уже докладывал на заседании, — пробормотал сквозь зубы Молотов. — Мы слышали, зачем повторять?

На заседании Политбюро десять дней назад Илья докладывал о подписании Антикоминтерновского пакта между Германией и Японией и о реакции на него западных демократий. Ни слова о подведении Гитлером итогов «четырехлетки» он не говорил, и Молотов отлично это помнил. Он атаковал маленькую букашку, чтобы позабавить Инстанцию. Слишком спокойно вел себя спецреферент Крылов, не трепетал, и Хозяин слегка заскучал.

Илья не собирался возражать Молотову, трепетать на радость Хозяину, молчал, ждал, что будет дальше. Из всех лиц единственным человеческим в этом кабинете было лицо Орджоникидзе, Илья невольно остановил на нем взгляд, заметил, как вспухла волнистая жила поперек высокого выпуклого лба, как затрепетали ноздри длинного кавказского носа.

— Опять врешь, Вяча! — резко выкрикнул Орджоникидзе. — Почему ты все время врешь, товарищ Молотов?

Усы Хозяина дрогнули, он улыбался, и улыбка мгновенно отразилась на лице Молотова. Ворошилов тупо часто моргал, Каганович отвернулся и скомкал в кулаке выпотрошенную гильзу папиросы. Хозяин встал, подошел сзади к Орджоникидзе, положил ему руку на плечо.

— Зачем так нервничать, Серго? Подумай о своем сердце, дорогой Серго. Товарищ Крылов, продолжайте, пожалуйста.

— Да, товарищ Сталин. В связи с разработкой следующего четырехлетнего плана обострился конфликт между Шахтом и Герингом. Поскольку позиция Шахта все меньше соответствует планам Гитлера, велика вероятность, что очень скоро Шахт уйдет в отставку. В сентябре прошлого года Гитлер назначил Геринга комиссаром управления по четырехлетнему плану. Управление практически подмяло под себя Министерство экономики. Теперь экономика и финансы рейха целиком в руках Геринга.

— Комиссара тоже у нас спиз... — мяукнул Клим. — Слышь, а Геринг — это жирный такой, летчик? Правда, что ли, он морфинист?

— Геринг был ранен в живот во время «Пивного путча» в 1923 году, раны долго не заживали, он два года принимал морфий, потом лечился в нескольких клиниках от тяжелого психического расстройства.

— И чего, такой псих теперь у Гитлера на финансах? — Ворошилов оскалился и громко икнул. — Слышь, Коба, кого фюрер на финансы поставил, а?

«Он пьян, как я сразу не заметил? Клим пьян, а дни Серго сочтены. Нарком Орджоникидзе*, бледный, опустошенный, после дружеского совета Кобы беречь сердце все-таки надеется уцелеть. И я надеюсь, и те несчастные, которых завтра выведут на процесс, тоже надеются», — думал Илья, ожидая, когда Инстанция позволит ему продолжить.

— Поставил кого надо, тебя не спросил, — заступился за Гитлера Каганович.

Орджоникидзе вдруг поднялся и медленно, ни на кого не глядя, побрел к выходу. Хозяин дал ему пересечь кабинет и, лишь когда рука наркома коснулась дверной ручки, тихо окликнул:

— Ты куда, Серго?

Нарком застыл у двери, его крупная сильная фигура обмякла, спина сгорбилась, он съежился, стал ниже ростом. Илье захотелось, чтобы Орджоникидзе выпрямил

---

*Орджоникидзе Серго (Григорий Константинович) застрелился в феврале 1937-го. По официальной сталинской версии, Серго внезапно скончался от болезни сердца. Многие исследователи полагают, что Орджоникидзе был убит. Узнать правду вряд ли возможно.

спину, не оборачиваясь, молча, решительно вышел, а еще лучше — смачно обматерил друга Кобу на прощанье. Конечно, ничего не изменилось бы — ни для наркома, ни для его заместителя Пятакова, ни для кого, но мелькнула бы искра живой человеческой эмоции в мертвом воздухе этого кабинета и, возможно, стало бы чуть легче дышать.

— Я пойду, Коба, нехорошо мне что-то, — хрипло произнес Орджоникидзе, обернулся, но глаз не поднял, смотрел в пол.

— Сядь, Серго. Если нехорошо, нужно сесть и посидеть спокойно. Товарищ Крылов сейчас расскажет нам, в чем суть разногласий Шахта и Гитлера относительно экономической стратегии Германии.

Сталин почти пропел эти несколько фраз, у него был приятный мелодичный баритон. Нарком покорно побрел на голос Хозяина, к столу, понурившись, едва переставляя ноги. Длинные черные ресницы затеняли глаза, казалось, он бредет вслепую. Ворошилов услужливо отодвинул для него стул. Орджоникидзе неловко опустился на краешек, и по наглой усмешке Клима было видно, как хотелось ему сдвинуть стул еще немного, чтобы Серго сел мимо, грохнулся на пол копчиком. Такие шутки практиковались в ближнем кругу.

«Нет, не сейчас, — думал Илья, — не при мне, я чужой».

— Мы знаем и без товарища Крылова, что Шахт трусливый буржуазный чинуша, тормозит творческую энергию Гитлера, — сказал Молотов.

— А ты чего это, Вяча, Гитлером так восхищаешься? — спросил с комически строгим прищуром Ворошилов.

— Продолжайте, пожалуйста, товарищ Крылов, — спокойно приказал Хозяин.

Илья мысленно поблагодарил Молотова. Сам того не желая, Вяча напомнил спецреференту Крылову, каким образом надо преподносить информацию, чтобы Хозяин остался доволен. Илья слишком отвлекся на Орджоникидзе, потерял равновесие, перестал чувствовать вибрации сталинской реальности и едва не начал говорить правду.

Правда заключалась в том, что Гитлер загонял германскую экономику в тупик, единственным выходом из которого была война. Шахт отлично помнил опыт Первой мировой. Германия тогда полностью истощила свои ресурсы, у нее не осталось нефти, металла, хлеба. Шахт пытался втолковать Гитлеру, что государство, которое целиком зависит от импорта стратегического сырья, в случае войны останется без сырья. Гитлера эти доводы бесили. В его воображении государства, у которых Германия покупала сырье, больше не существовали, они являлись территориями рейха, мысленно он уже завоевал их. Чернозем Украины, рудники Урала, сибирская тайга, бакинская нефть находились в полном его распоряжении.

«Неужели Сталин не понимает, что брать кредиты у Гитлера и отсылать ему тонны стратегического сырья — это полнейшее безумие?» — думал Илья, произнося вслух аккуратные, выверенные фразы.

— Производство оружия дает новые рабочие места, укрепляет доверие к власти военных. Военные должны быть довольны Гитлером. Он снабжает армию продовольствием и новейшими видами вооружения...

«Я не сказал «довольны», я сказал «должны быть», неплохая формулировочка», — мысленно утешил себя Илья.

Пока он говорил, у него возникло знакомое чувство, что нить повествования уводит его в подземные лабиринты, по которым бродят призраки, сгустки серой холодной слизи. Они то сливаются в единую подвижную массу, то распадаются, принимают форму отдельных человеческих силуэтов. Это был внутренний ад Сосо Джугашвили. Такими товарищ Сталин видел людей. Только превращаясь в очередного персонажа драматургического действа, человек становился объемным и цветным, обретал четкие очертания, чтобы наилучшим образом сыграть придуманную для него роль и навсегда исчезнуть.

— Чем больше оружия производит Германия, тем больше ей требуется стратегического сырья. Геринг понимает это не хуже Шахта и должен быть так же, как Шахт, заинтересован в экономическом сотрудничестве с Советским Союзом, — говорил Илья.

У него леденели губы, кровь отливала от щек, замирало сердце. Это случалось всегда в сталинском кабинете. Организм сам, помимо воли, притворялся мертвым механизмом. Руки спокойно лежали на столе, и ногти были белыми, с голубоватым оттенком. Казалось, еще немного и спецреферент Крылов свалится замертво. Но нет, механизм работал безотказно. Губы и язык двигались, голосовые связки вибрировали, глаза замечали каждое движение лицевых мышц товарища Сталина, и какая-то внутренняя антенна улавливала ход мысли маленького хитрого Сосо.

Чем активнее Гитлер вооружался, тем крепче подсаживался на советское сырье, тем больше давал кредитов. В этом Сталин видел гарантию собственной безопасности. По его логике, вооружаются не обязательно для того, чтобы напасть на соседей. Производить оружие выгодно. Мегатонны смертоносного железа сжирают человеческий труд, ничуть не улучшая жизнь. Нужда, страх, напряженное ожидание войны, когда внешний мир, все другие государства и народы кажутся врагами, — вот азбука абсолютной власти. Сталин не сомневался, что Гитлер эту азбуку знает, и неважно, что он там написал в «Майн кампф». Сосо Джугашвили считал Адольфа Гитлера умным человеком, а умный для Сосо отличался от глупого прежде всего умением врать.

«Вы ошибаетесь, товарищ Сталин, вы мерите Гитлера по себе, а он другой. Вы циник, он фанатик. Он искренне верит в свою миссию, и плевать ему на кредиты. Он попрет на нас войной, как только создаст достаточно сильную армию. Вместо того чтобы заранее подготовиться к этой войне, вы помогаете Гитлеру вооружаться, заигрываете с ним. Надеетесь, что он сцепится с англичанами? Втянет в войну западные демократии, обескровит их и создаст революционную ситуацию? Ну вы же не романтический авантюрист Троцкий, вам на фиг не нужна победа мировой революции. Вам, человеку здравому, вполне хватает абсолютной власти в одной, отдельно взятой России. Вряд ли вы надеетесь раскулачить швейцарских фермеров, организовать передовые голландские колхозы, разместить в Лондоне, в здании парламента, Британский крайком ВКП(б), а в Лувре устроить спецсанаторий для руководства НКВД. Никакие французы и даже поляки не потерпят ваших кровавых издевательств».

Разумеется, ничего этого спецреферент Крылов не мог произнести вслух, он не был самоубийцей, тем более сейчас, когда постоянно думал о Маше. Закончив краткий обзор гитлеровского плана экономического развития на следующую четырехлетку, Илья доложил свежую новость о контактах Канариса с Коновальцем. Хозяин нежно, двумя пальцами, покрутил кончик уса. Это был верный признак, что новость его заинтересовала.

— Спасибо, товарищ Крылов. Можете идти. Пригласите, пожалуйста, товарища Канделаки*.

Когда Илья вернулся в свой кабинет, ему ужасно захотелось позвонить Маше, он потянулся к трубке городского телефона, но тут же отдернул руку.

* * *

Ночью Маша услышала, как шепчутся родители за перегородкой, подумала, что они потихоньку обсуждают какие-то подробности маминого визита к мужской ноге со сросшимися пальцами. Маша прислушалась, ждала, что кто-нибудь из родителей прошепчет имя ноги. Она

---

*Канделаки Давид Владимирович расстрелян в 1938-м.

почти не сомневалась, что маму возили к Сталину, поэтому такая чудовищная секретность.

Уловив отдельные слова в разговоре родителей, Маша поняла, что они обсуждают вовсе не мамино приключение, а папины неприятности на службе, и тут же вспомнила, как мама говорила: «У папы сейчас...».

Да, у него были неприятности, он делал вид, что все в порядке, и Маша старалась об этом не думать. Ну в самом деле, сколько можно? Постоянно страшно, постоянно происходит что-нибудь плохое. Нет, не только плохое. Мама вернулась, жива, здорова, страхи оказались напрасными. Но почему ей не дали позвонить, предупредить? Ничего не объяснили, завязали глаза? По какому праву? Она что, преступница? Или крепостная, с которой все можно? И сросшиеся пальцы...

За перегородкой заскрипела кровать, папа встал и принялся расхаживать по комнате. Голос его зазвучал громче, отчетливее:

— Ну не мог я молчать, не мог! Молчать в такой ситуации подло! Ваньку Звягина, лучшего токаря на заводе, умницу, настоящего самородка объявляют вредителем, потому что он, видите ли, сын дьячка! Нашли вредителя! Кто теперь сделает детали для опытной модели, кто?

— Подожди, но этот твой Ванька, он же не единственный токарь, есть другие.

— Ванька — единственный!

— А как же стахановцы?

— Вера! — папа крикнул так громко, что Маша вздрогнула, а Вася заворочался.

— Тихо, детей разбудишь, — испуганно прошептала мама.

— Прости, — папа подошел к фанерной двери, осторожно приоткрыл, заглянул.

В комнате было темно, он зашел на цыпочках, поцеловал Васю. Маша закрыла глаза, папа поправил ее одеяло, вернулся к маме.

— Все в порядке, спят.

Кровать скрипнула, папа сел или опять лег, заговорил тише, но все равно было слышно каждое слово.

— У стахановцев этих руки из задницы растут! Они только и умеют, что пить, жрать и речи толкать на собраниях: спасибо товарищу Сталину за нашу счастливую халяву!

— Петя!

— Ну, ну, не бойся, Веруша, ничего этого я на бюро не говорил. Я продумывал каждое слово. Сказал, что Иван Звягин не может быть врагом, потому что враг никогда не станет работать так добросовестно и талантливо. Я даже не назвал его лучшим, чтобы не дразнить передовиков и стахановцев. Но эти суки пороли обычную хрень: враг маскируется, нарочно работает хорошо, чтобы снять с себя подозрения, притупить бдительность.

— Подожди, а Володя Нестеров? Он же начинал как токарь, работал на станках, и когда стал технологом, все равно сам вытачивал важные детали, почему сейчас не может?

— Володю взяли.

— Боже мой! Когда?

— Месяц назад. Я просто не говорил тебе, чтобы не пугать.

— Нет, погоди, я не понимаю, его-то за что? Володя из рабочей семьи, у него кристально пролетарское происхождение, никаких родственников-дьячков. Партиец, передовик, изобретатель, о нем в «Известиях» писали.

— Вот за это и взяли.

— То есть как?

— А он придумал хитрый план: выйти в передовики, получить побольше наград, заинтересовать своими изобретениями лично товарища Сталина, чтобы проникнуть в Кремль и убить товарища Сталина. Все, Веруша, давай спать.

Они еще о чем-то шептались, но совсем тихо, Маша не могла разобрать ни слова и не заметила, как уснула.

Утром, перед театром, она вышла пораньше, забежала в подвал в Банном переулке. Мая дома не оказалось, единственный нормальный человек в этой безумной коммуналке, тихий старичок Дмитрий Сидорович сказал, что Май приходил ночевать и ушел совсем рано, часов в семь.

В театре Май не появился, начали репетировать без него. Маша решила не врать Пасизо, рассказала все как есть. Пасизо в перерыве дозвонилась в справочную Склифа и узнала, что Суздальцева Анастасия Николаевна сегодня утром скончалась.

Отрабатывать дуэт с Борькой Маша не смогла, ноги стали ватные, разболелась голова. Пасизо не кричала, наоборот, подошла, обняла за плечи.

— Не переживай так. Все бабушки когда-нибудь умирают, даже очень любимые. Это печально, но с этим приходится мириться. Есть вещи гораздо более страшные. Май молодой, сильный, талантливый, у него вся жизнь впереди.

— У него никого, кроме бабушки, не было. Родители...

— Знаю.

— Ада Павловна, я не представляю, как он сможет жить теперь один в этом их жутком подвале, — Маша не выдержала и заплакала.

Пасизо погладила ее по голове.

— Про подвал тоже знаю. Много раз предлагала ему переехать в общежитие, там хотя бы тепло, чисто.

— Не мог он оставить бабушку, возился с ней, как с младенцем, она в последнее время стала совершенно беспомощная, он мыл ее в корыте, горшки выносил.

— Вот Господь и прибрал, — со вздохом прошептала Пасизо и быстро, незаметно перекрестилась. — Ладно, похлопочу опять насчет общежития. С похоронами профсоюз поможет. Все, Маша, хватит рыдать, лучше разыщи Мая, его сейчас нельзя оставлять одного. И вот что, я до семи буду в театре, потом дома. Как найдешь, дай мне знать.

Маша нашла его в Склифе, возле морга. Он сидел, съежившись, на спинке заснеженной скамейки, как продрогший птенец на жердочке. Смотреть на него было невыносимо, говорить он ни о чем не хотел, и Маша испытала некоторое облегчение, когда к ним подошла тетка в телогрейке поверх халата, позвала внутрь здания оформлять документы на покойницу.

Потом он снова уселся на спинку скамейки и заявил, что ему нужно побыть одному. Больше не сказал ни слова. Маша сидела с ним, пока оба совсем не окоченели, наконец, ей удалось дотащить его до трамвайной остановки. Часам к шести она привезла его в театр. Там он слегка оттаял, выпил горячего чаю в буфете, вместе с Пасизо отправился в профком.

— Все, иди домой, отдохни, хватит с тебя, — сказала Пасизо Маше. — За Мая не беспокойся, сегодня переночует у меня, завтра переедет в общежитие, я уже договорилась, место для него есть.

Никогда еще она не чувствовала себя такой усталой и опустошенной. Мама спала после дежурства, Васи и папы дома не было. Карл Рихардович вышел в коридор, спросил ее про Мая, она рассказала.

— Бедный мальчик. Но знаешь, это нормально, когда внуки хоронят стариков. Значительно хуже, если наоборот.

— Да, наверное, — кивнула Маша, — но для Мая сейчас это слабое утешение.

— Сейчас — да, потом, позже, он поймет. Сколько ему? Девятнадцать?

— Да, он мой ровесник.

— Ну вот, вся жизнь впереди.

Карл Рихардович говорил то же, что Пасизо. Конечно, они были правы, и других утешений не придумаешь. Маша, когда сидела с Маем на жердочке у морга, вообще не могла сказать ни слова, молчала и шмыгала носом. Множество слов крутилось в голове, но они казались пустыми, банальными, неуместными на фоне боли, которую чувствовал Май.

— Я сегодня случайно купил ананас, — внезапно произнес Карл Рихардович, — настоящий, свежий, и еще кое-что вкусное. Один не справлюсь, может, составишь компанию?

Маша вошла в его комнату и увидела на журнальном столе, накрытом белой скатеркой, вазу с фруктами, шоколад, бутылку вина, три бокала, подсвечник с толстой свечой.

— Карл Рихардович, у вас день рождения? — спросила она смущенно.

Он чиркнул спичкой, зажег свечу, улыбнулся, отрицательно помотал головой и сказал что-то по-немецки, очень тихо.

Маша учила немецкий в училище, но не поняла ни слова.

— Моему старшему сыну сегодня исполнилось восемнадцать, — повторил доктор, опять по-немецки, но медленнее и громче.

— У вас есть дети? — изумленно прошептала Маша по-русски.

— Были. Два мальчика, старшего звали Отто, млашего — Макс. И жена была. Эльза.

— Что значит «были»?

— То и значит, Машенька. Были. Погибли, все трое, — он открыл бутылку, налил себе и Маше. — Давай-ка помянем моего Отто.

Они выпили не чокаясь. Доктор положил Маше в маленькую десертную тарелку клинья ананаса.

— Это давно случилось? — осторожно спросила Маша.

— В июне тридцать четвертого.

— Вы никогда не говорили...

— Дома, в Берлине, мы до дня рождения Отто не убирали рождественскую елку и подарки клали под елку. Он вставал утром, бежал в гостиную, ползал под ветками, вылезал, весь осыпанный хвоей. Потом приходили гости. Эльза готовила индейку, штрудели, вишневый и яблочный. Макс, младший, обязательно мастерил для Отто подарок сам. Однажды вышел конфуз. Макс сделал кораблик из куска дубовой коры, а в качестве паруса использовал лоскут белого атласа, который вырезал из вечернего платья Эльзы. Платье было новое, ужасно дорогое. Эльза, конечно, расстроилась, но Макса все-таки мы не стали ругать. А кораблик мы потом пускали плавать на веревочке в Тиргардене, в пруду, пока веревочка не оборвалась... Все оборвалось, ничего не осталось, даже фотографий.

— Когда вы тут поселились, папа сказал, вы немецкий коммунист, эмигрант. Он предупредил меня и Васю, что у вас секретная работа и нельзя ни о чем спрашивать, — Маша вздохнула. — Вот как бывает: видишь человека каждый день, живешь под одной крышей и ничего о нем не знаешь.

— Ох, Машенька, мы о самих себе ничего не знаем, не то что о других.

— А как это случилось? Как они погибли?

— Разбился самолет, в котором они летели. Я должен был лететь с ними и погибнуть с ними... Ладно, давай еще выпьем немножко, только на этот раз чокнемся, выпьем за тебя и за Илью.

— Не буду, — Маша помотала головой и поставила бокал на стол не пригубив.

— Обижаешься, что он исчез? Не нужно, я объяснял, он сейчас страшно занят, ты просто подожди, осталось совсем немного, он любит тебя, мог бы — на крыльях прилетел.

— Я не верю. Так не ведут себя, когда любят.

Карл Рихардович улыбнулся:

— Примерно то же самое мне говорила Эльза, когда я уезжал на фронт в четырнадцатом году. Я сделал ей предложение, а через неделю началась война. Я был военный врач, меня мобилизовали в первые дни, но она твердила, что я имею право на отсрочку и просто не желаю остаться в Берлине, нарочно отправляюсь на фронт, потому что не люблю ее. Ей пришлось ждать меня четыре года. Письма приходили нерегулярно, и каждый раз, когда задерживалась почта, Эльзе казалось, что я не хочу писать, забыл ее, встретил другую женщину. Я вернулся, и мы поженились.

— Война совсем другое дело, — пробормотала Маша.

— Война бывает разная, — тихо заметил Карл Рихардович по-немецки.

Но Маша не услышала или не поняла.

— Если бы, допустим, он был военный и его бы отправили в Испанию, я бы ждала. Но ведь он здесь, в Москве. Я так больше не могу, чувствую себя дурой, постоянно о нем думаю.

— Он о тебе тоже, — Карл Рихардович протянул ей платок, и только тогда она заметила, что опять плачет.

В прихожей хлопнула дверь.

— Это Васька, — прошептала Маша. — Надо успокоиться, сейчас увидит, что я реву...

— Карл Рихардович, к вам пришли! — закричал Вася. — Эй, кто дома? А вот тапочки... а Машка не знаю куда делась.

Маша вздрогнула, слезы полились сильнее, в коридоре звучал не только голос Васи, но еще чей-то, она не желала прислушиваться и тем более узнавать этот второй голос, который говорил приглушенно, почти шепотом.

— Сиди, я выйду встречу, — доктор поднялся, — и скажу Васе, чтобы так не орал, маму разбудит.

«Прекрати реветь сию минуту! — приказала себе Маша. — Не смей! Мало ли кто пришел к доктору? Тебе какое дело?»

Она сидела спиной к двери, услышала шаги, не успела обернуться, прохладные большие ладони закрыли ей глаза, голос Ильи прозвучал у самого уха:

— Прости меня, я трус и дурак, соскучился ужасно, не могу без тебя больше.

ГЛАВА ВОСЕМНАДЦАТАЯ

В понедельник в два часа дня Габи улетала в Цюрих. Утром в воскресенье она отправилась на остров Музеев. Долго бродила по музею Древнего Египта, то и дело возвращалась к стенду со свитками «Книги мертвых». Никто не появился. Она огорчилась, но не слишком. Никакой срочной информации не было, просто она хотела сообщить, что теперь есть возможность встречаться не в Берлине, а в Цюрихе. Это удобнее и безопаснее.

«На самом деле удобнее и безопаснее было бы послать их к черту, — думала Габи, сидя за столиком у окна в ресторане на острове Музеев. — Я могу кататься в Швейцарию, не отчитываясь перед Франсом и перед песиками Геббельса из Имперской палаты прессы, и хочу встречаться там только с Осей, больше ни с кем. Я хочу, наконец, просто жить, дышать свободно, мне скоро тридцать, я устала, я не понимаю, ради чего суечусь и рискую жизнью».

Чем больше она размышляла о встрече с лопоухим юношей, тем гаже себя чувствовала. Зачем передавать информацию людям, которые тебя не слышат? Чем они отличаются от нацистов? Такие же тупые, слепоглухонемые фанатики, трусы, первобытные дикари, бормочут магические заклинания, поклоняются кровавому идолу.

Работая на советскую разведку почти три года, Габи мало задумывалась, что такое СССР, хорош или плох Сталин. Выбора все равно не было. Английские лорды дружили с Герингом, с удовольствием гостили у него в Каринхалле. Французы, как загипнотизированные кролики, отдали Гитлеру Рейнскую зону. Конечно, эти земли до Первой мировой войны принадлежали Германии, но одно дело Германия, и совсем другое — нацистский рейх.

Габи доводилось слышать разговоры немецких дипломатов и военных о том, что Гитлер приказал отступать при малейшем сопротивлении. У французов имелась вполне дееспособная армия, но не прозвучало ни единого выстрела. Из уст в уста передавались слова Гитлера, что сорок восемь часов после ввода войск в Рейнскую зону были самыми тревожными в его жизни. *«Если бы французы начали стрелять, нам пришлось бы убраться с поджатыми хвостами, наши военные ресурсы были недостаточными даже для слабого сопротивления».*

Легкая бескровная победа укрепила авторитет Гитлера. Позорное поражение стало бы роковым для него. Не окажись французы такими трусливыми баранами, нацистский режим мог бы рухнуть в марте 1936-го. Летом, на торжественном открытии Олимпиады в Берлине, французские спортсмены, маршируя мимо трибуны Гитлера, дружно повернули головы в его сторону и подняли руки в нацистском приветствии.

О русских Габи практически ничего не знала, никогда не бывала в СССР. Понимала, что Сталин — жестокий диктатор, но именно в этом находила надежду, что он победит Гитлера. Бруно ускользал от неприятных вопросов, отделывался общими словами: временные трудности, цифры преувеличены, на самом деле все не так страшно, как пишут немецкие газеты.

Немецким газетам она, конечно, не верила. Информация об СССР из французской и английской прессы казалась ей необъективной, так же как рассказы русских эмигрантов, с которыми удавалось познакомиться в Берлине, в Париже, в Ницце. Как могут относиться к режиму люди, сбежавшие от него за границу? Что они знают о стране, в которой не живут почти двадцать лет? Только прошлое. К тому же все русские эмигранты, с которыми она знакомилась, представлялись князьями и графами. Титульного чванства Габи не терпела, графами и баронами была сыта по горло в Великом рейхе.

Она знала, что СССР поставляет Германии стратегическое сырье, получает взамен технику, оборудование. До нее доходили слухи о тайных переговорах. На дипломатической вечеринке молодой хлыщ, экономический советник МИД Карл Шнурре, слегка подвыпив, пытался выговорить смешную фамилию сталинского эмиссара, который *через Шахта соблазняет фюрера заманчивыми предложениями своего хозяина, кремлевского Чингисхана, о тесном политическом сотрудничестве*.

Советник несколько раз повторил фамилию эмиссара: Канделаки. Непривычное для немецкого уха сочетание звуков запомнилось Габи, а брошенная кем-то фраза «Красные нас боятся, поэтому так заискивают» застряла занозой в мозгу.

Во время последней встречи с Бруно Габи передала ему эту информацию. Он чересчур бодро принялся уверять, будто о тайных политических переговорах ему известно, ничего страшного, тонкий дипломатический маневр. «Не волнуйся, Сталин знает, что делает, он не дурак».

«А вдруг дурак? — прошептала маленькая Габи. — Хитрый и жестокий — это не значит умный и смелый. Совсем наоборот, это значит глупый и трусливый».

Бруно умел врать. Но и Габи умела, ничуть не хуже. Когда Бруно врал, он прикрывал глаза и трогал кончик носа. У Габи такой дурной привычки не было.

«Я не желаю избавляться от иллюзий, — думала Габи, ковыряя вилкой кусок лососины со шпинатом. — Я отлично знаю, что в СССР кровавая диктатура и Сталин такое же чудовище, как Гитлер. Все это я сказала лопоухому юноше, между прочим, впервые произнесла вслух, раньше даже думать об этом не желала. Меня взбесила его тупость, вот я и сорвалась».

Она отодвинула тарелку, почти не притронувшись к еде, расплатилась, вышла на улицу. В лицо ударил колючий мокрый снег. Она оставила машину далеко, на другом берегу Шпрее, пришлось бежать через мост. Ветер сбивал с ног, срывал шляпку, пытался вырвать сумочку. Вода в Шпрее свинцово лоснилась и дыбилась, как шерсть гигантского мокрого животного.

Немного согревшись в салоне, она вдруг поняла, что впервые нарушила одну из заповедей Бруно — приехала на встречу с агентом на своей машине. Новенький сине-голубой «порш», подарок милого Франса, бросался в глаза на серых берлинских улицах.

«Может, поэтому никто не пришел?» — спросила маленькая Габи тревожно и виновато.

«Ерунда! Я оставила машину достаточно далеко. Никто не пришел потому, что вся необходимая информация печатается в газете «Правда», — ответила взрослая Габриэль и завела мотор.

В пустой квартире заливался телефон.

— Добрый день, можно отправлять к вам рассыльного? — произнес незнакомый женский голос, писклявый и сердитый.

— Какого рассыльного? Кто говорит?

— Я звоню вам три часа подряд, никто не отвечает. Вы, наконец, готовы получить заказ? — пищала трубка.

— Какой заказ? Я не понимаю...

— Фрейлейн Габриэль Дильс, Кроненштрассе, дом четырнадцать, квартира... — не унимался противный телефонный голос.

— Да, это я. Но я ничего...

— Вы заказали пирожные в кондитерской «Жозефина».

— Жозефина, — эхом отозвалась Габи.

— Пирожные будут вам доставлены в ближайшие полчаса, извольте предупредить консьержа.

На том конце положили трубку. Габи медленно опустилась на коврик в прихожей, просидела так несколько минут, пытаясь унять слезы и смех, успокоить разбушевавшееся сердце.

«Жозефина... твоя Жозефина... нежно любящая тебя...»

«Между прочим, он забыл добавить «Гензи», это может оказаться случайным совпадением», — заявила маленькая Габи.

«Совпадение? Нет! Я не заказывала никаких пирожных, и он вовсе не должен ничего добавлять. Жозефина—Жозеф—Джо—Ося... А что такое Гензи?»

«Кажется, так звали хозяина пансиона в Копенгагене».

«Ну да, конечно. Чудесный пансион, добрейший господин Гензи. Мы с Осей в первый раз решились остаться вместе на всю ночь, и потом, через месяц, в Зальцбурге, когда гостиничный портье передал мне записку от некой Жозефины Гензи, я сразу поняла...»

«И полетела в кондитерскую у ратуши, не заметив, что следом полетел фотограф из газеты «Ангриф». Куда вы бежите, фрейлейн Дильс? Позвольте вас проводить... Благодарю вас, это ни к чему, у меня важная деловая встреча...»

Габи тогда здорово перенервничала. Болван фотограф никак не отставал, вошел вместе с ней в кондитерскую, заявил, что мечтает о чашке кофе и пирожном. Был ли он осведомителем гестапо или пытался ухаживать, не имело значения. Он ни за что не должен был увидеть, с кем встречается фрейлейн Дильс.

Оглядев зал, Габи с облегчением обнаружила, что Оси еще нет, и хотела поскорее уйти. Пока она сочиняла более или менее достоверную легенду для фотографа, как-то объясняющую ее странное поведение, ее окликнул по имени хрипловатый женский голос. В дальнем углу, за столиком, сидела незнакомая пожилая дама, смотрела на Габи поверх массивных очков в толстой роговой оправе и приветливо махала рукой. Фотограф, ничуть не смущаясь, сел к ним за столик.

Габи с ходу сочинила, что фрау Жозефина Гензи — мастерица и знаток старинной рунической вышивки, которой очень интересуются читательницы «Серебряного зеркала».

— Так и знал, что за тобой кто-нибудь увяжется, — сказала Жозефина мужским голосом, когда удалось, наконец, отделаться от фотографа. — Придется тебе провести ночь в моем тихом домике, арийское руническое рукоделие имеет долгую и сложную историю, за пару часов не расскажешь, к тому же домик мой далеко от города, на высокой горе, и спускаться в темноте опасно.

Воспомнинание о зальцбургском приключении вызвало очередной приступ смеха до слез. Габи стало жарко. Она сняла шубку, повесила на вешалку, вышла на лестничную площадку и спустилась вниз, оставив дверь открытой.

По случаю воскресенья дежурил самый пожилой из консьержей, однорукий ветеран, который никогда не снимал своей капральской формы. Габи старалась поддерживать с консьержами хорошие отношения, знала каждого по имени. Они сообщали хозяину дома обо всех, кто приходил к жильцам, а хозяин докладывал в районное отделение гестапо.

— Отто, я жду посыльного из кондитерской, пропустите, пожалуйста, — она улыбнулась и добавила доверительным шепотом: — Иногда так хочется сладкого, не могу отказать себе, а ведь надо беречь фигуру.

— Фрейлейн, мне бы ваши заботы, — вздохнул капрал.

Звонок в дверь прозвучал минут через пятнадцать. На пороге стоял мужчина с картонной коробкой, перевязанной розовой лентой. Потертая кожаная куртка на меху, кожаный теплый шлем, надвинутый до глаз, штаны цвета хаки, длинный белый шарф грубой вязки, толстые полосатые гетры, высокие армейские ботинки. Он был похож на пижона-авиатора, вовсе не на посыльного. Под носом чернели фюрерские усики.

— Кондитерская «Жозефина», ваш заказ, фрейлейн Дильс, — произнес он тем же сердитым писклявым голосом, что звучал в трубке. — Позвольте войти?

Она не успела ответить. Он переступил порог, поставил коробку, захлопнул дверь и начал целовать Габи, при этом снимая с себя куртку, с нее жакет. Когда он расстегнул пуговицу на поясе ее юбки, она фыркнула и спросила:

— Что вы себе позволяете, господин посыльный?

— Фрейлейн, вы правы, — пробормотал он своим нормальным голосом, — приличные посыльные так себя не ведут...

Они опять стали целоваться.

— Где ты снял номер? — прошептала Габи.

— В «Дортмунде», на Каштаненплац.

— Но я не смогу туда прийти...

— Ты туда и не пойдешь, ты спустишься вниз, дашь консьержу эту перчатку и скажешь: господин трам-пам-пам, посыльный из кондитерской забыл свою перчатку, если он вернется, будьте любезны, передайте ему. Хорошо, фрейлейн Дильс, обязательно передам, ответит он. Спасибо, господин трам-пам-пам, скажешь ты и положишь на его столик вот эти монетки. Он трогательно поблагодарит тебя...

— Ося, ты что? — Габи отступила на шаг, испуганно уставилась на него. — Допустим, он поверит, что не заметил, как ты вышел. Но потом тебе придется выйти по-настоящему.

— Что-нибудь придумаем. Я слишком соскучился, а в этом городе уже не осталось мест, где нам сдадут комнату без документов, под вымышленными именами.

Он был прав. Встречаться в Берлине стало практически невозможно. Габи узнавали. Семитская внешность Оси вызывала усиленное внимание, ему то и дело приходилось предъявлять удостоверение сотрудника МИД Италии.

— Как ты проскользнешь, как? Он примет тебя за вора и вызовет полицию.

— Почему за вора?

— Да потому! Если я принесу перчатку, значит, от меня ты вышел, верно?

— Мг-м.

— Но на самом деле не вышел, остался в доме! Зачем? Чтобы залезть в чью-то квартиру. Именно так поступают воры. Консьерж трам-пам-пам — это капрал Отто, он старый, но бдительный, дорожит своим местом, боится, что хозяин уволит его, и старается изо всех сил.

— Утром будет дежурить другой трам-пам-пам, ты спустишься, скажешь, что у тебя засорилась раковина, он отправится за слесарем, я быстро проскользну. Все, иди. Нет, подожди, — Ося вытащил платок и принялся вытирать ей лицо.

Она взглянула в зеркало и увидела, что весь черный грим которым были нарисованы усики, размазался по ее щекам и подбородку.

Капрал Отто дремал, уронив голову на единственную руку. Услышав, что посыльный прошел незамеченным, он испугался так, что Габи стало жаль старика.

— Не может быть, нет, я никогда не сплю на дежурстве, я вот как раз подумал, почему этот посыльный так долго не выходит, хотел даже подняться к вам, узнать, все ли в порядке.

— Разумеется, все в порядке, иначе и быть не может, — Габи улыбнулась. — Когда вы дежурите, я чувствую себя в полной безопасности.

Три марки окончательно его утешили.

Вернувшись, она услышала шум воды. Ося принимал душ. Ни о чем больше не думая, Габи разделась и залезла к нему в ванну.

* * *

В половине восьмого утра позвонил помощник Майрановского, аспирант Института тонкой химической технологии Филимонов.

— Товарищ Штерн, срочно явитесь, безотлагательно требуется ваше явление, я извиняюсь, присутствие ваше, срочно, государственной важности.

Филимонов тяжело дышал, запинался, говорил слишком быстро и слишком долго. Аспирант пил и страдал по утрам похмельем. Карл Рихардович ответил, что придет через полчаса, но аспирант как будто не услышал, продолжал тарабанить:

— Срочно, товарищ Штерн, экстренный случай, поторопитесь быстрее, товарищ Штерн, государственной важности.

— Через полчаса, — повторил доктор и бросил трубку.

Вызов был неожиданный и не имел никакого смысла, доктор и так собирался идти в пряничный домик, в последнее время он бывал там ежедневно. Зеркальный уродец уже не появлялся каждое утро, давал небольшие передышки. Но сегодня возник и заговорил необыкновенно бодро, энергично, словно успел отдохнуть, набраться сил:

— Поздравляю, герр доктор, ты стал незаменимым, без тебя не могут обойтись. Они без тебя, а ты без них. Наконец ты освободился от сантиментов и научился рассуждать здраво. Чем научная работа в «Лаборатории Х» отличается от прочих медицинских исследований? Наука требует жертв. Любое новое лекарство должно пройти стадию испытаний, не только на животных, но и на людях. Ты можешь возразить: одно дело, когда это лекарство и цель эксперимента — лечение болезней, и совсем другое, когда это яд и цель — убийство. Но разве цель оправдывает средства? Каждое лекарство может стать ядом, и каждый яд лекарством. Где граница? И почему бы тебе самому не продегустировать продукцию товарища Майрановского?

Предложение звучало соблазнительно, пожалуй, слишком соблазнительно, чтобы отнестись к нему всерьез. Зачем отнимать у палачей их работу? Каждый должен заниматься своим делом. Доктор не сомневался, рано или поздно товарищи из НКВД его прикончат.

Он часто вспоминал слова молодого итальянца Джованни Касолли, который не дал ему прыгнуть за борт и утонуть в Балтийском море холодной осенней ночью 1934 года:

«Вы хотите избавиться от боли, я понимаю, но, поверьте, это самый неподходящий способ из всех возможных. Вы просто заберете ее с собой, и она будет мучить вас вечно».

Итальянец, шпион, приятель Бруно наверняка много врал, как положено шпиону. Однако те его слова не были ложью хотя бы потому, что истина никому не известна. Это вопрос веры и чувства. Доктор верил и чувствовал, что если однажды не выдержит, последует совету зеркального жителя, придется забрать с собой уже не только боль. Багаж окажется куда тяжелее, чем мог быть тогда, осенью 1934-го.

Карл Рихардович медленно шел сквозь мягкий утренний снегопад, до бетонного забора осталось меньше ста шагов. Всякий раз, когда он нырял в узкий проход между забором и глухой стеной соседнего дома, наваливалась лютая тоска. Рука наливалась свинцом, немели пальцы, требовалось неимоверное усилие, чтобы поднять ее, дотянуться до кнопки звонка у калитки. В голове оглушительно хихикал зеркальный житель:

— Наука требует жертв, работа есть работа, действуйте согласно инструкции, во имя великой цели, следуйте неуклонно генеральной ленинско-сталинской линии партии большевиков! Добро пожаловать в ад, дорогой коллега!

Но стоило подняться на второй этаж, войти в лазарет, зеркальный житель затыкался. Над умывальником висело зеркало, в котором злобный старикашка почему-то никогда не возникал.

Доктор обрабатывал раны, менял повязки, ставил капельницы, кормил, мыл, выносил судна, выдумывал очередное вранье, чтобы подольше продержать у себя больных, писал липовые наукообразные отчеты для руководства ИНО. Удивительно, как до сих пор никто не заподозрил подвох, не догадался, чем занимается в своем лазарете доктор Штерн?

Санитары, приставленные к нему в помощь, резались в карты или валялись пьяные. Аспирант Филимонов туго соображал с похмелья. Майрановский пил лишь за компанию, очень умеренно, алкоголь на него не действовал. Он был тяжелый наркоман, просто вместо морфия и кокаина употреблял человеческие мучения, наркотик, самый сильный из всех существующих.

Обитатели пряничного домика слабели и угасали очень быстро, каждый по-своему. Ассистент Майрановского, студент-биолог Терентьев принял дозу цианистого калия, предназначенную очередному подопытному смертнику. Санитар из заключенных Вейншток, фельдшер по образованию, живший при лаборатории, допился до белой горячки и повесился.

Майрановский со своими подручными замучил и убил множество людей, но призраки убитых никогда не являлись убийцам. Зато их постоянно беспокоили призраки тех, кто работал в их команде и покончил с собой. Когда хлопали двери, дымили печи, скрипели половицы, обитатели пряничного домика обсуждали, кто на этот раз шалит, Терентьев или Вейншток. Кузьма, аспирант Филимонов, сам Майрановский, яростный материалист, не сомневались, что их бывшие товарищи-самоубийцы слоняются по дому, портят электропроводку и лабораторное оборудование. Терентьев таскает опытные препараты, Вейншток покушается на веревки, провода, рвет простыни.

«А что, если весь персонал во главе с Майрановским окончательно свихнулся? — подумал доктор. — Бегают по комнатам, ловят привидений. Филимонов пришел утром, испугался, решил вызвать психиатра, вот и позвонил мне».

Калитка открылась. В пряничном домике было тихо, никаких криков, даже радио молчало. Светилось несколько окон на первом этаже. В углу двора под шиферным навесом одиноко стоял черный «бьюик», служебная машина коменданта Административно-хозяйственного управления НКВД Василия Михайловича Блохина.

Обычно, доставив очередную партию приговоренных, оформив протоколы по трупам, выполнив все формальности, Василий Михайлович не спеша угощался водочкой, пельменями, наваристым борщом. Кузьма подробно рассказывал доктору, как Михалыч кушает, как хорошо, по-умному, потребляет водочку, не больше пары стопок, исключительно с горячей закуской.

Комендант приезжал в пряничный домик обычно вечером или ночью, и всегда рядом с его «бьюиком» стоял фургон или «воронок». На этот раз явился утром, ни фургонов, ни «воронков» под навесом не было.

Кузьма, провожая доктора от калитки до крыльца, нес полнейшую околесицу:

— Куды задевали, едрена вошь? На хрена им-то палка-кололка? Вещь, конечно, шикарная. Но на хрена им-то? Продать не продадут, пропить не пропьют, разве по бульвару погулять с ней, покрасоваться.

В доме было жарко натоплено. Из глубины коридора, из бывшей купеческой кухни, несло жареным салом. Кузьма снял с доктора пальто, аккуратно повесил на плечики, продолжая бубнить:

— Григорь Мосеич грит: ищи, все перерой, едрена вошь, а найди, в доме она, палка-кололка, кроме Терентьева с Вейнштоком, никто стибрить не мог, а они тута обитают неотлучно, на вечном поселении.

Доктор снял галоши, Кузьма наклонился, чтобы поставить их в галошницу, и вдруг замер, скрюченный, словно у него прихватило живот, застонал, запричитал:

— Едрена вошь! Вот она! Ну точно, Вейншток с Терентьевым хотели стибрить и драпануть отседа, чертовы куклы, да не могут за порог-то, не могут!

Между вешалкой и галошницей стояла, прислоненная к стене, элегантная трость темного дерева, украшенная резьбой, с набалдашником в виде змеиной головы. Кузьма распрямился, взял трость в руки, ласково, одним пальцем, погладил набалдашник.

— Миленькая, родименькая, туточки. Вона в головке у ней потайная кнопка, а снизу шипчик тоненький, востренький, а в шипчике-то ядец замедленного действия. Этак где-нибудь в буржуазной загранице прогуливаешься, увидел врага, ненароком тык его в ногу. Извиняюсь, пардонец вам, уважаемый господин!*

Дверь кухни открылась, в проеме показалась маленькая тощая фигура аспиранта Филимонова.

— Кузьма! Где тебя носит, сучий потрох!

— Туточки я, товарищ Филимонов! Доктора привел!

Аспирант скрылся за дверью, ничего не ответив. Доктор по инерции направился к лестнице, в свой лазарет, но Кузьма повел его на кухню, приговаривая:

— Сюды, товарищ доктор, велено вас сюды весть.

В просторной, отделанной бело-синей плиткой кухне, за столом, на венских купеческих стульях сидели Филимонов, Майрановский и Блохин. Перед ними стояла ог-

---

*«Трость-кололка», сконструированная Майрановским, не раз применялась на практике сотрудниками советских спецслужб, позже трость превратилась в «зонтик-кололку».

ромная сковорода с остатками яичницы, блюда с толсты-ми ломтями колбасы, сыра, белого хлеба. Майрановский ел простоквашу из стакана. Филимонов намазывал мас-лом горбушку. Блохин собирал хлебной коркой желток со своей тарелки.

При взгляде на Майрановского сразу бросались в глаза признаки психической патологии, если бы Григорий Мо-исеевич носил маленькие усики, был бы похож на Гитлера, как родной брат. Вытянутая физиономия аспиранта Фи-лимонова с приплюснутым носом, кривым ртом, крошеч-ными, круглыми, асимметрично посаженными глазками несла на себе очевидную печать уродства и деградации. Внешний облик Блохина не говорил совершенно ничего об этом человеке, точно так же, как название его должно-сти «Комендант административно-хозяйственного управ-ления» не давало ни малейшего представления о том, чем он занимается.

Доставка приговоренных в пряничный домик была только малой и самой бескровной частью работы товари-ща Блохина. Комендант АХУ НКВД возглавлял сверхсе-кретную спецгруппу, которая занималась расстрелами. Ежедневно, еженощно Василий Михайлович убивал и, как положено главному палачу Советского Союза, был лучшим из лучших, передовиком, стахановцем, мог в ре-кордно короткое время произвести рекордное количество трупов.

Доктор впервые видел коменданта так близко. Простое грубое лицо гладко выбрито, пегие волосы аккуратно за-чесаны назад. Ничего особенного. Абсолютно нормаль-ный, здоровый мужчина сорока двух лет, коренастый, ши-рокоплечий, с кабаньей шеей, с тяжелыми толстопалыми руками. На левом запястье массивные золотые часы. Он получил их всего неделю назад, по личному распоряже-нию товарища Сталина, в награду за выдающиеся успехи в работе, и еще не привык к ним, поглядывал на циферблат, поправлял браслетку.

Как положено главному в этой компании, Блохин заговорил первым:

— Утро доброе, товарищ Штерн, присаживайтесь, угощайтесь. Кузьма, поставь-ка еще тарелку. И чаю, чаю давай.

— Благодарю, сыт, — доктор опустился на стул напротив Блохина.

— Товарищ Штерн, у нас тут накладочка вышла, требуется ваша помощь, — Блохин отправил в рот корку с желтком и озабоченно сдвинул светлые брови. — Надо провести экспертизу осужденного, определить, симулирует он или нет. Если не симулирует, надо его вылечить. Задача вам понятна?

— Не совсем.

— Ладно, поясню детали. Подследственный и осужденный оказались однофамильцами. Подследственного доставили сюда. Вместо того чтобы давать показания, он тут валяется как бревно. Забирать назад в таком состоянии без толку, а показания нужны позарез. Там целая разветвленная шпионская организация наметилась, гнида эта должна назвать сообщников, всех поименно, в срочном порядке. Приказ товарища Ежова.

Доктор догадывался, о ком шла речь. Человек этот лежал наверху, в лазарете. Майрановский испытывал на нем свою «таблетку правды» и чуть не убил. Звали его Володя Нестеров. Три дня доктор его выхаживал, узнал, что он технолог в конструкторском бюро при Наркомате авиации, что подписал признание в подготовке покушения на Сталина. Нестеров рассказал, что в камере с ним сидел однофамилец, полный его тезка, тоже Владимир Иванович Нестеров, но не авиатехнолог, а инженер-строитель.

Ошалевшие от крови и водки энкавэдэшники гнали план. При таком стремительном конвейерном потоке запросто могли перепутать однофамильцев. Странно, что заметили ошибку и пытаются ее исправить. Какая им разница, кого убивать? Зачем понадобилось вскрывать организацию именно в авиации, а не в строительстве? Неужели для них так важны профессии трупов?

Нестеров лежал скрючившись, уткнувшись лицом в подушку. Когда подошли к нему, не шевельнулся.

— Полная нечувствительность нервов и неподвижность мышц, — объяснил Майрановский, ткнув кулаком в спину больного. — Метод рефлексологии пробовали, не действует.

«Методом рефлексологии» Григорий Моисеевич называл пытки.

— Ты это брось, — строго сказал Блохин. — Доставить его надо в натуральном виде, чтобы был как огурчик. От твоей рефлексологии он копыта отбросит. Ты и так уж напортачил по самое не могу, смотри, Григорий, тут вредительством пахнет, а то и чем посерьезнее.

Майрановский выпучил глаза, открыл рот, дернул головой, заговорил быстро, возбужденно:

— Василий Михайлович, ну вы же меня знаете, я стараюсь, здоровья не щажу, ночами не сплю, всему виной моя обывательская успокоенность, преступное благодушие, мое интеллигентское донкихотство, желание работать на благо советской разведки.

Он зашмыгал носом, из глаз полились настоящие обильные слезы.

— Товарищ Штерн, осмотрите подследственного, — приказал Блохин.

Карл Рихардович сел на край койки, тронул плечо Нестерова, приподнял веко, заметил, что зрачок реагирует на свет, приложил пальцы к шейной артерии. Пульс был бешеный. Низко склонившись, шепнул на ухо:

— Лежи, не дергайся.

— Чего это вы там шепчете? — спросил Филимонов, стоявший ближе других.

— Не сбивайте, пульс считаю, — сердито ответил доктор и взглянул на Блохина: — Тяжелое токсическое поражение нервной системы, дистальная аксонопатия с тенденцией к проксимальному распространению, токсическая энцефалопатия.

Блохин рыгнул, пригладил идеально зализанные волосы и строго прищурился.

— Значит, по-вашему, он не симулирует?

— Конечно, нет. Удивительно, что он вообще жив.

— Прогноз ваш какой, товарищ Штерн? Приведете его в чувство?

— Попытаюсь. Обещать не могу. Все зависит от того, насколько пострадали клетки мозга. В любом случае нужно время.

— Три дня хватит?

— Неделя, не меньше, и то при условии, что товарищ Майрановский не будет мне мешать. Его присутствие усугубляет шоковую реакцию и выздоровлению не способствует. К товарищу Филимонову это тоже относится. Больному необходимы покой, свежий воздух, полноценное питание.

— Значит, неделя? — Блохин покачал головой, присвистнул, посмотрел на Майрановского, который продолжал рыдать. — Ну ты, Григорий, понял, нет? Сопли-то подбери, не по-большевистски ведешь себя. Все, товарищи, приступаем к работе на вверенных участках фронта.

Нестерова переложили на койку у окна. Кузьма притащил ширму, поставил возле койки, ворча вполне добродушно:

— Лежи, гнида, со всеми удобствами, поправляй свое вражеское здоровье.

Как только все ушли, Володя задвигался, заговорил сиплым шепотом:

— Опять вы мне подохнуть не дали, товарищ Штерн, сказали бы, что симулирую, они бы меня быстренько прикончили.

— Конечно, прикончили бы, — кивнул доктор, — но не быстренько. Тебя забрали бы назад в тюрьму, чтобы ты дал показания на всех, кого знаешь.

— Всех, кого знаю... всех им надо... вот сволочи... холодно мне, очень холодно, — его била дрожь, зубы стучали, он забормотал что-то невнятное.

Доктор вышел, чтобы взять еще одно одеяло. Когда он вернулся, Володя спал.

* * *

Утром Ося и Габи ели пирожные из красивой коробки. Габи сварила кофе, у нее слипались глаза, она мерзла в теплом халате и толстых вязаных носках. Ей было грустно и одиноко. Он еще сидел здесь, напротив, они спокойно, не спеша завтракали вместе. Но время летело слишком быстро.

— Когда твоя свадьба с фон Блеффом? — спросил Ося.

— В марте. А что?

— Так, ничего. Будете венчаться в церкви?

— Ну, если это можно назвать церковью... В алтаре гигантский портрет фюрера, вместо крестов свастики. Почему ты вдруг спросил?

— Потому что вижу, как сильно ты устала, как все это тебе осточертело. Мне честно говоря, тоже. Америка, Австралия, Новая Зеландия. Мир большой, мы с тобой маленькие... — он встал, обнял ее, поцеловал в шею. — Маленькие, но разумные, и врать себе не станем.

— Что ты имеешь в виду?

— Не то, о чем ты сейчас подумала.

— А о чем я подумала?

— Что я слишком мало люблю тебя, поэтому не предлагаю сбежать вместе.

— Но ты правда никогда не предлагал. Почему?

— Не хочу рисковать. К тому же я набегался. Когда бежал из России, казалось, совсем скоро вернусь. В Константинополе, в Париже я чувствовал себя скверно. Меня тошнит от идеологии, одинаково противны белые, красные, коричневые...

«Умница, Жози, опять ускользнул от прямого ответа, — заметила про себя Габи. — Не хочешь рисковать? Но когда мы встречаемся в Берлине, мы разве не рискуем? Если ты набегался, вполне логично остановиться где-нибудь в австралийской глуши, подальше от идеологии, от белых, красных, коричневых. Хотя бы предложи. Я, разумеется, скажу, что это невозможно, но ты все равно предложи».

— Мне понравилась Венеция, я надеялся переждать период абсурда в Италии, итальянцы меньше других подвержены идеологической заразе. Но к власти пришел Муссолини. Конечно, он симпатичнее Гитлера, но...

— А Сталин? — перебила Габи.

Ося опять сел, допил свой кофе, закурил и произнес очень тихо:

— Чудовище.

— Страшнее Гитлера?

— Опаснее. Нацизм как массовая идеология не может жить долго, внутри него заложена мина саморазрушения. Апогей нацизма — война. Гитлеру придется воевать со всем миром, победить в такой войне невозможно, поэтому он обречен. А Сталин еще поживет, даже после того, как помрет грубый кровожадный мужик по фамилии Джугашвили.

— То есть ты считаешь, что идеология большевизма...

— Нет там никакой идеологии, — Ося поморщился и махнул рукой. — Несчастный затравленный большевизм, изгнанник международный, сидит в Мексике под усиленной охраной и строчит идиотские статейки.

— Ты имеешь в виду Троцкого?

— Мг-м. Как ты догадалась?

— Погоди, по-твоему, Сталин может развязать войну раньше Гитлера?

— Ерунда, я этого не говорил.

— Ты сказал: он опаснее. Я не понимаю почему. Он ведь не собирается ни на кого нападать.

372

— Он уже нападает, только это не внешняя, а внутренняя агрессия. То, что Сталин делает с людьми внутри СССР, ужаснее любой войны. Есть аналог из жизни насекомых. Самка шершня парализует гусеницу, находит мягкое местечко, откладывает в нее яйца. Гусеница живет и ест. Она инкубатор. Личинки шершня внутри нее поедают все ее запасы, выпускают специальный гормон, который похож на ее собственный и не дает ей превратиться в бабочку. Личинки вырастают, вылезают наружу. От гусеницы остается пустая мертвая оболочка.

— Ты хочешь сказать, что Сталин превращает людей в гусениц, которые никогда не станут бабочками?

— Ну да, примерно так. Гитлер гипнотизирует, после сеанса гипноза можно проснуться и жить дальше. Сталин меняет людей на клеточном уровне.

Габи зажмурилась и помотала головой. Ей захотелось крикнуть, подобно лопоухому мальчику-связнику: «Неправда! Я не верю!» Она не произнесла ни слова, но Ося, как это часто случалось, все понял без слов.

— Габи, ты хотя бы иногда заглядываешь в советские газеты?

— Как я могу? Их нет в рейхе.

— Ты часто бываешь за границей, там можно достать.

— Разве? Мне никогда ничего не попадалось...

— В Париже сходи в библиотеку, почитай свежие номера «Правды», «Известий», — он сложил посуду в раковину, включил воду. — Все, одевайся, нам пора.

— Я не могу читать по-русски, только очень медленно, со словарем, — сказала она, обернувшись на пороге кухни.

— Зато по-французски читаешь свободно. «Правда» и «Известия» выходят на всех европейских языках. Ты взрослая девочка и должна отдавать себе отчет, с кем имеешь дело.

Последнюю его фразу она почти не расслышала из-за шума воды, но сильно вздрогнула.

— Прости, что ты сказал?

— Ничего. Габи, не смотри на меня так, не замирай, собирайся быстрее, мне ведь нужно выйти незаметно, ты забыла?

Да, об этом она действительно забыла.

Как только она открыла дверь квартиры, сразу услышала голоса внизу. Тихо, на цыпочках, спустилась со своего пятого этажа на второй. Перегнувшись через перила, увидела, что капрал Отто еще не ушел, другой консьерж уже явился и с ними беседует управляющий.

Часы в гостиной пробили девять. Ося должен был заехать в свою гостиницу, переодеться и к половине одиннадцатого успеть на брифинг в Министерство экономики.

Габи оставила дверь приоткрытой. В лестничных пролетах голоса звучали громко, минут через пять капрал попрощался, управляющий давал последние наставления оставшемуся консьержу, и тут в дверном проеме появилась голова соседки, фрау Шнейдер.

— Доброе утро, Габриэль, как я рада, что застала вас дома, давно хотела с вами поговорить...

— Фрау Шнейдер, я очень спешу, простите.

— Да, да, я понимаю, я только на минутку, — соседка без приглашения вошла, глаза ее жадно шныряли по прихожей, зацепили Осину куртку, уперлись в его ботинки военного образца.

Спровадить любопытную фрау никак не получалось, она почуяла, что в квартире кто-то есть, и готова была пороть любую чушь, лишь бы узнать, кто. Драгоценное время таяло, в стоке раковины разбухал клок ваты, импровизированный засор, в спальне Ося нервно поглядывал на часы.

— В вашем журнале раньше была замечательная кулинарная страничка, вот в последних номерах ее нет... А скажите, я слышала, скоро у вас торжественное событие, свадьба с господином бароном фон Блефф... — ворковала медовым голосом соседка.

— Фрау Шнейдер, дорогая, мне действительно пора, я опаздываю.

— Ну так что же мы стоим? Одевайтесь, выйдем вместе. Я как раз собиралась в бакалейную лавку, смотрю, дверь у вас открыта, думаю, дай загляну. Все мои приятельницы спрашивают о вас, что да как. Вот вы скоро переедете к мужу в шикарный особняк, а мы с вами так ни разу и не поболтали...

Она замолчала, не успев закрыть рот, когда на пороге гостиной появился пожилой мужчина. Синяя вязаная шапочка плотно обтягивала его голову, скрывала уши, лоб и брови. Он сутулился, шаркал, сгибался под тяжестью большого чемодана.

— Фрейлейн Дильс, если я правильно понял, вы едете с этим чемоданом, и он уже полностью собран?

Габи кивнула.

— Благодарю, что позволили мне воспользоваться уборной, заодно я ликвидировал засор в раковине, теперь нет нужды вызывать слесаря, — он поставил чемодан, надел ботинки, куртку, кожаный шлем поверх шапочки. Шею замотал шарфом.

— Спасибо, это очень кстати, — Габи достала из кармана горсть мелочи, высыпала ему на ладонь и с милой улыбкой обратилась к соседке: — Вот какие замечательные бывают посыльные, мастера на все руки.

На первый этаж они спустились втроем. Ося старательно изображал, как тяжело ему тащить пустой чемодан. Соседка болтала без умолку. Консьерж выпучил глаза. Габи пожелала ему всего доброго, сказала, что уезжает на несколько дней.

— Постараюсь забежать домой перед отлетом, но если вдруг не успею, будьте любезны, попросите господина управляющего заглянуть в квартиру, проверить, не капает ли кран в ванной, — она произнесла это настолько спокойно и уверенно, что консьерж не решился спросить о мужчине с чемоданом.

Наконец они с Осей оказались в ее машине. Даже вблизи, при дневном свете, морщины, нарисованные карандашом для бровей, выглядели вполне натурально.

— Если тебя уволят из МИДа, ты можешь устроиться в любой захолустный театр, — заметила Габи, вытирая ему лицо.

— Почему в захолустный? Могу и в столичный.

— Не обольщайся, в столичный тебя не возьмут. Ты слишком увлекаешься собственной игрой и забываешь о партнере. В час я должна быть в аэропорту. Ты вытащил меня из дома вместе с чемоданом. Как я поволоку его назад мимо консьержа?

— Никак. Ты оставишь этот чемодан в багажнике и полетишь с другим, поменьше.

— У меня нет другого. И мою лыжную шапочку ты испортил, отпорол помпон.

— Извини. Куплю тебе новую шапочку.

— Такую не купишь. Ее мама связала. А с чемоданом что теперь делать?

— На шкафу в спальне стоит отличный саквояж.

— Мне нужно взять кучу платьев, костюмов, туфель. В саквояж ничего не влезет. Появляться в одном и том же на завтраке, обеде, ужине, на приемах и вечеринках невозможно, неприлично, я буду чувствовать себя старой шваброй, у меня начнется депрессия.

— И после этого ты обижаешься, что я не предлагаю тебе удрать в Новую Зеландию?

— Правильно делаешь, что не предлагаешь! Не советую даже заикаться об этом! Все, вот твоя гостиница. Чао, бамбино Жозефина!

Он поцеловал ее в ухо и прошептал:

— Жозефина Гензи к тебе в Цюрих выбраться не сумеет, но, когда ты вернешься, она опять прилетит в Берлин... Хорошо, что с Блеффом ты венчаешься не в настоящей церкви.

— Наш союз благословит сам фюрер.

— Обещаю приехать и накатать трогательный репортаж с места событий для воскресного приложения «Пополо д'Италиа».

Габи скорчила рожу, показала язык. Он выскочил из машины, помчался к гостинице.

Вернувшись домой, она увидела возле подъезда огромный вишневый «майбах» Франса. Внутри дремал шофер, надвинув на глаза фуражку. Сам Франс ждал ее в квартире, валялся на диване в гостиной. Это неприятно удивило Габи. Он знал, что она улетает в Цюрих, но вроде бы не собирался провожать ее. Во всяком случае, никакой договоренности на этот счет не было. Ключ от квартиры у него имелся, но воспользовался он им впервые. Раньше никогда не являлся без предупреждения в ее отсутствие.

— Где тебя носит? — спросил он не поздоровавшись.

— Хотела купить спортивные туфли для альпийских прогулок, — ответила Габи, ушла в спальню, достала со шкафа саквояж и принялась складывать вещи.

— Купила?

— Нет... Франс, будь любезен, не мешай мне собираться.

— Ты что, летишь с саквояжем? А где чемодан?

Габи не ответила, ушла в ванную, заперла дверь на крючок. Франс стукнул в дверь и закричал:

— Что за мужчина приходил к тебе утром? Почему ты вышла из дома с большим чемоданом? В Альпах снег! Какие, к черту, туфли для прогулок?

Габи сложила в косметичку баночки и флаконы с полки под зеркалом, открыла дверь, отстранила Франса и сказала:

— Не кричи, сорвешь голос. Я должна была вернуть платья, которые мне прислали из Франкфуртского управления моды. Их посыльный явился с пустыми руками, пришлось сложить все в мой чемодан, они вернут его с тем же посыльным. Франс, в чем дело? Горничная Роза продолжает грязно клеветать на меня? Матушка опять ударила Путци?

Франс сидел в спальне на кровати, теребил большого плюшевого зайца, любимую игрушку Габи, с которой она не расставалась с детства. Как всегда после истерики, он впал в прострацию, накручивал на палец заячье ухо, бормотал что-то невнятное.

— Прости, не слышу, — Габи застегнула пряжки саквояжа. — Все, я готова. Вставай, пора ехать.

Франс не двинулся с места, заговорил чуть громче, монотонным механическим голосом:

— Путци выпил уксусную кислоту. Его забрали в больницу. Всех выживших самоубийц проверяют психиатры. В субботу вечером позвонили из больницы, сказали, что комиссия признала его психически неполноценным. По закону он подлежит стерилизации.

— Какой кошмар... Но ведь можно как-то оспорить, похлопотать, дать взятку. Он выжил, это главное.

— Лучше бы он умер. Его кастрируют, и правильно сделают.

— Франс, что ты говоришь?

— Я спас его, вытащил из грязи, я дал ему все, поселил в своем доме, холил и лелеял как самое драгоценное сокровище, и чем он отплатил мне? Сжег собственные внутренности кислотой, лишь бы избавиться от меня! Предатель, еврейский выродок!

— Тебе его совсем не жалко? Ты же так любил его.

Франс встал, со злобой отшвырнул игрушечного зайца в угол.

— Довольно! Не желаю больше слышать о нем. Мама права, он получил по заслугам. Каждому свое. Никогда при мне не произноси его имени. Можешь не беспокоиться, я уже в порядке. Идем, ты опоздаешь на самолет.

Габи подняла своего зайца, усадила на подушки. Франс взял у нее саквояж. По лестнице спускались молча. Когда сели в машину, он спросил:

— Почему ты вчера не пришла на завтрак? Мы с мамой ждали тебя, я звонил, никто не брал трубку.

— Ходила в Египетский музей. Там папирусы с описанием древних благовоний, мне нужно было кое-что посмотреть для статьи.

Она заметила, что невольно отодвигается подальше от него, неприятно сидеть с ним рядом, чувствовать сквозь пальто прикосновение его плеча. История с Путци подействовала сильно. Сильнее, чем она могла представить.

— Ты читаешь иероглифы? — спросил Франс.

Случайно произнесенный вопрос из экстренного пароля Бруно вызвал у нее нервный смех.

— Я бог-крокодил Сухос, который обитает посреди ужаса, — произнесла она громко, нараспев, и опять засмеялась.

— Это из «Фауста»?

— Из египетской «Книги мертвых».

— А! Так ты правда умеешь читать иероглифы?

— Я змея Сата, мои годы нескончаемы, я рождаюсь ежедневно.

— Из «Божественной комедии»?

— Нет. Все из той же «Книги мертвых».

— Габи, ты прелесть, я тебя обожаю.

Он проводил ее до самого трапа. Прощаясь, обнял, буквально повис на шее и пробормотал:

— Габи, у меня нет никого ближе тебя, ты мой единственный, самый дорогой друг. Поклянись, что никогда не предашь меня.

— Конечно, Франс, конечно, солнышко. Ну все, мне пора, будь умницей, не огорчай маму, — она похлопала его по спине, мягко выскользнула, ступила на трап.

Все пассажиры уже были внутри. Она поднималась последняя. Франс, придерживая шляпу, смотрел на нее снизу вверх. Рот его шевелился, сквозь рев двигателя и шум ветра донесся крик:

— Габи! Поклянись жизнью!

Она помахала ему рукой и вошла в самолет.

ГЛАВА ДЕВЯТНАДЦАТАЯ

Возле бывшего Дома Благородного дворянского собрания, на углу Охотного Ряда и Большой Дмитровки, топтались замерзшие милиционеры, стояли припаркованные «паккарды», «форды» и «ролс-ройсы». Под ледяным ветром трепетали флажки, прикрепленные к мордам автомобилей. Звездно-полосатый американский. Синий, с шестиконечным красным крестом — британский. Красный, с черной свастикой — германский. У подъезда Октябрьского зала суетилась толпа иностранных журналистов.

В Октябрьском зале проходил Второй показательный процесс. Военная коллегия Верховного суда СССР рассматривала дело Московского параллельного антисоветского троцкистского центра.

Илья на процессе не присутствовал. Ему было поручено переводить стенограммы на немецкий. За перевод на европейские языки засадили несколько десятков человек. Хозяин приказал, чтобы материалы публиковались сразу во множестве газет, по всему миру. Илью тошнило от этих текстов, он работал по пятнадцать часов в сутки, хотелось на воздух.

Большая Дмитровка теперь называлась улицей Эжена Потье, героя Парижской коммуны, автора текста «Интернационала». В честь празднования в феврале 1937-го столетия со дня гибели А.С. Пушкина ее собирались переименовать в Пушкинскую. Поэта связывало с Большой Дмитровкой единственное, смутно известное событие. В каком-то доме на этой улице Александр Сергеевич проиграл карточному шулеру большую сумму и потом несколько лет выплачивал долг частями.

«Инстанция желает приплести и Пушкина к своим грандиозным драматургическим творениям, — думал Илья. — Улица, на которой под номером один стоит здание сталинского театра, Дома союзов, должна носить имя автора «Бориса Годунова» и «Маленьких трагедий». В сталинском театре начался второй акт. Как же все-таки определить жанр? «Большие трагедии»? Для трагедии слишком комично, для комедии слишком трагично. Судилище закончится настоящей, а не сценической смертью главных действующих лиц. Что это? Мистерия? Издевательская буффонада?»

Илья медленно шел по утренней Дмитровке. Улица была оцеплена с обеих сторон, его пропустили, когда он показал красное удостоверение. Он сам не знал, зачем вышел из дома на сорок минут раньше, отправился на службу кружным путем, мимо Дома союзов. Наверное, хотел убедиться в реальности происходящего.

Флажки, иностранная речь, спины в добротных заграничных пальто напоминали, что внешний мир по-прежнему существует, он большой, в нем обитает множество людей, они могут пересекать границы, уезжать и возвращаться. Они сыты, хорошо одеты. Они вольны выражать свое мнение без страха быть уничтоженными.

С тыльной стороны здания, у служебного входа, чернели «воронки». В них привезли главных героев действа, всего семнадцать человек. Судя по стенограммам первых двух дней, они выучили свои роли назубок, играли мастерски, согласно теории Станиславского полностью перевоплощались в убийц, террористов, кровавых заговорщиков и вредителей.

Совсем недавно, в августе 1936-го, прошел первый акт буффонады, показательный процесс по уголовному делу троцкистско-зиновьевского центра. Главными действующими лицами были старые большевики Зиновьев и Каменев. Хозяин начал готовить их к премьере задолго до августа 1936-го. Ссылал, возвращал, сажал, выпускал, исключал, назначал, снимал.

XVII партсъезд в январе—феврале 1934-го стал чем-то вроде генеральной репетиции перед грядущей премьерой. Старые большевики-оппозиционеры, соратники Ленина — Зиновьев, Каменев, Бухарин, Рыков, Томский, Преображенский, Пятаков, Радек публично каялись в прошлых своих заблуждениях и клялись в верности Сталину. Все выступавшие пели панегирики Великому Вождю, бешено аплодировали ему, но при тайном голосовании против Сталина проголосовало двести семьдесят делегатов, то есть каждый четвертый. Против Кирова — только три голоса. Таким образом, был подписан смертный приговор им всем, и в первую очередь Кирову. Впрочем, если бы все до одного проголосовали за Сталина, ничего бы не изменилось, точно так же, как если бы все проголосовали против. В любом случае они были обречены.

Остроумец Радек когда-то сказал: «Мы, большевики, покойники на каникулах». Теперь каникулы закончились.

Когда шел первый процесс, Радек захлебывался публичными проклятиями в адрес подсудимых. Он был талантливый болтун-пропагандист, он мог бы пригодиться Хозяину, стать советским Геббельсом. Но это не имело значения.

Пятаков требовал, чтобы ему дали возможность лично расстрелять Каменева, Зиновьева и всех оппозиционеров, включая его бывшую жену. Он строчил статьи в «Правду», не уступая в красноречии журналисту Радеку.

Георгий Пятаков был неплохо для большевика образован — реальное училище в Киеве и целых три курса экономического отделения юридического факультета Петербургского университета. Он отличался деловой хваткой, во время раскулачивания по жестокости мог сравниться только с Молотовым и Кагановичем, легко переступал через горы трупов, давно перешел в сталинскую реальность, но это не имело значения.

На заводах и фабриках, в школах, вузах, конторах людей собирали на митинги, заставляли слушать и произносить бесконечные заклинания о смердящих трупах. По всей стране женские и мужские голоса орали: «Расстрелять, как бешеных собак!». Люди верили, что если орать, голосовать, проклинать врагов, молиться товарищу Сталину, то можно уцелеть. Но и орущих брали, и молчавших, и тех, кто работал изо всех сил, и тех, кто ничего не делал. Вот поэтому Илья так ненавидел вопрос «За что?». Вопрос-ловушка.

В августе 1936-го Каменев, Зиновьев и остальные подсудимые признались публично, письменно и устно, что организовали убийство Кирова и готовили убийства Сталина, Кагановича, Ворошилова. Список потенциальных жертв был заранее составлен Инстанцией. Имени Молотова в нем не оказалось, и Вяча сильно испугался. Он ждал ареста со дня на день, в кулуарах шептались, что Молотов якобы возражал против смертных приговоров, за кого-то заступился, разгневал Хозяина. Работала обратная логика сталинской реальности. Кандидатом в покойники становился не тот, кого хотели убить террористы, а тот, кого они убивать не собирались.

Вяча ни за кого никогда не заступался, на протоколах допросов писал: *«Бить, бить, бить, пытать, пока не признается»*, ставил свою подпись под расстрельными списками, где перечислялись тысячи фамилий ни в чем не повинных людей, и добавлял еще фамилий, вычеркивал приговор «10 лет», писал три заветные буквы: ВМН. Высшая мера наказания.

В те дни Молотов бродил по кремлевским коридорам бледной тенью, он похудел, сгорбился, лицо стало серым, как будто сквозь кожу проступил его внутренний состав — твердая пористая пемза. Илья, встретившись с ним, взглянув близко, подумал, что, если станут расстреливать Вячу, пуля отскочит, посыплется каменная крошка.

Но ничего не случилось. Верного Вячу Хозяин просто слегка припугнул, взбодрил. Когда готовился второй процесс, Вяча выпрямился, пополнел, порозовел, припомнил, как в 1932-м, во время его инспекционной поездки в Кузбасс, машина съехала в кювет. Вот, пожалуйста, чем не покушение на жизнь товарища Молотова? Разбитая дорога, дождь, слякоть, все это заранее организовали троцкисты-заговорщики. Ежовские беркуты быстро отыскали шофера, директора гаража, еще каких-то кузбасских руководителей и хозяйственников. Все признались, что являются членами террористической организации и по поручению Троцкого готовили покушение на товарища Молотова. Всех расстреляли.

Конечно, Вяча заслужил право войти в почетный список потенциальных жертв троцкистов-террористов. Главные персонажи второго акта Радек и Пятаков признались, что и Молотова тоже готовились убить. Впрочем, присутствие в списке не давало никакой гарантии. Имя Орджоникидзе значилось во всех списках, но все равно он был обречен.

Илья свернул на Охотный Ряд, представил, как сейчас, всего в нескольких десятках метров, в филиале Большого, Маша разогревается перед репетицией. Накануне вечером он решился поговорить с ее родителями, сделал официальное предложение. Они так удивились, что не сразу поняли его. Всем было неловко, они не могли спросить, где он служит, и когда узнали, что он живет в отдельной квартире на Грановского, ошеломленно переглянулись.

Предстояло сообщить радостную новость мамаше. Но если бы только ей! Придется поставить в известность Поскребышева, и сразу включится механизм проверки. Люди из Первого отдела будут тщательно изучать семью Акимовых, всех родственников, сослуживцев, друзей, знакомых. От одной только мысли об этом у Ильи холодело в животе. Сколько ни тверди себе, что с Акимовыми все в порядке, Вера Игнатьевна работает в Кремлевке, Петр Николаевич инженер-авиаконструктор, оба проверены-перепроверены, придраться не к чему, а все равно страшно.

Навстречу со стороны улицы Горького двигалась колонна демонстрантов. Трудящихся снимали с работы, чтобы они ходили строем вокруг Дома союзов, выражали народную ненависть к подсудимым. Темные силуэты сливались в единую массу, и масса периодически выкрикивала одно слово: «Смерть!». Пар валил из сотен ртов. Илья разглядел несколько посиневших от холода девичьих лиц. Они продрогли, кричали хрипло, вяло, в перерывах между криками болтали о чем-то, одна остановилась, поправила сбившийся пуховый платок, потерла варежкой нос, стрельнула блестящими голубыми глазами на Илью и затопала дальше.

Колонна повернула на Дмитровку, продолжая скандировать: «Смерть! Смерть! Смерть!»

Слово это трещало в ушах, пока он шел к Кремлю.

* * *

Пасизо смело меняла хореографический рисунок, дуэт Аистенка и Злого Петуха усложнился, в нем появились акробатические элементы, и балетмейстер раздраженно заметил во время репетиции:

— Это не балет, а цирк.

— По-моему, отлично, как раз то, что нужно, — возразил ему автор либретто. — Получается задорно, живенько, с юмором.

— Ну, тогда давайте, у нас танцовщики будут кувыркаться и бегать по канату! — балетмейстер закричал так громко, что аккомпаниаторша перестала играть, Маша и Май остановились посреди танца.

— Товарищи, зачем срывать репетицию? Посмотрим дуэт до конца, а потом спокойно обсудим, — предложил компазитор.

— Продолжаем работать! — Пасизо хлопнула в ладоши, аккомпаниаторша ударила по клавишам.

Дуэт пришлось повторять сначала, в пятый или шестой раз. Маша сбилась со счета, но совершенно не чувствовала усталости, акробатические элементы, которые придумала Пасизо, получались легко и весело, каждый прыжок был взлетом, и зависание в воздухе длилось фантастически долго.

«Он меня любит, любит, зачем я напридумывала столько глупостей? Он единственный, самый умный, самый добрый, с ним ничего не страшно. Илья, Илюша, солнышко мое, счастье мое».

Примерно такие мысли, если, конечно, можно назвать это мыслями, неслись вихрем, пока она крутила фуэте и опять сбилась со счета.

— Тридцать, — прошептал Май и поднял ее вверх. — Танцуешь со мной, а думаешь о нем.

Это была сложная и опасная поддержка. Недаром ее называли «гробик». Танцовщица в ней беспомощна, полностью зависит от партнера.

Май держал Машу на вытянутых руках, высоко над головой. Любое неверное движение, и Маша могла грохнуться с высоты больше двух метров, не имея ни малейшей возможности сгруппироваться перед падением, смягчить удар.

— Думаешь о нем...

Она не видела лица Мая, но слышала шепот, пробивающийся сквозь дребезжание клавиш. Руки Мая дрожали, совсем чуть-чуть, но дрожали, никогда прежде такого не случалось, и если шепот мог только померещиться, то дрожь была реальной, она пробегала по натянутому струной телу.

Две точки опоры, ладони Мая, перестали казаться надежными. Одна его рука сдвинулась, и Маша потеряла равновесие. Мгновение она балансировала ни на чем, просто в воздухе, и спокойно, словно сторонний наблюдатель, подумала:

«Он не сделает этого, он не сделает этого нарочно».

Май успел развернуться, подхватил ее за талию на лету и плавно опустил на пол.

Хлопали все, даже аккомпаниаторша, только два человека не сдвинули ладоши, балетмейстер и Пасизо.

— Ну я же сказал — цирк! Кому это нужно — тридцать фуэте? Написано десять и по музыке десять, зачем тридцать? Не Аистенок, а веретено какое-то. И что за фокусы с «гробиком»? Он ее уронит на премьере, кто будет отвечать? — раздраженно бубнил балетмейстер.

Маша и Май сидели на полу, вытянув ноги, тяжело дышали.

— Не уроню! — громко произнес Май.

— Суздальцев, молчи, тебя не спрашивают, — заорал балетмейстер. — Еще не хватало, чтобы тут всякая сопля нам указывала!

Он нашел, наконец, подходящий объект, на котором удобно сорвать злость. Орать на Пасизо балетмейстер не решался, считалось, что она имеет каких-то важных покровителей наверху, иначе ее уволили бы из театра после ареста мужа. Изменения, которые она внесла в хореографию, бесили его: Пасизо сделала практически новый балет, значительно лучше того, что сочинил он.

Либретто было слабым. История про Аистенка, которого спасли пионеры и он отправился в Африку, чтобы там поднять восстание рабов-негров, мартышек, крокодилов и страусов против злых плантаторов, выглядела нелепо, если танцевать ее в пафосной классической манере. Нужны характерный танец, трюки, акробатика. Все понимали это, кроме балетмейстера, ведь Пасизо покусилась на его творение, а он считал себя гением.

— Ну что вы кричите на мальчика? Он же вам не может ответить, — сказал композитор. — Тридцать фуэте это здорово! Чем вы недовольны?

— Музыка отстает, ритм сбивается, — не унимался балетмейстер.

— Ничего, музыку я подгоню, — успокоил его композитор.

— В таком случае вам придется переписать всю партитуру, — парировал балетмейстер, — и в результате вместо балета выйдет черт знает что, между прочим, идеологически весьма сомнительное.

Повисла тишина. Первым ее нарушил либреттист. Сухо кашлянув, он сказал:

— Объясните, что вы имеете в виду?

— Я имею в виду образ главной героини. Аистенок — революционер, вождь, а мы тут кого из него делаем? Клоуна, фиглярку, легкомысленную вертихвостку!

Опять стало тихо, в тишине чиркнула спичка, композитор закурил. Май незаметно сжал Машину руку.

— На всех спектаклях после фуэте из правительственной ложи звучат аплодисменты, — спокойно заметила Пасизо, ни к кому не обращаясь, глядя на Машу и Мая.

— Аистенок, конечно, революционер и вождь, — произнес автор либретто, — но почему вы считаете, что вождь не может быть ловким и сильным? Десять фуэте это средний уровень, это вам накрутит кто угодно, а вождь должен крутить тридцать. Он лучший, он в авангарде, он вождь! То, что вы именуете акробатикой и клоунадой, как раз и раскрывает образ вождя пластическими средствами, со всей его мощью, революционной энергией. «Гробик» — это именно то, что нужно для вождя...

Пальцы аккомпаниаторши коротко брякнули по басовым клавишам, бедняга либреттист закашлялся, Пасизо заговорила очень громко и деловито:

— Товарищи, высокую поддержку, которая завершает дуэт, танцовщики называют между собой «гробик», потому что она считается очень сложной, но разве мы вправе бояться сложностей? Мы что, хотим сделать «Аистенка» скучным и пресным?

Либреттист вдруг энергично замотал головой, как мокрый пес, и закричал:

— Ни в коем случае! Превратить «Аистенка» в упадническую тягомотину — это преступление! Молодой советский балет должен быть зажигательным, содержать в себе по-настоящему сложные элементы, требующие непревзойденного мастерства! Душить в зародыше молодую талантливую поросль — это, товарищи, называется вредительством! Это настоящая диверсия!

Он кричал очень громко. Голос его срывался на визг.

— Страхуется, бедняга, — прошептал Май. — Ляпнул сгоряча, теперь бессонница ему гарантирована, будет ждать, кто стукнет про гробик для вождя.

— Если кто стукнет, мы все пропали, — прошептала Маша.

Пасизо стояла рядом, вряд ли могла услышать шепот, но покосилась на них, сурово сдвинула брови, поджала губы.

— Товарищи, — мягко пробасил композитор, — спорить можно бесконечно, давайте просто проголосуем. Кто за то, чтобы принять дуэт Аистенка и Петуха в таком варианте.

«За» проголосовали все, кроме балетмейстера, но и он не решился поднять руку «против», только воздержался. Пасизо не отпустила Машу и Мая. Когда они остались в зале втроем, прорычала сквозь зубы:

— Ты чуть не уронил ее!

— Нет, Ада Павловна, нет, — запротестовала Маша, — он отлично держал.

— Не ври! Он держал отвратительно!

— В одном из восьми повторов, в самом последнем, когда мы просто устали, — парировала Маша.

— Одного такого «устали» достаточно, чтобы грохнуться и стать калекой! Май, ты меня слышишь или нет?

— Ада Павловна, вы правы, — спокойно кивнул Май. — Мы немножко потеряли равновесие.

— Немножко?! Ты вообще соображаешь, чем это могло кончиться? О чем ты думал? Я серьезно спрашиваю, Май. О чем ты думал, когда случилось это твое «немножко»? Я видела, ты шевелил губами. Что происходило в твоей голове?

«Шевелил губами, значит, правда, не померещился мне шепот, — Маша вздохнула. — Пасизо права, но и не права одновременно. Мая сейчас нужно просто пожалеть».

— Ада Павловна, он никогда меня не уронит, — она попыталась улыбнуться. — Он чуть-чуть ошибся, всего одна крошечная ошибка, он сразу ее исправил.

Май стоял у палки, отвернувшись, кусал губы. Маша видела в зеркале его лицо, казалось, он сейчас заплачет. Пасизо взяла его за плечи, развернула, слегка потрясла.

— Во время поддержки ты отвечаешь за другого человека, за партнершу. Одно твое неверное движение, и она может сломать позвоночник. Посмотри мне в глаза. Все, что происходит в твоей жизни, все, что болит, свербит, мучает, ты оставляешь в раздевалке вместе с одеждой. Во время танца ты думаешь только о танце и ни о чем больше. Я твержу вам это с первого класса. Пора взрослеть, Май, пора взрослеть!

— Я постараюсь, Ада Павловна.

Он выглядел смущенным и подавленным. Маша знала, что Пасизо права. Если обращаться с Маем как с больным ребенком, он совсем расклеится.

Дверь открылась, в зал просунулась голова девочки из детской группы кордебалета. Девочка была в шапке, шубе, валенках, она сначала вошла, а потом постучала, присела в реверансе и, не дожидаясь ответа, затараторила:

— Здрассти, Адапална, там на вахте дяденька, попросил найти, я в раздевалку сходила, в буфет сходила, Надежда Тихоновна говорит, Акимова в пятом репзале. А, вот ты, Акимова Маша! Тебя в артистическом подъезде дяденька ждет! Все, я побежала, до свиданья, Адапална! — девочка опять присела и быстро выскользнула за дверь.

— Какой дяденька? — тревожно спросила Пасизо. — Ты знаешь, кто это?

— Знаю. Ада Павловна, конечно, знаю, не волнуйтесь.

В зеркале Маша заметила, как запылали у нее щеки. Губы сами собой растянулись в совершенно дурацкой улыбке. Пасизо тоже это заметила, покачала головой, сказала:

— Ладно, иди.

— А я? — хмуро покосившись на Машу, спросил Май.

— А с тобой мы еще поработаем.

Маша присела в реверансе, потом чмокнула в щеку Мая и вылетела из зала.

— В подъезд раздетая не бегай! Продует! — крикнула ей вслед Пасизо.

Маша мчалась вниз, перепрыгивала через несколько ступенек, чуть не сшибла ведро уборщицы и только на первом этаже притормозила, отдышалась, поправила волосы. Илья сидел на стуле у будки вахтера, встал ей навстречу, обнял.

— Подожди минут десять, я переоденусь, — сказала Маша.

— У меня полчаса.

— Я быстро!

Он ждал ее на улице.

— Я стала психом, только о тебе думаю, ждала твоего звонка, как будто вся моя жизнь от этого зависит. Ведь правда зависит. Танцую для тебя, а ты даже ни разу не видел, как я танцую. Я вообще не понимаю, как выдержала без тебя столько дней. Ты хотя бы скучал, ну немножко, капельку скучал по мне? — Маша выпалила все это на одном дыхании, замолчала, зажала рот и пробормотала в варежку: — Зачем, зачем? Нельзя говорить такое вслух.

— Почему?

— Потому что, если я буду без конца повторять, как сильно тебя люблю, тебе надоест, ты решишь: это мое, оно никуда денется. Поставишь на полочку и отправишься в свободный полет, покорять новые вершины. Нет, шучу, конечно, не волнуйся, я не ревнивая, просто я ужасно боюсь тебя потерять, а ты все молчишь, молчишь. Почему?

— Потому что я такой же псих, как ты, только ты разговорчивый псих, а я молчаливый. Расскажи, как у тебя прошел день?

— Очень бурно, пришлось раз сто повторить дуэт Аистенка и злого Петуха. Тридцать фуэте, легко, как будто моторчик внутри, кручусь, кручусь, у зрителей головы кружатся, а у меня — нет. Представляешь, Пасизо испугалась, подумала... — Маша вдруг осеклась, испуганно взглянула на Илью.

— Подумала, что тебя брать пришли? — тихо спросил Илья.

— Мг-м. А на репетиции...

Она хотела рассказывать про «гробик для вождя», но стала излагать либретто «Аистенка». Хотела рассказать, как маму возили к ноге со сросшимися пальцами, но получилась история про Васю, «Балду» и полбу, хотела про Катю и вурдалаков, про свой страх, про то, что у папы взяли лучшего токаря и лучшего технолога, а без них опытная модель самолета не пройдет испытания, и тогда могут взять папу. Но ничего этого она не сумела произнести вслух. Ей казалось, что внутри у нее, чуть ниже горла, завелся хитрый аппаратик, который определяет, о чем говорить можно, о чем нельзя.

Нельзя именно о том, что важно, серьезно, чем хочется поделиться. А с кем же еще поделиться, как не с Ильей?

Он молчал, крепко держал ее под руку. Когда подошли к трамвайной остановке, она тяжело вздохнула:

— Ну вот, я столько всего хотела тебе рассказать, но болтаю глупости, а ты вообще молчишь. Псих-болтун и псих-молчун.

Он обнял ее, зажал ей рот губами. Они оторвались друг от друга, только когда суровый женский голос произнес рядом:

— Граждане, как вы себя ведете в общественном месте?

* * *

В Цюрихе Габи встретил шофер Рондорффов. Пока ехали до замка, она смотрела в окно. Мимо плыли идиллические швейцарские пейзажи, в машине работало радио, передавали скрипичный концерт Мендельсона, запрещенного в Германии, поскольку покойный композитор был евреем. Габи давно не слышала такой чудесной музыки.

Альпы искрились чистым снегом. Из окна гостевой комнаты, в которой поселила ее Софи-Луиза, открывался вид на Цюрихское озеро. Рондорффы завтракали в стеклянной оранжерее, среди роз, фиалок, примул, карликовых лимонных и апельсиновых деревьев. Там жил дымчато-серый попугай Жако. За ломтик яблока или крекер Жако говорил по-французски:

— Бонжур! Вы очень красивы, моя дорогая!

Когда Габи подошла к нему познакомиться и угостить печеньем, он склонил голову набок, уставился на нее круглыми ярко-желтыми глазами и отчетливо произнес:

— Гитлер кретин!

За столом все засмеялись. Жако несколько раз повторил эту фразу.

— Как он догадался, что я прилетела из Берлина? — спросила Габи.

— Мы редко позволяем ему сладкое, чтобы не толстел. А он сластена. Вы дали ему сдобное печенье, вот он и выступил со своим коронным номером в знак особой благодарности, — объяснил Август Рондорфф.

— В этом доме Жако единственный, кто интересуется политикой и смело высказывает свое мнение, — продолжая смеяться, заметила Софи-Луиза.

После завтрака она показала Габи лабораторию. Три приветливые молодые швейцарки в белоснежных чепцах и фартуках колдовали над колбами, аптечными весами, ступками, кастрюльками, фарфоровыми банками, наполненными цветочными лепестками. От ароматов кружилась голова.

Работа над статьей и съемки для рекламы отнимали мало времени, но ускользнуть из-под ласковой опеки семейства Рондорфф оказалось не так просто. Софи-Луиза хотела показать невесту своего племянника как можно большему количеству родственников и знакомых. Она любила и жалела Франса, догадывалась, что у него большие проблемы в отношениях с женщинами. Вряд ли знала правду, но слухи о гомосексуализме до нее доходили.

— Я, конечно, не верила, и даже порвала отношения с несколькими приятельницами, которые намекали на это, — призналась она Габи. — Детство Франса было тяжелым, он рано лишился отца, рос с матерью, и до сих пор ему приходится несладко. У Трудди отвратительный характер, она затюкала бедного ребенка, он панически боится женщин. Отсюда его нервозность, застенчивость. Знаете, в глубине души я не исключала, что он... ну, что его может тянуть к мужчинам. Теперь я совершенно спокойна, с Франсом все в порядке, ведь иначе вы никогда не согласились бы стать его женой, верно?

394

— Никогда, ни за что, — ответила Габи и густо покраснела.

Она привыкла врать и даже получала от этого удовольствие. Но одно дело морочить головы фанатикам-нацистам, надутым индюкам военным, хитрым жадным чинушам, которые сами врут как дышат, и совсем другое — нормальным людям. Рондорффы окружили ее такой заботой, какой она не видела ни от кого никогда. В них не было ни капли чопорности, аристократического чванства. Она сгорала от стыда, изображая перед ними счастливую, любящую невесту Франса фон Блефф.

Только на четвертый день ей удалось выбраться одной в Цюрих. Замок находился в часе езды от города. Утром, сразу после завтрака, шофер Софи-Луизы довез Габи до старого центра, и она отправилась искать магазин египетских древностей «Скарабей». Берлинская лавка с тем же названием исчезла еще осенью, на ее месте открыли парикмахерскую. Вообще, связи с Бруно не было слишком давно, и это всерьез волновало Габи.

В Цюрихе было теплее, чем в Берлине, сквозь тонкую штриховку перистых облаков просвечивал перламутровый солнечный диск. Горожане предпочитали автомобилям велосипеды, и воздух оставался чистым даже в центре города. Габи шла в распахнутом пальто по набережной реки Лиммет, через Вейнцплац, мимо фонтана, украшенного фигуркой виноградаря, мимо здания городской ратуши, отмечая про себя, что этот архитектурный стиль называется «поздний ренессанс».

Адрес магазина она помнила наизусть, заранее сверилась с картой и знала, что идти осталось совсем немного. Чем ближе она подходила, тем тревожнее стучало сердце. Часы на башне собора Святого Петра пробили десять. Повернув за угол, Габи сразу увидела между кондитерской и аптекой знакомую вывеску, украшенную иероглифами и рельефным изображением жука. Точно такая висела еще недавно над берлинским филиалом. Табличка с надписью

«Открыто» почему-то вызвала у нее легкую оторопь. Зажмурившись, она досчитала до десяти и прикоснулась к медной дверной ручке.

Звякнул колокольчик. После яркого света Габи не сразу разглядела в полумраке человека за прилавком. Конечно, это не Бруно, чудес не бывает, тем более он никогда сам за прилавок не садился, но тусклый блик лампы обозначил глянцевую лысину, очки в тонкой металлической оправе, высокий ворот свитера грубой вязки, и в первое мгновение показалось, что это он.

Глаза привыкли к полумраку, и она усмехнулась про себя. Ничего общего с Бруно, даже отдаленно — ничего.

На вид продавцу было не больше тридцати. Широкое лицо с крупными смазанными чертами, тяжелый выпирающий подбородок, гладко обритая голова, голые надбровные дуги.

«Интересно, брови он тоже бреет? — подумала Габи. — Неприятный тип, но спасибо, что хотя бы такой...»

— Доброе утро, фрейлейн, чем могу служить? — спросил он вяло, без улыбки, со странным акцентом.

— Здравствуйте, благодарю вас, я пока просто посмотрю, — ответила Габи и принялась разглядывать статуэтки, свитки папирусов, украшения.

Продавец включил свет в витринах и молча наблюдал за ней, тишина становилась все неприятнее, Габи не понимала почему. Лампочки светили слишком ярко. Пространство за прилавком тонуло в темноте, продавец был еле виден. Наконец она решилась обратиться к нему с вопросом:

— Скажите, что символизируют эти бесчисленные глаза?

— Талисман для остроты зрения, — ответил он, сухо кашлянув.

Связник должен был ответить: «Уджат, око Гора». И рассказать о борьбе Гора и Сета, двух египетских богов, самых древних мифологических символов света и тьмы, добра и зла.

Габи взяла с витрины один из амулетов, повертела, положила на место и спросила:

— Почему все они плачут? Каждый глаз со слезой. Почему?

Из темноты за прилавком послышались странные звуки, как будто щелкнул несколько раз затвор фотоаппарата.

— Жизнь у них была тяжелая, вот и плачут, — громко произнес продавец.

— Мг-м... конечно, тяжелая, египтяне постоянно строили пирамиды и сражались с крокодилами. Тут столько крокодилов, из золота, из бирюзы. Неужели тоже талисман? — Габи шагнула ближе к прилавку, пытаясь вглядеться в темноту за спиной продавца.

Там висели бархатные партьеры, они слегка колыхались. Продавец смотрел на нее в упор.

— Крокодилы водятся в Ниле, египтяне их изображают постоянно, — акцент усилился, в голосе, во взгляде чувствовалось жуткое напряжение.

«Уходи! — отчаяно пискнула маленькая Габи. — Он кто угодно, только не продавец, нанятый Бруно. Он знает о Древнем Египте меньше, чем судомойка в соседней кондитерской. У него странный акцент, за портьерами кто-то прячется, и этот кто-то тебя сфотографировал!»

Взрослая Габриэль протянула руку к полке, уставленной разноцветными флакончиками с благовониями, взяла первый попавшийся, понюхала.

— Вы получаете их из Каира?

— Да, фрейлейн, из Каира.

— Не могли бы порекомендовать приличных поставщиков?

— Простите?

— Дело в том, что мои друзья собираются открыть небольшую косметическую фирму, несколько каирских магазинов заломили чудовищные цены за благовония, при этом качество невозможное. Сандал пахнет навозом, жасмин клопами. А тут у вас ароматы удивительно чистые.

— Не знаю, фрейлейн, затрудняюсь ответить.

— Жаль... Ну а можно как-нибудь связаться с кем-то, кто знает? С управляющим или с хозяином вашего чудесного магазина? Да, и вот эти три флакончика я хотела бы купить.

Она заметила, как дернулся уголок узкого рта, когда она произнесла слово «хозяин», как застыли пальцы, до этого перебиравшие бирюзовые четки.

— С вас двадцать одна крона, фрейлейн.

Она расплатилась, он отчитал сдачу, флаконы так и стояли на прилавке, он не собирался их упаковывать, как обычно делают продавцы, вместо этого подвинул Габи блокнот, ручку и сказал:

— Фрейлейн, если вы оставите ваши координаты, хозяин обязательно свяжется с вами и ответит на все ваши вопросы.

— Подскажите, пожалуйста, имя вашего хозяина, — попросила Габи. — Я хочу написать ему записку и не знаю, как обратиться.

— Господин Лунц, — ответил продавец. — Бруно Лунц.

Светлые глаза за стеклами очков смотрели на Габи не моргая.

«Он из гестапо, это ловушка, они взяли Бруно!» — завопила маленькая Габи.

«Слишком заметный акцент, — спокойно возразила взрослая Габриэль, — не похоже ни на один из немецких диалектов. Он скверно справляется с ролью продавца. Гестапо так не халтурит».

Она аккуратно, не спеша выводила в блокноте:

«Уважаемый господин Лунц! Если вас не затруднит, пожалуйста, порекомендуйте порядочных торговцев благовониями в Каире.

Заранее благодарю. С наилучшими пожеланиями,

Жозефина Гензи, улица Фьерд, дом 7, Копенгаген».

Вежливо простившись, она покинула магазин, ленивым прогулочным шагом добрела до Вейнцплац. По дороге несколько раз останавливалась, доставала пудреницу, поправляла волосы, подкрашивала губы и ловила зеркальцем позади одно и то же мужское лицо. Серый плащ, серая шляпа до бровей, широкие челюсти, длинный узкий рот.

Продавец говорил с акцентом, а тип в шляпе шел с акцентом. У него была странная походка, тяжелая, вразвалку, но при этом какая-то суетливая. Именно походка отличала его от остальных прохожих. Одни спешили, другие спокойно гуляли. «Шляпа» следовал за Габи с какой-то механически-тупой наглостью. Когда она ускоряла шаг, он изображал деловитую спешку, когда замедляла, он волочил ноги, вертел головой, делал вид, что любуется городской архитектурой.

Габи села на скамейку у фонтана. «Шляпа» остановился в нескольких метрах от нее, огляделся, достал из кармана пачку папирос. Вероятно, пачка оказалась пустой, потому что он смял ее и бросил на идеально чистый тротуар себе под ноги, не утруждаясь поиском урны.

«Немец никогда бы так не поступил», — заметила про себя Габи, встала, быстро, не оглядываясь, пошла к ратуше, почти побежала, через несколько минут нырнула в маленький, очень дорогой французский магазин женской одежды.

«Шляпа» войти следом не решился, топтался у витрины.

Перемерив дюжину платьев, Габи выбрала шелковое, цвета лаванды, с помощью продавщицы подобрала к нему пояс, туфли, сумочку. Расплачиваясь, оглянулась и увидела сквозь стекло «Шляпу». Он стоял и наблюдал зе ней.

— Простите, могу я воспользоваться запасным выходом? — спросила она продавщицу. — Три часа гуляю по городу, и все время вон тот господин меня преследует.

— Да, фрейлейн, я обратила внимание, он слишком долго топчется у витрины.

Мальчик-рассыльный вывел Габи во двор через черный ход и проводил до угла Банхофштрассе, где ждал ее в машине шофер Софи-Луизы. Габи дала мальчику крону и сказала:

— Если тот господин в серой шляпе все еще топчется возле магазина, пожалуйста, скажите ему, что он ждет напрасно.

В машине она удобно устроилась на заднем сиденье, скинула туфли, поджала ноги, накрылась пледом. По радио передавали блюзовые компазиции Луи Армстронга. Габи слушала с удовольствием. В Германии негритянский джаз был запрещен как «дегенеративная обезьянья какофония».

Габи тихо подпевала Армстронгу и думала:

«Куда же все-таки делся Бруно? Кто и зачем следил за мной? Нет, это точно не гестапо. В Швейцарии полно шпионов. Берн, Лозанна, Цюрих — транзитные пункты международного шпионажа. Какая из европейских разведок может работать так грубо и непрофессионально?»

Кроме Оси, поговорить об этом было не с кем. Но неизвестно, когда они теперь увидятся. Опять вспомнилась его фраза: «Ты взрослая девочка, ты должна отдавать себе отчет, с кем имеешь дело».

Она давно уже догадывалась, что он работает на английскую разведку. Он не говорил прямо, но несколько раз намекал. На кого работает она, он никогда не спрашивал, и это было нормально. Они старались не задавать друг другу вопросов, в ответ на которые пришлось бы врать.

«Конечно, он знает, — думала Габи. — Почему же меня так задела простая фраза? Ты взрослая девочка... Нет, меня задело, когда он сказал про гусеницу, которая никогда не станет бабочкой. А ведь он бывал в Советском Союзе, видел все своими глазами. Идея почитать советские газеты мне часто приходила в голову, но я нарочно не делала этого, боялась расстаться с последними иллюзиями».

Когда выехали из города, Габриэль приоткрыла окно, закурила.

«Интересно, станет кто-нибудь искать Жозефину Гензи?» — подала голос маленькая Габи.

«Пусть попробуют!» — усмехнулась взрослая Габриэль.

ГЛАВА ДВАДЦАТАЯ

В пряничном домике наступило затишье. У Майрановского после выволочки, которую устроил ему Блохин, случилось желудочное расстройство, он отлеживался дома. Приговоренных не привозили. Карл Рихардович приходил каждый день, рано утром и до позднего вечера возился со своими подопечными. Их осталось всего двое. Кроме Володи Нестерова, в лазарете лежал умирающий диабетик, Ланг Борис Аронович, шестидесяти двух лет.

Экономист, большевик с дореволюционным стажем, герой гражданской войны, Ланг перед арестом занимал высокий пост в Наркомате тяжелой промышленности. Арестован был в декабре тридцать пятого по делу троцкистско-зиновьевского центра. В обвинительном заключении сообщалось, что Ланг Б.А. тесно сотрудничал с германской разведкой, по заданию Троцкого участвовал в подготовке теракта против товарища Кирова, также готовил теракты против товарищей Сталина, Кагановича, Ворошилова, Орджоникидзе. Активно занимался вредительством, организовал несколько диверсий на предприятиях тяжелой промышленности, состоя в комиссии по инспекции заводских столовых, сыпал в кастрюли с кашей для рабочих толченое стекло, подмешивал мелкие гвозди в сливочное масло.

Во всех своих злодеяних Ланг признался, подписи под протоколами поставил. Его готовили к первому открытому процессу, он был подходящей кандидатурой, чтобы выступить перед всем миром, перед иностранной прессой, рассказать о своих чудовищных преступлениях. Он имел жену, двух детей, внука. Но за неделю до начала процесса Ланг отказался от подписанных признаний, заявил, что вынужден был оклеветать себя и своих товарищей под сильным давлением следствия. Его не спешили расстреливать, сначала держали в резерве для январского процесса, потом передали Майрановскому.

По своим физическим параметрам Ланг был похож на какого-то английского лорда, важного чиновника МИД Великобритании. Возраст, вес, рост, диабет, все совпадало. По приказу Инстанции требовалось любым способом добыть некую сверхсекретную информацию. Лорд имел к ней прямой доступ, а советский агент в Британии имел доступ к лорду. Сотрудники ИНО поручили Майрановскому подобрать подходящий препарат, который развяжет лорду язык, причем таким образом, чтобы лорд ничего не заметил, а советский агент остался вне подозрений.

Препараты, входившие в состав так называемой таблетки правды, вызывали жуткие мучения, разрушали мозг, сердце, сосуды, ничем не отличались от всех прочих ядов Майрановского и давно убили бы Ланга. Но Карлу Рихардовичу удалось внушить заказчикам из ИНО, что любое снадобье, полученное из рук Майрановского, сработает как яд, поскольку вид Григория Моисеевича наводит на подопытных смертельный ужас, и будет лучше, если препараты Ланг станет получать от доктора Штерна. Заказчики легко поддались внушению, на них руководитель «Лаборатории X» тоже наводил ужас, они прятали свои чувства, но было очевидно, что иметь дело с доктором Штерном им как-то спокойнее, чем с доктором Майрановским.

Карл Рихардович ничего не скрывал от Ланга, да тот и сам отлично понимал, что происходит. Он находился в пряничном домике дольше других. Семью его сослали в Казахстан. В Москве осталась двоюродная сестра, доктор встречался с ней, передавал ей письма Ланга, она отправляла их семье, однажды принесла ответное письмо и несколько фотографий.

Вместе с доктором Ланг блестяще разыгрывал спектакли перед заказчиками из ИНО. Выпивал бокал вина, съедал пару ложек супа, затем изображал приступ непроизвольной откровенности, отвечал на вопросы, беспричинно смеялся, плакал, пел. У заказчиков возникала иллюзия: еще немного, и можно отправлять дозу волшебного зелья лондонскому коллеге, чтобы тот угостил им лорда и выведал вожделенную тайну. Доктор всякий раз осторожно охлаждал их пыл. Надо продолжать эксперимент, корректировать дозировку, учитывая разные варианты химического состава пищи и напитков, времени суток, обстановки, самочувствия и настроения лорда.

Такая ситуация устраивала всех. Заказчики не желали рисковать, травить лорда и подвергать опасности ценного агента не входило в их планы.

Майрановский раздувался от гордости: его великое изобретение, «таблетка правды», вот-вот выйдет на международный уровень, станет ключом к раскрытию коварных замыслов британских империалистов. В работу доктора Штерна он не вмешивался, с утра до вечера занимался испытаниями ядов, наблюдал, как умирает очередная жертва, записывал все подробности в тетрадку и не мог оторваться от этого увлекательного дела.

Ланг радовался каждому дню, отнятому у смерти, прожитому без боли и мучений. Доктор был доволен, что удалось обеспечить Лангу еще один такой день и незаметно вылить в унитаз очередную порцию ядовитой дряни.

— Повезло британцу, — говорил Борис Аронович. — И не ведает надменный лорд, от какой мерзости спасают его два старых мошенника, немец и еврей. Нам с вами, товарищ Штерн, полагается за наши подвиги по ордену Бани, есть такая высокая британская награда.

В последние дни Ланг угасал, почти не вставал с койки, отказывался от еды. У него стремительно развивались диабетическая слепота и сердечная недостаточность.

Когда Карл Рихардович подошел к нему, Ланг дышал тяжело, с хрипами, свистами, выглядел совсем скверно, однако открыл глаза и спросил:

— Добришко мое принесли, не забыли?

«Добришком» он называл письмо и несколько семейных фотографий. Доктор хранил их у себя, держать в лазарете было рискованно, добросовестный Кузьма иногда устраивал там глобальные шмоны.

— Вот, возьмите, — доктор сунул ему в руку конверт.

Ланг ощупью вытащил фотографии, несколько минут перебирал их, гладил, потом спрятал назад в конверт, вернул доктору.

— Пусть все останется у вас, не сегодня-завтра окочурюсь. А было бы славно устроить юноше Володе побег по рецепту Дюма. Помните «Графа Монте-Кристо»?

— К сожалению, вы не аббат Фарио, Володя не Эдмон Дантес, мы не в замке Иф, не в наполеоновской Франции.

— И даже не в царской России, где из тюрем бегали все кому не лень, — Ланг усмехнулся. — Между прочим, Сталин бегал, как заяц в шапке-невидимке. Слишком легко, даже для царской России. Когда-то я с таким жаром доказывал товарищам, что Коба не может быть агентом охранки, смешно вспомнить! А знаете, я впервые увидел его в Вене, в январе 1913-го. Мои хорошие друзья Саша Трояновский и Лена Розмирович приютили Кобу по личной просьбе Ильича. Я часто заходил к ним. Отлично помню его тогдашнего. Маленький, мрачный, непромытый, в косоворотке с чужого плеча, вошел, налил себе чаю в стакан, ни слова не сказал и удалился. Совершенно по-хамски вел себя. И пахло от него скверно. Глупость какая-то. Нелегально вывозить в Вену темного бродягу, беглого ссыльного, чтобы он написал памфлет «Марксизм и национальный вопрос». Ильичу приспичило: писать должен грузин. Ладно, пусть грузин. Но почему в Вене? И фамилия под памфлетом вовсе не грузинская стояла: Сталин.

— Может, все знали, чей это псевдоним? — спросил доктор.

— Ерунда, никто не знал Иосифа Джугашвили в 1913-м, и Сталиным он тогда подписался впервые в жизни. Эта история не дает мне покоя. Немецким Коба не владел, ни в какие библиотеки не ходил, писал за него Бухарин, редактировал Ильич, но ведь зачем-то вытащили его в Вену, и там, именно там он превратился из Кобы в Сталина, — Ланг оживился, хрипы смягчились, глаза заблестели. — Пока Ильич был жив, я мог сто раз спросить его, но ведь тогда в голову не приходило, что такое на самом деле Сталин. Подумаешь, генеральный секретарь! Скучная бумажная работа. Товарищ Картотекин, так его называли...

Ланг сник, болезненно сморщился, опять послышались хрипы.

— Борис Аронович, давайте послушаю вас, дыхание очень плохое, — предложил доктор.

— Благодарю, не нужно. Идите к Володе, он там возится за ширмой, несколько раз звал вас.

— Ну а мандаринку?

— Нет, спасибо.

— Совсем ничего не хотите?

— Ничего. Разве вот шоколаду, но ведь у вас нет.

— Конечно, есть. Принес для Володи, не предлагаю, потому что нельзя вам.

Ланг глухо усмехнулся:

— Бросьте, доктор. Какая уж теперь диета!

Долька шоколада вызвала на его лице блаженную детскую улыбку.

— Когда я был маленький, думал: вырасту, одним шоколадом буду питаться. И вот, пожалуйста, такая подлость — диабет. Это при моей любви к сладкому! Наверное, от обиды я стал большевиком. Самая подходящая партия для обиженных. Ладно, идите к мальчику, а то не удержусь, еще попрошу кусочек.

Володя Нестеров проспал почти сутки, проснулся, поел и опять уснул. Он выздоравливал. Молодой сильный организм быстро освобождался от ядов, ссадины затягивались, после долгого сна прояснились глаза, прошли краснота, отеки, и стало видно, что они ярко-голубые, с длинными пепельными ресницами.

Он впервые по-настоящему проголодался. Доктор сварил для него овсяную кашу, два яйца всмятку, сидел смотрел, как Володя ест, и всерьез размышлял над идеей Ланга. Жалко мальчика, ему бы жить и жить. Конечно, рецепт Дюма не годился, но неужели ничего нельзя придумать? Сейчас самое удобное время, в пряничном домике затишье, охрана и Кузьма днем играют в дурака на кухне. Ночью дрыхнут.

Володя съел все, выпил две кружки чаю, поблагодарил, попросил папиросу. Карл Рихардович открыл форточку, закурил вместе с ним.

«В коптерке у Кузьмы есть телогрейки и валенки, — продолжал размышлять доктор. — Штаны, рубашку, джемпер могу принести свои хоть завтра. Просто надену два слоя. По росту, по размеру ему подойдут. С тыльной стороны дома в одном месте из забора торчат короткие штырьки арматуры. Ничего не стоит перелезть. Снаружи забор гладкий, но можно спрыгнуть в сугроб, не такая большая высота».

— Я помню, вы говорили, меня хотят забрать назад, в тюрьму, — произнес Володя и нахмурился. — Зачем я им там понадобился, не знаете?

Карл Рихардович рассказал все, что ему было известно: и про приказ Ежова, и кто такой Блохин. Володя затушил папиросу, сидел, уткнувшись лбом в колени, долго, мрачно молчал.

«Ну, спрыгнет он в сугроб, что дальше? — думал доктор. — Допустим, немного денег я ему дам. А документы? Ему нужно где-то жить, работать, без документов невозможно, тем более будут искать его. Интересно, хоть один случай удачного побега из сталинских тюрем был или нет?»*

Володя, наконец, поднял голову и спросил:

— Вы немец?

— Немец.

— Давно тут?

— Ты имеешь в виду это заведение?

— Черт с ним, с заведением, — Володя махнул рукой, — все равно правду не скажете, подписку небось давали. В СССР вы давно?

— Три года.

— От Гитлера, что ли, удрали?

— Да.

— Ну вот скажите, почему у вас в Германии рабочий класс до сих пор не поднялся? У вас ведь сильный пролетариат, чего же Гитлера не скинут?

— Потому что немецким рабочим Гитлер нравится.

---

*В июне 1938-го удалось сбежать в Маньчжурию начальнику УНКВД Дальневосточного края Люшкову Г.С. В 1945-м убит японцами. Несколько сотрудников ИНО НКВД и Комиссариата иностранных дел стали невозвращенцами. Ни один случай удачного побега политических заключенных из тюрем и лагерей за весь период правления Сталина неизвестен.

Володя замер, уставился на доктора и вдруг весь подался вперед, сжал кулаки.

— Ты что сказал, сволочь фашистская? Ты что сейчас такое сказал, а?

— Володя, я сказал правду. Хочешь ударить меня? Бей. Но ничего не изменится. Немецкие рабочие не скинут Гитлера, русские рабочие не скинут Сталина, а нас с тобой все равно расстреляют. Тебя раньше, меня позже.

— Что вас расстреляют, это правильно.

— А тебя?

— А меня неправильно, я не враг.

— Но ведь ты готовил покушение на Сталина.

— Вранье, заговор фашистский.

— Тогда ты тоже заговорщик, ты подписал это вранье.

— Да нарочно я подписал, нарочно! Думал, нормальные люди прочитают, со смеху помрут, — он прищурился, оскалил зубы, заговорил чужим голосом, зло пародируя кого-то: — Все мои так называемые рацпредложения и изобретения являлись частью хитрого плана: заинтересовать товарища Сталина, проникнуть в Кремль и убить товарища Сталина!

— Не надо было подписывать.

Володя разжал кулаки, уронил руки, сгорбился, прошептал себе под нос:

— Меня мучили сильно. К тому же мама, сестренка... Если подпишу, их не тронут, следователь обещал.

— Не тронули?

— Выслали куда-то под Вологду.

— Адрес знаешь?

Володя прикусил губу, помотал головой, несколько секунд сидел, хмуро думал о чем-то и вдруг выпалил:

— Я за товарища Сталина жизнь отдам!

— Вот ты и отдаешь. Только не нужна ему твоя жизнь, ему нужна твоя смерть. Тысячи, десятки тысяч смертей таких же, как ты, честных, преданных, готовых отдать за него жизнь.

— Неправда! Он ни при чем! Если бы он только узнал, всех бы этих гадов фашистских уничтожил! — Володя вскинул лицо, глаза расширились, заблестели. — Слушайте, а может, мне вернуться в тюрьму, дать показания?

— На кого?

— Неважно, на кого угодно! Со мной в камере был один опытный человек, он говорил, надо называть как можно больше имен, будут всех брать, и тогда дойдет, наконец, до товарища Сталина, он узнает правду, невиновных выпустит, врагов сурово накажет.

— Этот твой опытный человек называется наседка.

— А если нет? Если он прав? Я подкину им самых лучших, тех, без кого производство встанет, на ком ни пятнышка. Например, есть такой токарь, без его деталей ни одной модели собрать нельзя, у него глаз-алмаз, руки золотые, Ваня Звягин... Хотя нет, Ваньку уже взяли... — Володя подумал секунду, и выпалил: — Вот! Старший инженер, у него мозги золотые-алмазные, Акимов Петр Николаевич. Если Акимова возьмут, в наркомате такой шум поднимется, сразу до товарища Сталина дойдет!

У Карла Рихардовича заныло сердце. Стараясь ничем себя не выдать, он заговорил очень спокойно, глядя в широко открытые голубые глаза, которые в этот миг казались совершенно безумными.

— Володя, если ты назовешь лучших, сыграешь на руку врагу. Чем большую ценность для Советского государства представляют эти люди, тем скорее враги расстреляют их. И тебя расстреляют. Будут имена, будет организация, а это расстрел. Дойдет не дойдет до Сталина, уже неважно. Мертвых не вернешь. Попал к врагу — не называй имен. Молчи. У тебя отшибло память. Амнезия. Симулировать совсем несложно, ты это отлично умеешь делать. Володя, ты не должен называть имен. Ни одного имени, никогда, ни за что. Назовешь имена — станешь предателем. Попал к врагу — молчи.

Володя смотрел на доктора, глаза стали осмысленными.

— Попал к врагу — молчи, не называй имен, ни одного имени, — повторил он медленно, как заклинание, и сжал пальцы в кукиш: — Вот им! Не дождутся, гады!

За ширмой раздался странный приглушенный скрип. Доктор подумал, что скрипит дверь или половицы под ногами Кузьмы, приложил палец к губам. Минуту молча глядели друг на друга, прислушивались, наконец, Володя прошептал:

— Это, кажется, Ланг хрипит.

Они вскочили так стремительно, что чуть не сбили ширму. Доктор схватил фонендоскоп, через несколько минут понял, что у Ланга отек легких. Вместе с Володей они усадили его, подложили под спину подушки. Карл Рихардович заметался в поисках шприца, ампул, но ничего под рукой не оказалось.

— Морфин, лазикс, любые сосудорасширяющие, — бормотал доктор. — Это все должно быть внизу, в лаборатории, но она заперта.

Он туго забинтавал ноги Ланга, перетянул венозные артерии.

— Что нужно делать? Чем помочь? — спросил Володя.

— Держи вот эту склянку у его носа, пусть вдыхает.

Карл Рихардович побежал искать Кузьму, нашел на кухне.

— Не положено без Григорь Мосеича, спецоорудование, спецпрепараты государственной важности, — бубнил Кузьма, но лабораторию все-таки открыл.

Доктор впервые вошел туда в отсутствие Майрановского и с изумлением обнаружил пустые шкафы.

— Я ж грю, едрена вошь, государственной важности, — Кузьма тоненько захихикал в кулак.

— Где? — спросил доктор. — Где лекарства?

— Тута вам, товарищ доктор, не больница, тута лекарствов нема, едрена вошь, спецпрепараты только, так оне все в сейфе, Григорь Моисеич, как уходит, в сейфу все прячет, а ключик на шею вешает, на цепке золотой, заместо креста нательного.

Карл Рихардович вытащил трешку из кармана.

— Вот тебе деньги, беги в аптеку, тут недалеко, купишь лазикс, дибазол, натрия бромид... ладно, ты не запомнишь, — он взял карандаш, выдернул листок из откидного календаря на столе Майрановского, быстро написал список лекарств.

— Ага, щас, побежал, — Кузьма легонько оттолкнул его руку с деньгами и списком.

— Побежал. Еще как побежал. Галопом! — прорычал доктор. — У Ланга отек легких, если он умрет, будет сорвана спецоперация советской разведки!

Кузьма зевнул со стоном.

— Помрет, нового привезут, уж чего-чего, этого-то добра навалом. А мне спецобъект оставлять не положено. Вы, товарищ Штерн денежки свои приберите, помещение лаборатории нам с вами требуется покинуть сей момент, тута, едрена вошь, спецпрепараты, спецоборудование государственной важности.

Карл Рихардович застыл, глядя в глаза Кузьмы. Из глубоких темных ямок блестели крошечные зрачки. Боковым зрением он вдруг уловил едва заметное движение руки, скользнувшей по кобуре.

«А ведь неизвестно, чего от него ждать, — подумал доктор. — Почуял во мне врага, возьмет и пальнет. Ну что ж, комедия и так слишком затянулась, пора заканчивать. Хотя бы одно доброе дело мне удалось, Володя теперь не даст показаний на Акимова».

Рука Кузьмы расстегнула кнопку, нырнула внутрь, копалась, шуршала чем-то сухим и легким, явно не пистолетом, наконец, вынырнула с горстью семечек, усы при этом вздернулись в добродушной улыбке.

— Угощайтесь, товарищ доктор, семачка хорошая, крупная, свежая, от нервов лучше всего помогает.

Доктор помотал головой, быстро вышел, перепрыгивая через ступеньки, помчался на второй этаж. Кузьма окликнул его.

— Глядите шею не сломайте.

Обернувшись, доктор увидел маузер. Кузьма держал его в левой руке, в правой была горсть семечек, шелуха висела на усах.

— Вот, чтоб вы не сумлевались, личное-то оружие всегда при мне, денно и нощно, а то чего не то подумаете, доложите товарищу Блохину, мол, Кузьма бдительность потерял, в кобуре семачку держит.

Еще не добежав до двери лазарета, доктор услышал громкие хрипы.

— Где вы были так долго? — спросил Володя. — Нашли что-нибудь?

— Ничего.

Он опять стал прослушивать легкие и сердце Ланга и понял, что все уже бесполезно.

— Бросьте суетиться, Карл, — голос Ланга звучал совсем невнятно, едва прорывался сквозь хрипы. — Володя, запомни, что я тебе сказал, запомни, пожалуйста. Сколько ни осталось тебе жить, проживи честно, никого не сдавай. Карл, моим пока не сообщайте, пусть для них еще побуду живым. Мечтал помереть сам, не от сталинской пули, и чтобы рядом люди, не палачи. Никогда никакие мои мечты не сбывались, только эта, последняя.

* * *

У спецреферента Крылова слезились глаза и першило в горле, он много курил, чтобы не заснуть. Он работал по пятнадцать часов в сутки. Ему доставляли все новые страницы стенограмм процесса, он переводил их на немецкий, сам отстукивал перевод на машинке с латинским шрифтом.

После «кремлевского дела» хронически не хватало машинисток, владевших иностранными языками. После ареста Радека взяли почти всех сотрудников Бюро международной информации ЦК, которым он руководил с 1932-го. Новых набрать не успели. Переводчики из Наркомата иностранных дел обслуживали зарубежных гостей, приглашенных на процесс в качестве зрителей. Переводить стенограммы для телеграфных агентств было практически некому. Учитывая особую важность этой работы, к ней по распоряжению Хозяина привлекли «самых надежных и проверенных сотрудников», в том числе спецреферента Крылова.

Из-за усталости и спешки Илья не вдумывался в смысл текстов стенограмм, переводил механически. Иногда, перевернув очередную страницу, обнаружив, что на ней продолжение речи прокурора Вышинского, он бормотал сквозь зевоту:

— Ты когда-нибудь заткнешься?

Но генеральный прокурор Вышинский Андрей Януарович, прозванный Ягуаровичем, не затыкался, он был фантастически говорлив, его речи растягивались на десятки страниц.

Илья учился в университете во времена ректора Вышинского. Любимой забавой Андрея Януаровича было унижать старых профессоров публично, при студентах. Посреди лекции он входил в аудиторию, делал знак лектору продолжать, минуты три молча стоял, неотрывно сквозь круглые стекла очков глядел на преподавателя. Под его взглядом лекторы сбивались, заикались, краснели, бледнели.

Илья пару раз имел удовольствие наблюдать вблизи физиономию Ягуаровича. Издали он выглядел вполне солидно, благообразно, но вблизи обнаруживалась неприятная диспропорция. Посредине круглого большого лица торчал крошечный острый носик. Безгубый узкий рот прятался между тяжелым подбородком и рыжеватыми усами.

Ягуарович подходил к кафедре, начинал говорить вполне мирно, не повышая голоса, и среди потока общих, ничего не значащих фраз вдруг звучало что-нибудь вроде: «Ты, вонючая падаль, думаешь, тебе сойдет с рук наглая вражеская пропаганда в стенах советского вуза?» Это произносилось тихо, бесстрастно и никак не было связано с предыдущими фразами. Преподаватели, впервые оказавшиеся в такой ситуации, вздрагивали, недоуменно переспрашивали: «Что, простите?» Те, кто был хорошо знаком с Ягуаровичем, обычно молчали. Дальше следовали крик, грязные оскорбления, обещания скорой расправы. Накричавшись вдоволь, Ягуарович спокойно и надменно покидал аудиторию.

Работая в Институте марксизма-ленинизма, Илья узнал о Вышинском много интересного. Андрей Януарович происходил из мелких польских шляхтичей, получил приличное юридическое образование, вступил в партию меньшевиков, имел счастье во время революции 1905-го познакомиться в пересылочной тюрьме в Баку с Кобой и с тех пор многие годы пользовался его симпатией и покровительством. После победы большевиков в октябре 1917-го Вышинский оказался единственным человеком, который вступил в партию по личной рекомендации Сталина. Ни до, ни после Сталин никому личных рекомендаций не давал.

В архиве хранился ордер на арест Ленина как немецкого шпиона, подписанный летом 1917-го прокурором при Временном правительстве А.Я. Вышинским. В той же папке лежало гневное послание старого большевика Мануильского, адресованное Сталину, в котором Вышинский разоблачался как агент царской охранки. Поверх текста красовалась косая надпись синим карандашом: «А. Вышинскому — И. Ст.». Ягуарович не уничтожил эту бумагу, хотя мог бы, он сдал письмо Мануильского с пометкой Сталина в партийный архив, открыто демонстрируя свою неуязвимость и презрение к «ленинской гвардии».

Его карьера неслась вверх. На посту ректора Вышинский задержался всего на три года, публичные издевательства над профессорами скоро ему наскучили, университетская сцена стала тесна такому большому артисту. В 1935-м он был назначен генеральным прокурором.

Илье приходилось наблюдать, как Ягуарович бочком, сгорбившись, семенит через приемную. В кабинет Хозяина Вышинский не входил, а просачивался, заметно уменьшаясь в объеме. Рыжие усы дрожали, глаза источали горячую патоку обожания. Вряд ли Хозяин верил в искренность Ягуаровича, тот явно, грубо переигрывал. Но именно это и нравилось Хозяину. Ягуарович со своей чрезмерностью идеально подходил на роль персонажа-резонера, который озвучивает мысли автора.

«Шайка бандитов, грабителей, подделывателей документов, диверсантов, шпиков, убийц! С этой шайкой убийц, поджигателей и бандитов может сравниться лишь средневековая каморра, объединявшая итальянских вельмож, босяков и уголовных бандитов. Вот моральная физиономия этих господ, морально изъеденных и морально растленных. Эти люди потеряли всякий стыд, в том числе перед своими сообщниками и перед самими собой!» — восклицал резонер.

Роль второго резонера играл Радек. Он говорил не меньше Вышинского. Горячо обличал себя и остальных подсудимых, при этом с ледяным сарказмом намекал на абсурдность происходящего.

«Процесс показал кузницу войны и он показал, что троцкистская организация стала агентурой тех сил, которые подготовляют новую мировую войну. Какие есть доказательства? Есть показания двух людей — мои показания, как я получал директивы и письма от Троцкого, которые, к сожалению, сжёг, и показания Пятакова, который встречался и говорил с Троцким. Все прочие показания других обвиняемых покоятся на наших показаниях. Если вы имеете дело с

чистыми уголовниками, шпиками, то на чём можете вы ба-
зировать вашу уверенность, что то, что мы сказали, есть
правда, незыблемая правда?».

По словам Радека, в декабре 1935-го Пятаков во время своей служебной командировки в Берлин был переправлен германскими спецслужбами на самолете в Осло, где встречался с Троцким.

Через сутки после публикации этой стенограммы в норвежской печати появилось заявление директора аэропорта в Осло Гулликсена, который сообщил, что с октября 1935-го по март 1936-го на аэродром не сел ни один иностранный самолет. Заявление передавали все телеграфные агентства.

Подобные проколы случались и на прошлом процессе. Один из подсудимых рассказывал о встрече с Троцким в Копенгагене, в отеле «Бристоль», и тут же правительство Дании заявило, что отеля с таким названием в Копенгагене нет.

Уголовник Сосо строго следовал сказочным законам, сочинял нарочито неправдоподобные сюжеты. Встречи, которых не могло быть, письма, которых не существует.

Сосо наскучило издеваться над своими одуревшими подданными, хотелось покуражиться над внешним миром. Сквозь пламень монологов и реплик просвечивала ледяная глумливая усмешка над тем, что принято называть здравым смыслом.

Илья переводил стенограммы в огромном количестве и попутно отслеживал свежие публикации, составлял сводки по откликам немецкой прессы.

«Фолькише Беобахтер» печатал пространное интервью с председателем Народной судебной палаты рейха Роландом Фрейслером.

«Если Сталин прав, — заявил Фрейслер, — это значит, что русскую революцию совершила банда отвратительных преступников, в которую входили только два честных человека — Ленин и Сталин.

— *То есть получается, что эта пара годами управляла Россией, сотрудничая с подонками,* — уточнил корреспондент.

— *Именно так,* — согласился Фрейслер.

На вопрос корреспондента, что представляется господину председателю особенно интересным в московском процессе, Фрейслер ответил:

— *Высокий процент евреев среди подсудимых. На глазах у всего цивилизованного мира Сталин уничтожает еврейскую правящую банду и превращается в настоящего восточного деспота по образцу Чингисхана или Тамерлана».*

В конце интервью председатель признался, что не может скрыть своего восхищения высоким ораторским искусством господина Вышинского.

«Франкфуртер Цайтунг» опубликовал статью из итальянской газеты «Пополо д'Италиа»:

«Вполне вероятно, что Сталин перед лицом краха ленинской системы стал тайным фашистом. В любом случае Сталин оказал фашизму большую услугу».

На первой полосе красовался портрет Муссолини, под текстом стояла его подпись.

Ежедневное «Расовое обозрение», детище Розенберга, болезненно реагировало на постоянное упоминание Троцкого как немецкого агента и обиженно заявляло:

«В Москве снова пытаются при помощи большого театрального процесса завуалировать деятельность господина Троцкого. Троцкий является всем чем угодно, но не противником Москвы, как его пытаются изобразить. Наоборот, он является одним из самых деятельных и самых энергичных агентов мировой революции. Всюду, где побывал Троцкий, возникают революционные пожары».

На следующий день «Правда» процитировала этот текст в заметке под заглавием *Германские фашисты выгораживают Троцкого».*

В том же номере «Правды» печаталось продолжение заметок писателя Леона Фейхтвангера, который присутствовал на процессе.

«Судьи, прокурор, обвиняемые связаны между собой узами общей цели. Они подобны инженерам, испытывающим совершенно новую сложную машину. Некоторые из них что-то в машине испортили, испортили не со злости, а просто потому, что своенравно хотели испробовать на ней свои теории по улучшению этой машины. Их методы оказались неправильными, но эта машина не менее, чем другим, близка их сердцу, и потому они сообща с другими откровенно обсуждают свои ошибки. Их всех объединяет интерес к машине, любовь к ней. И это-то чувство и побуждает судей и обвиняемых так дружно сотрудничать друг с другом.

Патетический характер признаний должен быть в основном отнесен за счет перевода. Русская интонация трудно поддаётся передаче, русский язык в переводе звучит несколько странно, преувеличенно, как будто основным тоном его является превосходная степень».

Накануне, 8 января, Фейхтвангер встречался со Сталиным, беседовал с ним несколько часов и в результате из писателя превратился в персонажа, такого же сказочного, как стахановка Паша Ангелина.

Литературные опыты знатной трактористки, воспоминания о встрече со Сталиным вышли в «Правде» рядом с заметками Фейхтвангера, хотя никакого отношения к процессу не имели.

«Передо мной открылся новый мир счастья, разума, и в этот новый мир привел меня великий Сталин. Рядом со мной крестьянка, сбросив платок, так что заблестели серебром седые волосы, с горящими восторгом глазами тихонько шептала: «Наш дорогой, наш родной отец Сталин! Низкий тебе поклон от всего нашего села, от детей наших, внуков, правнуков! Ох, народушко мой родной, глядите на наше Солнце, на наше счастье!».

Илья так увлекся чтением «Правды», что подпрыгнул от неожиданности, когда в кабинет влетел Поскребышев.

Мокрый, серо-зеленый, он таращил бессонные глаза.

— Все проверил? Давай!

К счастью, пресс-сводка была готова. Илья сложил в папку листки, завязал ленточки. Перед тем как выйти, Александр Николаевич взглянул на себя в зеркало, пробормотал:

— Ужас, краше в гроб кладут.

Процесс длился неделю, но, казалось, прошла вечность. Наконец на стол легли стенограммы последнего дня. Радек в своей заключительной речи обратился с грозным предупреждением ко всем оставшимся на свободе *троцкистам, полутроцкистам, четвертьтроцкистам, троцкистам на одну восьмую, всем, кто помогал нам, не зная о террористической организации, кто симпатизировал нам из-за либерализма, из-за фронды партии, всем этим элементам перед лицом суда и перед фактом расплаты мы говорим: кто имеет малейшую трещину по отношению к партии, пусть знает: завтра он станет диверсантом и предателем, если эта трещина не будет старательно заделана откровенностью до конца перед партией».*

Тринадцать из семнадцати подсудимых были приговорены к высшей мере наказания. Их расстреляли сразу, той же ночью. Четверо, включая Радека, отделались длительными тюремными сроками. «Правда» публиковала обращения трудящихся, с требованием скорее разоблачить и покарать очередную вражескую банду во главе с Бухариным и Рыковым.

На следующий день после окончания процесса на Красной площади собралось на митинг более двухсот тысяч трудящихся. Был тридцатиградусный мороз. Продрогшие москвичи держали на палках портреты Сталина, Ежова, Молотова, Кагановича, Ворошилова, несколько часов подряд изо всех сил ужасались мерзости злобных злодеев, восторгались справедливостью советского суда, ликовали по поводу смертных приговоров и клялись в вечной, бесконечной, океански гигантской любви любимому вождю, великому, лучезарному Сталину. К собравшимся обратился сорокадвухлетний секретарь Московского комитета партии Никита Хрущев.

— *Подымая руку против товарища Сталина, они подымали ее против всего лучшего, что имеет человечество, потому что Сталин — это надежда! Сталин — это наше знамя! Сталин — это наша воля! Сталин — это наша победа!*

ГЛАВА ДВАДЦАТЬ ПЕРВАЯ

В воскресенье поздно вечером Габи вернулась в Берлин, в аэропорту взяла такси. Когда вошла в подъезд, консьерж передал ей пакет из секретариата Макса Амана, руководителя Имперской палаты прессы. Внутри было официальное письмо, подписанное лично Аманном. В письме сообщалось, что она включена в состав делегации, которая отправляется в Париж на пресс-конференцию, посвященную подготовке к Всемирной выставке. В понедельник ей надлежит явиться в палату к десяти утра.

«Ну что еще тебе нужно, красотка Дильс? — ехидно спросила маленькая Габи. — Только вернулась из Цюриха и сразу отправишься в Париж, купишь себе там гору нарядов, посетишь пару-тройку банкетов и вечеринок. Чем ты недовольна? Фюрер дал тебе все, а ты платишь ему черной неблагодарностью, шпионишь на красных, родину предаешь».

«А все-таки не мешало бы выяснить, кто следил за мной в Цюрихе и куда делся Бруно?» — думала Габриэль, засыпая в обнимку с плюшевым зайцем.

Утром она поехала на своем «порше» в палату прессы, слушать напутствия Геббельса. Большой пустой чемодан все еще лежал в багажнике.

До открытия Всемирной выставки осталось три месяца, но предвкушение очередного триумфа на мировом уровне заранее возбуждало темпераментного карлика. Вместо того чтобы давать конкретные цензурные указания, Геббельс произносил митинговую речь:

— *Национал-социализм не может ограничиваться пустыми словами, его нужно создавать руками и сердцем. Предстоящая Всемирная выставка должна открыть глаза всему миру на величие нового немецкого искусства, грандиозность научно-технических достижений.*

Журналисты писали в блокнотах. Габи с видом глубокой сосредоточенности грызла колпачок авторучки.

— *Наступит день, когда никому уже не придется говорить о национал-социализме, потому что он станет воздухом, которым мы дышим,* — кричал Геббельс, брызгал слюной и таращил глаза.

Рядом с Габи сидела незнакомая молоденькая толстушка. Прямые светло-русые волосы падали на лицо, виднелся только нос, украшенный круглыми очками в тонкой золотой оправе. Пухлые пальцы с обгрызенными ногтями сжимали дорогую самописку. Габи заглянула в блокнот и увидела, как золотое перо выводит: «...станет воздухом, которым мы дышим...».

Толстушка конспектировала речь, посапывала от усердия, исписала своим аккуратным детским почерком полдюжины страниц.

Геббельс говорил часа два. Рекорд краткости. Когда толстушка встала, ее сумка свалилась на пол, наклонившись, она уронила очки и чуть не расплакалась. Габи подняла очки, помогла ей все собрать. Толстушка поблагодарила и представилась.

Ее звали Стефани Хенкель, ей было двадцать два года, она всего неделю работала корреспондентом в «Берлинер

Тагеблатт», впервые попала на инструктаж Геббельса, впервые летела в командировку.

— А я вас узнала, я вообще-то не читаю дамские журналы, но вы хорошо пишете, — заявила она, пожимая Габи руку.

«Хенкель... Хенкель... шампанское... Ну конечно, как же я сразу не догадалась», — думала Габи, поглядывая на круглую раскрасневшуюся физиономию.

Перед отлетом она пообедала с Франсом и узнала, что Стефани Хенкель — родная племянница Аннелиз фон Риббентроп.

Фамилия Риббентроп окончательно вернула Габи к реальности. Внутри что-то щелкнуло, включился охотничий инстинкт. Она отчетливо вспомнила слова Бруно, сказанные во время их последней встречи:

«Было бы отлично, если бы тебе удалось как-нибудь познакомиться с Аннелиз Риббентроп. Вокруг этой дамы варится тайная внешняя политика рейха»

Габи стала слушать болтовню Франса очень внимательно.

Между супом и десертом Франс рассказал, что Риббентроп выскочка, ничтожество, женился на деньгах. Гитлер недавно назначил его послом в Лондон. Риббентроп человек глупый, всем заправляет его жена Аннелиз, урожденная Хенкель, из семьи владельцев крупнейшей в Европе фирмы дорогих вин и шампанского.

— Настоящий посол она. Она голова, которая думает и принимает решения, он задница, которая протирает штаны на приемах и банкетах. Любое действие Риббентропа, не согласованное с супругой, становится фарсом. На церемонии вручения верительных грамот королю Георгу Шестому он, как положено по этикету, трижды поклонился, а потом вскинул руку и заорал «Хайль!».

Габи слышала об этом скандале. С именем Риббентропа был связан еще один конфуз. Его дочь попала в автомобильную аварию в Амстердаме, ее оперировал известный хирург-еврей, спас ей жизнь и здоровье. По этому поводу Геббельс издал специальный циркуляр для прессы, запрещающий упоминать факт аварии в любом контексте.

— Вряд ли они засидятся в Лондоне на посольской должности, — продолжал Франс. — Мадам слишком амбициозна, вот увидишь, она поднимет своего дурака-мужа до уровня министра иностранных дел, тем более что старик фон Нейрат в последнее время сильно раздражает фюрера.

Габи нежно простилась с Франсом. В самолете она села рядом со Стефани Хенкель.

— Я так люблю летать, гораздо больше, чем писать очерки и брать интервью, — призналась Стефани, — хотя ни одного очерка я еще не написала и ни одного интервью не взяла.

— Научитесь. Для очерка главное — легкий язык и немного юмора. А когда берешь интервью, надо внимательно слушать и нагло льстить собеседнику.

— Боюсь, у меня не получится льстить, совсем не умею врать, говорю, что думаю, это многим не нравится. Вообще я плохо схожусь с людьми. Тетя Аннелиз пристроила меня в «Тагеблатт», чтобы я научилась непринужденно общаться. Мама считает, что я не умею одеваться и мне нужно похудеть. Я ничего не понимаю в диетах, нарядах, косметике. Кузина Беттина посоветовала срочно слетать в Париж.

Впереди сидели два министерских чиновника. Сквозь щебет Стефани доносились обрывки их разговора.

— ...если он продолжит в том же духе, лет через пять население исчезнет, огромная территория освободится сама собой...

— ...от сумасшедшего можно ждать чего угодно...

— ...пляска живых мертвецов...

Габи ерзала в своем кресле, прислушивалась, но это было трудно, Стефани щебетала у ее уха.

— Я бы хотела стать такой же сильной и умной, как тетя Аннелиз, и такой же красивой, как вы, только не знаю, с чего начать. Мама говорит, я ем слишком много сладкого, от этого полнею, но если я не ем сладкое, у меня портится настроение. Могу легко отказаться от свинины, от картофеля, но когда вижу горячий вишневый штрудель со сливками, теряю контроль над собой.

Габи сдвинулась на краешек, готова была просунуть голову между спинками передних кресел.

— ...уморил голодом миллионы собственных крестьян... случаи людоедства...

— Для дикарей это нормально...

— ...самые настоящие дикари... мой шурин был в Ленинграде... плюют под ноги, мусорят на улицах...

«Те двое, продавец и «Шляпа», очень похожи на русских, — думала Габи. — Допустим, с Бруно что-то случилось. Он предупреждал: если какая-то срочная информация, долго нет связи, никто не появляется в музее, нужно выбраться в Цюрих, зайти в «Скарабей». Там обязательно кто-то будет. Пароль «Око Гора» знают в Москве. Кого же они прислали? И какого черта за мной таскался болван в шляпе?»

Подошел стюард с подносом, Габи взяла два бокала шампанского.

— Наше висбаденское, полусладкое, — радостно сообщила Стефани, — мое любимое. Однажды в детстве я вылакала потихоньку целую бутылку, оно же вкусненькое! Я стала пьяная, ужас. Габриэль, вы когда-нибудь напивались так, чтобы вести себя неприлично?

— Мг-м.

— Потом очень стыдно. Я когда напьюсь, хохочу, как безумная, и всегда икаю. А вы?

— Пою песни и лезу ко всем целоваться.

Чиновники тоже пили шампанское, прозвучало «Пройст!». Тихо звякнули бокалы.

— Предпочитаю сухое, — сказал тот, что сидел у иллюминатора.

— Шампанское — дамский напиток, больше люблю коньяк...

Габи решила, что они сменили тему, расслабилась, откинулась на спинку кресла, но услышала:

— ...взялся за коммунистов и евреев...

— Интересно, зачем он это делает?

— ...просто больной...

— ...разгромит собственную армию, ставлю сто марок...

— ... наглядное подтверждение расовой теории... полноценные народы таких издевательств над собой не потерпят...

— ...немецкая кровь...

— ...нет, ни капли, он кавказец...

— ...вряд ли понимает... психическое заболевание... но работает на нас, это главное...

Чиновники смеялись так громко, что Стефани удивленно замолчала на полуслове и шепотом спросила Габи:

— О чем они говорят?

— Не знаю. Кажется, тот самый случай. Напились и ведут себя неприлично. Мы тоже выпьем и перейдем на «ты». Пройст!

* * *

Доктор никак не мог избавиться от идеи, которую подкинул ему перед смертью старый большевик Ланг, — устроить побег Володе.

«Терять все равно нечего, ни мне, ни ему. Так почему бы не рискнуть? — думал он по дороге к пряничному домику. — Пока болеет Майрановский, а Кузьма вместе с охраной дрыхнет, пьет, играет в дурачка, ничего не стоит выбраться за бетонный забор, наружу. Золотое время скоро кончится, и я не прощу себе, что даже не попытался предложить Володе такой вариант».

Карл Рихардович заранее приготовил все необходимое, аккуратно сложил на нижней полке своего платяного шкафа брюки, теплую фланелевую рубашку, свитер, носки, нижнее белье. План Володиного побега крутился в голове.

Главное, выбраться из Москвы, доехать до какого-нибудь тихого провинциального города, где никто Володю не знает. Там можно прийти в милицию, заявить, что ограбили, отняли документы, назваться любым вымышленным именем, объяснить, что рос в детдоме, настоящего своего имени вообще не помнит. Отлично подойдет какая-нибудь большая стройка, там нужны рабочие руки. За молодого, здорового парня ухватятся, тем более работать Володя умеет и любит.

«Не исключено, что арестуют его мать и сестру. Когда я предложу бежать, он сразу подумает о них. Но почему обязательно должны арестовать? В самом деле, разве они устроили ему побег? Они в ссылке, далеко отсюда, и совершенно ясно, что не виноваты... Не виноваты, но сосланы... Кто-нибудь из арестованных, сосланных, расстрелянных виноват? И в чем именно? Интересный вопрос... И все-таки я поговорю с Володей. Невозможно, чтобы десятки тысяч людей вот так, покорно, безропотно, давали издеваться над собой, над своими близкими, шли на убой, а оставшиеся прославляли и благодарили убийц, ожидая своей очереди. Какое-то сопротивление должно быть... Хотя бы одна слабенькая попытка...»

Размышляя, прикидывая разные варианты Володиного счастливого спасения, он незаметно дошел до калитки.

Ждать не пришлось. Кузьма открыл через пару минут. На утрамбованном снегу аллеи что-то темнело. Подойдя ближе, доктор увидел лежащую лицом вниз фигуру в телогрейке и высоких валенках.

«Сюр-приз!» — пропел зеркальный уродец и тоненько захихикал.

— Утечь хотел, сука троцкистская, — Кузьма сплюнул в снег.

428

Доктор опустился на колени возле убитого, увидел кровь и дыру от пули на бритом затылке, тронул пальцами еще теплое запястье, осторожно перевернул тело на спину, стряхнул с мертвого лица липкий снег.

— Телогрейку спер, падла, и валенки мои, едрена вошь, — пожаловался Кузьма. — Валенки-то новехонькие, ненадеванные, вчера только со склада доставили.

С трудом удалось закрыть Володе глаза. Сердце бухало глухо, медленно, голова кружилась, голос Кузьмы доносился откуда-то издалека, тонул в оглушительном шепоте зеркального урода:

«Тебе хочется врезать кулаком по мерзкой роже, руки чешутся? Ну давай! Какое-то сопротивление должно быть, хотя бы одна слабенькая попытка! Ударь его, а еще лучше — попробуй задушить. Разве он не заслуживает смерти? Спасти никого не можешь, так убей палача».

— Поднимайся, товарищ доктор, простудитесь, на коленках-то, — Кузьма, кряхтя, наклонился и легко, за подмышки, поднял Карла Рихардовича на ноги. — Пойдем, чайку горяченького, с пряничком...

— Почему ты его убил? — просипел доктор и не узнал своего голоса.

— Так я ж грю, чуть не утек, едрена вошь.

— Как? Куда? Он слабый, больной. Товарищ Блохин велел вылечить его, а ты убил.

Кузьма часто заморгал, нахмурился, переваривая услышанное, и, дернув головой, неуверенно произнес:

— Так я, это самое, по инструкции. Попытка к бегству, едрена вошь, стрелять на поражение.

— С чего ты взял, что это была попытка к бегству?

— Ну а чё ж еще? Мы только завтракать сели, слышу, какая-то возня. Сначала думал, померещилось, на всякий случай выглянул, гляжу, телогрейки нет, валенки пропали, дверь открыта. Ну я во двор, а он идет, падла, по направлению к забору. Я за ним, кричу: стой, сука! Он бегом, ну я и пальнул на поражение.

— Как он вышел из лазарета?

Вопрос подействовал на Кузьму сильно. Под ржавой щетиной проступили багровые пятна, глаза заметались в своих норках-глазницах.

— Это самое, полы я мыл, как положено, перед завтраком, во всех помещениях, ну и, это, едрена вошь, замудохался, а тута еще дымоход забился, это самое, я туды-сюды...

— Туды-сюды и забыл запереть дверь лазарета, — продолжил за него Карл Рихардович.

— Не помню я, товарищ доктор, ни хера не помню, дымоход, опять же, сосули сбить, едрена вошь, — Кузьма наклонился, сжал пальцами ноздри и шумно высморкался в снег. — Ну а может, они это, а? Как думаете? — он обтер пальцы подолом засаленного фартука.

— Кто «они»? — спросил доктор, пытаясь поймать блуждающий взгляд Кузьмы.

— Ну, эти чертовы куклы, Терентьев с Вайнштоком, а?

— Да, пожалуй, ты прав, дверь в лазарет открыли призраки. Так и доложим товарищу Блохину.

Карл Рихардович отчетливо помнил, что, уходя вчера вечером, не повернул ключ в замке, нарочно, чтобы проверить, заметит ли Кузьма. Если не заметит, значит, у Володи есть реальная возможность тихо уйти ночью.

«Вот он и ушел сегодня утром, — хихикнул в голове зеркальный уродец и после короткой паузы добавил серьезно, с проникновенными нотками: — А ведь это ты убил его, добрый доктор Штерн, ты, а вовсе не болван Кузьма».

— Заругается Михалыч, — Кузьма грустно вздохнул. — Хорошо, успел я вовремя, едрена вошь, а то бы утек он через забор, вот тогда бы с меня бы три шкуры. Ладно, товарищ доктор, чего стоим-то, мерзнем? Айда в дом, документ оформите по нему, как положено.

— Нужно отнести его тоже в дом.

— На хера? Пущай тута отдыхает, подмерзнет, грузить легче. Пойдем, товарищ доктор, чайку горяченького с пряничком, а то и чего покрепче, за упокой-то вражьей души. Там у меня на кухне тепленько, хорошо, дымоход прочистил, угару нет.

Не снимая пальто, Карл Рихардович заполнил бланк свидетельства о смерти. Подниматься на второй этаж не имело смысла. Лазарет опустел. Вежливо простившись с Кузьмой, он вернулся домой.

В квартире никого не было. Он слонялся по комнате, перебирал вещи, приготовленные для Володи, наконец, сел за стол, открыл свою тетрадь, но уже не верилось, что письма — Эльзе и детям. Какие письма? Зачем? Он погрузился на самое дно своей тоски и с вялым отвращением чувствовал тяжесть старого, ненужного тела, давление многотонной массы невыносимых воспоминаний. Листая исписанные страницы, он слышал шорох бумаги, звон трамвая за окном, скрип снега под ногами прохожих. Он обрадовался бы сейчас даже зеркальному уроду, но сквозь толщу одиночества ничей голос не мог прорваться.

Рука медленно выводила строчку за строчкой.

«Я виноват, что до сих пор живу. Мне так хотелось спасти Володю. Но если бы я устроил ему побег, расплачиваться за это пришлось бы не только мне. Володю все равно поймали бы. А вокруг меня раздули бы шпионскую организацию, и понятно, кто вошел бы в число моих сообщников. Не Майрановский с Филимоновым, не Кузьма, не Блохин, нет. Их вряд ли тронут, они сейчас самые главные, самые нужные люди.

Володя работал вместе с Акимовым, я, сосед Акимова, организовал побег, вот, пожалуйста, готовая террористическая организация, подарок для следствия. Почему только сейчас мне это пришло в голову? Ланг шутил, мечтал, а я, старый идиот, принялся всерьез строить планы, одежду собрал, деньги отложил.

О чем думал Володя в последнюю минуту? Вряд ли о побеге. Ему просто захотелось выйти во двор, подышать, посмотреть на небо. Вот и подышал... А ведь я именно сегодня хотел завести с ним разговор о побеге».

Перо замерло. Несколько минут он сидел неподвижно, потом вырвал исписанную страницу, скомкал, положил в большую медную пепельницу, чиркнул спичкой. Бумага еще горела, когда зазвонил телефон.

— Товарищ Штерн, хорошо, что вы дома. Минут сорок можете мне уделить? Нужна ваша консультация.

По телефону Илья всегда говорил сухим официальным тоном. Они не виделись дней десять, для Карла Рихардовича это был большой срок. Он быстро оделся, добежал до трамвайной остановки и уже через полчаса увидел Илью на их обычном месте, на Тверском бульваре.

Илья осунулся, под глазами залегли темные тени. Взглянув на него, доктор решил отложить свои печальные откровения и бодрым голосом спросил:

— Ну что, процесс закончился, теперь будет передышка?

— Никакой передышки, — Илья помотал головой, оттянул шарф с горла, нервно закурил. — Все только начинается. У меня совсем мало времени. Есть вероятность, что Бруно сбежал.

— Как сбежал?

— Решил остаться за границей. Он исчез, не выходит на связь с ноября, после того как получил приказ вернуться в Москву. Слуцкий попросил меня поговорить с вами, надеется, что вы назовете каких-нибудь старых общих знакомых по Тюбингенскому университету.

— То есть они хотят, чтобы я помог им ловить его? — ошеломленно прошептал доктор.

— Да. Пока это только просьба. Слуцкий заранее прощупывает все его связи, готовится к охоте.

— Но я никого не помню, мне даже врать не придется, больше четверти века прошло.

— Для них это не ответ. Нужны два-три имени.

— Если я назову кого-то, эти люди могут пострадать?

— Нет, их не тронут. Вы назовете людей заметных, высокопоставленных нацистов, то есть именно тех, к кому Бруно ни за что не обратился бы за помощью.

432

— Ладно, попробую, — доктор неуверенно кивнул. — Роберт Бюргер-Вилинген, он был с нами в Тюбингене, прославился, когда изобрел прибор для измерения черепов, занимает высокий пост в Министерстве здравоохранения. Гюнтер Лемптке, специалист по расовой гигиене. Если я правильно понял, ты надеешься сбить их со следа?

— На это надеяться глупо, у них такие ищейки, которых не собьешь. Я просто хочу, чтобы вас оставили в покое.

— А его они в покое не оставят, верно?

Илья молча кивнул.

— Знаешь, я был на него сильно обижен, — задумчиво произнес доктор, — нет, вовсе не за то, что он использовал меня. Шпионить против Гитлера — дело полезное и благородное, я рад, что мог помочь. Обидно было, когда мне подсунули в Крыму чекистку, похожую на мою Эльзу как родная сестра. Никто, кроме Бруно, не мог знать, как выглядела моя Эльза.

— До сих пор обижены?

— Ну что ты, давно простил, сейчас почему-то вспомнил. Наверное, для ИНО уход Бруно серьезная потеря?

— Им бы собственные головы не потерять, с ума сходят от страха. Впрочем, я тоже. С каждым разом все труднее составлять полноценные сводки. Конечно, в моем распоряжении перехваты дипломатической переписки, бюллетени ТАСС, доклады торгпредов и военных атташе, газеты, но этого мало. Нужны шпионы. Без них ему неинтересно.

— Тогда зачем он их уничтожает?

— Чтобы было еще интереснее.

— Подумай, чем я могу тебе помочь?

Илья тихо, нервно засмеялся:

— В том-то и фокус, что никто никому ничем помочь не может при всем желании. Ну, вспомните еще пару-тройку анекдотов из личной жизни фюрера, я приправлю ими очередную сводочку, он хмыкнет в усы. Информация нужна, а ее все меньше. Ее почти нет, и с уходом Бруно иссякнет последний источник. Вы спрашиваете — чем помочь мне. А я ломаю голову, чем помочь моему последнему источнику. В Берлине остался человек... Впрочем... Знаете, я был уверен, что давно освободился от иллюзий, а вот оказывается, не совсем. Упорно продолжаю верить, что реальная информация о потенциальном противнике может как-то повлиять на него. Да, он сумасшедший, маньяк, убийца, но ведь нельзя быть таким тупым! Кормить Гитлера стратегическим сырьем, заигрывать с ним, как дешевая старая потаскуха, и гробить собственную страну...

— Тихо, тихо... — доктор испуганно огляделся.

Они медленно шли по Никитскому бульвару. Илья говорил слишком громко, какая-то гражданка в каракуле замедлила шаг, оглянулась. Взяв Илью под руку, Карл Рихардович потянул его вперед, почти бегом они обогнали гражданку, вышли к Арбатской площади.

— Простите, сорвался, очень устал, — пробормотал Илья. — Удивительное дело, столько людей гибнет, а мне все не дает покоя судьба одного очень далекого, совершенно незнакомого человека. Не знаю имени, возраста, профессии, никогда в глаза не видел, а волнуюсь, как за кого-то близкого. Последняя ниточка из агентурной сети Бруно, последняя связь с реальностью. Какое-то суеверное чувство, предчувствие... Оборвется ниточка, и привет.

— Что значит «привет»?

— Да так, ничего... Отправляют на связь черт знает кого, безграмотных мальчишек. Запросто могут провалиться, провалить ее... Зря я затеял этот разговор, у вас своих проблем хватает.

— Ты сказал « ее»? Это твоя последняя ниточка — женщина?

— Мг-м. Я недавно случайно узнал, честно говоря, удивился, был уверен, что мужчина. Работает на нас с мая тридцать четвертого, ей цены нет... Если она попадет в гестапо...

— Погоди, погоди, — доктор остановился посреди улицы, хмуро уставился себе под ноги, пнул носком ботинка ком снега. — Ты сказал, она из агентурной сети Бруно? То есть он ее завербовал, верно?

Илья кивнул, сунул в рот папиросу, принялся нервно чиркать спичками.

— Кажется, я вспомнил кое-что, — бормотал доктор. — В тот день, в клинике под Цюрихом, когда они пришли все вместе, маленькая Барбара сунула мне немецкий дамский журнал «Серебряное зеркало». Моя Эльза иногда читала его...

Спички не зажигались, ломались. Карл Рихардович пошарил в карманах, нашел коробок.

— Ладно, дай мне тоже папиросу... Я могу ошибаться, но вдруг... на всякий случай... Так вот, Барбара показала мне журнал... Портрет на обложке... в апреле тридцать четвертого, на Лазурном побережье, под Ниццей, они жили в одном отеле, семья Бруно и эта девушка, модная журналистка.

Рядом прозвучал голос:

— Проходите, не задерживайтесь.

Как из-под земли возникло множество мужчин в штатском, в форме, по тротуару цокали копыта конной милиции. Прохожие жались к домам, ныряли в переулки. Проезжая часть опустела.

— Все, мне пора, — сказал Илья и прибавил шагу. — Идите домой, вечером заскочу, если смогу.

— Подожди, я провожу тебя, — доктор едва поспевал за ним. — Так вот, Барбара рассказала, что подружилась с журналисткой из «Серебряного зеркала». Бруно резко прервал разговор, они с Ганной как-то странно переглянулись...

Мимо на огромной скорости пролетели четыре сверкающих черных автомобиля.

— Вам тяжело бежать, а я должен спешить, простите, — сказал Илья.

435

— Нет, не тяжело, даже полезно. Ты все-таки послушай, может, ерунда, мои фантазии, но вдруг... Тот день помню во всех подробностях, я ведь не догадывался, что Бруно... При других обстоятельствах я бы испытал шок... И потом, когда меня везли сюда, я думал: у такого человека, как Бруно, могут быть просто друзья, знакомые? Или он всех использует, как меня? Наверное, ее тоже, журналистку... Забыл имя... Блондинка, молоденькая, красивая, — доктор поскользнулся, Илья успел подхватить его.

— Карл Рихардович, я все равно сейчас ничего не воспринимаю, вы потом подробно расскажете, без спешки.

— Да, конечно, извини. Все-таки постарайся зайти сегодня, как угодно поздно.

— Я постараюсь, от меня не зависит, — Илья ускорил шаг.

Доктор отпустил его руку, стал отставать, но вдруг рванул вперед, за ним.

— Илья! Секунду подожди! Журнал у меня, валяется где-то в ящиках, на обложке фотография... Я вспомнил имя! Габриэль Дильс!

* * *

В честь столетия со дня смерти Пушкина проходили концерты в клубах, домах культуры, в заводских цехах и подмосковных колхозах, обязательно с участием молодых солистов Большого театра. Танцевали отрывки из балетов по произведениям Пушкина, наскоро состряпанные «композиции по мотивам» повестей, поэм, сказок, по которым балетов еще не поставили.

Маша танцевала Зарему из «Бахчисарайского фонтана», поповскую дочку из «Сказки о Балде», Дуню из «Станционного смотрителя».

Хореография отрывка из «Смотрителя» никуда не годилась. Качество музыки «Балды» очень точно определил Май: «Так звучит головная боль».

Зрители благодарно хлопали, не замечая, как скверно танцуют молодые солистки. А молодые солистки танцевали скверно потому, что ноги их были стерты в кровь.

В начале февраля арестовали старейшего театрального сапожника дядю Севу, ему было около восьмидесяти. Всю жизнь он шил пуанты, в его пуантах танцевало несколько балетных поколений.

Дядя Сева не только шил пуанты, он сам варил клей, пропитывал носки, формировал «пятачки», сушил в печи. Клей для пуантов примерно то же, что лак для скрипки. Дядя Сева был пуантный Страдивари.

Для дуэта важны твердые «пятачки», для прыжков — помягче, на репетициях и концертах пуанты сгорают за несколько часов, на каждый спектакль одному солисту требуется пять, а то и семь пар.

Без дяди Севы театральная мастерская шила орудия пыток, которые впивались в ноги во время танца, калечили пальцы, причиняли жгучую боль. На самом деле это была катастрофа, но никто не смел заикнуться.

Накануне ареста на общем собрании дядю Севу объявили шпионом-троцкистом, который готовил убийство товарища Сталина и прочих вождей во время их посещения Большого театра. В качестве сообщников арестовали двух пожилых мастериц из костюмерной, трех полотеров, пожарника, уборщицу и слесаря-сантехника. Получилась шпионско-террористическая организация, разъедавшая своим ядом здоровый коллектив главного театра Советского Союза.

Митинги, собрания, политчасы проходили по два-три раза в неделю. Из артистов никого пока врагом не объявили, не арестовали, наоборот, посыпались звания заслуженных и народных, ордена и ордера на отдельные квартиры в новом роскошном доме на улице Неждановой. Те, кому не повезло, писали доносы на счастливчиков. Начались склоки, истерики, инфаркты.

Однажды в автобусе, по дороге на очередной концерт, Май сел рядом с Машей и шепотом спросил:

— По-прежнему веришь, что нас не тронут?

— Не знаю.

— А я теперь думаю: хорошо, что мама, папа, бабушка не дожили. Мама с папой кристальные большевики, даже имя мне дали идейное, в честь Дня международной солидарности.

— Просто им нравилась весна. Тепло, все цветет.

— Брось, ничего они не замечали, ни весны, ни лета. Время отсчитывали по партийным праздникам. На Ленина молились, ни за какую оппозицию в жизни не голосовали. Свято чтили, непоколебимо следовали. Папа однажды не вернулся с работы. Мама сказала: «Нельзя обижаться на партию, партия всегда права». За ней пришли через три дня. Я был в училище, не успел попрощаться. Бабушка называла себя беспартийным большевиком, именно так, в мужском роде, и без конца повторяла мамины слова: «нельзя обижаться на партию»...

Он касался губами ее уха, сжимал руку. Она молча слушала. Про маму с папой он каждый раз рассказывал одно и то же. Это мучило его, вот он и повторял без конца: свято чтили, непоколебимо следовали, нельзя обижаться на партию. О бабушке заговорил впервые.

«Значит, боль уже не такая острая, — подумала Маша. — Ему бы сейчас влюбиться в кого-нибудь, например в Катю. Она одна и вроде немного отошла после жуткой истории с энкавэдэшными вурдалаками. Катя и Май могли бы...»

— Машка, ты заметила, мы разучились нормально разговаривать. Шепчем. Одни шепчут, другие орут. Не знаю, чего больше боюсь — ареста или что заставят орать на собрании.

— У нас отличная профессия, мы молча танцуем, и все, — вспомнила Маша его слова.

— Машка, Машка, мы с тобой танцуем... зря ты связалась с этим твоим, как его?

— Май, пожалуйста, не нужно, я же просила, — она сморщилась и выдернула руку.

— Я видел его, у него на лице написано, что он оттуда, зря ты с ним связалась.

— Откуда?

— Сама знаешь. Сытый, спокойный, уверенный, шмотки заграничные...

— Прекрати, выпусти меня, я пересяду!

— Сиди! Не пущу! Все, прости, больше ни слова о нем, обещаю... Машка, ну мне даже поговорить не с кем, кроме тебя.

— Почему?

— Скучно.

— А со мной весело?

Он не ответил, поймал и сжал ее руку. Остаток пути до передового подмосковного колхоза «Заря коммунизма» ехали молча. Перед выходом на сцену колхозного клуба Май бинтовал стертые до крови пальцы на Машиных ногах, он умел это делать удивительно ловко, у нее так не получалось.

Репетировать «Аистенка» приходилось до позднего вечера. Гудели мышцы, слипались глаза, к ночи ноги горели, казалось, вместо ступней раскаленные свинцовые гири.

На очередном собрании, под истерические восторги по поводу расстрела врагов народа, Маша умудрилась заснуть, уронив голову на плечо Кати Родимцевой. Если бы вопли выступавших сопровождались оружейными залпами, она бы все равно не проснулась.

— С ума сошла, Машка, проснись сейчас же! Заметят, загрызут. О господи, ну что мне с тобой делать? — в отчаянии шептала Катя, трясла ее, хлопала по щеке.

Маша просыпалась, таращила красные опухшие глаза, бормотала:

— Да, все, не сплю, не сплю, — и через пару минут опять отключалась.

— Омерзительная нечисть хотела растоптать самое святое... Озверевшие троцкисты-террористы-отравители-змеи-тараканы-собаки... весь советский народ... под руководством... несокрушимыми рядами...

439

Маше снилось, как они с Ильей поднимаются вверх по гигантской винтовой лестнице, ведущей из тумана в туман, словно ввинченной в грозовое облако.

Лязгали железные ступени. Туман колыхался, клубился. Кричали тысячи голосов, мужских, женских, детских. Хотелось убежать, но ступени обламывались под ногами, как тонкий ледок. Гуща тумана пузырилась живыми человеческими лицами. Открытые рты кричали. Лица растворялись в тумане, их сменяли новые. Маша не успевала разглядеть их, но чувствовала, что есть среди них знакомые, те, кого взяли, кто исчез из жизни. Илья тянул ее за руку вверх. Нельзя смотреть на лица, среди них может оказаться кто-то родной, кто-то еще не арестованный, но уже обреченный, и лучше не видеть. Надо бежать, непонятно, куда и зачем. Туман одинаково плотный внизу, вверху, повсюду лица, крики...

— Машка! — голос Кати прорезался сквозь туман.

Катя крикнула довольно громко, в самое ухо, воспользовавшись очередным грохотом оваций после упоминания товарища Сталина.

— Господи, помилуй, — прошептала Маша и открыла глаза.

— Вот, возьми валидол, положи под язык и больше не засыпай, пожалуйста.

Оставшиеся полчаса Маша сидела прямо, глаз не закрывала, после каждого «товарища Сталина» механически била в ладоши.

— И давно ты таскаешь с собой валидол? — спросила она Катю, когда они вместе вышли из театра.

— Неделю. Да он безвредный совершенно, мятная конфетка.

— Знаю, что безвредный. Тебе он зачем? Его принимают, когда сердце болит.

— Теперь уже не болит. Все в порядке. Дедуля выдержал, не слег, мама цела-невредима, едет в Париж.

— Вот это да! В Париж! Ты серьезно?

— Серьезнее некуда. Маму включили в бригаду, которая строит советский павильон на Всемирной выставке. Ты же знаешь, она скульптор по образованию. Училась вместе с Мухиной. Мама, конечно, была на седьмом небе от радости, когда Мухина о ней вспомнила, забрала к себе делать «Рабочего и колхозницу». Это скульптура такая, главное украшение советского павильона. Полгода маму мы практически не видим. Они живут на работе, спят чуть ли не в цеху. Какой-то секретный завод. Скульптура из нержавеющей стали, гигантская, двадцать четыре метра. Представляешь, отлить все части, полностью собрать, потом разобрать, привезти в Париж и там опять собрать. В общем, неделю назад мама приехала домой, очень странно себя вела, какая-то была слишком веселая, ну, будто пьяная слегка. Повторяла: все чудесно, все отлично. Легли спать. Потом я просыпаюсь, часов в пять утра, она сидит у меня на кровати, целует меня и плачет. Сама уже в шубе, в платке. Спрашиваю: что случилось? Она: все в порядке, все отлично. И убежала. Я спросонья не поняла, а потом так жутко стало...

— Еще бы...

— Неделю мы с дедулей жили как приговоренные. И главное, ведь нельзя узнать, спросить не у кого... Полный мрак...

— Что же ты не рассказывала ничего?

— Так легче было. Мы и с дедулей ничего не обсуждали. В основном молчали. А вчера вечером является мамочка. Румяная, глаза горят, опять такая веселая-веселая и слегка пьяненькая. Целует нас с дедулей, обнимает, хохочет, говорит: товарища Сталина видела, живого, в свете прожекторов. Теперь все по-настоящему чудесно-отлично. В общем, собрали они скульптуру, и вдруг директору завода померещилось, что рабочий — вылитый Троцкий, а в задних складках юбки колхозницы профиль Троцкого. Он тут же доложил в ЦК. Мухина узнала, отпустила кого могла на ночь по домам, прощаться с родными. Утром все вернулись. Охрану объекта усилили, никого не выпускали, звонить не разрешали. Работали в полной неизвестности, доводили скульптуру до совершенства. Красота немыслимая. А директор акт приемки не подписывает ни в какую, требует перелить голову и юбку. Вдруг ночью на завод приехал Сталин. В цеху включили прожектора, он постоял, посмотрел, ничего не сказал и уехал. До утра, конечно, никто не спал, все с ума сходили. Днем позвонили из секретариата ЦК. Полный порядок. Товарищ Сталин «Рабочего и колхозницу» одобрил, можно разбирать и везти в Париж.

ГЛАВА ДВАДЦАТЬ ВТОРАЯ

Французы почти закончили строительство дворца Шайо на холме Трокадеро, напротив Эйфелевой башни. Ниже, вдоль набережной Пасси, стоял скрытый строительными лесами советский павильон. Габи очень хотелось попасть внутрь, за ограждение. Возле деревянных ворот она увидела двух мужчин в грубых шинелях, перевязанных портупеями, в шапках-ушанках, украшенных металлическими красными звездочками.

— Добрый день, я журналистка, — обратилась к ним Габи по-французски. — Можно мне войти?

Тот, что постарше, с пышными пепельными усами, отрицательно помотал головой. Второй, молодой, конопатый, таращился испуганно и не шевелился.

— Пос-фол-тэ по-шалюст вой-ти пресс, — Габи поздравила себя, впервые в жизни ей удалось произнести целую фразу по-русски.

— Не положено, — ответил тот, что постарше.

Габи нахмурилась, вспоминая значение этого слова.

— Не по-ло-шено... кем? Кута? Я есть пресс... — она полезла в сумку за удостоверением.

— Шла бы ты, дамочка, отсюда, — тихо произнес усатый.

Ворота открылись, появился высокий полный мужчина в добротном пальто с цигейковым воротником, в черной ворсистой шляпе.

— Добрый день, мадемуазель. Могу я вам помочь? — обратился он к Габи на хорошем французском.

— Благодарю, надеюсь, что можете. Я бы хотела поговорить с кем-нибудь из строителей советского павильона, я журналистка...

Она успела обшарить всю сумку, но удостоверения не нашла, растерянно взглянула на мужчину и, встретившись с ним глазами, закрыла сумку.

— Простите, наверное, я напрасно побеспокоила вас и этих двух месье. Всего доброго, — она быстро пошла прочь.

«Дурацкая, опасная авантюра, — заметила маленькая Габи. — Если называть вещи своими именами, это верх идиотизма».

Взрослая Габриэль не возражала. Проникнуть на территорию советского павильона, найти там кого-то из НКВД и попытаться наладить нормальную связь — верх идиотизма. Она поняла это, как только встретилась глазами с цигейковым незнакомцем. Отвратительный холодный взгляд в упор. Взгляд гестаповца. Она за версту чуяла эту породу.

— Мадемуазель, подождите, — он догнал ее почти бегом, пошел рядом, задыхаясь. — Извините, получилось неудобно. Дело в том, что мы вынуждены были закрыть доступ и поставить охрану, пока идет монтаж.

— Да, я понимаю, у меня к вам нет претензий, — кивнула Габи.

— Ни в коем случае не подумайте, что мы не желаем общаться с прессой. Наоборот, мы заинтересованы... — у него были отличный французский и сильная одышка.

— Еще бы! — усмехнулась Габи. — Конечно, заинтересованы.

— Два дня назад была попытка террористического акта.

— Что? — Габи резко остановилась, повернулась.

Вглядевшись в его лицо, она заметила, что не так уж он и стар. Отечность, нездоровый сосудистый румянец, распухший нос выдавали неумеренность в еде и спиртном. Красные, словно подкрашенные жирной помадой губы причмокивали. Казалось, он получает чувственное удовольствие, рассказывая о попытке теракта.

— Кто-то подпилил один из тросов подъемного механизма. Если бы мы вовремя не заметили, огромная скульптура могла при подъеме рухнуть, расколоться, раздавить десятки людей всмятку. Да, позвольте представиться, Владимир Смирнов, заместитель руководителя пресс-центра павильона СССР, — он протянул руку.

Рука была пухлая, маленькая, с короткими толстенькими пальцами и розовыми, блестящими, идеально ухоженными ногтями. Рукопожатие — вялое, какое-то дохлое.

«Хорошо, что я в перчатке», — подумала Габи и с милой улыбкой представилась:

— Жозефина Гензи, журналистка.

— Судя по фамилии, вы француженка?

— Я родилась в Дании, — Габи взглянула на часы. — О, простите, мне нужно успеть на брифинг, приятно было познакомиться, господин Смирнофф, — она побежала через Варшавскую площадь к германскому павильону.

— Мадемуазель Гензи, одну минуту!

Не оборачиваясь, она помахала рукой и припустила еще быстрее. Ноги сами несли ее прочь.

«Отвратительный товарищ, — бормотала маленькая Габи, — гестаповская рожа».

«Да, но связь все-таки нужна, — возразила взрослая Габриэль. — Товарищ, конечно, отвратительный, но это советский товарищ и наверняка служит в НКВД. Зря я назвалась Жозефиной. Мое настоящее имя могло бы стать сигналом для московских шефов Бруно. А так получилась какая-то ерунда из-за дамских капризов. Подумаешь, рожа не понравилась! Просто я растерялась, испугалась, что посеяла удостоверение».

«Никто не мешает вернуться или потом разыскать этого Смирнофф через оргкомитет, — ехидно заметила маленькая Габи. — Он-то уж точно назвал свое настоящее имя и должность».

Взрослая Габриэль ничего не ответила. Позже она нашла удостоверение в кармане пальто.

Вечером на приеме в германском посольстве демонстрировались масштабные цветные изображения советского и германского павильонов. Любимому архитектору фюрера Альберту Шпееру повезло больше, чем Габи. В самом начале строительства ему удалось пробраться в комнаты дирекции советского павильона, посмотреть чертежи и рисунки. Шпеер не скрывал этого, заявил на брифинге, что при создании своего проекта отталкивался от того, что увидел, стремился противопоставить «помпезному красному конструктивизму спокойный и величественный северный классицизм».

Советский павильон венчала мускулистая скульптурная пара. Мужчина и женщина взметнули вверх руки с серпом и молотом. Башню германского павильона, выстроенную в виде римской цифры III, украшал орел со свастикой в когтях. Под ним — скульптурная группа «Товарищество», голые арийские атлеты с широченными плечами, непропорционально маленькими головами и злыми лицами.

Габи разглядывала рисунки, отдыхала от болтовни Стефани. Вдруг тихий мужской голос за спиной буквально озвучил ее собственные мысли.

— Орел грозно смотрит на восток, советская пара устремилась на запад, между ними Варшавская площадь. Слишком уж символично...

446

Она обернулась. Рядом стоял молодой человек, худой, белобрысый, в идеально сшитом темно-синем костюме. Он поцеловал ей руку. На макушке блеснула едва наметившаяся лысина.

— Габриэль, ты потрясающе выглядишь, похорошела, хотя, кажется, больше уж некуда.

Она чмокнула его в щеку.

— Макс, не узнаю тебя, ты научился говорить комплименты.

Максимилиан фон Хорвак, молодой военный дипломат из небогатой, но знатной протестантской семьи, пару лет подряд был одним из партнеров Габи на теннисном корте в Шарлоттенбурге, мелькал на приемах и вечеринках. Когда Габи увлеклась гольфом, Макс появился в гольф-клубе в Вандзее. В гольф он играл так же, как в теннис, спокойно, умело, но без азарта. Игра с ним всегда кончалась ничьей.

Глядя на него, Габи думала: этому симпатичному, умному, образованному пруссаку точно не может нравиться Гитлер.

Она знала, что в среде военных и в абвере довольно много тайных противников режима, даже существует нечто вроде заговора. Но заговорщики эти казались ей слишком хладнокровными и осторожными. Максимум, на что они были способны, — бросать саркастические реплики в узком кругу и выдумывать все новые причины, почему нельзя скинуть Гитлера.

Однажды на пикнике в Тиргартене Макс возник рядом в нужный момент, помог Габи ускользнуть от пьяного, слишком назойливого ухажера. Он сделал это умно, тактично, не допустив открытого конфликта. Отвез ее домой на своей машине, на следующее утро позвонил, спросил, хорошо ли она спала. Не слишком ли огорчил ее вчерашний инцидент?

Через пару дней они играли в гольф, как всегда, была ничья. Он пригласил ее пообедать в ресторане гольф-клуба. С тех пор они стали обедать вместе после каждой игры. Габи по своему обыкновению кокетничала с ним, потихоньку цедила из него информацию, касавшуюся Министерства обороны и МИДа. Однажды за десертом, без всяких предисловий, он попросил ее руки. Она удивилась, но не слишком. Для офицера-пруссака из добропорядочной протестантской семьи это было вполне типично. Воспитание не позволяло волочиться за женщиной, не обозначив свои честные намерения. Сначала проси руки, потом волочись, иначе можешь угодить под суд офицерской чести.

Габи решила не торопиться с отказом, не хотелось терять такого интересного собеседника. Туманно объяснила, что ведет слишком бурную жизнь, обожает свою работу, в ближайшее время замуж не собирается, но если все-таки надумает, то лучшего кандидата в мужья просто невозможно представить. Он вежливо кивнул: «Хорошо, я подожду». Вскоре его назначили на должность военного атташе в Москве, он попрощался и уехал.

С тех пор прошел год, она почти забыла Макса фон Хорвака. И вот он, милый, похудевший, слегка полысевший, стоял перед ней и смотрел так, словно собирался опять попросить ее руки.

— Габриэль, это правда, что ты выходишь за фон Блеффа?

— Ну а что же мне остается? — Габи вздохнула, скорчила печальную рожицу. — Ты уехал в Россию, совсем забыл обо мне.

— Ты забыла, я нет.

— Почему же не писал?

— Зачем? Ты бы все равно не ответила... Стало быть, Франс фон Блефф? Я не верил, думал, глупая шутка.

— Макс, ну ты же знаешь меня, вся моя жизнь — глупая шутка.

— Когда свадьба?

— Скоро. В конце марта. Точной даты пока нет, матушка баронесса добивается личного присутствия фюрера, так что дата зависит от него.

— Да, великая честь, — тонкие губы Макса дернулись в усмешке. — Ну, пока ты еще не удостоилась, пока не стала с благословения самого фюрера баронессой фон Блефф, может, уделишь мне, простому смертному, пару часов? Я завтра утром улетаю в Москву.

— Конечно, Макс, я полностью в твоем распоряжении.

— Давай сбежим отсюда, погуляем, — он взял ее под руку. — Знаешь, весь этот год мне снилось, как мы с тобой гуляем по Парижу.

— Почему именно по Парижу?

— Люблю этот город, чувствую себя тут свободнее, чем в любом другом месте.

Они стали пробираться к выходу. Приходилось то и дело останавливаться, с кем-то здороваться, улыбаться, кивать, пожимать руки. В гардеробе к ним подлетела Стефани.

— Габи, наконец я тебя нашла! Представляешь, оказывается, Пикассо коммунист! Ужас! Такой талантливый художник! Нет, я все понимаю, дегенеративная живопись... но некоторые его работы... просто с ума сойти, очень сильное впечатление! В испанском павильоне будет выставлено большое панно Пикассо, называется «Герника», я спросила фрау Будбер из оргкомитета, нельзя ли посмотреть репродукцию в каком-нибудь каталоге, а она говорит: зачем вам, фрейлейн, эта большевистско-еврейская мазня?

Стефани тараторила, таращила глаза, дышала в лицо Габи лакричной пастилкой, одной рукой поправляла очки, другой крепко держала Габи за локоть и не обращала внимания на Макса.

— Что ты так всполошилась? — спросила Габи, дождавшись паузы.

— А вдруг она донесет в гестапо? — прошептала Стефани и зажмурилась от страха.

— О чем?

— Ну, что я интересуюсь Пикассо. Я ведь правда не знала, что он коммунист. Тетя предупредила, чтобы я была очень осторожна, у дяди Иоахима столько врагов, могут воспользоваться любой оплошностью кого-то из членов семьи, чтобы нагадить ему.

Габи обняла ее, погладила по голове.

— Забудь! Ты ничего плохого не сделала.

— Эта Будбер обязательно донесет, у нее глаза доносчицы, — шептала Стефани.

— А ты ее опереди, пожалуйся в министерство, что дура Будбер не выполняет свои служебные обязанности. Ты репортер, можешь интересоваться чем угодно. Сотрудники оргкомитета обязаны помогать тебе, они за это жалованье получают, — наставительно произнесла Габи и повернулась к Максу. — Познакомься. Моя подруга Стефани Хенкель.

Узнав, что они собираются уходить, Стефани попросила взять ее с собой. У нее разболелась голова, она хотела вернуться в гостиницу и лечь спать.

— Кажется, ты ее удочерила, — заметил Макс, когда они остались вдвоем в гостиничном баре. — Скоро ее дядя Иоахим станет министром. Сделаешь мне протекцию?

— Скажи заранее, чего хочешь, при случае замолвлю словечко. Но только не дяде Иоахиму, а тете Аннелиз, ведь настоящим министром станет она.

— Ты, как всегда, отлично подкована в вопросах внешней и внутренней политики, — Макс накрыл ее руку ладонью, перегнулся через столик. — Габи, скажи, зачем тебе нужен фон Блефф?

Габи несколько секунд молча смотрела ему в глаза и загадочно улыбалась. Он не отвел взгляд, как делал это раньше.

— Титул и деньги, — наконец произнесла она громким шепотом и чмокнула Макса в мягкий кончик носа.

— Титул есть и у меня. Денег, правда, не так много, но, с другой стороны, всем известно, что состоянием фон

Блеффов распоряжается старая баронесса. Бедному маленькому Франсу достаются крохи.

— Род фон Блефф очень древний, бедный маленький Франс единственный наследник, старая баронесса стара... Так о чем попросить будущего министра?

— К министру у меня нет никаких просьб. Но есть просьба к журналистке Габриэль Дильс. Догадываешься, какая?

— Еще разок поцеловать тебя в нос?

— Лучше в губы.

— Ого, не узнаю скромника Макса, Москва явно пошла тебе на пользу, ты стал решительнее и смелее, — она быстро прикоснулась губами к его губам и сразу отпрянула, тряхнула головой. — Кажется, мы собирались погулять по Парижу?

— Ты же сказала, что не хочешь, — напомнил Макс, — холодно, дождь, ветер. Если тебе тут не нравится, можно взять такси, посидеть где-нибудь в другом месте.

— Ладно, тут неплохо, тепло и тихо. Расскажи о Москве. Ты видел Сталина?

— Только его одного и видел, — Макс усмехнулся. — Портреты и скульптуры на каждом шагу. Кажется, его изображений больше, чем жителей в городе.

— Больше, чем фюрера в Берлине?

— В десятки, в сотни раз. Габи, да черт с ними с обоими, у нас мало времени. За этот год я трижды бывал в Берлине, не решался позвонить тебе, в сентябре видел тебя в театре, ты сидела в ложе с фон Блеффом, я не подошел. Все время думал о тебе, пытался забыть, волочился за одной девицей в посольстве, ее имя Моника, а я в самый ответственный момент назвал ее Габи...

— Ты? Волочился? — Габи хихикнула. — Не испугался суда офицерской чести?

— Ну, на самом деле это была ее инициатива... Неважно. Опыт оказался неудачным.

— Бедная Моника! Чем же она тебе так не угодила?

— Только тем, что она — не ты. Пожалуйста, не перебивай меня, я ужасно волнуюсь. Я ведь прилетел специально, чтобы встретиться с тобой. Узнал о пресс-конференции, увидел твое имя в списке журналистов.

— Ого, да ты настоящий шпион! Я думала, мы встретились тут случайно.

— Габи, прошу тебя, дай мне договорить. Год назад в ресторане гольф-клуба... ты, конечно, помнишь... мое предложение остается в силе.

— Макс, я обручена, в марте свадьба.

— Это фарс, а не свадьба. Если бы ты выходила за кого-то, кого действительно любишь, я бы просто пожелал тебе счастья, но я знаю и ты знаешь: фон Блефф не мужчина. Прошу тебя, остановись, пока не поздно, мы поженимся, я...

«Господи, я так мечтала услышать это, но от другого человека...» — прошептала маленькая Габи.

— Ты заберешь меня в Москву? — спросила взрослая Габриэль.

— Добьюсь, чтобы меня перевели в Лондон, там в посольстве скоро появится вакансия, если ты согласишься, у меня будет стимул, или вернусь в Берлин, в министерство...

— А чем плоха Москва?

Он прижал ее руку к губам, она с изумлением заметила, что глаза его увлажнились.

— Габи, ты... я знал, чувствовал... конечно, тебе придется объясниться с фон Блеффом... неприятно... старая баронесса злыдня. «Ай-ай-ай, кажется, он неправильно понял, что же теперь делать?» — испуганно запищала маленькая Габи.

— Макс, не надо так спешить, ты прилетишь домой, мы спокойно поговорим, все обсудим, — ласково произнесла взрослая Габриэль и подумала: «А что, собственно, обсуждать? Он хороший, милый, надежный, любит по-настоящему, а не как некоторые, от случая к случаю. Пора кончать маскарад...»

«И в самый ответственный момент назвать его Осей», — нервно хихикнула маленькая Габи.

— Если ты боишься потерять работу, это ерунда, — продолжал Макс. — Ты давно переросла дурацкий дамский журнал, у моего отца отличные связи в пресс-центре Министерства обороны.

— Туда не берут женщин.

— Для тебя сделают исключение. А еще лучше — пресс-центр МИДа. В Лондоне ты сможешь...

— Макс, я не говорю по-английски, — она грустно улыбнулась и помотала головой.

Он замер, молча смотрел на нее несколько секунд, отпустил ее руку, закурил:

— Габи, Габи... У тебя есть кто-то, разумеется, это не фон Блефф. Свадьба — камуфляж, не только для него, но и для тебя. Он женат?

«Ты прав, я люблю другого, прости меня, ты очень хороший, — маленькая Габи всхлипнула и шмыгнула носом. — Ты намного лучше его, он не женат, но...»

— Нет, Макс. Никого у меня нет, — сказала взрослая Габриэль и погладила его по щеке, — но я не могу вот так, сразу. Мы год не виделись и раньше общались не слишком часто, ты даже не писал, я должна привыкнуть к тебе.

— Ты правду говоришь? — он опять поймал ее руку, поцеловал ладонь. — У тебя точно никого нет?

— Нет, Макс. Никого. Ни один нормальный мужчина не выдержит моего взбалмошного характера. Но расплеваться с фон Блеффом совсем непросто. Отказывая Франсу, я нарушаю деловое соглашение, я многим обязана ему...

Макс не слушал, целовал ее ладонь, бормотал:

— Габи, я так люблю тебя, если бы ты сказала «нет», я бы... это наваждение, болезнь, не могу без тебя жить...

«Холодная, лживая дрянь! — вопила маленькая Габи. — Сумасшедшая авантюристка!»

— Макс, давай все-таки немного погуляем, — предложила взрослая Габриэль. — Дождь кончился, ветер утих.

Еще часа два они бродили по площади Опера, по бульвару Капуцинок. Макс крепко держал Габи под руку, поглаживал ее пальцы сквозь перчатку и рассказывал о Москве.

— Страна Толстого, Достоевского... невозможно представить... той России больше нет, есть нечто странное, грубое, жестокое. Какие-то фантастические процессы, бешеная пропаганда. Люди на улицах одеты очень бедно, мрачные, изможденные, у магазинов очереди, выбор товаров совсем скудный, от иностранцев шарахаются, как от прокаженных. Советские чиновники похожи на механических кукол...

Когда дошли до набережной и остановились у парапета, он обнял ее, стал целовать, здорово завелся. Габи отметила про себя, что он ей ни капельки не противен. Она целовалась с Максом и мысленно обращалась к Осе:

«Вот тебе! Получай! Появляешься, исчезаешь когда вздумается. Тоже мне Ромео! И не ври, что без меня ведешь монашеский образ жизни, с твоим-то темпераментом!»

Глубокой ночью в своем номере с видом на бульвар Капуцинок Габи курила в темноте у приоткрытого окна и размышляла о том, что ее работа на русских тоже наваждение, болезнь, но только в основе болезни не любовь, как у Макса, а ненависть и страх.

«А что такое любовь к Осе?» — спросила маленькая Габи.

«Единственное здоровое чувство, на которое способна лживая дрянь, сумасшедшая авантюристка», — ответила взрослая Габриэль.

«Но семьи с Осей никогда не получится», — возразила маленькая. — Почему бы не подумать всерьез о предложении Макса? Это лучше, чем фон Блефф».

«Может быть, все может быть... Шпионить на русских в Москве...»

«В Лондоне. А вообще пора бросить это дело, пожить нормальной жизнью...»

«Я бы рада, но не могу. Наваждение, болезнь, страх. Скоро начнется война, гигантская, жуткая. Ося прав. Семья, дети — это не сейчас, не для нас. Это для тех, кто уцелеет, когда война закончится».

В последний день перед отлетом Габи отправилась в библитеку. Она бывала там всякий раз, когда приезжала в Париж. Для работы ей требовались старые подшивки модных журналов, прежде всего французских. Поболтав со знакомой библиотекаршей, она спросила, нет ли советских дамских журналов.

— Вы имеете в виду русские журналы? Пожалуйста, сколько угодно!

— Нет, именно советские, современные.

— Мадемуазель шутит? — вежливо засмеялась пожилая француженка. — Из советских изданий мы имеем только журнал «Маленький огонь», но он вовсе не дамский, к тому же на русском, без перевода. Могу предложить их главные газеты, «Правду» и «Известия», мы получаем свежие номера на французском. Хотите?

— Хочу! — обрадовалась Габи.

Вместе с подшивками старых номеров «Кабине де мод», «Ла пти курьер де дам», «Ла мод» Габи получила толстенную стопку советских газет за три месяца.

Вначале она подумала, что тексты отвратительно переведены. Наверное, переводил француз, ненавидящий СССР, или русский князь-эмигрант. По уровню пропагандистского пафоса советские газеты превосходили «Фолькише Беобахтер», «Расовое обозрение» Розенберга и даже пресловутый «Штюрмер». Вместо свастик — серпы-молоты, вместо Гитлера — Сталин, вместо евреев — враги народа, шпионы, вредители, между прочим, почти все с еврейскими фамилиями.

В немецких газетах о чудовищных преступлениях «врагов» рассказывали авторы статей. В советских «враги» сами живописали свои фантастические злодеяния.

Люди, еще вчера занимавшие высокие государственные должности, публично признавались в бессмысленных и жестоких поступках, на которые способны только умалишенные.

Она вышла из библиотеки, на ватных ногах добрела до кафе, где должна была встретиться со Стефани для финального магазинного броска.

В голове у нее гудело, перед глазами мелькали строчки бредовых текстов.

«Там еще ужаснее, чем в рейхе, — рыдала маленькая Габи. — Не надо было читать, не хочу я ничего этого знать!»

Взрослая Габриэль считала до ста, до двухсот, до тысячи, пытаясь успокоиться. В конце концов, ничего нового она не узнала. Просто газеты лишили ее последней возможности врать себе, сочинять утешительные сказки. В сказках злу противостоит добро, это очень удобно. В жизни злу противостоит еще более отвратительное зло, и ты, жалкий микроб, ничего изменить не можешь.

Чашка в ее руке дрожала, кофе пролился на юбку. Она опомнилась, промокнула пятно салфеткой, закурила. Звякнул колокольчик, в кафе вошла Стефани, глаза сияли за стеклами очков.

— Габи, пока ты торчала в библиотеке, я заехала в наше посольство, меня соединили по телефону с Лондоном, я поговорила с Беттиной, это моя кузина. Скоро они приедут в Берлин, тетя устраивает большой прием. Слушай, я присмотрела потрясающее платье от «Коти», как раз для приема, срочно нужен твой совет, идем, тут недалеко.

В магазине, наблюдая, как вертится перед зеркалом Стефани то в розовом, то в бледно-бирюзовом, Габи обдумывала несколько реплик Макса фон Хорвака: «На самом деле Риббентроп во главе МИД — это катастрофа... Задача дипломата — не допустить войны. Нужно быть умным... Дипломатия наоборот... Тупой, но хитрый... Мирные договоры не ради сохранения мира, а чтобы лучше подготовиться к войне... Для этого не нужно быть умным. Для этого достаточно быть Риббентропом...»

* * *

Каждую неделю в пряничный домик поступала очередная партия смертников. Майрановский после отдыха в подмосковном санатории со свежими силами приступил к работе. Филлимонов стал меньше пить. Кузьма располнел, выпрямил спину, у него появилась привычка гладко брить щеки и брызгаться одеколоном «Шипр». Чем теплее становилось, тем больше времени Кузьма проводил во дворе, посыпал гравием дорожки, строил за пряничным домиком беседку.

— Как придут майские денечки, станем чаи гонять на солнышке, едрена вошь. По всем приметам хороший будет май, жаркий. Вот бы мне тут за домом тепличку устроить. Огурчики-помидорчики свои, засолю, замариную на следующую зиму, с укропчиком, с чесночком, едрена вошь. Словечко Василь Михалычу замолвите, чтоб разрешил, а, Каридыч, замолвите словечко!

Наблюдательный Кузьма почуял, что его божество Блохин разговаривает с доктором Штерном уважительнее, чем с Майрановским. Из «товарища доктора» Карл Рихардович был переименован Кузьмой в Каридыча, можно сказать, повышен в чине.

Разговор о тепличке происходил в кабинете Майрановского, где каждый занимался своим делом. Кузьма чинил дверцу шкафа, слетевшую с петель. Майрановский записывал в тетрадь результаты испытаний очередной серии ядов скрытого действия. Карл Рихардович хлопотал над истощенным, избитым человеком, которого полчаса назад привез Блохин.

Человека этого по личному распоряжению Ежова следовало привести в чувство, вылечить и допросить с помощью «таблетки правды». Из объяснений Блохина доктор понял, что от обвиняемого хотят получить не подпись под вольными сочинениями следователей, а какую-то реальную информацию. Редчайший, совершенно невероятный и непонятный случай.

Блохин, раскинувшись на купеческой оттоманке, покуривал, отечески строго наставлял Кузьму:

— Ты эти кулацкие замашки брось. Огурчики-помидорчики! Тоже мне Мичурин.

— Сами кушать будете, да похваливать, свое-то, домашнее, под водочку такой закусон, мм-м! Я бы и капуску заквасил, с картошечкой как хорошо, — ворчал Кузьма.

— Заткнись, дурак, не морочь голову товарищу Блохину, — визгливо прикрикнул на него Майрановский, не отрываясь от своей писанины, и тряхнул напомаженным чубом.

— Григорь Мосеич, а я ваще-то не вас, я вот Василь Михалыча спрашиваю про тепличку-то, едрена вошь, — парировал Кузьма.

Избитый приоткрыл глаза, вернее, только правый глаз. Левый заплыл, и уцелело ли под черной гематомой глазное яблоко, доктор пока определить не мог.

— Ну что, очухался? — спросил Блохин.

Только что комендант сидел расслабленно, болтал, покуривал, но стоило шевельнуться избитому, мгновенно вскочил, встал рядом, вглядываясь в распухшее обезображенное лицо.

— Пульс выравнивается, давление... — доктор разжал грушу тонометра и следил за стрелкой, — давление немного поднялось.

— Когда с ним работать начнем, как думаете?

— У него серьезно повреждена гортань, он говорить в ближайшее время не сможет. Видите, шея сильно распухла. Сломан нос, внутренний отек слизистой. Результат —

афония, отсутствие голоса, — доктор взглянул в прищуренные глаза Блохина. — Вот так, Василий Михайлович. Перестарались товарищи следователи. Душили они его, что ли?

— А хрен их знает, — Блохин пожал плечами, — я при этом не присутствовал. Вижу, отделали крепко. Но приказ товарища Ежова, сами понимаете. Все, что нужно, лекарства, усиленное питание...

— Понимаю, — кивнул доктор, — только обещать ничего не могу. К тому же я не терапевт, не хирург.

— Ну и что? Я вот тоже по образованию архитектор.

Василий Михайлович действительно в начале тридцатых учился в Московском архитектурно-строительном институте, оттуда перешел в Институт повышения квалификации хозяйственников, в этом году заканчивал, готовился к выпускным экзаменам и защите диплома.

— Василь Михалыч у нас прохесор всех наук, — любил повторять Кузьма. — Партия кого ни попадя на самый передовой фронт не ставит, едрена вошь.

Состояние избитого было вовсе не таким тяжелым, как показалось вначале. Выглядел он ужасно, весь в ссадинах и кровоподтеках, но серьезных внутренних повреждений при первом осмотре доктор не нашел. Гортань распухла, но не так сильно, как он живописал это Блохину. Рискнул соврать про афонию потому, что услышал от Блохина: «Молчит, паскуда, вторые сутки молчит, как немой».

В разбитом лице чудилось что-то смутно знакомое, впрочем, разглядеть черты он не мог.

— Приказ товарища Ежова, — повторил Блохин, — показания нужны срочно. Вдруг начнет говорить при вас, ну там в бреду, во сне, все записывайте, каждое слово.

— Даже если в уборную попросится? — спросил доктор.

— Попросится — значит, вернулся голос, мигом дайте знать, в любое время. И лечите, лечите его. — Блохин развернулся к Майрановскому: — А ты, Григорий, покамест совершенствуй свою правдивую микстуру, чтобы никаких там побочных эффектов. Отравишь его ненароком, пеняй на себя.

— Василий Михайлович, ну вы же образованный человек, побочные эффекты есть у любых препаратов, даже самых невинных, — заверещал Майрановский. — Я здоровья не щажу, ночей не сплю, как говорится, денно и нощно...

— Ты меня понял, Григорий.

«Зачем привезли сюда? — думал Карл Рихардович. — Ладно, нельзя в обычную больницу, он заключенный. Но ведь должна быть тюремная. Зачем так били, если он срочно нужен живой и здоровый? Напрасно я произнес слова «терапевт» и «хирург». Вдруг в самом деле пришлют кого-нибудь? Посторонний человек ни за что не подтвердит мое вранье об афонии. Это я такой отчаянный, мне терять нечего, а другие вовсе не обязаны рисковать... Но вряд ли пришлют. Вот оформят врачу-специалисту доступ в «Лабораторию X» срочным порядком, а завтра этот специалист окажется шпионом-террористом, и тот, кто допустил его на сверхсекретный объект — пособник, член вражеской преступной организации».

Санитары перенесли новенького на второй этаж, в лазарет. Блохин уехал, забрав с собой двух военных, которых доктор выхаживал десять дней. Они выжили после экспериментов Майрановского. Оба уходили с надеждой, что теперь смертную казнь им заменят тюремным заключением.

Оставшись вдвоем с новеньким, Карл Рихардович присел на край койки, склонился к его уху и прошептал:

— Знаете, что такое афония?

Новенький приоткрыл глаз и промычал:

— Мг-м.

— Говорить можете только со мной, когда мы одни, очень тихо и осторожно. Какое-то время я подержу вас здесь, постараюсь подольше. Потом они вас допросят.

— Таблетка правды...

— Это их больная фантазия. Смешивают разные наркотики, чтобы ослабить волю и включить подкорку, но получается смертельный яд. Иногда мне удается подменить зелье чем-то безобидным и разыграть спектакль. Дайте-ка, посмотрю, что с вашим глазом. Будет немного больно, потерпите... Кровоизлияние сильное, а глаз уцелел. Зрачок на свет реагирует... Отлично. Промывать нужно постоянно. Вот, теперь я еще и офтальмолог.

— Думаете, глаз мне пригодится? — новенький попытался скривить разбитые губы в усмешке. — Все равно расстреляют.

— А вдруг нет? С двумя глазами все-таки лучше. Я отойду минут на пять, отдыхайте.

На широком подоконнике стояла спиртовка, в тумбочке хранились сухие аптечные травки. Пока доктор возился, из-за ширмы не доносилось ни звука. Он решил, что новенький заснул. Но когда вернулся с дымящейся кружкой, сразу услышал:

— Вы сильно изменились, Карл.

Рука дрогнула, горячий травяной отвар слегка обжег пальцы.

— Не напрягайтесь. Мою разбитую рожу узнать трудно. Я Андре. Мы с моей женой Софи доставили вас в СССР осенью тридцать четвертого.

Доктор осторожно поставил кружку на тумбочку, промокнул платком пальцы.

— Я почти узнал вас, Андре, только не верилось...

— Что окажусь таким идиотом, вернусь на родину?

— Почему же идиотом? Я вовсе не это хотел сказать... А где Софи?

— Осталась в Швейцарии.

— Слава богу...

— Бросьте, Карл. Бог, если и существует, ему на нас наплевать. Лучше вот объясните, что это за место такое? Куда я попал?

— «Лаборатория Х». Привозят приговоренных к смертной казни. Доктор Майрановский испытывает на них яды собственного изобретения. Блохин, тот, кто вас доставил, руководит расстрельной командой, главный палач СССР.

— Молодцы, перенимают передовой опыт коллег из гестапо, — пробормотал Андре. — Ну а вы как сюда попали?

— Просил дать мне работу по специальности, вот и получил.

— Нравится работа?

— Ничего, не жалуюсь.

— Зачем про афонию наврали?

— Так это и есть моя работа. Время тянуть, препараты подменять.

— Зачем?

— Ну, я же врач, а не палач.

— Мг-м. Здорово придумано. Попадает к вам до предела измученный человек, вы ему примочку, повязку, ласковое слово, надежду, он и поплыл, доброму доктору как на духу выложил все, что бедолаги следователи бессонными ночами, не щадя кулаков и сапог, выбивали из него.

— Ох, Андре, вы давно не были на родине. Бессонными ночами выбивают ложные показания и подпись под протоколом. А как на духу говорят правду. Это разные вещи. Правда тут никому не нужна, разве что в виде газеты и таблетки, сочиненной Майрановским. Даже о правдоподобии никто уже давно не заботится. Впрочем, вы исключение. От вас они хотят получить нечто вполне реальное. Им нужна информация о Бруно, верно?

— Да, вас грамотно подготовили. Только зря стараетесь, ничего я вам не скажу... слушайте, чем это тянет? Волшебный аромат. Даже мой расквашенный нос чует... Вроде курица вареная?

— Точно, курица. Кузьма обед готовит для всей честной кампании. Сейчас покормлю вас.

— А это что, в кружке?

— Отвар ромашки, для примочек.

— Ну так сделайте примочки свои, очень уж больно.

— Пусть немного настоится, остынет.

На кухне Майрановский с Филимоновым как раз сели обедать. Кузьма разливал по тарелкам куриный суп. Когда доктор вошел, его пригласили к столу, он вежливо отказался. Это давно стало ритуалом. Они приглашали, он отказывался. Не мог заставить себя есть с ними за одним столом. Кузьма или кто-то из санитаров обычно приносили еду наверх, в лазарет, Карл Рихардович ел вместе со своими подопечными.

— Видать, новенький-то не так плох, раз пожрать просит, — заметил Филимонов.

— Жрать буду я, он пока не может, — привычно соврал доктор.

— Ну так и покушали бы тут, с нами по-человечески, а то вон, исхудали, — пробурчал Кузьма.

— Я бы рад, но Василий Михайлович велел с новенького глаз не спускать, очень важный экземпляр.

Фраза «Василий Михайлович велел» действовала безотказно не только на Кузьму, но и на Майрановского с Филимоновым.

Доктор вернулся наверх, через несколько минут Кузьма на подносе, как заправский официант, принес обед, поставил на маленький письменный стол у окна, даже салфетки не забыл, и сказал со сладкой улыбкой:

— Кушайте на здоровьице, Каридыч.

Пришлось кормить Андре с ложки. Пальцы его были покалечены. Он съел полную тарелку куриного супа, с жадностью глотал картофельное пюре, кусочки разваренной курятины и, когда ничего не осталось, спохватился:

— Карл, вы скормили мне свой обед! Но почему принесли только на одного человека? Я слышал, этот, который привез меня, говорил про усиленное питание.

— Вы очень больны, Андре, у таких больных аппетита нет, и гортань у вас распухла, глотать не можете. Ну, теперь чаю? — он вытащил подушки из-под его спины, убрал тарелки с табуретки на стол.

— А покурить дадите? — спросил Андре шепотом.

— Дам, только позже.

Доктор вскипятил маленький чайник на спиртовке, дождался, когда Кузьма заберет посуду, закрыл дверь. Вместе с Андре они выпили чаю. Пришлось подносить к его губам сначала кружку, потом зажженную папиросу.

— Они ее все равно привезут, вместе с ребенком, — произнес Анре после очередной затяжки.

— У вас ребенок?

— Мальчик, Михаил, сегодня как раз месяц ему.

— А вы уже сколько сидите?

— Полтора месяца.

— То есть вы его даже не видели?

— Нам обоим приказали вернуться срочно. Софи должна была родить вот-вот. Если бы они потребовали, чтобы она ехала в таком состоянии, я бы...

— Вы бы заподозрили неладное?

— Я бы поверил ему...

— Кому?

— Неважно... У нас была возможность ускользнуть. Но они разрешили ей остаться... Умный ход...

— И вы поверили им, а не ему? Вас кто-то предупреждал?

— Да, один человек. Но теперь уж поздно об этом. Как говорится, поезд ушел. Было бы у меня время до ареста...

— Было бы время, вы бы — что?

— Ничего. Бессмысленный разговор.

— Как вы узнали, что родился мальчик?

— Сообщили на допросе, чтобы я стал сговорчивее. Мы заранее выбрали имя, Софи чувствовала, что будет мальчик... Карл, а тут ничего не понатыкано?

— Имеете в виду прослушки? Нет, тут чисто.

— Уверены?

— Андре, если бы тут стояли прослушки, я бы давно уже отдыхал на том свете. Да и что здесь слушать? Крики умирающих? Наукообразный бред Майрановского? Ворчание Кузьмы?

— Они слушают все и везде, мысли читают. Знаете, у меня в голове стучит, днем, ночью, каждую секунду, одно и то же. Она доверчиво отправится в Москву, чтобы я поскорее увидел сына.

Доктор помолчал минуту и спросил:

— Вы с ней как-то договорились? Ну, на этот случай...

— Смеетесь? На этот случай! Меня взяли прямо в поезде.

— Андре, вы сказали: было бы у меня время до ареста...

— Карл, вам не кажется, что в данной ситуации это звучит как издевательство?

— Вы в Москве, вас еще не взяли, но вы уже чувствуете опасность. Что станете делать? — упрямо повторил доктор.

Анре ничего не ответил. Карл Рихардович молча сидел рядом, наконец, услышал:

— Я бы... нет, никто не решится... самоубийство...

— Ну-ну, говорите, не тяните! Только представьте лицо Софи на очной ставке с вами в кабинете следователя. Ребенка отнимут, грудь перебинтуют, чтобы ушло молоко...

Анре тихо, жалобно завыл. Доктор смочил кусок марли в ромашковом отваре, положил на больной глаз.

— Он дал телефонный номер, — пробормотал Андре, — сказал, если захочешь предупредить Софи, позвони из уличной будки после девяти вечера в любой будний день... Господи, сколько раз во время допросов и в камере я представлял, как это делаю... Даже снилось...

— Говорите номер!

— Бросьте, Карл. Я ценю ваш благородный порыв, но вы не справитесь. Там нужны кодовые слова... Да и акцент у вас, а номер прослушивается.

— Хватит валять дурака! — шепотом выкрикнул доктор. — У вас есть шанс, вполне реальный, а вы...

Анре медленно произнес номер и несколько слов, которые нужно сказать по телефону.

Карл Рихардович ничего не записывал, повторил вслух, стараясь изменить голос и смягчить свой немецкий акцент.

— Только не звоните из будки возле вашего дома, где-нибудь подальше, в другом районе. И сразу уходите, ныряйте в трамвай или в метро.

— Человек, которому я позвоню, он кто?

— Католический священник из итальянского посольства.

— Говорит по-русски?

— Очень плохо, но кодовые слова поймет. Знаете, Карл, ведь я никакой не Андре. Меня зовут Дмитрий. А Софи — Вера.

ГЛАВА ДВАДЦАТЬ ТРЕТЬЯ

Каждый раз, приезжая из Лондона, чета Риббентропов устраивала прием в своей шикарной вилле в Берлин-Далеме, на Лентцеаллее. Стефани Хенкель сообщила Габи, что тетя будет рада видеть ее среди своих гостей, но только без фон Блеффа.

Аннелиз Риббентроп и старая баронесса друг друга терпеть не могли. Баронесса называла Риббентропов выскочками, при каждом удобном случае заявляла, что они нагло присвоили титул, что Аннелиз Хенкель на грязные алкогольные деньги купила себе дурака-мужа, который прицепил к своей плебейской фамилии приставку «фон».

Стефани заехала за Габи на машине с шофером и по дороге выложила, что думает тетя о старой баронессе.

— Набитая дура, злобная истеричка, женила на себе барона и сразу свела его в могилу, а сына прижила неизвестно от кого.

— Ого, это что-то новенькое, — удивилась Габи.

— Да об этом многие говорят, — Стефани махнула рукой. — Барон был пассивный гомосексуалист. Кстати, о твоем Франсе я тоже слышала... Конечно, тебе видней, только я все-таки не понимаю, что ты в нем нашла.

Виллу окружал большой парк с бассейном и теннисной площадкой. Внутри все лопалось от роскоши. Риббентропы коллекционировали картины, фарфор, старинные гобелены и персидские ковры.

Аннелиз, высокая широкоплечая дама с короткой шеей и крупным тяжелым лицом, окинула Габи оценивающим взглядом, крепко, по-мужски, пожала руку. Она почти не улыбалась, зато Риббентроп встречал всех гостей с одинаковой придурковато-кокетливой улыбкой. Во время разговора он гримасничал, усиленно старался придать лицу какое-то особенное, обаятельное, ироничное выражение.

Увидев Риббентропа близко, обменявшись с ним парой слов, Габи подумала, что прозвище Риббенсноб, которым наградили его молодые дипломаты, подходит скорее надменной, уверенной в себе Аннелиз, чем карикатурному светскому льву Иоахиму. Красавец, высокий блондин с правильными чертами и большими светло-голубыми глазами, в идеально сшитом костюме, богатый, успешный, он выглядел жалко на фоне своей некрасивой мощной жены.

Вилла Риббентропов славилась изысканной кухней. Серебро, хрусталь, фарфор, скатерти и салфетки с ручной вышивкой, французский раковый суп-биск со сливками и коньяком, утиная печень со спаржей под каким-то невероятным соусом, устрицы с Лазурного побережья, русская икра и стерлядь, свежие тропические фрукты, лакеи в ливреях.

«Бедная матушка баронесса, наверное, умерла бы от зависти, — думала Габи. — Она может все это себе позволить, но у нее никогда не получится так шикарно. Матушка патриотка, гостей потчует простой немецкой едой:

чесночным супом с гренками, картофельными оладьями, свининой, тушеной капустой, горничных наряжает в баварские костюмы... А Риббентроп явно поскромничал, когда пришпилил себе «фона». Почему бы не замахнуться на королевский титул? Вилла — настоящий дворец».

— Свой упрямый, непокорный нрав мой муж полностью подчинил гениальности Гитлера, — доносился с другого конца стола низкий грудной голос хозяйки дома. — Для фюрера я всегда готовлю сама, вы ведь знаете, он ест только вегетарианскую пищу.

После ужина перешли в гостиную. Габи с любопытством разглядывала старинные гобелены. Единороги, тонкие средневековые дамы и рыцари, гроты, кипарисы. На этом сказочном фоне проходили в январе тридцать третьего тайные переговоры, которые погубили Германию.

Риббентропы не были старыми членами партии, с Гитлером они познакомились только летом тридцать второго. Стефани пересказывала Габи воспоминания Аннелиз. Любовь с первого взгляда. Восторг, воодушевление, примерно такие чувства.

После успеха нацистов на выборах Гитлер потребовал у президента Гинденбурга пост рейхсканцлера. Старику фельдмаршалу Гитлер не нравился, он называл его «богемский ефрейтор», говорил, что этому господину не доверил бы даже руководить почтой, и предложил пост вице-канцлера. Вот тут у четы Риббентропов и появился шанс доказать фюреру свою любовь.

Рейхсканцлером тогда был фон Папен. Он красиво держался в седле, отлично играл в теннис, носил монокль, курил сигары, пользовался отеческой привязанностью и доверием старого фельдмаршала, своего соседа по имению, и был шапочно знаком с Риббентропом.

Иоахиму удалось уговорить рейхсканцлера встретиться и побеседовать с Гитлером. Шофер Аннелиз несколько раз возил фон Папена на эту виллу. Здесь, за изысканными обедами и ужинами, рейхсканцлера обрабатывали Гитлер,

Рем, Гиммлер. Скоро к теплой компании присоединился Оскар Гинденбург, сын престарелого президента.

Его называли «непредусмотренный конституцией Оскар». Он числился военным адъютантом своего отца, славился феноменальной тупостью, был замешан в грязных аферах с налогами и государственными займами.

Беседы на вилле Риббентропов так сильно впечатлили фон Папена и «непредусмотренного Оскара», что они согласились повлиять на старого фельдмаршала. Через неделю Гинденбург сдался, назначил богемского ефрейтора главой правительства.

«Эта банальная парочка сумела повернуть ход истории, — думала Габи, наблюдая, как Иоахим и Аннелиз фланируют среди гостей. — Сначала они помогли Гитлеру прийти к власти, потом, в тридцать пятом, им удалось добиться от англичан подписания договора о флоте, который позволил Гитлеру строить военные корабли. Аннелиз явно не из породы экзальтированных дур вроде матушки баронессы. У нее холодный, расчетливый ум, наверное, неплохо работает интуиция. Неужели не чувствует, во что вляпалась? В отличие от Гиммлера, Геббельса, Гесса, Геринга, покойного Рема, эта парочка имела все задолго до знакомства с ефрейтором. Образование, деньги, связи. Чем же он их приворожил? Неужели они, подобно матушке баронессе, искренне верят, что Гитлер мессия и арийская раса спустилась с небес?»

Размышления Габи то и дело прерывал полковник СС Вилли Лунковец, седовласый статный вдовец. В течение вечера он несколько раз подкатывал к ней с любезностями и теперь, заметив, что она сидит в одиночестве, опустился на подлокотник ее кресла.

Он был пьян в дым, но вполне крепко держался на ногах и болтал без умолку.

— Все француженки — корыстные стервы. Англичанки — плоские мужеподобные жерди. Итальянки бывают хороши, когда совсем молоденькие, но подозрительно похожи на евреек и к зрелому возрасту жиреют как свиньи. Только арийские женщины могут называться женщинами в полном смысле этого слова. А по Италии пора устроить рейд с пластометрами, — полковник громко рыгнул и ткнул пальцем в сторону камина, где на полке в стеклянном футляре стоял странный прибор, похожий на очень большой циркуль с кривыми ножками.

Берлинский врач Роберт Бюргер-Вилинген, изобретатель прибора для измерения черепов, подарил Аннелиз сувенирный образец, выполненный из серебра, инкрустированный мелкими гранатами и топазами. На стеклянном футляре красовалась позолоченная пластинка в форме сердца с выгравированной надписью: «Дорогой Аннелиз от Робби в знак нежной дружбы и вечной любви».

— Они та-ак похожи на евреев, эти итальяшки, особенно некоторые, — полковник опять рыгнул и обнял Габи за талию.

— Вилли, а русские? Что вы можете сказать о русских женщинах?

Габи ловко освободила свою талию от его лапы, взяла с подноса сонного лакея две крошечные рюмки, одну протянула полковнику. Они чокнулись. Полковник выпил залпом, фыркнул, сморщился, потряс головой.

— Похожи на полек, такие же свиньи. Это что, водка?

— Конечно. Разве можно рассказать о русских, не выпив водки? Теперь быстренько закусите, — Габи сунула ему в рот тартинку с утиным паштетом и весело засмеялась.

Не успев прожевать, он схватил ее руку и поцеловал.

— Вот что я вам скажу, милая Габриэль, никаких русских не существует. Есть чукчи, казаки, поляки, евреи, чингисханы и кавказские горцы. Они все перемешались и назвались русскими.

Продолжая смеяться, Габи прикрыла подошвой туфли небольшое мокрое пятно на ковре возле кресла. Пока полковник пил, запрокинув голову, ей удалось быстро вылить на ковер содержимое своей рюмки. Для ее коронного фокуса водка была самым удобным напитком, поскольку быстро испарялась и не оставляла пятен на коврах.

— Чукчи — это кто? — спросила она, заливаясь хмельным смехом.

— Первобытные племена в северной тундре, — объяснил полковник.

— А чингисханы?

— Потомки степных завоевателей, которые правили на восточных территориях триста лет.

— А казаки?

— Орды каторжников, сосланных царями на Украину и в Сибирь.

— А кавказские горцы?

— Люди с кинжалами и большими усами, родственники Сталина.

— А поляки?

— Трусливые крысы и похожи на крыс, — рука полковника принялась щупать коленку Габи.

— Вот и неправда! — Габи убрала коленку из-под наглой лапы. — Я своими глазами видела одного смелого поляка, в Лондоне, в прошлом году, на похоронах короля Георга Пятого. Он советский маршал, хочет убить Сталина и править вместо него.

— Ха! Тухачевский! Никакого маршала Тухачевского не существует, есть послушная марионетка в руках Сталина, — полковник комично задергал плечами и головой. — Веревочки уже обрезаны.

Лунковец разыграл перед Габи маленькую пантомиму. Уронил руки, понурил голову, вытянул ноги и стал медленно сползать с подлокотника на ковер. Габи хохотала до слез, и будь полковник трезвее, он бы заметил, что хохот фальшивый, а слезы настоящие.

— Вилли, только не говорите, что веревочки обрезала немецкая рука, — Габи достала платок и вытерла слезы.

— Немецкий интеллект! — Лунковец ткнул себя пальцем в лоб и надменно выпятил губу. — Мы заставили врага действовать в наших интересах. Тупые чехи сами себе роют могилу.

Полковник несколько секунд молчал, сопел, потом слегка качнулся, приблизил красное влажное лицо, погрозил пальцем и прошептал, обдавая перегаром:

— Э-э, милая Габриэль, не советую совать свой прелестный носик в такие серьезные мужские дела.

— Серьезные? — Габи расхохоталась. — Серьезные мужские дела? Полковник, вы меня здорово разыграли, я по вашей милости чуть не умерла от смеха. Давайте-ка выпьем за ваш блестящий юмор.

Она успела слить содержимое своей рюмки в ковер и заметила, что к ней через гостиную идет Стефани.

— Габи, можно тебя на минуту? Извините, господин полковник, — Стефани взяла ее за руку. — Тетя хочет поговорить с тобой.

— Спасибо, что увела меня от этого пьяного болвана, — прошептала Габи.

Аннелиз ждала их в кофейном павильоне.

Опять зеленоватые холодные глаза впились в лицо Габи.

— Фрейлейн Дильс, вам нравится вечер?

— Все чудесно, фрау фон Риббентроп. У вас тут красиво, как в сказке. А повар настоящий волшебник. Давно так вкусно не ела.

— Я благодарна вам за Стефани, она у нас растяпа и трусишка, если бы не вы, она чувствовала бы себя в Париже совсем неуютно.

Стефани обняла тетю за шею и что-то зашептала ей на ухо. На лице Аннелиз появилась скупая улыбка.

— Да, детка, — она потрепала племянницу по щеке, опять смерила Габи оценивающим взглядом: — Скоро вас можно будет поздравить, вы станете баронессой фон Блефф. Нравится вам работать в дамском журнале?

— Честно говоря, не очень, — Габи вздохнула и опустила глаза. — Мода, косметика, рукоделие, все это, конечно, интересно, но хочется попробовать себя в чем-то другом.

— Да, творческая личность должна развиваться, — глубокомысленно заметила Аннелиз. — Знаете, Габриэль, в пресс-центре МИД не хватает свежих лиц, живой молодой энергии. Штат непомерно раздут, но в основном это престарелые бюрократы, интриганы, карьеристы, в общем, всякий сброд...

Габи затаила дыхание. В разговорах со Стефани она несколько раз жаловалась, что ей надоело писать для «Серебряного зеркала». Ходили слухи, что Аннелиз заранее готовит площадку для вступления мужа на должность министра и стремится пропихнуть в МИД как можно больше своих людей.

«Своих людей... — прошептала маленькая Габи. — Но при чем здесь я?»

«Если я уйду из журнала в пресс-центр, буду обязана этим фрау Риббентроп, а свой человек для нее тот, кто ей обязан и полностью от нее зависит», — возразила взрослая Габриэль.

«Она ненавидит старую баронессу, — напомнила маленькая. — Человек, связанный с фон Блеффами, никогда не станет для нее своим».

«Ненавидит, — согласилась взрослая. — В пресс-центр я попаду, только если расплююсь с Франсом».

— Стефани говорила, что, кроме французского, вы владеете русским, — продолжала Аннелиз.

— Стефани, как всегда, преувеличивает. Русский я знаю совсем слабо, могу читать со словарем.

— В пресс-центре русским владеют несколько человек. Старые тупые зануды, никакого доверия эти люди не вызывают. А ведь русский в ближайшем будущем станет весьма актуален. Думаю, в вашем возрасте не проблема быстро подтянуть язык... Да, но вам придется покинуть

474

«Серебряное зеркало», изменить образ жизни, круг общения. Как отнесутся к этому ваш жених и будущая свекровь? — Аннелиз озабоченно сдвинула брови.

— Ой, вот об этом даже думать боюсь, — честно призналась Габи. — Будет скандал и ужас.

— Габи, ну ты же не любишь его, — выпалила Стефани. — Почему бы тебе не послать этих свиней фон Блеффов к чертям собачьим?

— Детка, что за язык? Где ты нахваталась таких грубых выражений? — Аннелиз с притворной строгостью погрозила племяннице пальцем, потом взглянула на Габи: — Бесцеремонность нашей малышки многих шокирует, но вы, дорогая Габриэль, наверное, уже заметили, что Стефани всегда говорит правду.

Впервые за вечер госпожа Риббентроп улыбнулась настоящей, открытой улыбкой, которая выглядела довольно неприятно и вовсе не шла ее строгому лицу.

* * *

Вечером, без четверти восемь, Карл Рихардович вышел из пряничного домика, на трамвае доехал до Зубовского бульвара. Прошел пешком до станции метро «Парк культуры», отыскал неподалеку от входа в метро свободную телефонную будку. Прежде чем зайти внутрь, огляделся.

Прохожие сновали мимо, никто не смотрел на старика возле будки. Ни в трамвае, ни на бульваре он не заметил никого подозрительного, ни разу не почувствовал на себе чей-нибудь слишком внимательный взгляд. Впрочем, возможность слежки доктор почти исключал. Значительно больше волновало его, окажется ли на месте нужный человек, сам ли подойдет к телефону. Может, этот католический священник уже и не ждет звонка, слишком много прошло времени.

Ровно в девять доктор опустил монетку и набрал номер.

Трубку подняли почти сразу. Низкий мужской голос произнес:

— Алло, слушаю вас.

Акцент был похож на итальянский. «Слючау» с ударением на последнем слоге успокоило доктора.

— Добрый вечер, попросите, пожалуйста, Веру Николаевну, — он выговорил это медленно, высоким плачущим голосом.

Всхлипы и судорожные вздохи хорошо маскировали немецкий акцент.

— Ви звонит который нумеро?

Это был точный ответ на пароль. Карл Рихардович облегченно вздохнул и назвал набранный номер, изменив последнюю цифру.

— Ви ошибайс, синьор комарад, се ест нумеро... — невидимый собеседник назвал условный код, потом, после короткой паузы, сказал: — О, но, эскузо, синьоре, момен-то, я путайт, — и произнес тот номер, который набрал доктор.

Код так же, как обычный телефонный номер, состоял из буквы и пяти цифр. Дмитрий попросил как следует запомнить, но не объяснил, что они означают.

— Вот беда, как же быть? Последняя монета, нужно срочно сказать Вере, что у Митеньки высокая температура, — отчаянно, со всхлипами, все тем же высоким голосом запричитал доктор. — Товарищ дорогой, извините за беспокойство.

— Но проблем, желяю Митьенку виздорвел, ориведерчи, синьоре комарад.

— Всего доброго, спасибо, — доктор повесил трубку.

Возле будки топтался пожилой мужчина в телогрейке, грязных солдатских сапогах и лыжной шапочке.

— Товарищ, работает телефончик?

— Вроде работает, но соединили неправильно и монетка пропала.

— А я хотел у вас разжиться монеткой.

— Была последняя, извините, — ответил доктор и быстро зашагал прочь.

Прежде чем нырнуть в метро, оглянулся, увидел, что пожилой в телогрейке остановил прохожего, просит монету, а в будку уже зашел кто-то другой.

На метро он доехал до Комсомольской площади, там сел на трамвай и через сорок минут был на Мещанской, в пряничном домике.

Калитку долго не открывали, пришлось звонить минут пять. Наконец впустили, но не Кузьма, а один из санитаров. Двор был ярко освещен прожекторами. Лучи били в глаза. На площадке под навесом стоял большой грузовик с надписью «Мясо». Рядом несколько фигур. Доктор узнал Кузьму, Блохина, Филимонова и еще двух персонажей, братьев Щеголевых. Эти Щеголевы, помощники Блохина, Иван и Василий, в последнее время часто появлялись в пряничном домике. Доктор никогда не видел их трезвыми.

Дверцы кузова были распахнуты. Оттуда высунулась голова Майрановского.

— Порядок, Василий Михайлович, — крикнул он радостно, как болельщик на стадионе, когда любимая команда забивает гол, и, крякнув, неловко спрыгнул на землю.

— Каждого проверил? — недоверчиво спросил Блохин.

— Обижаете, товарищ комендант.

— Ну смотри, Григорий, а то в прошлой партии двоих пришлось на месте достреливать.

К весне спецгруппа Блохина увеличилась. Работы стало невпроворот. В гараже в Варсонофьевском переулке у Лубянки ежесуточно приводилось в исполнение до двухсот приговоров, в Лефортово еще больше. Василий Михайлович ездил в командировки в разные города Советского Союза, обучал товарищей на местах тонкостям своего ремесла.

Перед расстрелом многие приговоренные кричали: «Да здравствует Сталин! Слава великому Сталину!». Опытные сотрудники привыкли, не обращали внимания на выкрики. А у новичков падал моральный дух. Василий Михайлович доложил руководству. Ответом стала директива по всем тюрьмам СССР проводить воспитательную работу среди приговоренных к расстрелу, чтобы в столь неподходящий момент не марали имя вождя.

Воспитательную работу проводили, но результатов она не давала. Приговоренные кричали, дух новичков падал.

Майрановскому пришла оригинальная идея: приговоренных загонять в спецтранспорт якобы для перевозки в другую тюрьму. Грузовик с виду обычный, но выхлопная труба выведена внутрь кузова. Все щели законопачены, дверцы запираются герметично. Загоняют живых, привозят готовеньких, прямо к местам захоронения.

Все это Карл Рихардович узнал неделю назад от Ивана Щеголева. Старший, Василий, молчал или матерился, а младшему, Ивану, спиртное развязывало язык лучше всякой «таблетки правды». Из обитателей пряничного домика доктор Штерн был самым удобным собеседником. Он не донимал советами, как Майрановский, не осуждал за пьянство при исполнении, как Филимонов, не обливал презрением за «бабий треп», как Кузьма. Он просто слушал, иногда кивал, говорил: да-да, понимаю.

Иван рассказывал, что в подсобке для спецгруппы всегда стоит ведро водки. Они зачерпывают ковшиком и пьют. Работа нервная. Еще им выдают одеколон, для гигиены. Исполнители работают в перчатках и фартуках, больших, прорезиненных, как у мясников. Люди перед расстрелом могут обмочиться, в штаны наложить, у некоторых бывает рвота. И кровь, очень много крови. Утром в расстрельном помещении уборщицы поливают бетонный пол из шлангов. Ночью опять все сначала.

Грузовик-душегубка стоял под навесом. Доктор хотел пройти сразу в дом, но его заметили.

— О! Каридыч вернулся! — Кузьма шутливо козырнул.

— Добрый вечер, Карл Рихардович, — вежливо поздоровался Блохин. — Как там дела у подследственного?

— Пока спит.

Кричать было неловко, пришлось подойти к ним ближе. Луч прожектора освещал кузов и все, что внутри. Из открытых дверей пахло сероводородом и хлором. Изобретательный Майрановский усовершенствовал состав выхлопных газов.

— Спит — это хорошо, авось проспится, заговорит, — сказал Блохин.

— А чё смурной такой, Каридыч? — Кузьма подозрительно прищурился.

Доктор понял, что при ярком свете прожектора на лице его стало заметно выражение ужаса и тоски. Это было грубым нарушением профессиональной этики. Как говорил Кузьма, «западло рожу-то кривить». Карл Рихардович давно научился прятать эмоции, но вид грузовика и этот запах...

— Да вот, съездил на Зубовский, там хороший магазин ювелирный, хотел купить подарок, дочка соседей замуж выходит. Только зря мотался, магазин закрыт, — доктор зевнул и досадливо махнул рукой.

— Чего ж так поздно по магазинам? Десять вечера, все уж давно закрыто, — заметил Майрановский.

— Заработался, о времени забыл. Сейчас темнеет поздно, весна. Ладно, пойду, проведаю подследственного.

Доктор быстро направился к дому. Услышал, как захлопнулись дверцы кузова и Блохин приказал шоферу:

— Все, поехал.

В лазарете было темно. Он не стал зажигать верхний свет, включил настольную лампу. Через открытую форточку донесся рев мотора и голоса были слышны отчетливо. Кузьма уговаривал отпраздновать рацпредложение Григорь Мосеича.

«Рационализатор Майрановский и передовик Блохин. Вот кто действительно незаменим, — подумал доктор. —

Вот без кого встанет самое главное государственное производство»*.

Доктор прикрыл форточку, сел на табуретку у койки. Дмитрий шевельнулся, покалеченными пальцами тронул его руку.

Карл Рихардович шепотом во всех подробностях пересказал телефонный разговор с итальянцем и без запинки назвал код.

— Двадцать седьмое число... с половины девятого до десяти вечера, — пробормотал Дмитрий. — Слишком долго ждать. Вы, конечно, не решитесь и ждать нечего.

— Послушайте, мне надоели ваши загадки, — нахмурился доктор. — Итальянец назначил встречу, чтобы сообщить о резальтате?

— Да, в том случае, если меня к этому времени еще не возьмут. Я ведь думал, сначала уволят из органов, исключат из партии, успею не только позвонить, но и встретиться.

---

*Майрановский Г.М. был арестован в 1951-м, обвинен в хищении и хранении ядовитых веществ, злоупотреблении служебным положением и шпионаже в пользу Японии. Получил десять лет. После смерти Сталина дело его не пересматривалось. Он отсидел от звонка до звонка, по тем же статьям. После освобождения работал в НИИ в Махачкале скромным научным сотрудником, умер в 1967-м. Блохин В.М. и Филимонов М.П. к ответственности не привлекались. Блохин до апреля 1953-го прослужил комендантом АХУ, награжден восемью орденами и тремя медалями, уволен по болезни в звании генерал-майора. В 1954-м лишен звания «как дискредитировавший себя за время работы в органах», скончался в 1955-м. Филимонов дослужился до майора, в 1954-м лишен звания. Умер в 1958-м. Награжден двумя орденами и пятью медалями. Прочие сотрудники покончили с собой, сошли с ума или спились. По приказу Абакумова в 1946-м спецлаборатория была ликвидирована, однако вскоре появились ее аналоги. Опыты с отравляющими веществами велись и ведутся спецслужбами многих стран.

— Почему нельзя опять позвонить?

— Второй раз по тому же номеру слишком рискованно.

— А место встречи есть в коде?

— Место оговорили заранее. Никитский бульвар, одна из первых скамеек со стороны Арбата. Это недалеко от итальянского посольства, священник часто гуляет по бульвару перед сном.

— Он будет одет как священник?

— Нет. Черный плащ, черная шляпа, в руках зонт, тоже черный, на шее белый шарф, на носу круглые очки в тонкой серебряной оправе.

— Вы никогда прежде не встречались?

— Никогда. Если бы он знал меня в лицо, ваше с ним свидание не могло бы состояться, ведь он ждал бы именно меня и ни с кем другим не вступил бы в контакт. Я должен быть в коричневом шерстяном пальто, темно-зеленой шляпе, кашне в коричнево-зеленую клетку.

— Вы щеголь, — тихо заметил доктор.

— Был... В таком виде я приехал в Москву. Где вы все это возьмете, неизвестно... Верхняя пуговица пальто оторвана, торчат нитки. В руках свежий номер журнала «Крокодил». Нужно подойти, сказать по-немецки: «Простите, вы не находили большую пуговицу? Я, кажется, обронил ее здесь». Он спросит: «А это не она?» и достанет из кармана пуговицу, неважно, какого цвета.

— У меня коричневый плащ! — радостно сообщил доктор. — Шляпа тоже коричневая, но у соседки я, кажется, видел зеленую шляпку, могу одолжить...

— Не стоит. Все это глупые фантазии. Риск для вас огромный, а толку никакого.

— Все-таки что лучше — мужская шляпа, но коричневая, или зеленая, но женская?

— Перестаньте. Ничего не нужно. Позвонили, и на том спасибо. Он, конечно, сделает все как обещал, но поверит ли она?

— Священнику?

— Нет, я о другом человеке... Помните, на теплоходе, в последнюю ночь, вы исчезли из каюты. Я выскочил в халате и сразу увидел вас, а рядом его.

— Джованни Касолли, итальянец, журналист, приятель Бруно, — доктор улыбнулся. — Я часто вспоминаю его.

Дмитрий долго молчал. Доктор хотел отойти, чтобы поставить чайник, заварить ромашку и шиповник, но услышал:

— А ведь вы тогда вышли на палубу не просто подышать, верно?

— Если бы не Джованни Касолли, я бы прыгнул в воду.

— И получилось бы жуткое, мистическое совпадение, инсценировка стала бы реальностью.

— Инсценировка?

— Бруно должен был вернуться в Берлин, объяснить, куда вы делись, ведь это он сопровождал вас в Швейцарию на самолете, который предоставил Геринг, ваш благодарный пациент.

— И куда же я делся?

— Утопились в Цюрихском озере. Спрыгнули с кормы теплохода. Опознать вас было невозможно. Тело изуродовали винты.

Доктор замер, у него перехватило дыхание.

— В кармане пиджака нашли бумажник, — бесстрастным шепотом продолжал Дмитрий.

— Но бумажник остался при мне, я привез его в Москву... — растерянно пробормотал доктор.

— Внутри были ваш паспорт, несколько сотен марок, фотография жены и детей. Вода испортила бумагу, но не слишком. Бумажник из плотной лакированной кожи, она почти не пропускает влагу.

Доктор зажмурился, сжал виски, прошептал чуть слышно:

— Непромокаемый бумажник просто купили, фотографию Бруно стащил из альбома, когда пришел ко мне в квартиру. Но тело...

— Секретная операция советской военной разведки, ликвидация перебежчика, — спокойно объяснил Дмитрий. — В то время Иностранным отделом НКВД руководил Артузов, он же был заместителем начальника разведуправления Генштаба Красной армии. Он курировал обе операции, ему пришла идея совместить их. Перебежчик — мужчина примерно вашего возраста, роста, телосложения. Место действия — Швейцария. Бруно только передал им ваш паспорт и семейную фотографию. Мы с Верой в этом не участвовали. Там были другие исполнители. Они сбросили перебежчика с кормы теплохода, мы вывезли вас. А знаете, когда Бруно вернулся в Берлин, его принял лично Геринг. Ваша кончина очень огорчила премьер-министра, его супруга даже всплакнула. Спасибо Джованни Касолли, что не дал вам сделать сказку былью.

— Из-за меня убили человека, — прошептал доктор по-немецки. — Убили зверски, бросили под винты теплохода...

Он чуть не добавил: «Чем же вы лучше Майрановского и Блохина?», но язык не повернулся бросить такое обвинение обреченному страдальцу.

— Какие нежности при нашей бедности... — Дмитрий опять попытался усмехнуться, и опять не получилось. — Убили его не из-за вас, под винты бросили уже мертвого. Он в любом случае был обречен, как все предатели Советской Родины. Я потому и вернулся. Врал себе, что не желаю стать предателем. На самом деле — обыкновенный человеческий страх. Найдут и убьют. Как они меня обрабатывали... Я чуть не сдал Бруно.

— Что же вас остановило?

— Касолли обещал вывезти Веру и ребенка в Англию, если я не сдам Бруно. Я знаю имя и адрес тибетского доктора, который взялся лечить Барбару, и еще многое. Бруно полностью доверял мне. Бруно поможет Вере, если, конечно, сам уцелеет, если я не сдам его... Касолли обещал...

— Обещал — значит сделает.

— Во всяком случае, попытается. Остается хотя бы надежда... Это ведь он помог Бруно уйти к англичанам. Только он такой же Джованни Касолли, как я Андре Шимани, такой же итальянец, как я француз.

ГЛАВА ДВАДЦАТЬ ЧЕТВЕРТАЯ

Белое платье из китайского шелка пришлось ушивать. Маша к весне похудела, февраль пролетел в ежедневных многочасовых репетициях, начался март, ветреный, ледяной, с частыми приступами колючего снегопада. Накануне свадьбы Илья привел ее в коммуналку на Пресню, познакомил со своей мамашей. Мощная, широкоплечая, благоухающая одеколоном «Красный мак», Настасья так стиснула Машу в обьятьях, что захрустели кости, и сочно расцеловала в обе щеки, приговаривая:

— Ну вот, дождалась я на старости лет, бобыль мой бесприютный молчал, прятал от меня красотулечку такую, теперь, бог даст, и внуков понянчу... Сынок, а ведь как похожа! Ну смотри, глаза, и улыбка, прямо одно лицо...

— Мамаша! — жестко одернул ее Илья.

Настасья Федоровна залилась краской, прикрыла рот ладонью, виновато пробормотала:

— Молчу, молчу, сынок...

Маша хотела спросить, на кого она похожа, но не решилась.

Маленький лысый старик Евгений Арсентьевич, сосед и вечный жених Настасьи, смотрел сквозь толстые стекла очков увеличенными глазами, рассказывал, как до революции, гимназистом, попал в Большой на «Щелкунчика» и потом долго мечтал устроиться в театр кем угодно, декоратором, уборщиком.

С Пресни поздно вечером поехали на Грановского.

У Маши екнуло сердце, когда она увидела в гостиной, между двумя окнами, самодельный балетный станок, точно такой, как смастерил папа в их с Васей комнате.

— Конечно, я сам бы не сумел, попросил столяра из домоуправления. Ну проверь, подходит палка?

В углу, в кадке, росло деревце, среди глянцевых темно-зеленых листьев белело несколько маленьких бутонов.

— Это лимон, сорт «мейер», обычно цветет в начале апреля, но вот зацвел раньше, в твою честь. Саженец — подарок Сталина.

— Он что, увлекается садоводством? — изумилась Маша.

— У него на даче теплицы, сам выращивает розы, лимоны.

— Ничего себе, никогда бы не подумала, — Маша втянула носом едва уловимый нежнейший аромат.

Она знала, что Илья работает в Кремле, в каком-то Особом секторе, но что он там делает, насколько высокую занимает должность, понятия не имела. О работе он не говорил почти ничего. Она привыкла к секретности своих родителей и вопросов не задавала.

Когда он сказал про деревце, у нее в голове закрутились строчки:

Наша жизнь — большой секрет.
Мы в порядке, или нет,
если сам великий Он
подарил тебе лимон?

Каждый свой новорожденный стишок она хотела прочитать Илье, но пока не решалась, думала: позже, как-нибудь в другой раз.

Встретившись глазами с девушкой на акварельном портрете, Маша спросила:

— Кто это?

— Она тебе никого не напоминает? — он повернул ее лицом к зеркалу.

— Ты мне льстишь, Илья. Она красивее.

— Кто красивее, не знаю. Но глаза у тебя ее. Или у нее — твои.

Маша несколько минут смотрела на портрет, потом в зеркало. Акварельная девушка правда была похожа на нее. Вот о ком говорила мамаша... Судя по тому, что Илья пропустил мимо ушей вопрос «кто это?», портрет был связан с какой-то его тайной.

«О его работе я хоть что-то знаю. О женщинах, с которыми он встречался до меня, вообще ничего. Сколько их было? Эта, на портрете, — одна из многих или единственная? Он любил ее? До сих пор любит? Они расстались и на мне он решил жениться потому, что я на нее похожа?» — все это вспыхнуло в голове, но постепенно угасло под мягким дождиком очередных строчек:

> Не дает покоя мне
> акварелька на стене.
> У нее мои глаза,
> говорить о ней нельзя.

Глубокой ночью, сквозь сон, она услышала шепот Ильи:

— На портрете моя мама. Рисовал отец летом четырнадцатого года, на даче в Комарово под Петроградом. Он погиб на войне, она умерла от тифа в девятнадцатом. Настасья подобрала меня, усыновила. Она кухаркой когдато у нас работала. Никто на свете не знает, только мы с ней... увидела тебя и чуть не проговорилась, впервые в жизни...

— Вот почему ты называешь ее мамашей, а не мамой...

— Она моя мамаша, без нее я бы погиб, — он поправил подушку, перевернулся на другой бок, пробормотал: — Забудь, я ничего не говорил, тебе приснилось.

Оставшуюся неделю до свадьбы Маша из театра приходила домой. Поздно вечером Илья заезжал за ней, увозил к себе на Грановского.

Вася дулся, не разговаривал с ней, от Ильи демонстративно отворачивался, не здоровался, огрызался, когда к нему обращались мама, папа, Карл Рихардович, хотя они-то уж точно ни в чем не были перед ним виноваты.

Илья принес ему маленькие дорожные шахматы в кожаном футляре и красиво изданный двухтомник Фенимора Купера с цветными иллюстрациями, он не взглянул на подарки, удалился за перегородку, залез под кровать, и вытащить его оттуда не сумел никто, даже папа.

В театре новость о предстоящем замужестве Акимовой знали все, хотя Маша никому ни слова не говорила. Пасизо поздравила ее, обняла, поцеловала и шепнула:

— Только, пожалуйста, постарайся не забеременеть до премьеры.

Май заявил, что для него это событие не имеет никакого значения.

— Все равно со мной ты проводишь больше времени, чем с ним, никуда ты от меня не денешься, я просто подожду, я терпеливый.

Катя Родимцева повисла у Маши на шее, всплакнула. На свадьбу Маша пригласила их троих, но Май прийти отказался.

В воскресенье утром, в день свадьбы, Маша, наконец, услышала от брата несколько фраз:

— Твой Крылов тип! Во-первых, старый, во-вторых, все время молчит, в-третьих, физиономия у него противная, как у белого офицера из фильма «Чапаев». Мне одному в комнате спать страшно. Если ты не вернешься домой, я уйду жить к Валерке.

Церемония в загсе заняла двадцать минут. Оттуда приехали на Грановского. Настасья вместе с домработницей Степой возилась на кухне. Гостей собралось совсем немного. Машины родители, Вася, Карл Рихардович, Пасизо и Катя Родимцева. Илье приглашать было некого, кроме Настасьи и Евгения Арсентьевича. Он давно объяснил Маше, что близких друзей ему иметь не положено по должности.

Вася, улучив минуту, дернул сестру за рукав и злорадно прошипел:

— У твоего Крылова совсем, что ли, нет друзей?

— Слушай, отстань, а? — огрызнулась Маша.

Сели за стол, начали произносить тосты, Настасья кричала «Горько!» и пускала слезу. Евгений Арсентьевич отодвигал от нее подальше бутылки. Когда все поздравления и пожелания отзвучали, тарелки опустели, кто-то завел патефон. Катя Родимцева вытащила из-за стола Васю, все еще надутого, заставила его бить чечетку. Сначала он кривлялся, ломался, бубнил:

— Не хочу, не умею, нет настроения.

Но Кате удалось расшевелить и завести его. Он отлично танцевал, Маша учила его лет с трех. Настасья хлопала, охала, наконец, не выдержала, встала, раскинула руки, придерживая концы шали кончиками пальцев, поводя плечами, мелко притопывая, поплыла к ним.

Карл Рихардович отыскал среди пластинок вальсы Штрауса, пригласил Пасизо и вполне ловко вальсировал, хотя раньше уверял, что танцевать не умеет. Илья закружился с Машей, папа с мамой, Катя с Васей.

Настасья кружилась сама по себе, жмурясь и постанывая. Единственный зритель, Евгений Арсентьевич, сидел на кушетке, улыбался, вздыхал, мурлыкал под нос мелодию, покачивался в такт. Было тесно, пары задевали друг друга, извинялись, смеялись. Настасья несколько раз пыталась вытащить своего Евгешу. Наконец ей удалось, он неуклюже зашаркал, уронил очки, наступил кому-то на ногу и, красный, потный, вернулся на свою кушетку.

Настойчивый звонок заставил всех замереть. Илья бросился к патефону, выключил музыку, Маша открыла дверь.

На пороге стоял маленький лысый человек с обезьяньим лицом. Позади него два здоровенных чекиста в форме. Один держал большой букет багровых роз, обернутый синей гофрированной бумагой, другой стопку книг, перевязанную лентами. Лысый растянул в улыбке толстые губы.

— Ну, Крылов, представь меня своим гостям.

— Александр Николаевич Поскребышев, мой начальник, — быстро произнес Илья, ни на кого не глядя.

Поскребышев шагнул к Маше.

— Вы, как я понимаю, восходящая звезда советского балета Мария Акимова, с сегодняшнего дня Крылова. Рад, рад, поздравляю, — он поцеловал Машу в обе щеки.

— Очень приятно познакомиться, — Маша улыбнулась и присела в реверансе.

Поскребышеву это явно понравилось, он хмыкнул, шаркнул ногой, наклонил и вскинул свою большую лысую голову, изображая короткий офицерский поклон. Потом обнял Илью, похлопал по спине, подмигнул и громко, чтобы все слышали, произнес:

— Хороша, хороша, молодец, одобряю выбор.

Каждому из гостей он пожал руку, каждого поздравил. На мгновение задержался возле мамы, назвал ее по имени-отчеству.

— Вера Игнатьевна, рад...

«Лысый, маленький, с обезьяньим лицом, — вспомнила Маша. — Тот самый, который встретил маму в загородном доме и отвел к ноге со сросшимися пальцами. Сразу узнал ее, вспомнил, как зовут. Судя по ее испуганному лицу и натянутой улыбке, она его тоже узнала».

Поскребышев обнял Карла Рихардовича как старого знакомого, сказал:

— Давненько не виделись, товарищ Штерн, вам отдельный привет от товарища Сталина.

Отступив назад, он взял у чекиста букет, кашлянул и произнес очень торжественно:

— Товарищ Сталин просил меня передать свои поздравления, наилучшие пожелания и вот эти розы. — Чуть понизив голос, добавил: — Между прочим, цветочки не простые, выращены товарищем Сталиным самолично, в теплице.

— Спасибо большое, — пробормотала Маша, шурша гофрированной бумагой и нюхая розы.

— А это от меня, юбилейное издание Пушкина, полное собрание сочинений в шести томах.

Сесть за стол Поскребышев отказался, предложил выпить за здоровье товарища Сталина, потом за здоровье молодых, чокался со всеми, одним глотком осушал большие стопки водки, сжевал вареную картошину с малосольным огурцом и стал прощаться. Маша услышала, как он шепнул Илье:

— Позвонит в ближайшее полчаса, будь готов.

Когда дверь закрылась, повисла тишина. Маша так и стояла с букетом. Родители о чем-то неслышно шептались с Пасизо. Настасья растроганно шмыгала носом. Илья ушел на кухню, налить воды в вазу.

Вася закрутился волчком.

— Ну ничего себе! Вот это да! Сам товарищ Сталин вырастил! Маня, дай подержать, дай понюхать!

Бережно, как младенца, он взял букет, уткнулся лицом в розы, бормоча:

— Товарищ Сталин, сам товарищ Сталин...

Вася долго не мог успокоиться, смотрел на Илью так, словно только что с ним познакомился и полюбил с первого взгляда.

— Илья Петрович, а этот лысый, Поскребышев, он кто?

— Ты же слышал. Мой начальник.

— Нет, а по должности? Он прямо совсем близко с товарищем Сталиным? Раз от него букет передал, значит, близко, да?

— Вася! — одернула его мама.

— Ладно, я понял. Тайна. А вы сами Сталина видели? Говорили с ним?

— Мг-м.

— Какой он? Как на портретах?

— Ну почти.

— Везет вам, Илья Петрович! Я бы сразу умер от счастья! Можно, я в школе расскажу, что моей сестре на свадьбу товарищ Сталин розы подарил, которые сам вырастил?

— Нет.

— Почему?

— Нельзя, и все, — громко сказал папа. — Сядь, пожалуйста, на место и успокойся.

— А Валерке? Честное пионерское, Валерка будет молчать, как могила...

— Нельзя!

Вася спрятал руки в карманы, расхлябанно волоча ноги, стал расхаживать вдоль стола. Маша поймала его на ходу, обняла, поцеловала в макушку, прошептала:

— Не обижайся, у Ильи сверхсекретная должность. Расскажешь Валерке, он кому-нибудь еще...

— Я понял, понял, — Вася вырвался, схватил с этажерки первый попавшийся журнал, залез в кресло в углу и принялся нервно листать страницы.

Телефон зазвонил, как только сели пить чай. Илья взял трубку.

— Здравствуйте, товарищ Сталин. Огромное спасибо. Розы великолепные. Да, лимонное деревце живо-здорово, как раз зацвело недавно. Обязательно, товарищ Сталин... Ее зовут Маша... совершенно верно, будет танцевать «Аистенка»... Конечно... одну минуту, — он передал трубку Маше.

— Добрый вечер, товарищ Аистенок-Маша.

Баритон в трубке звучал мягко, ласково, грузинский акцент придавал ему какое-то особенное, уютное, шутливо-домашнее очарование.

— Здравствуйте, товарищ Сталин, спасибо вам, розы очень красивые, — Маша говорила и смотрела на Илью.

Лицо его застыло, губы сжались. Она не понимала, что происходит, почему вместо улыбки и благодарности такое жуткое напряжение, от него прямо током било.

— Поздравляю вас, товарищ Аистенок-Маша, живите дружно с товарищем Крыловым, не обижайте ценного работника.

— Хорошо, товарищ Сталин, не буду.

— Ма-ла-дэц! Мужа надо любить и уважать. А если он обидит, обращайтесь к нам, мы разберемся. Товарищ Аистенок-Маша, говорят, вы хорошо танцуете.

— Стараюсь, товарищ Сталин.

— Ма-ла-дэц! Так держать! Нашему советскому балету нужна молодая талантливая смена. На премьеру пригласите? Найдется для меня лишний билетик? — он мягко, тихо засмеялся.

— Конечно, товарищ Сталин, приходите обязательно.

— Раз вы приглашаете, приду. До свидания, товарищ Аистенок-Маша.

— Всего доброго, товарищ Сталин, спасибо вам.

В трубке раздался легкий треск, потом частые гудки. Маша не решалась положить ее на рычаг. Разговор, длившийся пару минут, ошеломил ее. Такой ласковый голос не мог принадлежать злому человеку.

Вася подбежал, схватил ее за руку.

— Маня, что он сказал?

— Поздравил. Велел не обижать товарища Крылова, ценного работника. Обещал прийти на нашу премьеру. Назвал меня Аистенок-Маша.

— Ну что ж, трогательно, — чуть слышно прошептала Пасизо.

Маша поймала себя на том, что ждет, когда кто-нибудь предложит выпить за товарища Сталина. Прислал букет, лично поздравил по телефону... Прямо сцена из кинофильма.

«Если бы это было кино, — думала Маша, — все бы сейчас плакали и смеялись от счастья, произносили восторженные благодарные речи, а потом хором исполнили бы песню «О великом друге и вожде». Когда я говорила с ним, чувствовала себя как будто не собой, кем-то другим. Героиней фильма... Интересное чувство, только прошло очень быстро. Голос у него, конечно, приятный, но шутки какие-то несмешные».

Вася вернулся в кресло, продолжил листать журнал. Илья, Карл Рихардович, папа и мама ушли курить на кухню. Евгений Арсентьевич задремал на кушетке в углу. Пасизо рассматривала пластинки. Настасья собирала со стола посуду. Катя подсела к Маше и шепотом спросила:

— Какой у него голос?

— Спокойный, ласковый.

— А вдруг он правда не знает? — шептала Катя. — Ему врут, от него скрывают все эти ужасы, ну не может злой человек выращивать розы. Я, когда была маленькая, мы дачу снимали, там хозяйка цветовод, она говорила, цветы чувствуют людей, у злых вянут, особенно розы... Вот смотри, столько врагов осудили. Это же не просто так. Это он пытается защитить нас от них.

— От кого?

— От врагов, конечно! Эх, дура я трусливая! Вот все молчат, и он ничего не знает. В милицию бесполезно, там тоже могут быть враги. Слушай, а что если я напишу прямо ему, а? Они творят ужасы у него спиной, прикрываются его именем.

— Нет!

— Почему?

— Ему не передадут.

— Как? А твой Илья? Он ведь может лично ему в руки?

— Нет.

— Ты же сама сказала, хороший голос, ласковый... Ну подумай, зачем ему притворяться добрым?

— Не знаю.

Сзади подошла Пасизо, положила им руки на плечи.

— Девочки, давайте займемся посудой, поможем Настасье Федоровне. Домработница ушла, а тут целая гора.

Обернувшись, Маша поймала взгляд Пасизо и поняла, что она слышала весь их разговор.

Катя молча терла стаканы. Когда они остались с Машей вдвоем на кухне, сказала:

— Не понимаю, что на меня нашло? Так вдруг захотелось пожаловаться доброму-ласковому. А жаловаться нечего. Сама виновата, влюбилась в грязную скотину, сочинила себе прекрасного принца. Никто меня на эту дачу насильно не волок, наоборот, ждала, готовилась, как Наташа Ростова к первому балу, нарядилась, надушилась, дура...

— Ни в чем ты не виновата, но писать не нужно.

— Все-таки, думаешь, он знает?

— Кто я такая, чтоб судить? Судить, рядить и огороды городить... — пробормотала Маша, раскладывая в ящике вилки.

Катя вытерла руки, закурила.

— Ладно, все хорошо. Я не залетела, никакой дряни от них не подцепила. Жива, здорова, танцую пионерку Олю во втором составе...

— В первом.

Вошла Пасизо, села на табуретку, взяла папиросу.

— Ада Павловна, как в первом? Не может быть! Я сегодня утром списки видела, — всполошилась Катя.

— Завтра новые вывесят. Света Борисова в больнице. Аборт легальный, по медицинским показаниям, но сделали неудачно. Осложнения серьезные. Вы бы поменьше болтали, обе. Ваше дело танцевать, а не языками трепать.

Посуду помыли, стол накрыли чистой скатертью, посередине поставили вазу с цветами. Евгений Арсентьевич проснулся, зевнул и громко сказал:

— Шикарные розы, давно ни видел таких огромных букетов, двадцать штук.

— Сколько? — тревожно переспросила Настасья.

— Ровно двадцать, — подтвердил Вася.

— Да быть не может! Нельзя на свадьбу четное число, примета скверная, только на похороны четное приносят... — Настасья, шевеля губами, принялась тыкать пальцем в каждый цветок. — Верно, двадцать. Чего же он, считать, что ли, не умеет?

— Мамаша, перестань, все в порядке, — одернул ее Илья.

— Глупости, пустое суеверие, — сказала Пасизо.

— Конечно, глупости! Товарищ Сталин материалист, в приметы не верит! — бодро подхватил папа.

Карл Рихардович стоял рядом с Ильей, Маша услышала, как он шепчет:

— Не выдумывай, никаких намеков... Приказал кому-то из прислуги, никто не считал, четное, нечетное, нарезали, завернули в бумагу...

Катя грациозно перегнулась через стол, вытянула из воды одну розу, стряхнула капли со стебля и сказала:

— Девятнадцать! Эту я себе возьму, засушу на память.

* * *

Слуцкий ждал Илью на конспиративной квартире в Сокольниках. Выглядел Абрам Аронович лучше, чем обычно. Похудел, порозовел, пропала одышка. Одет был в темно-коричневый, ладно скроенный костюм, и пахло от него хорошим мужским одеколоном, явно не «Тройным» и не «Шипром». Крепко пожав Илье руку, он поздравил его с женитьбой и тут же принялся возбужденно рассказывать, что теперь каждое утро делает гимнастику, обливается прохладной водой, не ест сладкого и жирного.

Когда тема здорового образа жизни была исчерпана, поговорили о внешней политике.

— Ну, что, Илья Петрович, в Германии затишье, никаких серьезных политических событий. Англичане катаются в гости, как к близким родственникам. Любовь-дружба, мир и покой, — он улыбнулся и подмигнул. — Помните, в начале года Гитлер сказал: время сюрпризов кончилось, теперь наша высшая цель — мир.

— Он постоянно, из года в год, твердит о мире.

— Ну вот, Рейнскую зону захапал, наелся, теперь переваривает.

— Переварит, опять жрать захочет.

— Думаете, затишье перед бурей?

— Ну, у нас, во всяком случае, бури не ожидается, — Илья кивнул в сторону окна. — Погода чудесная, небо расчистилось.

Абрам Аронович хоть и выглядел хорошо, и говорил нарочито весело, было заметно, как он нервничает. Встречу в Сокольниках назначил не случайно. На этот раз не хотел вести письменные диалоги. Решил поговорить на улице. Пока просто тянул время, работал на прослушку. Еще минут десять они болтали ни о чем. Наконец Слуцкий искусственно зевнул и сказал:

— Да, пожалуй, можно немного прошвырнуться по парку.

Как только оказались на улице, он взял Илью под руку и заговорил быстрым, задыхающимся шепотом:

— Флюгер ушел к англичанам. В декабре прошлого года Ежов отправил ему приказ срочно прибыть в Москву. С тех пор ни слуху, ни духу. Вчера диппочтой из Лондона пришло от него письмо на имя Ежова. Конверт бросили в почтовый ящик советского посольства. В письме обращение лично к Хозяину с требованием прекратить охоту на него и на его семью.

— Разве охота уже велась?

— В том-то и дело! Ежов набрал спецгруппу, приказал им найти Флюгера, похитить и доставить в Москву. Я ничего не знал. И тут как гром среди ясного неба — письмо. Ежов, разумеется, все будет валить на меня. А меня даже в известность не поставили.

— Ситуация неприятная.

— Неприятная — мягко сказано. Помните наш разговор в Настасьинском? Я тогда боялся, что Флюгер ушел к немцам. Он ведь не еврей, он немец, и жена наполовину немка, наполовину украинка. Вы потом передали мне несколько его старых связей, которые назвал Штерн. А оно вот как повернулось... К англичанам... Ежов набрал кретинов, они там напортачили, а мне отвечать. Вы, конечно, видели материалы по Жозефине...

— Какая Жозефина? О чем вы?

Слуцкий остановился, вытаращил глаза.

— То есть хотите сказать, вы это имя впервые слышите? К вам материалы не поступили?

— Абрам Аронович, я не понимаю...

— Забыть, пропустить вы не могли, — пробормотал Слуцкий. — Значит, Жозефина осталась в секретариате Ежова либо он лично приволок ее Хозяину... Да, удивили вы меня, Илья Петрович. Похоже, под вас он тоже копает... Дайте папиросу.

Они присели на сухой край скамейки, закурили. Слуцкий несколько минут молчал, хмуро пускал клубы дыма. Илья решил не задавать вопросов.

Документы из секретариата Ежова в последнее время довольно часто ложились прямо на стол Сталину, минуя Особый сектор. Потом они все равно попадали к Поскребышеву, а от него расходились по кабинетам спецреферентов. Никаких материалов «по Жозефине» к Илье пока не поступало, но он не находил в этом ничего странного и опасного.

«Ежов ни под кого не копает, он слишком туп для сложных интриг, — думал Илья, искоса поглядывая на

Слуцкого. — Ежов тащит все к Хозяину потому, что после процесса возомнил себя самым близким и доверенным лицом, общение с Хозяином для него слаще водки, он пользуется любым предлогом, чтобы лишний раз войти в кабинет, приехать на дачу. Суетится, из последних пьяных силенок доказывает свою единственность и незаменимость. А вы тоже болван, Абрам Аронович. Вы лично знакомы с Бруно, и как вам могло прийти в голову, что он способен удрать к нацистам? Еврей, немец, какая разница? Советского резидента Флюгера приняли бы в рейхе с распростертыми объятиями, независимо от его национальности. Но разумный человек удерет от Сталина к кому угодно, только не к Гитлеру, потому что хрен редьки не слаще. Даже мне ясно, что Бруно ненавидит нацизм, хотя я знаю его только по текстам разведсообщений».

Пауза затянулась. Слуцкий докурил, растоптал каблуком окурок и продолжал молчать. В фонарном свете Илья видел, как напряженно сдвинуты его брови. Абрам Аронович явно жалел, что назначил встречу и затеял этот разговор. Чтобы продолжить его, придется выложить уйму сверхсекретной информации, открыть спецреференту нюансы закордонной агентурной работы. А это очень страшно. Вдруг важные документы прошли мимо Крылова потому, что Хозяин ему больше не доверяет? Или у Крылова какие-то особые отношения с Ежовым, и разговор уже сегодня станет известен маленькому наркому?

Но выбора у Слуцкого не осталось. Обсудить возникшую проблему со своими коллегами Абрам Аронович не мог. В НКВД шла бешеная чистка, распадались профессиональные и человеческие связи, все боялись и подозревали друг друга, каждое слово могло стоить жизни.

— Вы должны быть в курсе, иначе путаница зайдет слишком далеко, — наконец произнес Слуцкий, так тихо, что Илья с трудом расслышал. — Хозяин может вызвать вас по этому делу, задать какие-то вопросы... Да, вы должны быть в курсе.

— Абрам Аронович, пожалуйста, чуть громче, — взмолился Илья.

— Простите, немного сел голос, — Слуцкий откашлялся. — Так вот, меня он не вызовет, одного меня — никогда, только вместе с Ежовым, и то вряд ли... Эти кретины устроили засаду на запасной явке в Цюрихе. Ежу понятно, что сбежавшему резиденту там делать совершенно нечего. Ежу понятно, а товарищу Ежову — нет. На цюрихской явке надо ждать не Флюгера. Там надо ждать агентов, с которыми он работал. Они остались без связи, необходимо восстановить связь, иначе мы потеряем последние источники информации. Да что говорить, уже потеряли, — Слуцкий сморщился и махнул рукой. — Я читал их отчет. Ужас, бред. Жозефина Гензи, немецкая шпионка... Кретины! Конечно, никакая она не Жозефина. Она искала связь, оставила записку Флюгеру, подписалась: «Жозефина Гензи, Копенгаген». Адрес проверили. Там больница для бедных.

— Записку Флюгеру? — удивленно переспросил Илья.

— Ну да, бумажка прикреплена к отчету. Ее интересовали благовония. Цюрихская явка — это магазин египетских древностей и сувениров. Она просила порекомендовать каких-нибудь приличных каирских поставщиков. Сотрудник, который играл роль продавца, предложил ей оставить свои координаты. Вот она и написала: «Жозефина Гензи, Копенгаген»...

Слуцкий опять потребовал папиросу и опять замолчал надолго. Но на этот раз Илья не удержался, спросил:

— Почему вы так уверены, что это был агент? Может, просто случайный человек, которого в самом деле интересовали египетские благовония и каирские поставщики?

— Она пароль назвала!

— И даже после этого они не поняли, кто она?

Слуцкий всем корпусом развернулся к Илье, глаза его сузились, он оскалился и произнес сквозь нервный смех:

— Думаете, они знали пароль? Вы слишком высокого мнения об этих сотрудниках! Они же там ловили Флюгера. Зачем им пароль? Тем более он сложный. Текст строится на египетской тематике, нужна хотя бы пара-тройка мозговых извилин. Цюрихский пароль известен только мне, а меня не спросили, не поставили в известность. Я увидел текст пароля в их идиотском отчете. Она назвала кодовый вопрос, сотрудник не ответил, ни черта не понял, и в итоге товарищ Ежов сделал гениальный вывод, что она немецкая шпионка.

— На каком основании? И почему именно немецкая?

— Основание — легко: профессионально отсекла хвост, который они за ней зачем-то пустили. Почему немецкая — понятия не имею. Сегодня утром Ежов меня вызвал. Кроме копии письма Флюгера, показал папку с делом немецкой шпионки Жозефины Гензи.

— Уже целая папка?

— Да, и довольно пухлая. Фотографии, правда, совсем нечеткие. Снимали в магазине, пока она разговаривала с продавцом. Агент абвера Жозефина Гензи, любовница Канариса, живет в Берлине, завербовала десятки советских граждан мужского пола, побывавших в Европе, в том числе Енукидзе, Карахана, Тухачевского, список еще будет пополняться. Она устроила побег Флюгера к англичанам и явилась в лавку в Цюрихе, чтобы еще глубже проникнуть в советскую агентурную сеть. А сети-то уже и нет никакой, — Слуцкий нервно захихикал.

— Погодите, почему же она отправила Флюгера к англичанам, если она агент абвера?

— Ай, спросите что-нибудь полегче. Для конспирации, наверное.

— По этому делу уже допрашивали кого-нибудь?

— Ну, разумеется, там дюжина протоколов.

— Есть признания?

— А как же! Девять из двенадцати рассказали, когда, где, при каких обстоятельствах познакомились с немецкой шпионкой Жозефиной Гензи, как она их соблазнила, совратила и завербовала.

— Трое пока держатся?

— С троими вышла накладка, они никогда не выезжали за границу. Но следователи работают над этим.

— Кроме цюрихской явки эта роковая Жозефина где-нибудь еще появлялась?

— Недавно крутилась возле строящегося советского павильона на Всемирной выставке в Париже, представилась журналисткой, пыталась проникнуть на территорию. Отчет сотрудника приложен к делу. Примерный возраст, внешность — все совпадает. Опять назвалась Жозефиной Гензи и сказала, что родилась в Дании. Сотрудника уже отозвали в Москву, как приедет, сразу арестуют.

— Его она тоже соблазнила, совратила и завербовала? — спросил Илья.

— Мг-м... — Слуцкий рассеянно кивнул. — Пойдемте, холодно.

Несколько минут шли по аллее в полном молчании. Под ногами хлюпала весенняя слякоть. После долгой паузы первым заговорил Илья.

— Абрам Аронович, вы не сказали главного. Настоящее имя агента вы назвать не вправе. Но псевдоним... Я должен знать, о ком речь.

— А вы разве не поняли?

— Я догадался, но хотелось бы уточнить.

— Вы правильно догадались, — голос Слуцкого звучал устало и безнадежно, — никакой Жозефины Гензи не существует. Есть Эльф, наш агент. Три года она работала на нас, честно, бескорыстно, рискуя жизнью. В Цюрихе и в Париже она искала связь, напоролась на кретинов и назвалась вымышленным именем.

— Что теперь?

— Теперь на нее начнется охота.

— Зачем? — вырвалось у Ильи нечаянно, он сам поразился глупости и наивности этого вопроса.

— Флюгер написал хозяину, что обещает молчать. Но если что-то случится с ним и с его семьей, некое доверенное лицо сразу опубликует в открытой печати все, что известно Флюгеру. А известно ему так много, что по личному распоряжению Хозяина охота на Флюгера отменяется. Ежову надо срочно сорвать на ком-то зло, оправдаться перед Хозяином. Вот он и выбрал в качестве объекта Жозефину Гензи. Начнется охота на нее, а заодно на меня и на вас. Как только выяснится, что Жозефина Гензи и агент Эльф одно лицо, мы с вами окажемся пособниками врага. Я передавал информацию вам, вы использовали ее в сводках для Инстанции. Так-то, товарищ Крылов. Вляпались мы с вами крепко.

Они молча направились к дому, где была явочная квартира.

«Во власти Слуцкого облегчить охоту, — думал Илья. — Эльф ищет связь. Любой головорез Ежова может выйти на Эльфа под видом связника, назвать один из паролей Бруно, известных Слуцкому. Просить Абрама Ароновича не сдавать им пароли, не раскрывать настоящего имени Эльфа бессмысленно, если его прижмут, он все скажет...».

Во дворе стояли рядом две служебные машины. Слуцкий, прежде чем сесть в ту, что ждала его, развернулся лицом к Илье.

— А ведь я чувствовал, я предупреждал вас, Илья Петрович. Помните, в Настасьевском мы обсуждали последнее ее сообщение, которое передал молодой неопытный агент Сокол? Я говорил: она несет пургу, рассуждает как враг. А вы не верили, спорили со мной, валили все на Сокола, защищали ее. Помните?

— Конечно, помню, Абрам Аронович. В Настасьинском вы говорили об этом очень громко и четко. Но только при чем здесь Эльф? Если я вас правильно понял, речь идет о некой датчанке Жозефине Гензи. Это два разных человека. Верно?

Глаза Слуцкого бегали, метались, Илье так и не удалось поймать его взгляд, однако он услышал, как начальник ИНО прошептал:

— Попробуйте... авось повезет...

* * *

Риббентропы укатили в Лондон, взяли с собой Стефани. На прощание Стефани сказала, что вопрос о зачислении Габи в пресс-центр можно считать решенным, разумеется, после того, как она порвет с фон Блеффами. Через месяц-полтора тетя с дядей опять приедут в Берлин, тетя подберет для Габи подходящую должность, а дядя отдаст необходимые распоряжения.

Габи не поленилась через знакомых журналистов и дипломатов более подробно выяснить реальную ситуацию с кадровыми перестановками в МИДе. Оказалось, что положение фон Нейрата еще достаточно прочно, хотя фюрер и называет МИД «цитаделью реакционных высших классов», отставки фон Нейрата и назначения Риббентропа ждать пока рано. Риббентроп никому не нравится. Гиммлер говорит, что имя он себе купил, на деньгах женился и теперь пытается мошенническим путем добыть министерский портфель. Геринг считает его ленивым, некомпетентным, высокомерным, как павлин. Когда Гитлер назначил Риббентропа послом в Англию, Геринг пытался отговорить его и на слова Гитлера, что Риббентроп знает лорда такого-то, министра такого-то, ответил: «Беда в том, что и они знают Риббентропа».

— Если сейчас ты попадешь в пресс-центр как протеже Аннелиз, тебе придется несладко, — сказал Макс фон Хорвак. — В МИДе Риббентропов терпеть не могут.

Макс приехал в Берлин всего на пару дней. Они встретились в гольф-клубе, после игры обедали в ресторане. Габи подробно рассказала о разговоре с Аннелиз и поймала себя на том, что Макс единственный человек, с которым она может говорить почти откровенно.

— Конечно, Аннелиз будет счастлива нагадить старой баронессе, — задумчиво произнес Макс, — но дело не только в этом. Ты подходящая кандидатура для ее свиты. У тебя есть известность, но нет надежного тыла, теряя поддержку фон Блеффов, ты попадаешь в зависимость от Риббентропов. Примерно так рассуждает Аннелиз. Оказавшись в ее свите, ты приобретешь уйму влиятельных врагов. Их враги автоматически станут твоими. Аннелиз будет использовать тебя для интриг, контролировать, хамить, приказывать.

— Как же мне быть, Макс? Я ведь не могу отказаться.

— Да, отказа Аннелиз не простит, это может повлиять на твою карьеру куда серьезнее, чем разрыв с фон Блеффом, тем более что министром Риббентроп обязательно станет, и довольно скоро.

— Многие в этом сомневаются, — заметила Габи.

— Напрасно, — Макс грустно улыбнулся и покачал головой.

Когда они вышли из ресторана, он взял ее под руку и предложил немного погулять по парку.

— Вероятность назначения Риббентропа прямо пропорциональна вероятности войны. Нет ничего опаснее амбиций идиотов. Сочетание ледяного прагматизма и безумия.

— Но если тебя переведут в Лондон, ты тоже попадешь в свиту.

— Не попаду. Туда уже отправили другого помощника атташе. Придется мне торчать в Москве, во всяком случае пока Риббентропы в Лондоне. В Москву ты со мной не поедешь, да я и не решусь предложить.

— Почему?

— Там тоска смертная. Выстрелов и стонов не слышно, трупы на улицах не валяются, но воздух дрожит, кажется, он насыщен человеческими страданиями. Дышать тяжело. Завидую тем, кто этого не чувствует. Физиономии советских чиновников, с которыми приходится иметь дело, меняются, как узоры в калейдоскопе. Не успеваешь запоминать имена. Вчера один, сегодня другой, завтра вообще никого, послезавтра непроходимый тупица. Не то что немецким — родным русским не владеет, двух слов связать не может. Но и он исчезает. Ты определенно знаешь, что всех их посадили, расстреляли. Все разоблачены как шпионы, включая непроходимого тупицу.

— Определенно знаешь? Но откуда?

— Из газет. В «Правде», в «Известиях» печатаются списки. Там только малая часть, а по стране сотни тысяч шпионов, и все дружно готовят покушение на Сталина.

— Тогда почему он до сих пор жив?

— Россия таинственная страна, — Макс улыбнулся. — Почему Сталин жив, если так много желающих убить его? Почему так много желающих убить, если он такой великий, гениальный, обожаемый? Все счастливы, все горячие патриоты Советской Родины, но каждый десятый обвиняется в шпионаже, вредительстве, подготовке покушений и переворотов. На эти вопросы никто не ответит, тем более иностранец.

— Ну а сами русские?

— С ними невозможно разговаривать, трясутся от страха. Посольство — резервация, лично тебе вроде бы ничего не угрожает, но за тобой постоянно следят, в твоих бумагах роются, разговоры прослушивают, при пересечении границы грубо обыскивают. На дипломатическую неприкосновенность плюют. Зачем воровать столько информации? Кто ее обрабатывает, если каждый советский гражданин, владеющий иностранным языком, потенциальный шпион?

— Макс, а реальные шпионы есть, ну хоть один какой-нибудь завалящий шпион, диверсант, вредитель?

— Один точно есть, — Макс усмехнулся.

— Ну? Кто?

— Сталин, конечно. Никакая вражеская разведка при всем желании не сумеет нанести России большего вреда, чем этот параноик с манией величия. Ладно, хватит, надоело.

Он остановился, взял ее за плечи, развернул к себе лицом, долго молча смотрел в глаза.

— Габи, я не тороплю тебя, но мне кажется, Габриэль фон Хорвак в свите Риббентропов будет чувствовать себя спокойнее и увереннее, чем Габриэль Дильс. Подумай об этом.

Она уткнулась лицом ему в грудь, пробормотала:

— Макс, если бы ты знал...

— Что?

— Нет, ничего... кажется, нам пора.

Небо потемнело, вдали прогудел гром, по гравию аллеи зашлепали крупные капли. Через минуту начался ливень, первая весенняя гроза.

Макс приехал на такси, машина Габи осталась на стоянке гольф-клуба. Зонта не было, пока бежали к стоянке, промокли насквозь. Когда залезли в машину, Макс принялся большим носовым платком вытирать Габи волосы, дышал на ее пальцы, целовал мокрые ресницы.

Дождь поредел, выглянуло солнце. Габи довезла Макса до его дома. Он жил в тихом фешенебельном районе, в западной части Шеберга. Небольшая аккуратная вилла досталась ему по наследству от бездетной тетки, сестры отца.

— Дом родителей через квартал отсюда, — сказал он, когда она остановила машину, — но сейчас они отдыхают в Италии. Жалко. Я хотел познакомить тебя с ними.

— Как-нибудь в другой раз. Ну все, мне пора, я должна...

Он не дал договорить, зажал ей рот губами.

«Нельзя, невозможно, прекрати сию минуту!» — вопила маленькая Габи.

Стук сердца был похож на быстрые, отчаянные удары кулачка внутри грудной клетки. Взрослая Габриэль вылезла из машины вместе с Максом. В прихожей их встретила пожилая опрятная горничная.

— Ирма, познакомьтесь с будущей фрау фон Хорвак, — сказал Макс.

«А как же Ося?» — безнадежно всхлипнула маленькая Габи.

Взрослая Габриэль опять ничего не ответила.

Утром завтракали в уютной, скромной, идеально чистой столовой, пожилая горничная с доброй улыбкой обращалась к Габи «будущая фрау фон Хорвак». Лицо Макса сияло, за ночь он помолодел, повеселел, не сводил с Габи счастливых, восторженных глаз.

— Теперь мне все нипочем, даже Москва, — говорил он, пока она везла его на своей машине в аэропорт. — Прилечу, сразу напишу тебе. Я ведь не писал потому, что они потрошат даже личную переписку, не хотелось, чтобы чужие мерзкие глаза... Ну да черт с ними, пусть читают. В конце мая мне дадут законный отпуск, это совсем скоро. А потом... ну ведь не обязательно Лондон, можно в Рим...

«В Рим...» — тоскливым эхом отозвалась маленькая Габи.

— Для сотрудницы пресс-центра МИД фрау фон Хорвак работа найдется в любом европейском посольстве, везде, кроме Москвы, — сказал Макс, когда подъехали к зданию аэропорта.

Прощаясь, он прошептал на ухо:

— Скоро забудешь фон Блеффов как страшный сон. Риббентропов не бойся, у тебя есть надежный тыл, никто не посмеет обидеть Габриэль фон Хорвак.

Она смотрела сквозь стекло, как он поднимается по трапу, улыбалась, махала рукой.

«Надо срочно порвать с Франсом, хотя бы это надо сделать, иначе получается невозможная путаница...» — упрямо пискнула маленькая Габи.

«Нет никакой срочности», — спокойно возразила взрослая.

Срочности действительно не было. Свадьба откладывалась на неопределенное время. Старой баронессе не удавалось добиться точной даты, выяснить, в какой день и час фюрер сумеет пожертвовать каплей своего бесценного времени, чтобы лично благословить молодых. Без фюрера церемония теряла для нее всякий смысл.

Франс, лишившись Путци, не мог найти новую сексуальную игрушку мужского пола. Любая попытка была сопряжена с огромным риском. Государственная борьба с гомосексуализмом усилилась, стала еще яростнее, чем в 1934—35-м, после расправы с Ремом. На очередном совещании руководства СС Гиммлер заявил, что любой гомосексуалист будет арестован, судим, приговорен, отправлен в концлагерь, где его убьют при попытке к бегству. Франс впал в тяжелую депрессию, мучился мигренями, бессонницей.

Баронесса стремительно теряла свое влияние, ее все реже приглашали на партийные мероприятия. Впервые за последние десять лет она не получила поздравлений с днем рождения ни от фюрера, ни от Гиммлера и за праздничным столом собрались только «третьестепенные фигуры».

Эмми Геринг, которая прежде уверяла, что любит Гертруду фон Блефф как родную мать, забыла поздравить, перестала приглашать на «дамские завтраки» в Каринхалле. Какая-то добрая приятельница передала баронессе замечание Эмми, что «старуха Блефф совсем выжила из ума».

Баронесса подозревала заговор, написала личное послание Гиммлеру, полное горьких упреков и страстных клятв верности делу партии. Ответом был телефонный звонок от секретаря. Рейхсфюрер прочитал записку госпожи баронессы и просил передать, чтобы госпожа баронесса не беспокоилась, ее заслуги перед партией не забыты, руководство по-прежнему ценит и уважает ее.

Звонок только добавил отчаяния. Матушка не сомневалась: тайные враги вручили рейхсфюреру ее послание в искаженном, сокращенном виде, подменили, подделали почерк, иначе откуда взялось гадкое слово «записка»? Тонкая душа Генриха Гиммлера не позволила бы ему так оскорбительно-небрежно, через секретаря, ответить на крик тонкой души Гертруды фон Блефф.

Баронесса добилась встречи с Гейдрихом, потребовала разоблачить заговор и покарать злодеев. Вокруг нее плетутся темные сети интриг. Кто-то хочет отстранить от фюрера и рейхсфюрера старых преданных товарищей, верных членов партии, истинных арийцев кристального, древнейшего, благороднейшего происхождения. В запале матушка не придумала ничего лучшего, как назначить главой заговорщиков Эмми Геринг.

Ходили слухи о неарийском происхождении и сомнительном прошлом супруги премьер-министра. Еще недавно баронесса фон Блефф яростно отстаивала честь и доброе имя «дорогой Эмми» не только словами, но и делом. Около года назад матушка случайно услышала на банкете после премьеры в оперном театре, как известнейшая певица Хелена фон Вайнманн сказала: «Мой бог, что эта Эмми о себе вообразила! Я помню ее в те времена, когда она не была величайшей женщиной. Каждый желающий мог переспать с ней за чашку кофе и пару монет».

Как истинный член партии, порядочный человек и верный товарищ, баронесса поспешила передать Эмми этот «наглый бред жалкой певички». Хелену фон Вайнманн арестовали и приговорили к трем годам тюрьмы «за оскорбление первой дамы рейха».

Теперь пламенная любовь обернулась жгучей ненавистью. «Дорогая Эмми» превратилась в «безродную потаскушку», организатора жестокой травли лучших людей рейха, о чем баронесса и сообщила шефу Главного управления имперской безопасности Рейнхарду Гейдриху в самых откровенных выражениях.

Дальнейшие события вывели Франса из депрессивной спячки и ввергли в панику. Он примчался к Габи в третьем часу ночи, рыдал, бился в истерике, не мог ничего внятно объяснить. Габи влила ему в рот большую стопку коньяку, уложила на диване в гостиной.

Утром, опухший, бледный, с красными мутными глазами, он пил кофе на кухне и говорил монотонным, тусклым голосом:

— Гейдрих сказал, что обязан передать дело в суд. Мама назвала Эмми Геринг не только безродной потаскухой, но и воровкой. Оскорбление первой дамы рейха. Минимум три года с конфискацией имущества.

— Франс, дорогой, они никогда не решатся посадить в тюрьму баронессу фон Блефф, матушка столько жертвовала в партийную кассу, они не посмеют.

Габи налила ему еще кофе и подумала, что очень даже посмеют, тем более матушка сама дала отличный повод.

— В последнее время мама забывает жертвовать... — Франс глотнул кофе, поперхнулся.

Габи похлопала его по спине, поднесла к его губам стакан воды. Он откашлялся, выпил воду и повторил:

— Забывает жертвовать. Но если бы только это! Эмми Геринг давно положила глаз на наше имение под Мюнхеном, ее поверенный предложил смехотворную цену, мама, конечно, не согласилась, она вообще не собиралась продавать имение.

— Ну так пусть мама поскорее пожертвует партии большую сумму и согласится продать имение за ту цену, которую предложил поверенный Эммы Геринг.

Франс высморкался, вытер слезы кулаком и глухо произнес:

— Мама не хочет, уперлась, как ослица, для нее это вопрос чести, мои уговоры не действуют, ты же знаешь маму! Вопит про заговор, отправила очередное послание Гиммлеру, требует аудиенции фюрера.

— Но ведь должен быть какой-нибудь выход.

— Выход! — Франс нервно захихикал. — Конечно, Гейдрих предложил выход. В последнее время госпожа баронесса ведет себя странно, в ее возрасте слабоумие обычная вещь. Медицинская комиссия легко признает ее недееспособной. Я стану полноправным владельцем всего имущества, в качестве компенсации подарю госпоже Геринг наше имение под Мюнхеном.

Нервный смех Франса превратился в рыдания.

— Может, вам с матушкой пожить у Софи-Луизы в Швейцарии? — неуверенно предложила Габи.

— Издеваешься? — Франс зарычал и оскалился, как собачонка. — Какая Швейцария? Кто нас выпустит?

— Выпустят, если ты заплатишь часть пожертвований из своих денег...

— Моих денег нет, абсолютно всем распоряжается мама, без ее ведома я не могу потратить больше сотни марок, — он поднялся, на негнущихся ногах пошел в прихожую. — Все, Габи, мне пора. Гейдрих дал три дня на размышление. Сегодня срок истекает.

Франс надел плащ, шляпу, механически чмокнул Габи в щеку, открыл дверь.

Она вышла с ним на лестничную площадку, тихо спросила:

— Что же ты решил?

Франс опять оскалился, зарычал, потом придал лицу спокойное, слегка озабоченное выражение и ровным голосом произнес:

— Мама в последнее время ведет себя странно, думаю, пора показать ее хорошему психиатру.

ГЛАВА ДВАДЦАТЬ ПЯТАЯ

«Аистенка» репетировали на большой сцене, в костюмах. В зале собиралось все больше зрителей, с каждым разом их ранг повышался. В партере, в правительственной ложе, за кулисами, в служебных коридорах, с утра до вечера крутились разные чины из НКВД. Заявился дедушка Калинин, сидел в первом ряду. Маша видела, как в полумраке блестят стекла пенсне и белеет аккуратный треугольник бородки.

Однажды в костюмерную вломилась целая толпа чинов НКВД во главе с омерзительным существом. На хилом туловище маленькая голова со вздыбленными черными волосами, узкий скошенный лоб, прямая полоса невероятно густых сросшихся бровей, под ними крошечные круглые глазки, прикрытые пухлыми веками, нос-пуговка, длинная прорезь безгубого рта. Лицо дегенерата, иллюстрация из учебника психиатрии. На тощих покатых плечах алели погоны с четырьмя золотыми звездами.

Некоторые девочки были почти раздеты, но никто не посмел пикнуть, ойкнуть. Маша почувствовала, как задрожали пальцы костюмерши, которая застегивала на ее спине крючки твердого лифа.

— Ноги! — прохрипел урод и сильно закашлялся.

Все застыли. Урод кашлял, не прикрывая рта платком или ладонью. Изо рта летела слюна.

— Товарищи артисты, комиссар первого ранга товарищ Агранов интересуется, все ли в порядке с вашими ногами, — объяснил молодой статный красавец-майор из свиты.

Проблема пуантов приобрела почти государственные масштабы. Илья пожаловался своему начальнику Поскребышеву: ноги у жены постоянно стерты в кровь, и не у нее одной. Оказалось, что балетные примы Лепешинская, Семенова, Головкина уже давно хлопотали за дядю Севу, но именно в тот день, когда был, наконец, подписан приказ об освобождении, старенький пуантный Страдивари умер в тюрьме, не успев никому передать тайну своего уникального клея.

Следователей, которые вели его дело, посадили. Весь штат обувной мастерской объявили вражеской террористической организацией, члены ее по заданию иностранных разведок будто бы намеревались вывести из строя весь советский балет. На очередном собрании был зачитан список преступлений. Вредители «сыпали битое стекло, мелкие гвозди в приборы, что приводило к порче ценного оборудования». Под «приборами» разумелись пуанты, под «ценным оборудованием» — ноги танцовщиц, под «битым стеклом и мелкими гвоздями» — недостаток навыков, опыта и таланта.

В мастерские Большого откомандировали несколько пуантных мастеров из Ленинградского Кировского. Пока новый штат обучался хитрому ремеслу, танцовщицы сами доводили свои пуанты до ума: разминали стельки, пропитывали водкой «пятачки», чтобы придать им нужную мягкость или твердость, прошлепывали пятки, пришивали ленты, отпаривали утюгом жесткие швы. Пасизо уверяла, что эти навыки в любом случае необходимы, покойный дядя Сева всех избаловал, его пуанты в подгонке не нуждались, но дядя Сева был гений, второго такого не найти. Никто не жаловался. Ноги потихоньку заживали.

Заместитель Ежова комиссар первого ранга Агранов пожелал лично убедиться в исправности «ценного оборудования».

«Неужели будет ноги смотреть?» — подумала Маша.

Она стояла ближе других и слегка отодвинулась от фонтана слюны из комиссарской пасти. Все замерли. Казалось, даже свита не знает, что намерен делать товарищ Агранов после того, как пройдет затянувшийся приступ кашля.

Приступ, наконец, прошел, комиссар достал платок, высморкался, молча развернулся и покинул костюмерную вместе со своей свитой.

— Агранов скоро слетит, — сказал Илья, когда Маша поделилась с ним впечатлениями о странном визите в костюмерную.

— Так, может, они все... скоро? — с надеждой спросила Маша. — Между прочим, тоже вредительство. Накашлял на нас, мог запросто заразить чем-нибудь.

Илья ничего не ответил, только вздохнул и покачал головой. Он был напряжен, измотан, впрочем, как все вокруг.

Артистов по-прежнему не трогали, но у многих брали родственников, друзей, знакомых. Маша знала, что обычно берут глубокой ночью или на рассвете, сонных, слабых, теплых. Дети из училища, занятые в «Аистенке», приходили зеленые, заплаканные, шептали: «Папу взяли... маму сослали...» Балетных детей не отправляли в ссылку вместе с матерями, не забирали в приемники, им разрешалось жить с уцелевшими родственниками или в интернате при училище.

В доме на Грановского постоянно менялись соседи. Двери арестованных опечатывали, потом вселялись новые

515

жильцы. Однажды в четвертом часу утра Илья и Маша проснулись от грохота. Обоим показалось, что колотят в их дверь. Несколько мгновений они молча в темноте смотрели в глаза друг другу. Илья опомнился первым, обнял ее, прошептал:

— Нет... Это наверху...

Позже оказалось, что верхний сосед, генерал Красной армии Потапенко, в ожидании ареста забаррикадировал входную дверь комодом. Когда за ним пришли, он успел застрелить жену и застрелился сам. Остался мальчик одиннадцати лет, ровесник Васи. Его отправили в детприемник.

Маше снились кошмары, иногда совсем не могла уснуть или просыпалась в слезах. Ровное дыхание Ильи, тепло его плеча не успокаивало, наоборот, становилось еще страшнее. Вот он здесь, живой, любимый, но каждую минуту могут позвонить в дверь. Или накатывала волна ледяного ужаса: вот она лежит, ничего не знает, а «ворон» уже подъехал к дому на Мещанской, сапоги тихо стучат по лестнице, вурдалаки вместе с дворником поднимаются на четвертый этаж.

Лежа с открытыми глазами, она смотрела на акварельный портрет, в темноте черты были неразличимы, только слегка бликовало стекло, но Маша все равно отчетливо видела лицо и мысленно обращалась к женщине, так похожей на нее, к маме Ильи.

«Пожалуйста, помоги, очень страшно, я ни с кем не могу поделиться своим страхом. Все, кого я люблю, боятся точно так же, если начну жаловаться, им станет еще хуже, это невыносимо, когда нечем утешить. Все слова — ложь. Утешения звучат фальшиво. Мы врем друг другу, даже если просто улыбаемся, улыбка — ложь, потому что каждому хочется выть. Когда это кончится? Настасья Федоровна говорит, ты стала ангелом у Господа под крылышком. Ну попроси же Его, так ведь невозможно...»

В тишине чудился ответный шепот: «Не бойся, спи». Маша незаметно засыпала, остаток ночи спала крепко, без сновидений. Утром вскакивала, неслась к телефону, звонила на Мещанскую, слышала в трубке голос Васи, мамы, папы или Карла Рихардовича и только убедившись, что все целы, начинала день.

Как-то вечером, измотанная долгой репетицией, Маша прилегла на диване в гостиной и, проснувшись, увидела, как Илья в прихожей надевает плащ. Часы показывали четверть одиннадцатого. Он только вернулся со службы и вот опять уходил.

— Ты куда? — спросила она испуганно.

— Пойду прогуляюсь немного.

— Я с тобой!

— Нет. Ложись, ты устала, тебе нужно выспаться.

— Илья, пожалуйста, я не могу тут одна, я с ума сойду, пока буду ждать тебя.

Он надел шляпу, целую минуту молчал, хмурился, наконец, сказал:

— Ладно, одевайся.

По пустым переулкам довольно скоро они дошли до Никитского бульвара. По дороге Илья произнес всего одну фразу:

— Молчи, не задавай вопросов.

На бульваре еще издали, в ярком свете фонарей Маша узнала человека, который шел к ним навстречу. Это был Карл Рихардович. Он ничуть не удивился, увидев ее, поцеловал, сказал:

— Вот и хорошо, тебе тоже полезно подышать перед сном.

— Он не хотел меня брать, — пожаловалась Маша.

— И в общем, он прав, — доктор виновато улыбнулся, — наша болтовня тебе совсем неинтересна.

— Я буду молчать. Если не хотите, чтобы я слушала, можете говорить по-немецки.

— Не можем, — раздраженно отрезал Илья.

Маше стало неловко за собственную глупость. Прохожих было еще достаточно много, милиция на каждом шагу. Веселой весной счастливого тридцать седьмого город наводнился сумасшедшими, которые узнавали врагов издали, в темноте, по глазам, по запаху. На звуки иностранной речи ловцы шпионов могли слететься в любое время суток.

Илья держал Машу под руку, смотрел на доктора, говорил быстро и очень тихо:

— Охота на Жозефину отменяется. С Эльфом приказано восстановить связь.

— Поздравляю! — радостно прошептал доктор. — Как тебе это удалось?

— Очень просто. Я высказал предположение, что шпионка Жозефина и агент Эльф два разных человека.

— И все? Сразу согласились? Не потребовали никаких доказательств?

— Какие доказательства? Бог с вами, доктор, — Илья усмехнулся. — Инстанция верит лишь в то, во что желает верить. Я должен был подтвердить, что Жозефина действительно существует. Инстанцию весьма заинтересовала эта дамочка. Идею охоты он отмел сразу, Ежова обматерил. Похищение или убийство гражданки рейха, любовницы Канариса вызовет международный скандал. Ну а что касается Эльфа, я заранее подготовил очень вкусную сводку по всем ее сообщениям, включил самые лестные отзывы фюрера об Инстанции... Лучше бы я этого не делал.

Маша слушала, затаив дыхание. «Инстанцией» Илья называл Сталина. Она чувствовала, как напряглась его рука, и голос звучал жестко, неестественно спокойно.

— Почему? — спросил доктор.

— Отправили связного. Он в первый же вечер в Берлине попал в полицию. Напился, полез в драку. Агенту, который пришел встретить его, удалось уйти. Он сообщил о провале.

— Погоди, но почему ты думаешь, что из полиции этот деятель обязательно угодит в гестапо? Может, как-нибудь выкрутится?

— Вряд ли. Человек, способный напиться и подраться в первый вечер, не выкрутится. Скорее всего, он уже там. В воскресном приложении «Берлинер Тагеблатт» появится условное объявление, в кафе «Флориан» на встречу с Эльфом придет агент гестапо с опознавательными знаками и паролем.

— Надо срочно предупредить ее! — доктор так разволновался, что повысил голос, но тут же спохватился и продолжил шепотом: — Тот, второй, разве не может?

— Второй сразу удрал из Берлина и больше там не появится.

— Пусть они дадут шифрограмму в посольство...

Илья остановился, закурил, нервно помотал головой:

— В посольстве работают их агенты, шифрограммы перехватывают и читают.

— Должна быть агентура в пограничных странах...

— Да, кое-кто еще остался, — Илья выпустил клуб дыма и усмехнулся, — но это займет слишком много времени. К тому же придется дать ее координаты. Имя, адрес. К счастью, у Слуцкого хватило ума не снабдить этими подробностями провалившегося связника, в противном случае наш разговор вообще не имел бы смыла.

Они оба замолчали. Маша не смела проронить ни слова. Она поняла, что речь идет о советском агенте в Берлине, которому угрожает опасность. Агент — женщина. Илья и Карл Рихардович пытаются спасти. Неужели они могут — отсюда, из Москвы? Получается, что могут? Илья сказал: «В противном случае наш разговор не имел бы смысла».

Сама возможность кого-то спасти, пусть не здесь, а в Германии, ошеломила Машу. Впервые за последние пару лет отступил привычный тупой, покорный страх. Она отцепилась от Ильи, перебежала на сторону Карла Рихардовича и взяла его под руку. Не терпелось узнать побольше о женщине-агенте, которую они с Ильей спасают от гестапо. Доктор понял ее без слов и прошептал на ухо:

— Помнишь, я показывал тебе немецкий модный журнал? Девушка на обложке...

— Маня, ты обещала молчать, — строго заметил Илья.

— Она и молчит, это я говорю, — заступился доктор. — Стало быть, итальянский священник все-таки пригодится?

— Это последний слабенький шанс.

— Да, но что я ему скажу? Только имя...

— Не только, у меня есть ее новый адрес, которого пока не знает никто, даже Слуцкий. Сейчас Эльф в Париже, вернется в Берлин не раньше следующего понедельника. Она ушла из «Серебряного зеркала» в пресс-центр МИД.

— Илья, ты меня пугаешь, — прошептал доктор. — Откуда тебе все это известно?

— Из частной переписки заместителя военного атташе германского посольства в Москве господина Максимилиана фон Хорвака. Эльф теперь его невеста, он пишет ей письма почти каждый день, она отвечает пару раз в неделю. Она сняла маленькую квартирку в Шарлоттенбурге, он настаивает, чтобы она переселилась в его виллу в Шеберге еще до его приезда в Берлин. В мае он получит отпуск, похоже, тогда они и поженятся.

— Шарлоттенбург, Шеберг, — грустно пробормотал доктор. — Все-таки до сих пор скучаю по Берлину. — Он вздохнул, снял шляпу и протянул Илье.

— Ах да, совсем забыл, — Илья отдал ему свою, темно-зеленую, надел его, коричневую. — Надо же, как раз, а мне казалось, моя голова больше вашей.

— Просто я лысый.

— Кашне подходящего я не нашел, — Илья развел руками.

— А какое нужно? — спросила Маша.

— Коричневое, в зеленую клетку, — сказал Карл Рихардович.

— У мамы есть платок шелковый, бежевый, но клетка синяя, тоненькая...

Они не заметили, как дошли до Мещанской. Был второй час ночи.

— Давайте-ка вы переночуете тут, — предложил доктор.

Они не возражали. Илья лег спать на диване у Карла Рихардовича. Маша прошмыгнула в свою комнату, поцеловала спящих родителей. Мама обняла ее, пробормотала:

— Манечка, девочка, как же я соскучилась.

Папа что-то сердито заворчал во сне и повернулся на другой бок. Вася проснулся, сел, открыл глаза, громко произнес:

— Машка-какашка, — упал на кровать и тут же опять уснул.

* * *

Опыты с выхлопными газами получили одобрение товарища Ежова. Майрановского наградили часами, но не золотыми, как у Блохина, а стальными. Началась новая серия исследований.

Карл Рихардович как будто вернулся на двадцать лет назад, в прифронтовой госпиталь Первой мировой. Майрановский экспериментировал с ипритом. Обожженные глаза, язвы на коже. Среди больных доктору иногда мерещился ефрейтор Гитлер, и он пытался ответить себе на вопрос: зная все наперед, стал бы он помогать ефрейтору или оставил бы его в невменяемом состоянии? Ответа не было, зато зеркальный уродец влезал со своими комментариями: «Слово не воробей, ты, герр доктор, призвал ефрейтора спасать Германию, вот он и спасает. Скоро весь мир начнет спасать, это будет весело».

Кроме иприта, Майрановский работал с газами психического действия и упорно продолжал совершенствовать свою «таблетку правды». Несколько сотрудников ИНО, прежних заказчиков, которые еще недавно деловито наблюдали чужие мучения, теперь сами оказались объектами испытаний. Все чаще среди «опытного материала» попадались люди из НКВД. Вчерашние следователи в бреду, под воздействием психогенов, корчась на койках в лазарете, продолжали допрашивать своих подследственных, кричали, требовали признаний, угрожали, умирали, не осознавая, где находятся.

Доктору казалось, что после распоряжения Инстанции прекратить охоту на Флюгера нужда в показаниях Дмитрия отпадет. Разумеется, он ошибся. Блохин торопил. Майрановскому не терпелось в очередной раз при помощи своей «таблетки» выполнить задание государственной важности. Он проявил инициативу. Ночью, в отсутствие Карла Рихардовича, вместе с Филимоновым применил «метод рефлексологии», стал пытать Дмитрия. Тот не выдержал, закричал. В него впихнули «таблетку правды», и он почти сразу умер.

Строгий выговор с предупреждением вызвал у Григория Моисеевича очередной приступ кишечных колик, но на этот раз заболеть всерьез он не решился.

Лазарет был переполнен. Доктор не успевал ни с кем знакомиться, говорить, колол обезболивающие, промывал язвы, строчил отчеты о воздействии психогенов.

Однажды Блохин приказал ему составить подробное описание симптомов отравления парами ртути, «по-простому, без научности». Предупредил, что задание это сугубо секретное, личное распоряжение наркома. Майрановский знать не должен.

Пьяный Иван Щеголев открыл страшную тайну: товарищ Ежов болеет, зубы выпадают, кожа шелушится. Товарищ Ежов опасается, что в его кабинете шторы и ковер обрызгивают ртутью. На робкое замечание доктора, что в таком случае нужен специалист-химик, Щеголев ответил: «Так вот они главные отравители и есть, химики-то, кабинет товарища Ежова проверили приборами своими, говорят, мол все в порядке. Врут, суки!»

Мясорубка набирала бешеные обороты, даже неутомимый Кузьма уставал от нескончаемого потока «опытного материала» и все чаще бывал пьян. Штат пополнился несколькими офицерами НКВД, студентами-медиками, санитарами. Все пили, кроме Майрановского. Блохин приезжал редко, был по горло занят на основной работе. Очередную партию обреченных доставляли братья Щеголевы.

Студент-медик через неделю работы в пряничном домике застрелился во время ночной пьянки на кухне из пистолета Кузьмы. Один из новых санитаров повесился в сарае.

Карл Рихардович знал, что с января стали арестовывать всех подряд немцев, не только эмигрантов, принявших советское гражданство, но и германских подданных, инженеров, работающих на советских предприятиях. Граждан рейха не расстреливали, давали десять лет, «чтобы не провоцировать дипломатических конфликтов». Советские немцы получали высшую меру наравне с другими гражданами СССР.

Оттого что доктор Штерн был немцем и попадал в категорию особого риска, никакого нового, особого страха он не чувствовал, а к старому привык, перешел болевой барьер и только думал: «Хорошо, если сразу расстреляют».

Когда возникали подобные мысли, зеркальный уродец был тут как тут:

«В этом сказочном королевстве все воруют, каждый гражданин тащит с места работы по мере сил: кто гайки-шурупы, кто канцелярские скрепки, кто краны водопроводные. Ты, герр доктор, давай, не отставай, перенимай передовой опыт! Притырь с родного предприятия необходимую тебе дозу».

Чем настойчивее твердил глумливый шепоток о яде, тем яснее понимал Карл Рихардович: если поддаться искушению, протянуть руку, взять — ну хотя бы про запас, на крайний случай, — уродец уже не отстанет никогда, прилипнет намертво, будет вечно рядом, на этом свете и на том.

Доктор вышел из калитки в четверть девятого. Провожавший его Кузьма заметил:

— Ой, гляди, Каридыч, пуговица тута у тебя оторвалась, едрена вошь. Айда на кухню, нитку с иголкой дам.

— Спасибо, дома пришью.

— Спешишь, что ли, куда?

— Счастливо, Кузьма.

В узком проходе образовалась глубокая лужа, Карл Рихардович осторожно засеменил по краю вдоль забора, стараясь не промочить ботинки и не выронить в лужу зажатый под мышкой свежий номер журнала «Крокодил».

— Чой-то шляпа у тебя новая, — крикнул вслед Кузьма. — А пуговицу-то где посеял? Может, поискать у вешалки?

Доктор свернул журнал в трубку, сунул в широкий карман плаща, перепрыгнул оставшуюся часть лужи и не оглядываясь зашагал через проходной двор.

Ровно в девять он был на Никитском бульваре. Еще издали заметил фигуру в черном плаще, в черной шляпе. Ранние сумерки делали цвета ярче, отчетливее, белый шарф светился на черном фоне, под полями шляпы поблескивали стекла очков.

Итальянский священник не сидел на скамейке, он быстро шел навстречу, и, когда их разделяло всего несколько метров, доктор подумал: «Какой молодой... а по голосу казалось, старик».

Расстояние между ними стремительно сокращалось. Священник приподнял шляпу, улыбнулся во весь рот, сверкнул ровный ряд белых зубов. Слова пароля вылетели из головы, вместо них завертелись немецкие фразы: «Вы хотите избавиться от боли... это самый неподходящий способ. Вы просто заберете ее с собой, и она будет мучить вас вечно».

Карл Рихардович горячо покраснел, достал из кармана оторванную пуговицу и молча протянул на ладони.

— Здравствуйте, доктор Штерн. Вы все перепутали. Это я должен вам дать пуговицу, — произнес по-русски Джованни Касолли. — Рад вас видеть, хотя вовсе не ожидал, что это будете вы.

— Я тоже не ожидал... Но как вам удалось?

— Я бываю в Москве довольно часто. На этот раз выпала оказия, вот решил освободить падре от шпионских приключений, тем более старик приболел. Можете передать Андре, что Софи с ребенком уже в Британии, живы, здоровы.

— Он боялся, что вы не сумеете ее уговорить.

— А мне и не пришлось. Они слишком спешили. Она была слабенькая после родов, и ребенок крошечный. По сути, они своей наглостью и грубостью сами убедили ее не возвращаться. Она так сильно испугалась за сына, что у нее не осталось выбора. Ну а вас каким ветром занесло туда, где сейчас Андре? Служите в тюремной больнице?

— Не совсем...

Доктор рассказал, где служит. Джованни молча слушал, только один раз произнес: «Гестапо...», потом спросил:

— Анре до сих пор лежит в вашем лазарете?

— Нет. Его убили. Он не сдал Бруно.

Они уже давно прошли бульвар, подходили к Патриаршим прудам. Джованни остановился, достал папиросу, искоса взглянул на доктора.

— Андре больше нет, передавать хорошую новость некому, но вы все-таки решились встретиться с падре. Зачем?

— Единственная возможность помочь другому человеку. Молодая женщина, немка, живет в Берлине, работает на советскую разведку. Агент, которого послали для связи с ней, провалился...

Доктор говорил долго, сбивчиво, повторил заученный наизусть текст условного объявления в воскресном приложении «Берлинер Тагеблатт».

— Если оно там появилось, жирным курсивом, в волнистой рамке, значит, связной сдал всю информацию гестапо. Нельзя допустить, чтобы она пришла в кафе «Флориан» в Шарлоттенбурге. Имени ее он не знает, но ему известно, что это молодая женщина, светлые волосы, голубые глаза, очень красивая. Кстати, у меня есть ее фотография, но только дома, на Мещанской. Если бы я мог представить, что придете вы... но я думал, священнику фотография ни к чему, он в Берлин не поедет...

— Фотография? — Джованни замедлил шаг, повернулся к доктору, снял очки.

— Ну, это долго объяснять... В клинике под Цюрихом, когда семья Бруно пришла навестить меня, Барбара оставила журнал «Серебряное зеркало», на обложке Габриэль Дильс. Я сохранил журнал, хоть какая-то память о прежней жизни. Моя жена иногда читала... А потом оказалось, мы выяснили... — Карл Рихардович смутился, замолчал на полуслове.

— Не надо, не продолжайте, — Джованни улыбнулся. — Вам вовсе не следует выкладывать мне все подробности.

— Спасибо, — доктор облегченно вздохнул. — Знаете, умалчивать что-то, оказывается, даже труднее, чем врать, я врать привык там, в лаборатории, но совсем другое дело, когда говоришь с живым человеком, а не с куклами... Нет, все-таки обидно, что я не прихватил журнал.

— Не огорчайтесь, я обойдусь без фотографии.

— Главное, чтобы вы успели. Это счастье, что она сейчас в Париже, точно неизвестно, когда вернется, но вероятно, в начале следующей недели...

— Да, я понял, я постараюсь.

— Джованни, у меня такое чувство... может, я ошибаюсь, но я уверен, единственный реальный способ бороться со всем этим безумием, здесь, в России, и там, в рейхе, это просто спасать людей, пользоваться всякой возможностью...

Джованни остановился и тронул его руку.

— Карл, мало времени, мне надо вернуться в посольство к одиннадцати. Пожалуйста, выслушайте меня внимательно. Я не спрашиваю, кто вас прислал и откуда вы все это знаете. Догадываюсь, что к Иностранному отделу НКВД вы должны иметь какое-то отношение...

— Только косвенное. Там все разваливается. Имя и должность человека, который заинтересован в том, чтобы фрейлейн Дильс не попала в гестапо, я назвать не могу, простите, — быстро проговорил доктор.

— Нет-нет, ни в коем случае...

— Он в НКВД не служит, я гарантирую его порядочность.

— Порядочность... — Джованни усмехнулся. — Тут, как в рейхе, чем выше порядочность, тем меньше возможностей.

— Кое-какие возможности у него есть, поверьте.

— Да, пожалуй... судя по информации, которой он владеет... Вот что, Карл, передайте вашему порядочному человеку с возможностями, что сигналом к скорому началу войны станет отставка фон Нейрата и назначение Риббентропа на должность министра иностранных дел. Это может произойти уже в этом году или в начале следующего. Любые мирные соглашения, которые будет навязывать правительствам разных стран министр Риббентроп, любые обещания, подписи под документами — целенаправленная ложь. Цель — реализация радикальной программы жизненного пространства, то есть война. Просто передайте, и все. У вас дома есть телефон?

— Да, — доктор назвал номер, — хотите записать?

— Не нужно. Запомню. Пароль для вас по телефону: «Привет от Ивана», ответ: «Вы не забыли поздравить его с днем рождения?». Падре больше не звоните. Если понадобится что-то срочно передать, он часто гуляет вечерами там, где мы с вами встретились. Вот, посмотрите, — Джованни достал из кармана маленькую фотографию.

Доктор несколько секунд разглядывал худое лицо, большой выпуклый лоб, впалые щеки, резкие линии морщин, лохматые черные брови, глаза, увеличенные стеклами очков.

— Глаза серые, волосы седые, — пояснил Джованни, — рост примерно мой, сильно сутулится, слегка хромает. Я опишу ему вас подробно, если вдруг вместо вас явится кто-то другой, пусть держит в руках «Крокодил», именно этот номер. Пароль — та же пуговица. По-русски падре почти не говорит, кроме итальянского, знает немецкий и французкий. Все, мне пора, — Джованни быстро обнял доктора и не оборачиваясь зашагал прочь, в сторону Никитской.

ГЛАВА ДВАДЦАТЬ ШЕСТАЯ

Старая баронесса фон Блефф прожила в клинике всего неделю и скончалась от «острой сердечной недостаточности». Официально закон об эвтаназии еще не был принят, но убийство душевнобольных уже давно считалось абсолютно легальным и привычным делом. В документах истинная причина не называлась. Если врачи убивали больного ребенка или молодого человека, обычно писали «пневмония», если старика — «острая сердечная недостаточность». Впрочем, Габи не исключала, что матушка могла умереть и без посторонней помощи. Сам факт заключения в клинику стал для нее смертным приговором.

Похороны были пышными, за катафалком шли Гиммлер, Гейдрих, Геринг с супругой. Эмми рыдала. Явился сам фюрер и произнес длинную прочувствованную речь. Приехали Рондорффы. Софи-Луиза растерянно спрашивала: «Почему так внезапно? Трудди была совершенно здорова...»

— Возраст, возраст, — тупо повторял Франс, выслушивая соболезнования.

Софи-Луиза умоляла Габи беречь осиротевшего Франса, звала их обоих к себе в Швейцарию отдохнуть и развеяться после страшного потрясения.

К этому времени Габи уже прошла собеседование во Внешнеполитическом отделе партии, по собственной инициативе, не дожидаясь протекции Аннелиз Риббентроп. Все кадровые вопросы пресс-центра МИД решались в секретариате Геббельса. Рейхс-министр пропаганды одобрил зачисление фрейлейн Дильс в штат пресс-центра. Он так же, как Аннелиз, считал, что пресс-центру нужны свежие молодые лица.

Франс воспринял новость равнодушно, Габи сомневалась, понял ли он, о чем речь.

Сразу после похорон Франс погрузился в юридические и финансовые проблемы. Ему удобно жилось под матушкиным крылом, он капризничал, жаловался на ее скупость, но никогда не порывался взять на себя хотя бы часть скучных бумажных забот. Он ничего не смыслил в этом, и теперь его ожидали сюрпризы. Выяснилось, что состояние семьи фон Блефф не так велико, как ему казалось. Встречи с управляющими, поверенными, нотариусами, юристами, возня с бумагами — все это отнимало кучу сил и времени и не доставляло ни малейшего удовольствия. Франсу везде мерещились мошенничество, обман, гнусные намеки на его гомосексуализм. Он потребовал, чтобы Габи срочно вышла за него замуж и переселилась к нему в особняк. Когда она заметила, что сейчас не самое подходящее время для свадьбы, все-таки траур, он заявил:

— Мне надоели твои фокусы, ты должна делать то, что я говорю.

Квартира на Кроненштрассе принадлежала Франсу. Три года назад старая баронесса согласилась оплатить эту покупку с условием, что собственником станет ее сын, а не фрейлейн Дильс. Прежде Франс иногда выражал готовность переписать квартиру на Габи, но так и не сделал этого. Теперь он намеревался сдать квартиру в аренду.

— Предстоят огромные выплаты в партийную кассу, я лишаюсь имения под Мюнхеном. Налоговые долги, прочая мерзость. Дела вовсе не так хороши, как кажется, придется считать каждую марку. То, что мы до сих пор живем отдельно, вызывает пересуды, а в особняке достаточно места.

Габи заранее сняла маленькую квартирку-студию в Шарлоттенбурге, там заканчивался ремонт. Оставалось только объясниться с Франсом, она тянула, ссылалась на жесткий режим работы в пресс-центре, что было чистой правдой. Вольная жизнь модной журналистки закончилась. Теперь приходилось являться на службу ежедневно и проводить значительно больше времени на инструктажах в Министерстве пропаганды.

Франс пришел накануне переезда, без звонка, поздно вечером, стал кричать, что ему надоели ее фокусы. Увидев разгром, гору платьев на диване в гостиной, открытый чемодан в спальне, успокоился, предложил вызвать горничных из особняка, чтобы они упаковали вещи.

— Я думаю, мамины комнаты тебе вполне подойдут, если хочешь, можно переставить мебель, поменять шторы.

— Франс, я переезжаю не к тебе, я сняла квартиру.

— Ты? Квартиру? Зачем? — на лице его забрезжила какая-то отрешенная улыбка. — А, понимаю, тебе нужен мужчина, но ведь мы условились, я тоже вынужден воздерживаться, и ничего, терплю.

— Дело не в мужчине, Франс. Я ухожу.

— Куда?

— Прости, что бросаю тебя в такой тяжелый момент, я благодарна тебе за все, но теперь хочу жить своей собственной, отдельной жизнью.

— Где?

— Я же сказала: я сняла квартиру.

— На какие средства, позволь спросить?

— На свои собственные.

— У тебя нет собственных средств, нет, никогда не было и не будет. Без меня ты никто! Я прикажу уволить тебя из журнала!

— Франс, я уже уволилась, работаю в пресс-центре МИДа, получаю жалованье, и тебе это отлично известно.

Они говорили еще около часа, пока до него, наконец, дошло. Проклятья, которые обрушились на Габи, потом долго звучали в ушах. Уходя, он шарахнул дверью так, что соседка выскочила на площадку, а консьерж едва не вызвал полицию.

Первые ночи на новом месте Габи не могла уснуть, мерещились белые безумные глаза Франса и напудренное лицо покойной баронессы. Квартирка была уютной, милой, утром, завтракая на крошечной кухне, она удивлялась, почему не сделала этого раньше? Нормальный дом, никаких консьержей, у каждого жильца свой ключ от парадного и от черного хода.

«Если Ося, наконец, появится...» — бормотала маленькая Габи.

«Я пошлю его к черту!» — огрызалась взрослая.

Никогда прежде он не исчезал на такой долгий срок. Она ждала, что он приедет в Париж. Ее отправили туда в качестве сотрудницы пресс-службы, на очередные мероприятия перед открытием Всемирной ярмарки. Там было несколько человек из МИД Италии, но Джованни Касолли среди них не оказалось.

В Париже она пробыла две недели. На вокзале в Берлине никто ее не встречал. Носильщик погрузил чемодан на тележку. На перроне Габи купила воскресное приложение «Берлинер Тагеблатт». В такси машинально назвала свой прежний адрес и спохватилась, лишь заметив, что автомобиль уже едет по Кроненштрассе.

— Пожалуйста, извините, я перепутала, мне нужно в Шарлоттенбург.

Водитель что-то недовольно пробурчал и развернулся на ближайшем повороте.

Габи держала газету и в десятый раз перечитывала текст объявления, набранный жирным курсивом и обведенный волнистой рамкой.

«Срочно отдам в хорошие руки щенка королевского пуделя женского пола. Возраст три месяца, окрас шоколадный, кличка Флора, нрав веселый. Звонить по вторникам и пятницам, в любое время».

В телефонном номере были цифры 16 и 18. Она ждала этого почти три месяца и не могла поверить своим глазам.

В Париже она пыталась отыскать товарища с гестаповской рожей по фамилии Смирнофф, не нашла, но зато вручила свою визитку симпатичной даме из дирекции советского павильона. На визитке, украшенной орлом, свастиками, дубовыми листьями, было отпечатано готическим шрифтом ее имя, новое место работы: Министерство иностранных дел, пресс-служба, адрес — Вильгельмштрассе, 76, главное здание МИД, номер служебного телефона.

«Наконец опомнились! — ворчала маленькая Габи. — Надо быть совсем кретинами, чтобы потерять такой источник. Это уже не дамский журнал, это МИД, прямой доступ к сверхсекретной информации, а не только вопли Геббельса на инструктажах в Министерстве пропаганды и пьяная офицерская болтовня на вечеринках.

«Сегодня вторник, и сейчас уже половина четвертого», — спохватилась взрослая.

В почтовом ящике ее ждали письма от Макса. Она сложила их на телефонный столик в прихожей и позвонила на работу. Трубку снял Клаус Рон, один из помощников директора, молодой карьерный дипломат. Он коллекционировал галстуки, Габи подарила ему пару оригинальных экземпляров, и он сразу проникся к ней теплыми дружескими чувствами.

— Габриэль, рад тебя слышать, как съездила?

— Отлично, только ужасно устала, в поезде совсем не спала. Как думаешь, если не появлюсь сегодня в конторе, меня простят, не уволят?

— Конечно, отдыхай. Главное, завтра не опоздай на инструктаж.

— Спасибо, Клаус, — она уже хотела положить трубку, но услышала:

— Габриэль, подожди, чуть не забыл, тебе звонила... сейчас, минутку, я записал. Вот, Жозефина Гензи. Знаешь такую?

— Знаю.

— Хорошо. А то я, честно говоря, подумал, какая-то сумасшедшая. Голос странный.

— Она датчанка, довольно пожилая, и всегда простужена, — объяснила Габи. — Давно она звонила?

— Последний раз сегодня утром. А перед этим в четверг, в пятницу, в понедельник. Спрашивала, когда ты вернешься из Парижа, умоляла дать твой новый домашний номер, ей что-то срочно от тебя нужно. Я не стал говорить, когда ты вернешься, и терпеливо объяснял, что домашние номера сотрудников мы давать не имеем права.

— Клаус, прости, дорогой, тебе досталось от этой назойливой старухи. Я когда-то брала у нее интервью для «Серебряного зеркала», она специалист по древней рунической вышивке. Если вдруг еще позвонит, ты скажи, что я уже в Берлине, и дай мой номер, иначе она не отстанет. Мне ужасно неудобно, я так и не отправила ей журнал с интервью. Да, я привезла тебе галстук-бабочку из того смешного магазинчика на Монмартре.

— О, Габи, как мило с твоей стороны.

Положив трубку, она несколько секунд перебирала конверты на телефонном столике. Их было много, Макс писал почти ежедневно. Его письма поддерживали ее в самый тяжелый период, а дорогая Жозефина соизволила появиться только сейчас, когда жизнь потихоньку налаживается.

«Если я его увижу, все опять пойдет кувырком, — пискнула маленькая Габи. — Нельзя отходить от телефона, Жози-Ося позвонит очень скоро, добрый Клаус даст номер...»

Взрослая Габриэль ничего не ответила. Было уже начало пятого. Она быстро переоделась, привела себя в порядок. Кафе «Флориан» находилось совсем недалеко, минут пятнадцать пешком. Габи положила в сумку каталог универмага «Вертель», который получала по почте каждый месяц, и нераспечатанную пачку французских сигарет голубые «Голуаз». Когда спускалась вниз по лестнице, услышала телефонный звонок, на мгновение остановилась, но решила не возвращаться.

Был чудесный теплый вечер, она заставляла себя идти медленно, не бежать. Издали увидела полосатый бело-зеленый тент кафе «Флориан». Столики на улице — одна из любимых примет берлинской весны.

«Можно ходить сюда завтракать, — мечтательно промурлыкала маленькая Габи, — тут хороший венский кофе и большой выбор свежих пирожных».

Под тентом сидели несколько человек, она скользнула взглядом, но не по лицам, а по столикам, не увидела ни «Голуаз», ни каталога. Подняла глаза, заглянула сквозь стеклянную витрину внутрь. Зал отлично просматривался, там горели лампы. За вторым от витрины столиком сидел одинокий мужчина. Нижнюю часть лица закрывал каталог универмага «Вертель», который он держал в руках. Посреди стола, прислоненная к сахарнице, стояла голубая пачка. Оставалось пройти пару шагов, переступить порог. Дверь была открыта. Вышел официант с подносом, Габи замешкалась, чтобы пропустить его, и вдруг кто-то сзади схватил ее за плечо.

— В чем дело? — возмущенно вскрикнула Габи и обернулась так резко, что стукнулась лбом о колючую челюсть. — Ты... ты... что ты здесь делаешь?

Ося был небрит, похудел, под глазами залегли темные тени.

— Быстро уходим, не смотри туда, — зашептал он ей на ухо, задел локтем официанта, извинился, схватил Габи под руку и силой потащил на другую сторону улицы.

— Фрейлейн, все в порядке? Вам нужна помощь? — крикнул вслед официант.

— Благодарю, все хорошо! — громко ответила Габи.

— Не смей оборачиваться! — прошептал Ося.

— Куда мы идем? — спросила она, когда они перешли проезжую часть и свернули в переулок.

— Куда угодно, подальше от «Флориана», от голубых «Голуаз» и каталога «Вертель».

— Пусти меня! Это не твое дело!

Она попыталась вырваться, но он сжал ее руку еще крепче и произнес сквозь зубы:

— Фрейлейн, вы удивительно похожи на Марику Рёкк.

— Мы с Марикой близнецы, — автоматически отозвалась Габи и прошептала: — Ты с ума сошел.

— Да, я сошел с ума, я не должен был подпускать тебя близко к «Флориану». Но я не сумел выяснить, когда ты вернешься из Парижа, а ловить тебя там было слишком рискованно, мы могли разминуться. Твой московский товарищ провалился, за столиком тебя ждет гестапо.

Габи едва сдерживала слезы, ее трясло.

— Зачем ты влез в это?

Ося обнял ее, поцеловал в краешек глаза.

— Прекрати трястись! На нас смотрят. Ты же знала, что я давно по уши в этом.

— Знала. Конечно, я всегда знала, что ты негодяй и мерзавец. Как ты мог? Ты обещал, что не будешь рисковать, одно дело англичане, другое...

— Да, англичане это очень удобно, англичане своих не убивают, риска меньше. Но и пользы меньше. Практически никакой пользы.

Габи резко остановилась.

— Что значит «не убивают своих»? Что ты хочешь этим сказать? — у нее закружилась голова, она оступилась, подвернула ногу, упала бы, если бы Ося не удержал ее.

До нее дошло, наконец, что случилось, что могло случиться. Сквозь звон в ушах она услышала шепот Оси:

— Я бог-крокодил Сухос, который обитает посреди ужаса.

— Я змея Сата, мои годы нескончаемы, я рождаюсь ежедневно, — пробормотала Габи и зажмурилась.

Этот длинный пароль знали всего два человека, она и Бруно. Он мог быть использован кем-то третьим только в экстренном случае.

— Я не успел раздобыть каталог магазина египетских древностей «Скарабей» в Цюрихе, магазина больше не существует, — спокойно объяснил Ося.

— Ты знаком с Бруно?

— Он завербовал меня еще раньше, чем тебя.

— Почему ты ничего не рассказывал? Я думала, ты работаешь только на англичан, я была уверена...

— Я уже объяснил тебе: работать на англичан безопасно и солидно. Но смысла никакого. Противостоять монстру может только другой монстр, еще более ужасный.

— Наш ужаснее! — шепотом выкрикнула Габи. — В России нет нацизма.

— Кроме нацизма существует много разной мерзости. В России повальные расстрелы, пытки, концлагеря.

— Куда делся Бруно?

— Ушел к англичанам. Его отозвали домой, у него не было выбора. Если бы он вернулся, его бы расстреляли, Ганне грозил концлагерь, Барбаре детский дом. Она бы долго там не протянула. Ты же знаешь, она тяжелобольной ребенок.

— За что?!

— Совершенно бессмысленный вопрос. Убивают не за что, а почему.

— Хорошо. Почему? Почему Бруно и его семью убили бы, если бы они вернулись в Россию?

— Потому что Россией правит маньяк-убийца. Все, мы пришли.

Габи зажмурилась, покрутила головой. Открыв глаза, увидела, что они стоят у ее подъезда.

— Как ты узнал мой новый адрес? — спросила она севшим голосом.

— Мне дали его в Москве. Двум людям в Москве ты обязана своим спасением. Ладно, потом все расскажу, сейчас говорить с тобой бесполезно, тебя трясет. Давай ты достанешь ключи, откроешь, наконец, дверь.

Она бестолково рылась в сумке, выронила ее, Ося поднял, сам нашел ключи.

— Смотри-ка, ты хорошо устроилась, тут нет консьержей.

Почти на руках он поднял ее по лестнице. Она согрелась и перестала трястись только в горячей ванной. Ося сидел рядом на бортике, вздыхал и молча гладил ее по мокрым волосам.

* * *

Со второго по четвертое июня 1937-го в Кремле проходило расширенное заседание Военного совета при наркоме обороны, с участием всех членов Политбюро. Сталин произнес необыкновенно длинную речь. Говорил без бумажки, как всегда, тихо, не спеша, с долгими томительными паузами.

— *Товарищи, в том, что военно-политический заговор существовал против Советской власти, теперь, я надеюсь, никто не сомневается. Факт, такая уйма показаний самих преступников и наблюдения со стороны товарищей, которые работают на местах, такая масса их, что несомненно здесь имеет место военно-политический заговор против Советской власти, стимулировавшийся и финансировавшийся германскими фашистами. Ругают людей: одних мерзавцами, других чудаками, третьих помещиками, но сама по себе ругань ничего не дает.*

Тишина стояла мертвая, и лица слушателей казались мертвыми. Когда вождь наливал себе нарзан, тихое бульканье воды, звон стекла разносились по всему залу. Он выпил до дна, накрыл бутылку перевернутым стаканом, обвел зал прищуренным взглядом, покрутил кончик уса, продолжил еще тише:

— *Я и хотел как раз по вопросам такого порядка несколько слов сказать. Прежде всего обратите внимание, что за люди стоят во главе военно-политического заговора. Я не беру тех, которые уже расстреляны, я беру тех, которые недавно еще были на воле. Троцкий, Рыков, Бухарин. К ним я отношу также Рудзутака, очень хитро работал, а всего-навсего оказался немецким шпионом. Карахан, Енукидзе. Дальше идут Ягода, Тухачевский — по военной линии, Якир, Уборевич, Корк, Эйдеман, Гамарник — 13 человек. Что это за люди? Это очень интересно знать. Это ядро военно-политического заговора, ядро, которое имело систематические отношения с германскими фашистами, особенно с германским рейхсвером, и которое приспосабливало всю свою работу к вкусам и заказам со стороны германских фашистов. Что это за люди?*

Он много раз повторял: «*Что это за люди?*», опять пил воду, накрывал бутылку стаканом, перечислял имена.

— *Троцкий, Рыков, Бухарин, Енукидзе, Карахан, Рудзутак, Ягода, Тухачевский, Якир, Уборевич, Корк, Эйдеман, Гамарник. Из них 10 человек шпионы. Троцкий организовал группу, которую прямо натаскивал, поучал: давайте сведения немцам, чтобы они поверили, что у меня, у Троцкого, есть люди. Делайте диверсии, крушения, чтобы мне, Троцкому, японцы и немцы поверили, что у меня есть сила. Человек, который проповедовал среди своих людей необходимость заниматься шпионажем потому, что мы, дескать, троцкисты, должны иметь блок с немецкими фашистами, стало быть, у нас должно быть сотрудничество... Это и есть шпионаж. Троцкий — организатор шпионов среди людей... обершпион...*

Илья искоса поглядывал на лица в зале и пытался понять: кто-нибудь, хотя бы одна живая душа, отдает себе отчет в том, что здесь происходит? Огромной страной, миллионами людей единовластно управляет совершенно безумное существо. Механический бред, звучащий с трибуны, — нечто вроде словесной отрыжки древнего кровожадного демона, обожравшегося человеческими страданиями. Демон в обличье коренастого кавказского мужчины с грубо слепленным корявым лицом.

— *Остальные. Енукидзе, Карахан, я уже сказал. Ягода шпион и у себя в ГПУ разводил шпионов. Он сообщал немцам, кто из работников ГПУ имеет такие-то пороки. Чекистов таких он посылал за границу для отдыха. За эти пороки хватала этих людей немецкая разведка и завербовывала, возвращались они завербованными... Якир выдумал себе эту болезнь печени. Может быть, он выдумал себе эту болезнь, а может быть, она у него действительно была. Он ездил туда лечиться... Значит, Ягода. Дальше Тухачевский. Вы читали его показания?*

Он опять налил нарзан, выпил до дна и накрыл бутылку перевернутым стаканом. Сосо опасался, что во время речи на трибуне кто-нибудь исхитрится отравить воду, которую пьет товарищ Сталин.

— *Да, читали!* — хором ответили голоса из зала.

— *Он оперативный наш план, оперативный план — наше святое святых — передал немецкому рейхсверу. Имел свидание с представителями немецкого рейхсвера. Шпион? Шпион! Для благовидности на Западе этих жуликов из западноевропейских цивилизованных стран называют информаторами, а мы-то по-русски знаем, что это просто шпион.*

«Что он несет? — думал Илья. — Печень Якира, святая святых наш оперативный план... информаторы-шпионы... Оправдывается, как Гитлер в рейхстаге после «Ночи длинных ножей»? У Гитлера есть план — радикальная программа жизненного пространства. Он готовится к войне, создает мощную армию, ради этого ему пришлось пожертвовать близким другом Ремом. А какой план у Сосо? Громит армию, разведку, страну. Зачем? Дело не только в Тухачевском, Гамарнике, Якире. Он уничтожает тысячи, десятки тысяч профессиональных военных с тем же тупым упорством, с каким недавно уничтожал крестьян. Тогда результатом стал чудовищный голод. Теперь — беззащитность страны. И то и другое означает смерть и мучения миллионов людей. Ладно, ему плевать на загубленные жизни. Но не может он желать поражения самому себе в войне с Гитлером. Он движется к великой цели, неведомой нам, простым смертным. Что же это за цель такая? Сам он знает или нет?»

— *Карахан — немецкий шпион. Эйдеман — немецкий шпион. Карахан информировал немецкий штаб начиная с того времени, когда он был у них военным атташе в Германии. Рудзутак. Я уже говорил, что он не признает, что он шпион, но у нас есть данные. Знаем, кому он передавал сведения.*

Опять пауза, нарзан, сытая, наглая ухмылка уголовника Сосо, которую принято называть лукавой обаятельной улыбкой товарища Сталина. Медленное скольжение взгляда по лицам в зале с остановкой на лице спецреферента Крылова.

«Неужели издали, звериным своим чутьем уловил мои мысли?» — подумал Илья, скорее изумленно, чем испуганно.

— *Есть одна разведчица опытная в Германии, в Берлине. Вот когда вам, может быть, придется побывать в Берлине, Жозефина Гензи, может быть, кто-нибудь из вас знает.*

«Вот в чем дело, — понял Илья. — Жозефина. В эту романтическую тайну посвящены трое из присутствующих. Ежов, Слуцкий и я, грешный. Сосо спросил: «Может быть, кто-нибудь из вас знает?» и взглянул на меня, потому что я знаю».

Приятный баритон Сосо звучал мягко, лирически задумчиво, нараспев:

— *Она красивая женщина. Разведчица старая. Она завербовала Карахана. Завербовала на базе бабской части. Она завербовала Енукидзе. Она помогла завербовать Тухачевского. Она же держит в руках Рудзутака. Это опытная разведчица, Жозефина Гензи. Будто бы сама она датчанка, на службе у германского рейхсвера. Красивая, очень охотно на всякие предложения мужчины идет, а потом гробит.*

Илья не удивился, он давно перестал удивляться. Жозефина Гензи, случайная призрачная тень агента Эльф, была так же реальна, как «обер-шпион германского рейхсвера Троцкий», призрачная тень несчастного пожилого изгнанника. Обер-шпион поистрепался, надоел, износил в труху свое злодейское обличье. Троцкий да Троцкий, ну сколько можно? На сцену великого действа выскочила свежая, бодрая Жозефина, роковая красавица-шпионка. Сосо радушно приглашал всех желающих в Берлин, познакомиться на базе бабской части с этой разведчицей старой.

Товарищ Сталин говорил еще долго. Илья слушал и думал:

«Ладно, пусть Жозефина соблазняет в царстве теней кого угодно, от Енукидзе до Тухачевского. Главное, что Габриэль Дильс не тронули ни ежовские, ни гестаповские головорезы. Неизвестно, получу я еще когда-нибудь информацию от Эльфа, но это не так важно. Жива, здорова, и слава богу... А все же, что он несет? Такой густой бред можно резать ножом и мазать на хлеб. В Германии пушки вместо масла, в России вместо масла бред сумасшедшего Сосо. Германские пушки рано или поздно откроют огонь по России...»

— *Плохо сигнализируете, а без ваших сигналов ни военные, ни ЦК ничего не могут знать. Людей посылают не на сто процентов обсосанных, в центре таких людей мало. Посылают людей, которые могут пригодиться. Ваша обязан-*

ность проверять людей на деле, на работе, и если неувязки будут, вы сообщайте...*

К финалу голос звучал совсем тихо. Зал не дышал. Слушатели старались не упустить ни слова, разгадать глубокий священный смысл каждой фразы, каждого взгляда, жеста, вздоха.

Когда покидали зал заседаний, в приглушенном гуле голосов Илья отчетливо расслышал замечание Молотова:

— Всегда поражаюсь его железной логике, подкрепленной четкими фактическими данными, это производит колоссальное впечатление. Товарищ Сталин все знает, знает больше любого специалиста.

Через несколько дней спецреферент получил толстую папку распечатанных стенограмм и принялся перечитывать речь Сталина. На бумаге текст выглядел еще безумнее. Скользя глазами по строчкам, он вдруг ясно осознал, что все эти годы ошибался, сильно преувеличивал интеллектуальные способности Сосо. Вовсе не Сосо придумал товарища Сталина и организовал грандиозное многоактное действо. Совсем наоборот: товарищ Сталин, Великий Вождь, Солнце народов выбрал в качестве временного пристанища уродливое, но крепкое тело уголовника Джугашвили. Человеческие жертвоприношения, вот чем одержим Сосо.

Какие имена носил этот древнейший демон тысячелетия назад? Чьи принимал обличья? Он был финикийским Молохом, огромной медной статуей с головой быка, ненасытным божеством, пожирателем бесчисленных жизней? Десятирукой индийской Кали, богиней зла и разрушения,

---

*Все, перечисленные Сталиным в его знаменитой речи на расширенном заседании Военного совета 2 июня 1937-го расстреляны. Следы шпионки Жозефины Гензи тщетно искали многие историки, российские и зарубежные. Кого имел в виду Сталин, откуда он взял это имя, остается тайной по сей день.

с волосами в виде зеленых змей и длинными толстыми клыками? Каждая из десяти рук Кали держала кинжал, топорик или окровавленную голову. Культ Кали сводился к ритуальному производству огромного количества трупов.

Человеческие жертвоприношения практиковались всеми языческими цивилизациями. Наивных древних людей вдохновляли на ритуальные убийства рукотворные идолы из меди и глины. Для двадцатого века понадобилось нечто более достоверное. Наука, техника, материалистическое мировоззрение. Кто поверит в божественную силу медного истукана? Чтобы распространять заразу одержимости, истукан должен двигаться, произносить речи, писать философско-исторические трактаты.

«Сосо ничего не соображает, он только оболочка, — думал Илья, вчитываясь в последний абзац сталинской речи и пытаясь понять смысл фразы *«Людей посылают не на сто процентов обсосанных, в центре таких людей мало»*, — да, оболочка, бормочущий механизм, всеми его действиями руководит божество товарищ Сталин, так же как действиями жалкого ефрейтора Гитлера управляет божество фюрер, между прочим, тварь куда более хитрая и осторожная. Эти двое — максимально удобная комбинация, чтобы уничтожить немыслимое количество живых людей. Разваливая Красную армию, Сталин меняет всю политическую ситуацию в Европе. Ближайшая цель Гитлера — Чехословакия. После ритуальных «чисток» договор о взаимопомощи между СССР, Чехословакией и Францией теряет смысл, вопрос советского вмешательства в чехословацкую проблему уже не актуален. В мае премьер-министром Англии стал Невилл Чемберлен, ярый сторонник политики умиротворения Гитлера, добрый приятель Риббентропа. Вероятность того, что Судеты отдадут Гитлеру с той же идиотической легкостью, с какой отдали Рейнскую зону в 1936-м, очень велика. Чехословакия рассчитывает на советскую поддержку. Но, если верить Сталину, и весь командный состав Красной армии работает на Гитлера, как можно рассчитывать на поддержку такой армии? А если советские маршалы и высшие офицеры не работают на Гитлера, то почему Сталин их убивает? Как можно рассчитывать на сумасшедшего? После разгрома Чехословакии Гитлер договорится с поляками, нападет на СССР. Поляки пойдут на эту сделку, они панически боятся Сталина, страх кинет их к ногам Гитлера...».

Илья вдруг вспомнил о своем маленьком «вальтере», который лежал дома в сейфе. Сотрудникам Особого сектора, имевшим доступ к сверхсекретной информации государственной важности, полагалось личное оружие, на случай нападения врагов-диверсантов.

«На улице, в общественных местах, всегда личное оружие с тобой. Почистил, смазал, зарядил, поставил на предохранитель. Явился на службу, положил в сейф, запер. Уходишь домой, взял, дома положил в сейф, утром опять взял», — учил Поскребышев.

Илья не прикасался к «вальтеру», не чистил, не смазывал, не заряжал, не таскал с собой, практически забыл о нем. Тяжеленькая смертоносная игрушка, обернутая старым вафельным полотенцем, спала в отдельном ящичке домашнего сейфа.

Илья впервые отдал себе отчет в том, что он, спецреферент Крылов, имеет вполне реальную возможность войти с оружием в кабинет Coco.

Посетители из внешнего мира сдавали личное оружие при входе на территорию Кремля. Сотрудников аппарата, которым полагалось иметь оружие, не обыскивали. А всетаки — что будет, если спецреферент Крылов пронесет свой «вальтер» в святилище усатого божества?

Он представил на миг, что в руках у него вместе с «вальтером» окажется судьба России, и его затошнило.

«Судьба России, нет, судьба всего мира, на фаланге МОЕГО указательного пальца, прижатого к спусковому крючку».

Очень сталинская мысль, беспредельно пафосная и наглая.

К тому же он отдавал себе отчет: не получится. Стоит только переступить порог святилища с «вальтером» в кармане и с твердым намерением пальнуть в уголовника Сосо, демон Сталин почует, даже раньше, чем поднимет глаза от бумаг, разложенных на столе. Он не расстается с пистолетом ни днем ни ночью.

«Все, хватит, стоп! — Илья прикусил губу, чтобы не пробормотать это вслух. — Ты врешь себе и таким образом делаешь шаг в сторону сталинской реальности, теряешь драгоценное равновесие, становишься участником ритуала. Ты не сможешь спокойно приблизиться к нему с оружием, не успеешь пальнуть первым. В тебе с рождения заложено отвращение к убийству. Уголовник Сосо всего лишь человек, патологически тупой и грубый, одержимый, но человек. Убить Сосо — значит убить человека. Рука дрогнет. Ты мог бы без колебаний выстрелить в демона Сталина, но это все равно что палить в бычью башку медного истукана. Пули рикошетом полетят в тебя и во всех, кого ты любишь».

Илья отложил страницы распечатанных стенограмм, принялся перечитывать и править очередной обзор германской прессы, который уже сегодня должен был лечь на стол товарища Сталина. К обзору он приложил справку о том, как может отразиться на германо-британских отношениях назначение Невилла Чемберлена на пост премьер-министра. Информация пришла от его собственного источника, которого они с доктором Штерном между собой называли «Ося». Ни в ИНО НКВД, ни в разведуправлении Генштаба об этом источнике не ведала ни одна живая душа. Включая сообщения от Оси в свои справки и сводки, спецреферент Крылов ссылался на перехваты дипломатических отчетов и личной переписки сотрудников посольств.

ГЛАВА ДВАДЦАТЬ СЕДЬМАЯ

Мистер Чемберлен был похож на ворона. Только ворон умная птица, а мистер был глуп. Чемберлен важно поводил носом-клювом, самодовольно поглядывал круглыми блестящими глазками из-под нависших бровей и не расставался со своим зонтиком. Глазки были слепы, нос-клюв лишен обоняния, маленькая, тщательно причесанная голова под цилиндром напрочь лишена мозгов.

Габи видела британского премьер-министра в кинохронике, когда Гитлер встречал Чемберлена в Бергхаусе 15 сентября 1938-го и читала тексты переговоров, которые поступали в МИД. После свидания в Бергхаусе Гитлер называл Чемберлена «старый господин с зонтиком». Европейским дипломатам это понравилось, британский премьер получил кличку Зонтик.

Габи теперь работала в секретариате Риббентропа и носила фамилию фон Хорвак. Они с Максом обвенчались в августе прошлого года, в Цюрихе, в лютеранском соборе

Святого Петра. В рейхе не осталось церквей без портретов фюрера на алтаре.

К ноябрю Макс добился перевода из Москвы в Берлин, в Министерство обороны. Габриэль фон Хорвак чувствовала себя куда спокойнее и защищеннее, чем Габриэль Дильс. Макс оказался прав, фон Блеффы забылись, как страшный сон. Франс какое-то время жил в Швейцарии у Софи-Луизы, потом удрал в Америку. Сумел ли он прихватить с собой хотя бы малую часть своего состояния, оставалось только гадать.

Маленькой Габи было больно, она тосковала по Осе, хныкала, что не может без него жить. Когда она сообщила ему, что выходит замуж за Хорвака, Ося сказал: «Очень хорошо, выходи». И в ответ на ее замечание о том, что в отличие от блефа с фон Блеффом это будет настоящий, а не фиктивный брак, молча развел руками. Взрослая Габриэль не могла обижаться на человека, который спас ей жизнь, и требовать от него невозможного. С самого начала они оба знали, что семьи не получится.

Габриэль глубоко уважала своего мужа и терпеливо ждала, когда это чувство превратится в настоящую любовь.

В сентябре 1937-го, во время визита Муссолини в Берлин, Габриэль фон Хорвак встретила старинного знакомого, итальянского журналиста Джованни Касолли. Они столкнулись лбами в толпе на официальном приеме, точно так же, как когда-то в Венеции. Она холодно поздоровалась. Когда они выскользнули вдвоем из толпы в парке, она сказала, что очень благодарна ему. Он ответил:

— Ерунда, не стоит. Люди в Москве рисковали куда больше, спасая от гестапо агента Эльф.

— У тебя осталась связь с ними, я могу передать информацию.

Она рассказала о секретной директиве фельдмаршала фон Бломберга, в которой излагались дальнейшие военные планы Гитлера — вооруженная интервенция против

Австрии, захват Чехословакии. О подготовке к визиту лорда Галифакса и секретном меморандуме барона фон Вайцзеккера, статс-секретаря МИД: *«От Британии нам нужна свобода действий на Востоке. Британии крайне необходимо спокойствие. Было бы уместно узнать, чем она за это спокойствие готова заплатить?»*

На вопрос, собираются ли московские товарищи восстанавливать связь с агентом Эльф, Ося ответил:

— Ни о какой связи не может быть речи. Хватит, наигралась. Будет нужно, я найду тебя. Если явится кто-то другой — что бы он ни говорил, на кого бы ни ссылался, это провокация. Ты поняла?

Потом они встречались в ноябре, когда Гитлер объявил о своем решении применить военную силу против Австрии и Чехословакии, в январе и феврале, когда министром иностранных дел стал Риббентроп и слетели с постов фельдмаршал фон Бломберг, генерал Фрич, министр экономики Шахт — все те, кто открыто возражал против безумных военных планов Гитлера.

В марте они увиделись в Вене, после аншлюса.

Гитлер захватил Австрию так же легко, как Рейнскую зону, без единого выстрела, при молчаливом согласии Англии и Франции. На венских улицах происходила нацистская оргия. Под дулами автоматов, под восторженное улюлюканье толпы евреи — старики, дети, женщины, стоя на коленях, мыли мостовые, чистили голыми руками сточные канавы. Эсэсовцы грабили еврейские квартиры и магазины. Десятки тысяч застреленных, избитых до смерти, брошенных в тюрьмы.

Ося рассказал, что в МИД Италии шепотом цитируют слова Вильгельма Канариса. Когда германские войска победным маршем вошли в Вену, глава абвера встретился со своим австрийскими коллегами и печально спросил: «Господа, почему же вы не стреляли?»

Было очевидно, что следующей жертвой станет Чехословакия.

— Ничего, на Праге он сломает зубы, — сказал Ося.

Примерно ту же фразу чуть позже произнес Макс.

О том, что ее муж Максимилиан фон Хорвак — участник заговора против Гитлера, Габи сначала узнала от Оси, и только недавно Макс решился посвятить ее в свою тайну.

В мае германские войска подошли к границам Чехословакии в Силезии и Нижней Австрии. Президент Бенеш объявил мобилизацию. В отличие от австрийцев, чехи не собирались сдаваться без боя. У них была сильная армия, мощная линии обороны в Судетах, наподобие французской линии Мажино. Бенеш надеялся на поддержку СССР и Франции, своих союзников.

В те дни посол Великобритании в Берлине, сэр Невилл Гендерсон, не вылезал из МИДа, просил информировать его о дислокации немецких войск на чешской границе, призывал к благоразумию и осторожности.

Аппетиты Гитлера пугали генералов. Они понимали, что в случае вмешательства Англии и Франции германская армия потерпит сокрушительное поражение в Чехословакии. Никто не хотел войны. Число заговорщиков среди военных и дипломатов росло.

Высшие генералы рейха разработали план. Как только поступит приказ напасть на Чехословакию, Гитлер будет арестован, предстанет перед судом по обвинению в безрассудной попытке вовлечь Германию в европейскую войну. В стране объявят военную диктатуру, сформируют временное правительство.

Глава заговора, начальник штаба сухопутных войск генерал Гальдер решил отправить в Лондон своего тайного эмиссара, чтобы выяснить реальную позицию британского правительства и при необходимости предложить свой вариант сохранения мира — арест Гитлера. Тайным эмиссаром, доверенным лицом Гальдера стал военный дипломат Максимилиан фон Хорвак.

Перед отлетом в Лондон Макс был спокоен и задумчив. Он обнял Габи и сказал:

— Когда все будет позади, поедем на Лазурное побережье, есть один чудесный отель в маленьком городке под Ниццей...

Она долго не могла оторваться от него, целовала, сдерживая слезы. Она знала, что английский посол Гендерсон во время недавней встречи в МИД заявил: «Англия не станет рисковать ни единым своим солдатом из-за Чехословакии».

Макс вернулся через пять дней. Его принимали главный советник британского МИД сэр Ванситтарт и опальный политик Уинстон Черчилль. Они обещали сделать все от них зависящее.

Близким другом Макса и непосредственным начальником Габи был глава секретариата Эрих Кордт, тоже участник заговора. У Эриха сложились доверительные отношения с послом Гендерсоном, они часто играли в гольф. Эрих по секрету рассказал, что после визита тайного эмиссара в Лондон Гендерсон получил указание от Зонтика «достаточно сдержанно предупредить Гитлера».

— О чем? — не веря своим ушам, спросила Габи.

— О нас, — ответил Эрих со злой усмешкой. — Дело в том, что господин премьер-министр верит, будто ему самим Провидением предначертана высокая миссия договариваться с диктаторами, наш вариант мешает его высокой миссии, он решил устранить конкурентов, сдать нас. Гендерсон с трудом убедил господина премьер-министра, что такой поступок джентльмену не к лицу.

Следующим тайным эмиссаром стал родной брат Эриха, Теодор Кордт, советник германского посольства в Лондоне. В начале сентября он встретился с лордом Галифаксом и сообщил, что нападение на Чехословакию планируется на 1 октября. На съезде в Нюрнберге Гитлер произнесет речь с открытыми угрозами в адрес Чехословакии. Если в ответ Англия и Франция твердо заявят о своей позиции, германская армия выступит против Гитлера и ее поддержит немецкое население, потому что никто не хочет войны. Лорд ничего вразумительного не ответил.

На съезде в Нюрнберге орал Геринг: *«Жалкая раса пигмеев-чехов угнетает культурный народ, а за всем этим стоит Москва и вечная маска еврейского дьявола!»*

Гитлер тоже орал, как всегда, проклинал чехов, но ни словом не обмолвился о своем решении напасть на них, только призвал правительство Чехословакии *«справедливо отнестись к судетским немцам».*

Заговорщики планировали арестовать Гитлера, когда он вернется в Берлин из Нюрнберга. Но Гитлер отправился в Мюнхен, и в это время пришла телеграмма. Премьер-министр Чемберлен предлагал фюреру срочно встретиться, чтобы найти способы мирного решения проблемы.

Устраивать путч, арестовывать Гитлера, когда британский премьер летит к нему на свидание, заговорщики не решились. Осталась надежда, что Чемберлен отклонит непомерные требования Гитлера, и тогда, как только фюрер вернется в Берлин, он будет арестован.

15 сентября Чемберлен впервые за свои шестьдесят лет решился лететь на самолете, так не терпелось ему встретиться с Гитлером и осуществить свою высокую миссию. Британцы единодушно восхищались мужеством премьер-министра, великого миротворца. «Таймс» публиковал восторженные оды Невиллу Чемберлену в прозе и стихах. По возвращении мистер сказал журналистам:

— *Несмотря на твердость и жестокость, которые, как мне показалось, я прочел на его лице, у меня сложилось впечатление, что передо мной человек, на слово которого можно положиться.*

В день визита Габи впервые услышала из уст своего сдержанного, интеллигентного мужа поток невообразимой брани в адрес мистера миссионера. Между немецкими ругательствами мелькали странные слова, вроде бы русские. Габи уже достаточно хорошо изучила русский, но таких слов не знала.

— Это что? — спросила она. — Переведи!

— Не для твоих ушей, — ответил Макс.

Через неделю мистер миссионер опять прилетел, на этот раз свидание состоялось в маленьком живописном городке Годесберге на Рейне. Личный переводчик фюрера Пауль Шмидт, тоже участник заговора, составил отчет для МИД. Надо отдать должное мистеру Зонтику, в начале переговоров его несколько смутили наглый напор и непрерывный истерический поток речей. Гитлер уловил напряжение, сбавил тон, пошел на мелкие уступки и сумел очаровать мистера Зонтика. Прощались они тепло, Чемберлен сказал, что у него появилось чувство, будто между ним и фюрером установились доверительные отношения.

Вернувшись в Лондон, премьер-министр выступил по радио.

«Как бы мы ни сочувствовали маленькому народу, вступившему в войну с сильным соседом, мы не можем только из-за этого вовлекать в войну всю Британскую империю. Если нам и придется воевать, то по более серьезному поводу».

Ну а что же французы? Что Москва? И, наконец, сами чехи?

Премьер-министр Франции Деладье во всем был солидарен с Чемберленом. Президент Бенеш выдерживал колоссальное давление англичан и французов, они требовали принять все условия Гитлера и твердили, что в противном случае Чехословакия станет виновницей кровавой европейской бойни. Чешская армия была хорошо вооружена и готовилась дать отпор немецкой агрессии. Из Москвы еще в июне пришло сообщение от посла Шуленбурга: «СССР вряд ли окажет помощь капиталистическому государству».

Гитлер вернулся в Берлин 24 сентября. Заговорщики назначили дату путча — 29 сентября.

В игру вступил Муссолини. Он предложил свое посредничество в переговорах. 28 сентября в палате общин Чемберлен заявил:

«Какое бы мнение благородные члены палаты ни имели о синьоре Муссолини, я верю, что каждый приветствует его мирный жест. Господин Гитлер приглашает меня встретиться с ним в Мюнхене завтра утром. Он пригласил также синьора Муссолини и месье Деладье».

Утром 29-го, именно в тот день и час, когда заговорщики планировали арестовать Гитлера, занять силами войск рейхканцелярию, главные правительственные учреждения и министерства, Гитлер вместе с Муссолини встречал в Мюнхене дорогих гостей, премьер-министров Англии и Франции.

Переговоры проходили в спокойной, доброжелательной атмосфере. Гитлер излагал свои требования. Премьеры слушали. Только один раз, когда Чемберлен спросил что-то о правах чешских фермеров, Гитлер сорвался и заорал:

— *Наше время слишком дорого, чтобы тратить его на такие мелочи!*

Больше мистер миссионер не перебивал фюрера.

К вечернему заседанию соизволили пригласить чехов, но не в зал, а в соседнюю комнату. Доктор Войтех Маетны, посол Чехословакии в Берлине, и доктор Хуберт Масарик, сотрудник МИД, просидели в этой комнате восемь часов в полной неизвестности. Наконец поздно вечером советник Чемберлена сэр Гораций Вильсон ознакомил их с основными пунктами четырехстороннего соглашения. Чехи попытались протестовать, но сэр Гораций оборвал их и быстро вышел из комнаты.

В половине второго утра Гитлер, Чемберлен, Муссолини и Деладье (именно в таком порядке) поставили свои подписи под Мюнхенским соглашением. Теперь немецкая армия могла беспрепятственно ступить на территорию Чехословакии и оккупировать Судетскую область. После подписания фюрер и дуче удалились, и тогда, наконец, в зал позвали чехов, чтобы ознакомить их с текстом договора.

Джованни Касолли был в Мюнхене, в свите дуче, оттуда заехал в Берлин, позвонил Габи.

Стояло бабье лето, теплые сухие дни. Они встретились в Тиргартене. Ося рассказал, как светились глаза фюрера и раздувались щеки дуче, когда они спускались по ступеням Фюрерхауса после подписания договора, как зевал Чемберлен, возвращаясь в свой отель. Деладье выглядел мрачным и подавленным. Кто-то из толпы журналистов спросил, доволен ли месье соглашением, месье ничего не ответил.

— Ну а что же Сталин? У них ведь был договор с Бенешем? — спросила Габи.

— Был, — кивнул Ося.

— Поляки и румыны не пропускают Красную армию через свои территории на помощь чехам?

— Поляки не пропускают, а вот с румынами нарком Литвинов договорился.

— И что?

— Ничего, как видишь... Ладно, Габи, у нас мало времени. Как твой муж?

— Держится, верит, что появится еще один шанс. Удар, конечно, жуткий. Все развалилось. Теперь никто из генералов возразить фюреру не посмеет, а уж об аресте речи быть не может. Гениальный фюрер хапнул очередной лакомый кусок так же легко, как Рейнскую зону и Австрию, без единого выстрела, не пролив ни капли немецкой крови. Скажи, это правда, что Бенеш клюнул на удочку Гейдриха и передал Сталину миф о заговоре в Красной армии?

— Не знаю. Вполне возможно. Искренне поверил и счел своим долгом предупредить, они ведь были союзниками.

— Тупые чехи сами себе роют могилу, — пробормотала Габи.

— Прости, я не понял.

— Так... вспомнила пьяный треп одного полковника СС.

555

— Зонтик тоже хотел предупредить Гитлера о заговоре, — заметил Ося. — Это напрямую касалось твоего мужа. К счастью, хотя бы одна подлость Чемберлена не удалась, а то из мистера миссионера он превратился бы в мистера убийцу.

— Ты и это знаешь!

— Ну, я ведь работаю на английскую разведку, — Ося виновато улыбнулся и развел руками.

— А на советскую? — спросила Габи чуть слышно.

— Куда же я денусь? После того что натворил этот ублюдок Зонтик, кроме русских, никого не осталось. Работать на них практически невозможно, информацию передавать некому, если она все-таки доходит до Сталина, он ее не воспринимает. Я бьюсь лбом о стену, ищу лазейки, иногда нахожу, сам не понимаю, зачем это делаю, но выбора нет.

Ося вдруг обнял ее, стал целовать. Весь этот год, встречаясь, они ни разу не прикасались друг к другу, честно держали дистанцию.

У маленькой Габи закружилась голова, отчаянно забилось сердце. У взрослой хватило сил отвернуться от его губ и сказать:

— Прости, мне пора. Меня ждет муж. Не могу его обманывать, особенно сейчас.

* * *

Жгучий интерес Сосо к Адольфу слегка остыл в 37-м, в разгар чисток. После третьего показательного процесса в марте 1938-го, обглодав косточки Бухарина, Рыкова и еще десятков тысяч жертв ритуального пиршества, сытый демон Сталин отвернулся от своих разгромленных владений и повернул бычью башку в сторону голодного демона Гитлера.

Разбитая собственным правительством Красная армия писала доносы и пила. Масштабы пьянства смущали даже опытного выпивоху Клима, наркома обороны товарища Ворошилова. Ничего не осталось от разведки, кроме небольшой спецгруппы профессиональных убийц, которые охотились по миру за престарелыми белоэмигрантами и невозвращенцами.

Было арестовано и расстреляно столько сотрудников Наркомата иностранных дел, что из-за нехватки дипломатов прекращались отношения с некоторыми странами. Нарком Литвинов писал Инстанции отчаянные письма:

«Семь недель нет полпреда в Париже. Поверенные в делах не говорят ни на одном языке, кроме русского (Варшава). Полпред П.П. Листопад и его подчиненные не поддерживают отношений ни с одной дипломатической миссией, не общаются с поляками. Когда им приходится участвовать в церемониях и заседаниях, они являются туда в полном составе и ни с кем не разговаривают.

Нет полпредов в Вашингтоне, Токио, Варшаве, Бухаресте, Барселоне, Ковно, Копенгагене, Будапеште, Софии. Не лучше обстоит дело с советниками и секретарями. Имеется свободных вакансий: советников — 9, секретарей — 22, консулов и вице-консулов — 30, атташе — 46. Все приезжающие в Союз в отпуск или по вызову заграничные работники не получают разрешения на обратный выезд. Мы с последней почтой не получили никаких документов из Лондона ввиду остутствия там машинистки. Со вчерашнего дня остановила свою работу курьерская служба, дипкурьеров не выпускают за границу до рассмотрения их личных дел».

Хозяин поручил своему главному специалисту по кадрам товарищу Маленкову разобраться с дипломатами. Маленков направил в НКИД сотню кристальных коммунистов, но привереда Литвинов опять был недоволен, пожаловался Сталину, что только пятнадцать из них более или менее владеют каким-нибудь иностранным языком и ни один на ответственные должности в посольствах не годится.

На ответственную должность не годился и очередной советский полпред в Берлине Алексей Мерекалов. Немецким он не владел, по профессии был инженер-хладобойщик.

В марте 1938-го пасть Гитлера широко открылась, и гуманные демократические правительства ведущих европейских держав поскорее запихнули туда огромный вкусный кусок, Австрию. Их вдохновил недавний опыт. В тридцать шестом, проглотив Рейнскую зону, Гитлер облизнулся, заявил, что сыт, и долго переваривал съеденное. Гуманные правительства надеялись, что уж Австрией он точно наестся до отвала. Но не прошло и месяца, как пасть открылась вновь. Гитлер завопил о мучениях судетских немцев под пятой неполноценных чехов. В мае германские войска подошли к границам Чехословакии.

Главными союзниками Чехословакии были Франция и СССР. От этих двух держав зависело, станет ли Чехословакия следующим вкусным куском или сохранится как самостоятельное государство.

Спецреферент Крылов опять работал по двенадцать часов в сутки, составлял справки и сводки по Судетскому кризису. Хозяина интересовало, что думают о нем французы, англичане, американцы.

Перехваченная дипломатическая переписка свидетельствовала, что ничего хорошего гнилые капиталисты о товарище Сталине не думают.

Посол Франции месье Кулондр докладывал своему правительству:

«Рассчитывать на реальную помощь со стороны России в случае войны с Германией невозможно. Россия подверглась такому кровопусканию, что находится в ослабленном состоянии».

Ему вторил французский военный атташе:

«Чистка, распространяющаяся по лестнице сверху вниз, глубоко дезорганизует воинские части и скверно влияет на

их обучение и даже на условия их существования. Дисципли-
на подорвана критикой со стороны подчиненных, которых
подталкивают и поощряют доносить на своих начальников,
постоянно подозреваемых в том, что завтра они окажутся
«врагами народа». Эта прискорбная ситуация наносит со-
ветским военным, высшему командованию больший урон, чем
мировая война, и делает Красную армию почти непригодной
к использованию».

Британский военный атташе писал: «...с военной точки
зрения имеются значительные сомнения относительно того,
способен ли СССР выполнить обязательства по договору с
Чехословакией и Францией, ведя наступательную войну».

Такого же мнения придерживался военный атташе
США: «*В связи с тем, что сильная КА в последние три года
была несомненным фактором мира в Европе, ее недавнее ос-
лабление в результате казни маршала Тухачевского и его соратников существенно подрывает силы, выступающие за
мир, и создает куда более вероятные перспективы для япон-
ской и фашистской агрессии*».

В свои сводки Илья вносил высказывания послов и военных атташе в натуральном виде, ничего не смягчал, не
старался вычеркнуть самое обидное, оставить что-то более или менее лестное. Если бы он попытался это сделать,
пришлось бы все вычеркивать.

Хозяин реагировал на клеветнические злопыхательства
капиталистов по-разному. Уголовник Сосо матерился. Демон Сталин молча задумчиво покручивал ус.

Все лето президент Бенеш спрашивал, готов ли СССР
выполнить свои союзнические обязательства? Сталин
каждый раз отвечал: разумеется, СССР готов, не волнуйтесь, господин Бенеш. Но Бенеш все равно волновался,
потому что на конкретные вопросы — сколько самолетов,
танков, пехоты даст ему Сталин, если Гитлер нападет на
Чехословакию, ответа не было.

Бенеш не верил французам и англичанам, когда они
твердили, что Красная армия разгромлена и рассчитывать

на помощь Сталина не стоит. Он до последнего тешился иллюзией, будто у него есть сильный надежный союзник, который не оставит его в беде.

К сентябрю ситуация обострилась до предела. Илья включал в сводки подробную информацию о свиданиях Чемберлена с Гитлером. Он получал ее от Оси и, как обычно в таких случаях, ссылался на дипломатические источники.

После двух свиданий Чемберлена и Гитлера наркому Литвинову удалось договориться с румынами. 24 сентября пришла нота из Бухареста. Румынское правительство выражало официальное согласие на переброску через территорию Румынии советских войск и на масштабные перелеты советских самолетов в ее воздушном пространстве. Сталин приказал не информировать об этой ноте ни Прагу, ни Париж и ничего не ответил Бухаресту.

Через три дня Бенеш опять просил о помощи, и опять никакого ответа. В последний раз он пытался докричаться до своего надежного союзника, когда все уже было кончено, Мюнхенский договор подписан. Союзник не отозвался.

Сосо очень обиделся, что его не пригласили в Мюнхен. Сам он бы вряд ли полетел. Это значило бы выйти за пределы своей сказки в чужой и неподвластный ему мир. Он мог бы отправить... Интересно, кого? Никакие полпреды и наркомы не годились для такого высокого совещания. Каганович тоже не годился. Калинин, Ворошилов? Совсем смешно... Наверное, он отправил бы Молотова.

Сидя за большим столом в святилище, слушая тихое шипение матерной брани Инстанции в адрес договорившихся в Мюнхене, Илья обратил внимание, что в числе обидчиков ни разу не мелькнуло имя Гитлера, хотя именно Гитлер настаивал, чтобы Сталина не приглашали. Сосо это знал, но Адольфу он прощал все.

Последние месяцы тридцать восьмого года Сталин посвятил обновлению высшей жреческой касты, НКВД. Еще летом в руководстве НКВД почти не осталось евреев и коммунистов с дореволюционным партстажем. Сосо думал, что Адольф не хочет с ним дружить потому, что вокруг Сосо слишком много евреев и коммунистов. Сосо оставил возле себя только Кагановича. Одна из тайн демона Сталина заключалась в том, чтобы никто не сумел понять логику его поступков. Разве можно говорить, что Сталин целенаправленно уничтожает евреев, когда с ним рядом Каганович?

Ежов был снят с должности наркома НКВД и назначен наркомом водного транспорта. На заседаниях он делал из документов самолетики и запускал их в люстру. У малютки выпадали зубы, облезала кожа клочьями, он бродил по кремлевским коридорам, напоминая даже не тень человека, а какого-то странного, разлагающегося живьем зверька. Когда его арестовали, при обыске в его квартире в Кремле в ящике стола нашли пакет. Внутри лежали сплющенные пули. Каждая была завернута в бумажку с надписью карандашом: Зиновьев, Каменев, Смирнов. По всем шкафам валялись пустые и недопитые бутылки водки.

На смену Ежову пришел здоровый, крепкий кавказец по фамилии Берия, но ничего не изменилось. Шпионы шпионили, троцкисты троцкистили, террористы готовили покушения, диверсанты гноили колхозные урожаи, били вагоны яиц, подмешивали гвозди в сливочное масло, вредители организовывали давку в трамваях, очереди в магазинах, заставляли продавцов, работников почт, сберкасс и прочих госучреждений хамить гражданам.

В декабре 38-го Карл Рихардович слег с тяжелым бронхитом. И так случилось, что именно в это время о нем вспомнил Сталин. Слушая комментарии спецреферента Крылова к очередной сводке, вдруг спросил:

— А немец, который Гитлера лечил, как у него дела?

Илья похолодел и ответил:

— Болеет он, товарищ Сталин.

В кабинете сидели Молотов, Каганович и Берия. Сквозь блики пенсне глаза нового наркома впились в спецреферента. Это была их первая встреча лицом к лицу.

«Кажется, Берия не понимает, о ком речь», — подумал Илья.

— Чем болеет? — спросил Сталин.

— Бронхитом.

— Бронхит — ерунда. У меня туберкулез был, я поправился.

И тут Илья решился на невозможное. Глядя в глаза вождю открытым, преданным взглядом, сказал совершенно искренне, с детской доверчивостью:

— Товарищ Сталин, ну то вы, а то — немец. У него здоровье слабое, а работа тяжелая.

— Работа? — Сосо посмотрел на Берию.

Круглая тонкогубая физиономия нового наркома застыла, на лбу вздулась жила. Хозяин интересуется каким-то немцем, очень важным немцем, который лечил Гитлера, а он, Берия, ничего не знает. Он, Берия, должен сию минуту ответить Хозяину, где работает немец, но не может, впервые о нем слышит, всех немцев, бежавших от Гитлера, на территории СССР Ежов истребил, если остались живые, то в лагерях, а вот, оказывается...

— Товарищ Сталин, доктор Штерн работает в спецлаборатории икс под руководством товарища Блохина, — отрапортовал Илья и сделал паузу, благоразумно предоставив Берии объяснять, что такое спецлаборатория икс.

— Кто его туда определил? — спросил Хозяин.

— Слуцкий, — ответил Илья.

Абрама Ароновича уже не было в живых. По распоряжению Инстанции в феврале 38-го Слуцкого отравили подручные Ежова. «Правда» напечатала: «Умер на боевом посту». Хозяин не хотел огорчать зарубежную агентуру плохой новостью о расстреле начальника ИНО. Впрочем, огорчаться уже было некому, зарубежной агентуры больше не существовало. Через два месяца Слуцкого посмертно исключили из партии и объявили врагом народа, тоже в «Правде».

Разговор о Карле Рихардовиче длился целых десять минут. Берия предложил определить доктора Штерна преподавателем в Школу особого назначения (ШОН) при ИНО НКВД. В ШОН готовили разведчиков-нелегалов. Новый нарком восстанавливал порушенную разведку. Почти все преподаватели ШОН были расстреляны. А тут — настоящий немец, с чистым берлинским произношением, знакомый с тонкостями германской жизни. Зачем добру пропадать? Хозяин одобрил предложение своего нового наркома.

Илья сразу подметил, что, в отличие от Ежова, Берия соображал хорошо. Зверь, бандит, но не безумный жрец сталинского культа. Именно Берия посоветовал Сосо слегка притормозить, иначе скоро некого будет сажать и расстреливать. Для Ежова вся территория СССР была гигантским алтарем, на котором совершались ритуалы. Берия относился к стране как к воровской малине, то есть рационально. С его приходом заключенных из одиночек, где они гнили заживо на радость демону, стали отправлять в лагеря, чтобы рубили лес, добывали золото — на радость малине.

ШОН находилась в Балашихе, в двадцати километрах от Москвы. Туда ходили пригородные поезда с Курского вокзала. Карлу Рихардовичу предложили комнату при школе, но он попросил оставить его в квартире на Мещанской. Берия лично распорядился присылать за ним служебную машину с шофером. В школе Карл Рихардович преподавал немецкий, ставил произношение, устраивал курсантам воображаемые путешествия по Берлину и Мюнхену, постепенно приходил в себя после пряничного домика.

Трижды доктора возили ночью на Ближнюю дачу, где он развлекал Сосо и компанию рассказами о Гитлере, грызущем ковер, о напудренном морфинисте Геринге, о Геббельсе и его жене Магде — сколько у него любовниц, а у нее любовников.

После первого такого визита доктор изумленно делился впечатлениями.

— Я думал, они хотят узнать что-то серьезное, важное, а им подавай всякую дребедень. Кто с кем спит, кто гомик, какие у них там бабы... Вообще, эти веселые ребята мало чем отличаются от обитателей пряничного домика.

В январе Сосо был в бешенстве. Риббентроп полетел в Варшаву уговаривать поляков присоединиться к Антикоминтерновскому пакту, вступить в военный союз против СССР.

Впрочем, Адольф слегка подсластил эту пилюлю. Пока Риббентроп обрабатывал поляков, Берлин предложил Москве долгосрочный кредит в двести миллионов марок. Германский МИД сообщил, что для переговоров о кредите в Москву скоро прилетит советник Шнурре. Тот самый Шнурре, с которым когда-то встречались покойные Енукидзе и Канделаки.

30 января 1939-го в английской газете «Ньюс Кроникл» появилась разоблачительная статья о предстоящих переговорах между СССР и Германией. На следующий день перевод статьи напечатала «Правда». В комментариях говорилось о советско-германских переговорах как о великой победе советской дипломатии под руководством товарища Сталина в борьбе за мир.

По приказу Гитлера визит Шнурре в Москву был отменен. Спецреферент Крылов старательно цитировал в сводках дипломатическую переписку. Немцы недоумевали, зачем Москва, вместо того чтобы опровергнуть публикацию в «Ньюс Кроникл» или хотя бы промолчать, разожгла международный скандал и сорвала переговоры, которые планировались как секретные?

Сосо читал сводки и не понимал, что произошло. Требовал выяснить у немцев, где Шнурре? Почему до сих пор не прилетел? Посольство Германии вежливо извинялось и объясняло, что господин советник сейчас страшно занят.

Известие о том, что польское правительство отвергло предложение Риббентропа и никаких пактов с немцами против СССР заключать не будет, товарищ Сталин принял равнодушно и опять спросил о Шнурре.

В марте Гитлер вновь открыл пасть, но не стал ждать, когда кто-нибудь сунет туда очередной кусок, а принялся быстро доедать остатки Чехословакии. Демократические правительства возмущались, протестовали, подписывали коллективные декларации, предлагали созвать конференцию, собраться на совещание и через наркома Литвинова приглашали товарища Сталина во всем этом участвовать.

3 апреля французы передали Литвинову документ, добытый их разведкой. Распоряжение начальника верховного командования вооруженных сил Германии Кейтеля.

«Относительно плана «Вейс» фюрер распорядился о следующем: разработка плана должна проходить таким образом, чтобы осуществление операции было возможно в любое время, начиная с 1 сентября 1939 года».

Кодовое слово «Вейс» означало нападение на Польшу.

Французские и английские представители явились в Москву, хотели заключить договор о взаимопомощи против Гитлера. Сталин поручил Ворошилову говорить с капиталистами. Не позвали Сосо в Мюнхен, вот пусть теперь беседуют с Климом.

Кроме Кагановича, последним евреем на высоком руководящем посту оставался Литвинов. Сосо долго думал и, наконец, догадался, почему не летит Шнурре. Он снял Литвинова, назначил наркомом иностранных дел Молотова и приказал ему поскорее очистить наркомат от всех оставшихся евреев.

Через несколько дней посол Шуленбург известил Молотова, что советник Шнурре теперь готов прилететь на переговоры. Сосо велел Молотову напомнить немцам, как они сильно обидели его в январе, и передать Шуленбургу, что советское правительство согласится возобновить торговые переговоры только после того, как будет создана политическая основа. Шуленбург просил объяснить, какой смысл вкладывает господин Молотов в выражение «политическая основа», но товарищ Молотов не мог объяснить. Насчет смысла товарищ Сталин указаний ему не дал.

Хладобойщик Мерекалов был отозван в Москву и назначен директором Научного института мясной промышленности. В Берлине уже вовсю шли переговоры с новым поверенным, Георгием Астаховым*. Он свободно владел немецким, был опытным дипломатом. Он внятно объяснил немцам смысл выражения «политическая основа».

От Астахова летели шифротелеграммы, дипкурьеры привозили толстые пакеты с развернутыми отчетами. Предложения немцев становились все конкретнее и заманчивее.

— Ну пусть он посмотрит на карту, — говорил Карл Рихардович во время их вечерних прогулок по московским бульварам. — Австрия, Чехословакия, Польша, Россия. Зачем ему война? Он только внутри своей сказки великий и всемогущий. Война это реальность, границы сказки рухнут.

— Сосо уже не понимает, что у его сказки есть границы, — отвечал Илья. — Для него сказка стала былью.

Однажды майским утром 1939 года Илья пришел на службу, достал из сейфа бумаги и разложил на столе. Дверь открылась. Александр Николаевич Поскребышев сделал несколько неверных шагов, рухнул в старое скрипучее

---

*Астахов Георгий Александрович 19 августа 1939-го, за четыре дня до подписания пакта, был отозван в Москву и вскоре арестован. Умер в лагере в 1942-м.

кресло напротив стола. Толстые потрескавшиеся губы шевелились, Илья услышал хриплый шепот:

— А ведь он бьет меня! Схватит вот так за волосы, и мордой, мордой об стол.

«За волосы... — изумленно повторил про себя Илья. — Нет ни волоска, сколько его знаю, всегда лысый, голова гладкая, как бильярдный шар. Может, в святилище, в кабинете Инстанции, у него вырастает специальный чуб, чтобы Сосо мог схватить и мордой об стол?»

Илья налил воды, поднес к губам Поскребышева стакан. Александр Николаевич глотнул, уронил лицо на скрещенные руки, зарыдал тихо и страшно. По рукаву пиджака расползлось мокрое пятно. Илья достал из кармана платок, шепотом позвал:

— Александр Николаевич!

Поскребышев медленно поднял лицо, взял платок, вытер слезы, высморкался, выпил еще воды, прохрипел:

— Да, все, все... дай папиросу.

Илья закурил вместе с ним. Сквозь дым они молча смотрели друг другу в глаза. Илья ждал обычного матерного залпа в портрет Хозяина, однако на этот раз Поскребышев не повернулся в сторону портрета, не произнес ни одного ругательства. Когда он заговорил, голос звучал спокойно, ровно.

— Бронку взяли.

Жена Поскребышева, Бронислава, была красавица, моложе его на пятнадцать лет. Полтора месяца назад у них родилась дочь Наташа. Илья знал, что родного брата Брониславы, врача кремлевской больницы Михаила Металликова, взяли еще в феврале тридцать седьмого. Сестра жены Металликова была замужем за сыном Троцкого.

— Исчезла Бронка. Я позвонил Берии. Он говорит: откуда я знаю? Может, с любовником сбежала, нашла кого покрасивше. Поиздевался всласть, потом сказал: задержана. Я к Хозяину, а он... — Поскребышев зажмурился, опять замотал головой. — Он, конечно, посочувствовал и

567

говорит: ничего не могу, это дело НКВД. Да ты не беспокойся, Саша, мы найдем тебе новую жену...

Бронка, Бронюшка, за брата ходила просить Берию, все не может смириться... Молоко для Наташки сцедила в бутылочку и ушла, няньке сказала, вернусь скоро. Ну как думаешь, Крылов, может, отпустят, а?

Существо из ритуальной реальности, жрец сталинского культа, никогда бы не задал такого глупого человеческого вопроса. На такие вопросы в ритуальной реальности всегда один ответ*.

Поскребышев не ждал от спецреферента Крылова лживых утешений. Глупый вопрос был всего лишь последним всхлипом в приступе рыданий. Кроме младенца Наташи, на руках Александра Николаевича остался еще один ребенок, пятилетняя дочь Брониславы от первого брака.

— Платок позаимствую у тебя, — произнес Поскребышев и тяжело поднялся. — Ты вот что, немца своего этого, Штерна, предупреди, Хозяин скоро опять вызовет его. Справка по торговым договорам готова?

— Конечно, Александр Николаевич, — Илья достал из сейфа папку, протянул, — вот, возьмите.

— Все проверил?

Лицо Поскребышева уже скрылось под обезьяньей маской суровой деловитости, но глаза еще жили. Когда он взял папку из рук Ильи, прошептал:

— Твою не тронет, главное, с детишками не спешите, пока на сцене пляшет, не тронет, понял? Вот пусть молча пляшет, и все.

Оставшись один, Илья распахнул окно, было трудно дышать.

Два года назад на премьере «Аистенка» Сосо улыбался и хлопал, когда Маша крутила свои фуэте. Теперь, кроме Аистенка, она танцевала на сцене Большого Куклу в

---

*Бронислава Соломоновна Поскребышева расстреляна в 1941-м.

«Щелкунчике», Зарему в «Бахчисарайском фонтане», Суок в «Трех толстяках», репетировала сразу несколько партий в новой постановке «Конька-Горбунка».

Илья стоял у окна, зажмурившись, вдыхал утренний майский воздух. В голове крутились разные доводы, почему жену Поскребышева демон слопал, а жену Крылова не слопает.

Крылов не входит в ближний круг. В отличие от Бронки Поскребышевой, Маша Крылова никогда не сидела за одном столом со Сталиным, не ездила на Ближнюю дачу, ее брат еще ребенок, а не кремлевский врач. Да, но ее мама — кремлевский врач, и однажды побывала на Ближней, вскрыла нарыв на ноге со сросшимися пальцами. Ну и что? Никаких родственных связей с Троцким нет. Можно подумать, что у всех, кого берут, есть родственные связи с Троцким. Бронка наполовину еврейка, наполовину полька. Маша русская. Хотя нет! Покойная бабушка, мама Веры Игнатьевны, была еврейка, то есть Вера Игнатьенва наполовину, Маша на четверть. У папы, Петра Николаевича, дед то ли поляк, то ли литовец... Но из артистов Большого никого не взяли даже в тридцать седьмом, а Маша уже солистка, и сейчас тридцать девятый...

Порыв теплого ветра ударил в лицо, звякнула форточка. Илья опомнился, тряхнул головой и прекратил эти бессмысленные споры с самим собой: возьмут, не возьмут, почему, за что. Искать логику в ледяном хаосе магического сознания демона Сталина все равно что заниматься гаданием, но не на пятаке, не на картах или кофейной гуще, а на мучениях и смертях сотен тысяч людей.

Он вернулся к столу, занялся очередной сводкой.

Ни одного советского агента на территории рейха не осталось. Информация о Германии, добытая разведками других стран, приходила через посольства этих стран в Москве, ее воровали или получали легально. Доклады послов и атташе, протоколы переговоров, официальных и тайных, подтверждали: сближение Сталина с Гитлером обернется катастрофой. Да в общем, не требовалось никаких подтверждений, достаточно было вспомнить события последних трех лет и взглянуть на карту.

У Ильи в голове постоянно звучало: «Если завтра война».

Пакт между СССР и Германией — война, без всяких «если». Спецреферент Крылов пытался донести эту простую мысль до сознания Инстанции через свои сводки.

Для кого он их составлял? Для Сосо? Но Сосо твердо верил: если они с Адольфом договорятся, Адольф после Польши нападет на Францию, на Англию, а на Сосо нападать не будет. Для товарища Сталина? Но товарищ Сталин уже кружился в ритуальном брачном танце с товарищем Гитлером.

ЭПИЛОГ

За стеклом иллюминатора Габи видела леса, бесконечные равнины, темные пятна деревень, редкие ниточки дорог. После бессонной ночи слипались глаза. Она смотрела на блеклое, грустное, беззащитное пространство, по которому ползла крестообразная тень самолета, и думала: «В этом самолете летит война, в самолете фюрера летит смерть».

Никому из всей большой свиты Риббентропа не удалось поспать ни часа в гостинице в Кенигсберге, откуда делегация утром 23 августа вылетела в Москву.

Всю ночь Риббентроп вносил поправки и дополнения, исписал своим косым крупным почерком гору бумаг, требовал срочно соединить его то с Берлином, то с Берхтесгаденом. Когда говорил с Берлином, орал как бешеный. Если в трубке был Берхтесгаден, говорил тихим, сладким голосом:

— Да, мой фюрер... непременно, мой фюрер... вот этот вопрос я бы хотел уточнить, если позволите, мой фюрер.

Трубка в его руке дрожала, и было слышно, как в трубке орет его фюрер.

Габриэль фон Хорвак включил в состав делегации глава секретариата Эрих Кордт, с одобрения Риббентропа. Она уже неплохо знала русский и могла пригодиться в Москве. О том, что она попадет на сами переговоры в Кремль, не было речи. Ей предстояло сидеть в посольстве, переводить русские документы и писать отчеты для МИДа.

— Война начнется через неделю, — сказал Макс, провожая ее в Кенигсберг. — Первого сентября согласно плану «Вайс» германские войска войдут в Польшу.

Это понимали почти все в МИДе и в Министерстве обороны. Из пассажиров самолета только Риббентроп не понимал или делал вид, что не понимает. На его лице постоянно менялись гримасы: то лягушачья улыбка со сжатыми губами и сморщенным носом, то баранья сосредоточенность. Брови вниз, губы трубочкой. Брови вверх, губы бантиком. Иногда он отпускал бодрые шутки о русской водке, морозах и медведях. Ему не терпелось познакомиться со Сталиным, которого он называл *своего рода мистической личностью*.

За день до отлета Габи встретилась с Осей и вывалила ему гору информации, доказывающей, что пакт между Гитлером и Сталиным — это война.

— Все я знаю, и в Москве знают, — сказал Ося. — Сталин подпишет пакт. Гитлер готов предложить ему что угодно — половину Польши, Прибалтику, Финляндию, да хоть Австралию с Новой Зеландией. Англичане и французы ни кусочка чужой земли Сталину не предлагают, поэтому пакт он подпишет с Гитлером, а не с ними. К тому же он давно безответно влюблен в Гитлера. Наконец добился взаимности. Как ты думаешь, у тебя там будет хоть капля свободного времени?

— Понятия не имею. Мы летим всего на сутки.

— Если вдруг удастся немного погулять по Москве, обязательно пройди по Никитскому бульвару, он совсем недалеко от посольства. Вечером, часов в девять, там очень приятно гулять. Тихо, красиво.

— Я постараюсь, — обещала Габи, — но это не от меня зависит.

Самолет приземлился. Габи увидела фанерный щит с надписью «Москва» по-французски, флаги со свастикой, с серпом и молотом. У трапа Риббентропа встретил толстый советский чиновник с развевающимися седыми волосами.

Делегацию ждала вереница тяжелых сверкающих автомобилей, похожих на американские «бьюики». Молодые люди в темных костюмах бегали и помогали рассаживаться.

За окном мелькали деревья, пустыри, какие-то трубы, бетонные заборы, косые деревянные домики, фанерные щиты с лозунгами и портретами Сталина, прямоугольные двухэтажные коробки с черными дырами окон, покрытые облезлой розовой или желтой краской. Габи подумала, что это хозяйственные постройки, склады, ангары, но заметила возле коробок белье на веревках и поняла, что внутри живут люди.

Когда миновали окраины, появились высокие дома, широкие проспекты, трамваи, много прохожих. Макс оказался прав. Изображений Сталина тут было больше, чем людей на улицах. В глазах рябило от плакатов, лозунгов, марширующих гигантов с серпами, молотами, снопами колосьев. Пропаганда по рецептам Геббельса, только еще обильнее и грубее.

Старинное, очень красивое здание немецкого посольства находилось в Леонтьевском переулке, неподалеку от Никитского бульвара. Именно там, на Никитском, Ося встретился с доктором Штерном. Коричневый плащ, зеленая шляпа, оторванная пуговица, журнал «Крокодил». Доктор Штерн перепутал пароль. Габи помнила наизусть каждую деталь той встречи. Ося много раз повторял, что своим спасением она обязана вовсе не ему, а доктору Штерну и еще одному человеку. Ося ничего не знал о нем, называл «порядочный человек с возможностями», сокращенно — ПЧВ. Этому ПЧВ Ося передавал информацию через старика священника из итальянского посольства в Москве и через доктора Штерна.

После короткого фуршета Риббентроп уехал в Кремль.

Никакой срочной работы для Габи не было, но всех сотрудников секретариата попросили дождаться возвращения господина министра. Фуршет продолжился. Габи слушала привычную мидовскую болтовню ни о чем, видела знакомые улыбчивые лица. Ей стало казаться, что она не улетала из Берлина и никакого пакта не будет. Конечно, не будет. Никто не хочет войны.

Часам к восьми сияющий, румяный Риббентроп вернулся и восторженно делился со всеми собравшимися в обеденном зале впечатлениями о первом туре переговоров. Сталин пришел вместе с Молотовым, чтобы встретить его. Риббентроп гримасничал, шутил над Шуленбургом: столько лет служит послом и ни разу не удостоился личной встречи со Сталиным.

Рассказ о том, какой великий исторический пакт подпишут сегодня ночью товарищ Риббентроп и партайгеноссе Молотов, как они собираются делить Польшу и Прибалтику, Габи слушать не захотела, отправилась, наконец, погулять по Москве.

Выйдя из посольства, она пошла наугад по тихим зеленым переулкам и скоро очутилась на маленькой площади между двумя бульварами. Справа увидела православную церковь, ободранные купола без крестов, грязные стены, забитые досками окна. На минуту остановилась, вспомнила, что бульвар, который начинается у церкви и упирается в Арбатскую площадь, и есть тот самый Никитский, перешла площадь и медленно побрела по бульвару.

В ушах все еще звучал восторженный бред Риббентропа.

«У Сталина такое сильное, значительное лицо, одно мановение его руки становится приказом для отдаленной деревни, затерянной в сибирских просторах».

Габи механически отмечала, как бедно одеты люди, какие серьезные, усталые лица, ни одной улыбки. На нее косились, в ней угадывали иностранку, и поравнявшись, отворачивались, ускоряли шаг. Она села на скамейку, закурила. Мимо проехал на самокате мальчик лет семи, напевая какую-то веселую песенку. Габи пыталась разобрать слова, но не сумела, мальчик пел слишком тихо.

Кто-то сел рядом. Она повернула голову, увидела старика с милым профессорским лицом, в летней светлой шляпе, в помятом холщовом пиджаке, и подумала: «Ну вот, оказывается, не все в этом городе шарахаются от иностранцев».

— Я часто здесь гуляю, — произнес старик по-немецки.

— Вы немец? — спросила Габи.

Он долго смотрел на нее, вглядывался, улыбался, наконец, сказал:

— Меня предупредили, что вы вряд ли сумеете выбраться, но я все равно пришел, на всякий случай. Боялся, что не узнаю, одно дело фотография, другое — живой человек. Но я сразу узнал, с первого взгляда. Добрый вечер, Эльф. Я доктор Штерн.

Она уткнулась лбом ему в плечо и заплакала. Он молча погладил ее по голове. Когда она успокоилась и подняла лицо, опять увидела мальчика на самокате. На этот раз он проехал совсем близко, она сумела расслышать его песенку.

> Если завтра война,
> слепим бомбу из говна,
> в жопу пороху набьем,
> всех фашистов разобьем.

Она поняла все, кроме двух слов, и спросила доктора Штерна:

— Из чего слепим бомбу? Куда забьем порох?

Он объяснил. Габи очень давно не смеялась, а тут стала хохотать до слез. Карл Рихардович обнял ее и сказал сквозь смех:

— Разобьем, обязательно, разобьем.

Литературно-художественное издание

Дашкова Полина Викторовна

ПАКТ
Роман

Издано в авторской редакции

Зав. редакцией *Л. А. Захарова*
Технический редактор *Т. П. Тимошина*
Корректоры *О. А. Мельникова, Т. А. Супрякова*
Компьютерная верстка *Е. М. Илюшиной*

Подписано в печать 03.04.2012.
Формат 84х108/32. Усл. печ. л. 30, 24.
Тираж 100 000 экз. Заказ № 2822.

Общероссийский классификатор продукции
ОК-005-93, том 2; 953000 – книги, брошюры

ООО «Издательство Астрель»
129085, г. Москва, пр-д Ольминского, 3а

Изготовлено при техническом участии
ООО «Издательство АСТ»

Вся информация о книгах и авторах на сайте: www.ast.ru

Заказ книг по почте:
123022, Москва, а/я 71, «Книга – почтой» или на сайте: shop.avanta.ru

По вопросам оптовой покупки книг обращаться по адресу:
г. Москва, Звездный бульвар, д. 21, 7-й этаж
Тел.: (495) 615-01-01, 232-17-16

Отпечатано с готовых файлов заказчика
в ОАО «Первая Образцовая типография»,
филиал «УЛЬЯНОВСКИЙ ДОМ ПЕЧАТИ»
432980, г. Ульяновск, ул. Гончарова, 14